기계안전기술사 [2023년 개정판]

- 최근 10회차 기출 해설집

발 행 | 2022년 12월 19일

역 자 | 김홍대 기술사 (기계안전, 인간공학)

펴낸이 | 한건희

펴낸곳 | 주식회사 부크크

출판사등록 | 2014.07.15.(제2014-16호)

주 소 | 서울특별시 금천구 가산디지털1로 119 SK트윈타워 A동 305호

전 화 | 1670-8316

이메일 | info@bookk.co.kr

ISBN | 979-11-410-0752-2

www.bookk.co.kr

기계안전기술사

[2023년 개정판]

기계안전기술사 김홍대

기계안전 기술사를 준비하시는 분들에게 이 책이 좋은 길잡이가 되기를 바랍니다.

CONTENT

기계안전기술사의 공부 조언   *7*

기계안전기술사 출제기준 및 빈도분석   *11*

2022년(126회) 기계안전기술사   *13*

2022년(126회) 기계안전기술사   *71*

2021년(124회) 기계안전기술사   *111*

2021년(123회) 기계안전기술사   *161*

2020년(121회) 기계안전기술사   *203*

2020년(120회) 기계안전기술사   *273*

2019년(117회) 기계안전기술사   *321*

2018년(114회) 기계안전기술사   *355*

2017년(111회) 기계안전기술사   *405*

2016년(108회) 기계안전기술사   *445*

2015년(105회) 기계안전기술사   *505*

〈참고문헌〉   *571*

기계안전기술사의 공부 조언

"한두 번의 도전으로 합격하기를 바라는 것은 기술사의 길과 거리가 멀다!"

저는 필기시험을 다섯 번이나 치르고 면접에 세 번을 떨어진 후 네 번 만에 기계안전 기술사에 최종 합격하였습니다.

현재 산업 현장의 생산기술은 컴퓨터 시스템의 고도화, 제품의 고품질화로 인하여 눈부신 진보를 이루어 왔습니다.
그러나 생산 현장은 기계설비의 자동화의 발달로 인하여 오퍼레이터 작업자의 반복 작업이 늘어났고, 생산량이 증가하고 생산라인이 점차 대형화 됨에 따라 한 번의 라인정지 만으로도 큰 손실이 발생하기 때문에 작업자가 비상시에 작업정지를 시행하기가 어렵게 되었습니다.
또한 작업설계 시 충분한 안전이 반영되지 않아 휴먼에러가 발생하여 제3자의 오조작 또는 별안간 기계설비가 움직이며 사고가 발생하는 등 작업자가 근원적 안전을 확보하지 못하여 위험한 상황에 직면하고 있습니다.
이로 인하여 산업현장에서는 교육적, 기술적, 관리적 요인과 관련하여 재해가 매년 증가하는 추세에 있습니다.

이러한 지금의 상황을 미루어 보았을 때 현업에 종사하고 있는 기술자로서 안전사고 예방에 관한 관련 지식은 필수조건이 되었습니다.

그래서 기계안전 분야에 흥미와 관심을 두고, 학업에 매진하며 포기하지 않은 결과! 최종 합격이라는 좋은 성과로 이어질 수 있었습니다.

학업과 직장생활을 겸비하는 것은 참으로 어려운 일이 아닐 수 없습니다.

한두 번의 실패를 경험하였을 땐 '조금 더 노력하면 되겠지.'라는 마음이 있었지만 몇 번의 실패를 거듭하자 두려운 마음과 자포자기 상태가 되면서 포기라는 단어가 제일 먼저 떠오르게 되었습니다.

몇 번의 방황을 딛고 다시 처음부터 시작하는 마음으로 도전하여 지금의 기술사가 될 수 있었습니다.

이러한 실패로 인해 기술사가 쉽게 얻어지는 것이 아니라는 것을 알게 되었고, 여러분도 안 된다고 자책하기보다는 천천히 정진해 나아간다면 좋은 결실을 볼 수 있을 것입니다.

포기란 단어에 흔들리지 않을 수 있게 나를 지탱해 줄 수 있는 여러 요소 중에는 특히 다음과 같은 부분이 있었습니다.

첫째, 저는 가족의 존재와 도움으로 인해 절대 포기하지 않는 습관을 지니게 되었습니다.
지금 생각해도 가족의 응원과 도움이 없었다면 필기시험 두세 번 만에 벌써 포기하고, 기술사는 남의 일이고 또 자격을 취득하신 분들을 마냥 우러러보았을 것입니다.

어떻게든 가족들에게 짐을 덜어주고자 하는 마음이었으며, 그것이 기술사를 취득하는데 저에게 큰 힘의 근원이 되었다고 생각합니다.

둘째, 학원이나 인터넷 등 정보 매체를 확인하고 도움이 될 만한 정보를 구하여 공부하기 좀 더 편한 환경을 구축하여 기술사 시험을 최단 기간 안에 합격할 수 있었습니다.
저 역시도 각종 카페나 인터넷 등을 뒤져 확인한 결과 멘토, 든든한 조력자 등을 만날 수 있었습니다. 이것은 기술사 공부를 하는 데 있어서 대단히 중요하다고 볼 수 있습니다.
기술사 공부를 하다 보면 자기 자신도 모르는 순간 공부가 되지 않고 답답하기만 하고 '이게 과연 맞는 답안일까?', '시험 경향에 맞추어서 내가 공부를 하고는 있는 걸까?', '내가 작성한 서브 노트로 과연 고득점을 할 수는 있을까?' 혼란스럽고 슬럼프가 오는 때가 있습니다.
그때 먼저 합격한 선배나 멘토에 조언을 구하고 나아가는 방향에 대해 질문을 던진다면 자신의 답답함이나 문제점에 대해 명쾌하게 해결 방안을 찾을 수 있게 될 것입니다.

셋째, 현장에 갔을 때 근로자들이 사용하는 기계설비 및 방호장치, 작업방법 그리고 작업환경 등이 산업안전보건법 규정에 맞는지를 확인 점검하고 또한 이러한 위험요소(불안전한 상태, 불안전한 행동)에 재해를 예방하기 위해서 더 좋은 방법들을 강구하게 되었고, 그 대책을 강구하기 위해 여러 기계안전에 관한 여러 서적도 찾아보게 되면서 자연스럽게 공부를 할 수 있었습니다.

또한 현장의 기계설비와 인간 사이에서 발생되는 여러 가지 배타설계, 보호설계, 안전설계와 Fail Safe, Fool Proof 등을 확인하고 유니버설 디자인 및 UX/UI 등도 응용하여 함께 배워나가는 것에 대한 즐거움을 느꼈습니다.

백문불여일견(百聞不如一見)이라고 했습니다.

지금 당장 현장으로 나가십시오.
어떠한 오류로 인하여 기계설비 사이에 끼이거나 재해의 위험에 노출되어있는지를 확인하고 재해를 예방할 수 있는 여러 가지 방법을 강구하여 보십시오.
훨씬 더 이해하기 쉽고 답안 작성도 수월해질 것입니다.

꾸준하게 하루 한 시간씩 두 시간씩 늘려나가다 보면 어느 순간 전혀 그려지지 않았던 답안이 그려지면서 공부하기가 훨씬 더 수월해지는 순간이 올 것입니다.

이렇다면, 합격에 거의 다가온 것이라고 할 수 있습니다.

'기계안전기술사 필기 해설집'을 응용하여 자신의 것으로 만든다면 좀 더 쉽게 공부 시간 및 합격 시간을 단축할 수 있으리라 믿어 의심치 않습니다.

여러분들의 기술사 최종합격을 진심으로 기원합니다!

기계안전기술사 출제기준 및 빈도분석

□ 필기시험

직무 분야	안전 관리	중직 무 분야	안전 관리	자격 종목	기계안전 기술사	적용 기간	2023.1.1.~2026.12.31
○ 직무내용 기계안전분야에 관한 고도의 전문지식과 실무경험에 의한 계획, 연구, 설계, 분석, 시험, 운영, 시공, 평가 또는 이에 관한 지도, 감리 등의 기술업무 수행							
검정방법			단답형/ 주관식논문형		시험시간		4교시, 400분(1교시당 100분)

시험과목	주요항목	세부항목	최근 10회 출제빈도(회)
산업안전관리론 (사고원인분석 및 대책, 방호장치 및 보호구, 안전점검요령), 산업심리 및 교육 (인간공학), 산업안전 관계 법규, 기계공업의 안전운영에 관한 계획, 관리, 조사, 그 밖의 산업기계안전에 관한 사항	1. 산업안전 관리론	1. 산업안전의 기본이론	9
		2. 안전관리체제 및 운영	1
		3. 산업재해조사 및 예방대책	2
		4. 무재해운동 등 안전 활동	1
		5. 안전보건 경영시스템	3
		6. 보호구 및 안전표지 등	5
	2. 산업심리 및 교육	1. 인간의 특성과 안전과의 관계	5
		2. 직업적성 및 산업심리	1
		3. 안전교육 및 지도	2
		4. 인간공학 및 행동과학	7
	3. 산업안전 관련 법령	1. 산업안전보건법	71
		2. 산업안전보건기준에 관한 규칙	22
		3. 기계설비의 산업표준	2

시험과목⑨.	주요항목	세부항목	출제빈도(회)
산업안전관리론 (사고원인분석 및 대책, 방호장치 및 보호구, 안전점검요령), 산업심리 및 교육 (인간공학), 산업안전 관계 법규, 기계공업의 안전운영에 관한 계획, 관리, 조사, 그 밖의 산업기계안전에 관한 사항	4. 기계·설비의 안전화	1. 기계설비의 위험점	5
		2. 본질적 안전화	4
		3. 위험기계기구 및 설비의 방호조치	24
		4. 산업기계 설비 및 운반기 계의 특징과 안전한 사용	25
		5. 산업용 로봇, 유공압 시스템 및 공장자동화	1
		6. 인터록시스템 등	0
	5. 기계공학	1. 기계재료, 용접결함, 열처리	57
		2. 재료시험 및 응력해석	17
		3. 기계설계 및 기계제작	16
		4. 정역학, 유체역학 및 재료역학	4
		5. 비파괴공학 및 시험검사	7
	6. 설비진단 및 위험성평가	1. 기계·설비결함의 진단 및 평가	8
		2. 기계·설비의 위험성 평가	6
		3. 신뢰성공학	1
		4. 유해위험방지계획서 작성 및 평가	0
		5. 공정안전관리	1
	7. 그 밖의 기계안전에 관한 사항	1. 제조물 책임법	4
		2. 안전문화	1
		3. 기타 전기, 화공 안전에 관한 기본사항	25
		4. 그 밖의 기계안전 시사성 관련 사항	2

제127회 (2022년)
기계안전기술사

127회 기계안전기술사 출제 유형

교시	번호	세부항목
1	1	산업안전보건법
1	2	산업안전보건법
1	3	산업안전보건기준에 관한 규칙
1	4	무재해운동 등 안전 활동
1	5	산업안전보건법
1	6	기계재료, 용접결함, 열처리
1	7	위험기계기구 및 설비의 방호조치
1	8	산업안전보건법
1	9	산업안전보건법
1	10	보호구 및 안전표지 등
1	11	기계·설비결함의 진단 및 평가
1	12	산업안전보건기준에 관한 규칙
1	13	기계·설비의 위험성 평가
2	1	산업안전의 기본이론
2	2	인간의 특성과 안전과의 관계
2	3	기계설계 및 기계제작
2	4	기계·설비결함의 진단 및 평가
2	5	기계재료, 용접결함, 열처리
2	6	기계설비의 위험점
3	1	산업안전보건기준에 관한 규칙
3	2	인간의 특성과 안전과의 관계
3	3	기계설계 및 기계제작
3	4	산업기계 설비 및 운반기계의 특징과 안전한 사용
3	5	기계·설비의 위험성 평가
3	6	기계재료, 용접결함, 열처리
4	1	인간공학 및 행동과학
4	2	산업안전보건기준에 관한 규칙
4	3	산업기계 설비 및 운반기계의 특징과 안전한 사용
4	4	위험기계기구 및 설비의 방호조치
4	5	산업기계 설비 및 운반기계의 특징과 안전한 사용
4	6	공정안전관리

127회 (2022년) 기계안전기술사

2022년도	분야	안전관리	자격 종목	기계안전기술사	성명	

※ 다음 문제 중 10문제를 선택하여 설명하시오. (각 문제당 10점)

1. 중대재해처벌법에서 정의하는"중대재해"란 무엇인지 설명하시오.

[127회 1교시 1번] [126회 1교시 11번] [123회 3교시 3번]

중대산업재해

"중대산업재해"란 「산업안전보건법」 제2조 제1호에 따른 산업재해 중 다음 각 목의 어느 하나에 해당하는 결과를 야기한 재해를 말한다.

　　가. 사망자가 1명 이상 발생

　　나. 동일한 사고로 6개월 이상 치료가 필요한 부상자가 2명 이상 발생

　　다. 동일한 유해요인으로 급성중독 등 대통령령으로 정하는 직업성 질병자가 1년 이내에 3명 이상 발생

중대시민재해

"중대시민재해"란 특정 원료 또는 제조물, 공중이용시설 또는 공중교통수단의 설계, 제조, 설치, 관리상의 결함을 원인으로 하여 발생한 재해로서 다음 각 목의 어느 하나에 해당하는 결과를 야기한 재해를 말한다. 다만, 중대산업재해에 해당하는 재해는 제외한다.

　　가. 사망자가 1명 이상 발생

　　나. 동일한 사고로 2개월 이상 치료가 필요한 부상자가 10명 이상 발생

　　다. 동일한 원인으로 3개월 이상 치료가 필요한 질병자가 10명 이상 발생

2. 산업안전보건법시행령에서 정하는 안전검사 대상기계에 대하여 설명하시오.

[127회 1교시 2번] [126회 1교시 12번] [121회 3교시 4번] [114회 1교시 9번]
[111회 1교시 12번] [108회 3교시 2번] [105회 1교시 11번]

안전검사란?

유해하거나 위험한 기계·기구·설비로서 이를 사용하는 사업주는 안전검사대상 기계등의 안전에 관한 성능이 검사기준에 맞는지에 대하여 고용노동부장관이 실시하는 검사

산업안전보건법 시행령 제78조 (안전검사대상기계 등)

① 법 제93조 제1항 전단에서 "대통령령으로 정하는 것"이란 다음 각 호의 어느 하나에 해당하는 것을 말한다.
1. 프레스
2. 전단기
3. 크레인(정격 하중이 2톤 미만인 것은 제외한다)
4. 리프트
5. 압력용기
6. 곤돌라
7. 국소 배기장치(이동식은 제외한다)
8. 원심기(산업용만 해당한다)
9. 롤러기(밀폐형 구조는 제외한다)
10. 사출성형기[형 체결력(型 締結力) 294킬로뉴턴(KN) 미만은 제외한다]
11. 고소작업대(「자동차관리법」 제3조제3호 또는 제4호에 따른 화물자동차 또는 특수자동차에 탑재한 고소작업대로 한정한다)
12. 컨베이어
13. 산업용 로봇

② 법 제93조 제1항에 따른 안전검사대상기계 등의 세부적인 종류, 규격 및 형식은 고용노동부장관이 정하여 고시한다.

3. 사업주가 크레인의 설치·조립·수리·점검 또는 해체 작업을 하는 경우 조치하여야할 사항(7가지)을 설명하시오.

안전보건기준에 관한 규칙 제141조 (조립 등의 작업 시 조치사항)

사업주는 크레인의 설치·조립·수리·점검 또는 해체 작업을 하는 경우 다음 각 호의 조치를 하여야 한다.

1. 작업순서를 정하고 그 순서에 따라 작업을 할 것
2. 작업을 할 구역에 관계 근로자가 아닌 사람의 출입을 금지하고 그 취지를 보기 쉬운 곳에 표시할 것
3. 비, 눈, 그 밖에 기상상태의 불안정으로 날씨가 몹시 나쁜 경우에는 그 작업을 중지시킬 것
4. 작업장소는 안전한 작업이 이루어질 수 있도록 충분한 공간을 확보하고 장애물이 없도록 할 것
5. 들어올리거나 내리는 기자재는 균형을 유지하면서 작업을 하도록 할 것
6. 크레인의 성능, 사용조건 등에 따라 충분한 응력(應力)을 갖는 구조로 기초를 설치하고 침하 등이 일어나지 않도록 할 것
7. 규격품인 조립용 볼트를 사용하고 대칭되는 곳을 차례로 결합하고 분해할 것

4. 효과적인 집단의사 결정 기법 중 브레인스토밍(Brain Storming)기법에 대하여 설명하시오.

◇ 집단적 창의적 발상 기법으로 집단에 소속된 인원들이 자발적으로 자연스럽게 제시된 아이디어 목록을 통해서 특정한 문제에 대한 해답을 찾고자 노력하는 것

◇ 브레인스토밍이라는 용어는 알렉스 오스본(Alex Faickney Osborn)의 저서 Applied Imagination으로부터 대중화되었다.

◇ 기본 규칙 4가지

- ◆ 비판금지 : 남의 의견을 비판하지 않는다.
- ◆ 자유발언 : 아이디어를 자유롭게 발언할 수 있도록 한다.
- ◆ 대량발언 : 발언의 질에 관계없이 대량 발언할 수 있도록 한다.
- ◆ 수정발언 : 아이디어를 조합하고 수정하여 발언할 수 있도록 한다.

5. 산업안전보건법 시행규칙에서 정하고 있는 근로자 안전보건교육 중 관리감독자 정기 교육 시 교육내용 10가지를 설명하시오.
[127회 1교시 5번] [121회 2교시 3번] [111회 1교시 10번]

- ◆ 산업안전 및 사고 예방에 관한 사항
- ◆ 산업보건 및 직업병 예방에 관한 사항
- ◆ 유해·위험 작업환경 관리에 관한 사항
- ◆ 산업안전보건법령 및 산업재해보상보험 제도에 관한 사항
- ◆ 직무스트레스 예방 및 관리에 관한 사항
- ◆ 직장 내 괴롭힘, 고객의 폭언 등으로 인한 건강장해 예방 및 관리에 관한 사항
- ◆ 작업공정의 유해·위험과 재해 예방대책에 관한 사항
- ◆ 표준안전 작업방법 및 지도 요령에 관한 사항
- ◆ 관리감독자의 역할과 임무에 관한 사항
- ◆ 안전보건교육 능력 배양에 관한 사항

교육과정	교육대상		교육시간
가. 정기교육	사무직 종사 근로자		매분기 3시간 이상
	사무직 종사 근로자 외의 근로자	판매업무에 직접 종사하는 근로자	매분기 3시간 이상
		판매업무에 직접 종사하는 근로자 외의 근로자	
	관리감독자의 지위에 있는 사람		연간 16시간 이상

6. 가스용접 및 절단작업 시 발생하는 역화의 현상, 발생원인, 조치사항에 대하여 설명하시오.

[127회 1교시 6번] [121회 4교시 5번] [105회 2교시 5번]

1) 가스용접이란?

연소가스와 산소 혹은 공기와의 혼합 가스를 용접 토치에서 분사해, 고온의 화염을 접합부에 조사하여 금속을 용해시켜 접합하는 용접법

◆ 과열온도의 조정이 비교적 용이하고 가열 영역이 광범위하게 미치기 때문에 열전도율이 낮은 재료에 유효
◆ 가열 시간이 길기 때문에, 재질에 따라서는 열적인 손상이 발생하는 경우가 있음
◆ 연소가스의 종류에 의해 온도가 다르기 때문에 용접재료에 적절한 연소가스가 필요함
◆ 연소가스에 의한 연소온도와 용도

가스의 종류	연소 온도	용도
산소·아세틸렌	3,200℃	철강·비철금속
일반산소·수소	2,500℃	얇은 판자 철강·저융점 금속 후판
산소·석탄 가스	1,500℃	저융점 금속
공기·석탄 가스	900℃	아연, 납

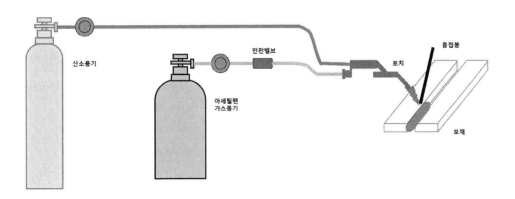

2) 가스용접 및 절단작업 시 발생하는 역화의 현상, 발생원인, 조치사항

◇ 화염의 역화 및 역류 발생요인
  ◆ 아세틸렌 가스 압력 부족
  ◆ 팁에 이물질 부착, 팁의 과열, 팁의 접촉

◇ 화염의 역화 방지대책
  ◆ 팁을 깨끗이 함
  ◆ 산소 차단
  ◆ 아세틸렌 차단
  ◆ 안전기 및 발생기 차단(아세틸렌 발생기 사용 시)

◇ 화염의 역화 방지대책
  ◆ 장비에 손상이나 결함이 있는지 점검
  ◆ 산소, 연료가스 장비의 가스용기 밸브를 잠금
  ◆ 취관밸브를 잠금
  ◆ 먼저 산소밸브를 닫고 그다음에 연료가스 밸브를 닫음
  ◆ 필요하다면 물로 취관을 냉각

◇ 화염의 역류 방지대책
  ◆ 아세틸렌 차단
  ◆ 팁을 물로 식힘
  ◆ 토치 기능 점검
  ◆ 발생기 기능 점검
  ◆ 안전기에 물을 넣어 다시 사용
  ◆ 가스가 호스로 역류하는 것을 방지하기 위해 취관을 스프링이 부착되어 있는 체크밸브에 확실히 고정
  ◆ 작업에 알맞은 가스압력과 노즐 치수를 사용

7. 파열판의 일반적인 사용조건을 설명하고 안전밸브와 직렬사용에 대한 사용 조건을 구분하여 설명하시오.

1) 파열판의 사용조건

◇ 파열판을 설치하여야 하는 기준은 안전보건기준에 관한 규칙 제262조[1](파열판의 설치)에 따르며 상세한 사항은 다음과 같다.

- 반응폭주 등 급격한 압력상승의 우려가 있는 경우
- 독성물질의 누출로 인하여 주위 작업환경을 오염시킬 우려가 있는 경우
- 운전 중 안전밸브에 물질이 점착되어 안전밸브의 기능을 저하시킬 우려가 있는 경우
- 유체의 부식성이 강하여 안전밸브 재질의 선정에 문제가 있는 경우

2) 파열판과 안전밸브의 직렬 설치

[KOSHA GUIDE D-67-2020 안전밸브와 파열판 직렬설치에 관한 기술지침]

- 압축성 유체 방출용 압력방출장치는 저장된 액체 위쪽의 증기 공간 내 압력용기에 연결하거나, 보호해야 할 압력용기 내 증기 공간에 연결된 배관에 연결하여야 한다.

- 압력용기와 압력방출밸브 사이의 모든 관, 관이음쇠 및 되닫힘되지 않는 압력방출장치(설치한 경우)의 구멍은 최소한 압력 방출밸브의 입구 면적을 가져야 한다. 이때, 이 상류 계통의 특성들은 압력 강하로 인해 방출 용량이 요구값 이하로 감소되지 않거나, 압력 방출밸브의 적절한 작동에 악영향을 미치지 않아야 한다.

---

[1] 안전보건기준에 관한 규칙 제262조(파열판의 설치)
사업주는 제261조 제1항 각 호의 설비가 다음 각 호의 어느 하나에 해당하는 경우에는 파열판을 설치하여야 한다.
1. 반응 폭주 등 급격한 압력 상승 우려가 있는 경우
2. 급성 독성물질의 누출로 인하여 주위의 작업환경을 오염시킬 우려가 있는 경우
3. 운전 중 안전밸브에 이상 물질이 누적되어 안전밸브가 작동되지 아니할 우려가 있는 경우

- 압력용기 노즐은 압력용기와 압력방출장치 사이의 유동에 지장이 없도록 설계 하여야 한다.

- 한 개의 연결부에 2개 이상의 압력방출장치를 설치할 경우 연결부의 입구 쪽 내부 단면적은 압력방출장치의 흐름을 제한하지 않는 크기이거나, 여기에 연결 된 안전장치의 조합 입구 면적과 같아야 한다.

- 보호를 받는 기기로부터 안전밸브의 입구까지의 연결은 파열판 안전장치의 영향을 포함한 안전밸브 입구까지의 압력강하가 그 안전밸브의 설정압력의 3%를 초과하지 않도록 가능한 짧아야 한다. 이때, 3% 압력강하는 그 안전밸브 의 최고방출 압력에서 배관 등을 포함하여 그 조합장치를 통과하는 흐름 상태 에서 산정한다.

- 파열판과 안전밸브로부터의 분출은 안전하게 처리하여야 하고, 의도하지 않았 는데도 불구하고 다른 기기(예를 들어 사용 중이 아니거나 정비 중인 기기)로 흘러 들어가 위험을 야기하는 것을 방지하여야 한다.

- 조합장치의 출구와 대기 또는 방산장치 사이의 분출배관은 항상 적절하게 드레인 하여야 한다.

- 배출물질의 분출 중에 예상되는 반력을 흡수하도록 조치를 하여야 한다. 배플 플레이트(Baffle plate)가 압력방출장치의 요구분출용량을 감소시키지 않는다면, 분출 유체의 방향 전환과 반동의 감소를 위하여 파열판 안전장치의 배출구에 장착될 수도 있다.

- 밀폐된 처리시스템에서는 드레인 포인트를 설치하기 어려울 수 있으나, 이런 경우 배관의 경로는 액체가 고일 수 있는 낮은 곳을 피해야 한다.

- 조합형 안전장치의 공급자는 파열판 안전장치와 안전밸브의 제조자가 제공하는 지침서에 추가하여 위험성평가의 결과를 감안한 조립 및 설치 지침서를 제공 하여야 한다.

8. 보일러 안전밸브와 관련된 다음 용어의 뜻을 설명하시오.

1) 설정압력 2) 분출압력 3) 호칭압력 4) 분출정지압력

[방호장치 안전인증 고시(제2021-22호)]

◇ "설정압력(set pressure)"이란 설계상 정한 안전밸브의 분출압력을 말한다.

◇ "분출압력(popping pressure)"이란 밸브 입구의 압력이 증가하여 디스크가 열림 방향으로 빠르게 움직여 유체를 분출시킬 때의 입구 쪽 압력을 말한다.

◇ "호칭압력"이란 압력의 크기를 호칭 수치로 나타내는 것을 말한다.

◇ "분출정지압력"이란 밸브 입구 쪽 압력이 감소하여 디스크가 밸브시트에 재접촉하거나 양정이 0이 되었을 때의 압력을 말한다.

◇ "분출차(blowdown)"란 분출압력과 분출정지압력과의 차이를 말하며 압력 수치 또는 차이의 백분율로 표기한다.

◇ "냉각차 시험압력(cold differential test pressure)"이란 배압과 온도에 대한 보정값이 반영된 상온에서의 설정압력을 말한다.

◇ "배압(back pressure)"이란 안전밸브 출구 쪽에 걸리는 압력을 말한다.

9. 리프트 권상드럼의 제작안전기준 4가지를 설명하시오.

[리프트 제작기준·안전기준 및 검사기준(노동부 고시)]

◇ 권상드럼은 다음 각호와 같아야 한다.
  * 드럼표면 안내홈의 결함, 마멸 등이 없을 것
  * 와이어로프 감김은 꼬임이 없을 것
  * 와이어로프 홈 부위의 마모상태는 원래치수의 20%를 초과하지 않을 것
  * 기계장치 및 도르래 등은 제62조 및 제63조의 규정에 따른다.
  * 수압, 유압을 동력으로 사용하는 경우는 압력계를 부착하고 정상적으로 작동되어야 하며 이음부에서 누수, 누유가 없어야 한다.

10. 공장내에 각기 다른 3대의 기계에서 각각 90dB(A), 95dB(A), 88dB(A)의 소음이 발생 된다면 동시에 가동했을 경우의 합성 소음도를 계산하시오.

◇ 합성소음도 계산식

- $SPL_{Total} = 10_{\log_{10}} (10^{\frac{L_{P1}}{10}} + 10^{\frac{L_{P2}}{10}} + 10^{\frac{L_{P3}}{10}} + 10^{\frac{L_{P4}}{10}} + \ldots\ldots + 10^{\frac{L_{PN}}{10}})$

◇ 합성 소음도 계산

- $SPL_{Total} = 10_{\log_{10}} (10^{\frac{90}{10}} + 10^{\frac{95}{10}} + 10^{\frac{88}{10}}) = 96.81 dB(A)$

SPL_{Total} : 공정별 합성 소음도

SPL : 이격거리별 예측 소음도

11. 인화성 액체를 취급하는 배관이음 설계기준 3가지를 설명하시오.

[KOSHA GUIDE P-75-2011 인화성 액체의 안전한 사용 및 취급에 관한 기술지침]
[KOSHA GUIDE D-52-2013 배관계통의 공정설계에 관한 기술지침]

◇ 배관 및 호스

(1) 밸브의 씰 및 플랜지 가스킷을 포함한 인화성 액체를 취급하는 배관 시스템의 재질은 취급하는 물질에 저항성이 있는 것을 사용하여야 하며, 관련된 코드에 적합하게 설치하여야 한다.

(2) 플라스틱 재질 등은 취급하는 유체의 순도 유지 등과 같은 그 재질을 사용하여야 하는 특수한 이유가 있는 경우에 한하여 사용한다.

(3) 배관시스템은 누출 가능성을 최소하기 위하여 가능하면 용접에 의한 연결 방법을 사용한다.

(4) 배관시스템은 액체의 열팽창에 의한 과압에 충분히 견딜 수 있도록 설계하거나 액체 열팽창용 안전밸브를 설치하여야 한다.

(5) 배관을 트렌치 내에 설치하는 경우에는 부식성이 있거나 상호 반응성이 있는 물질을 이송하는 배관을 같은 트렌치 내에 설치해서는 안 된다.

(6) 배관과 전선을 같은 트렌치 내에 설치하는 것은 피해야 한다.

(7) 지하에 설치하는 배관을 부식되지 않도록 배관 외부에 적절한 코팅을 하여야 한다. 이때, 플렌지 연결부위는 지하에 매설해서는 안 된다.

(8) 신축성이 있는 호스는 인입 연결구 및 진동에 의한 손상 가능성이 있는 경우에 한하여 사용한다.

◇ 배관 시스템 설계시 주요 체크리스트

(1) 모든 배관에서 취급할 HCN 이나 질소 등 독성 또는 치사 물질들은 파악되었는가?

(2) 폭연이나 폭굉을 위한 설계가 필요한 배관이 있는가?

(3) 가성소다와 같은 막힐 우려가 있는 배관의 넘침 배관 (Overflow line)을 감시할 필요가 있는가?

(4) 유체를 이송하는 데 적절한 재질을 선정하였는가? 예를 들어, 암모니아를 취급하는 곳에서 구리 그리고 염화벤질을 취급하는 곳에 구리나 철을 사용하지 않는 것과 같이 구조상 문제가 될 수 있는 재료를 피하였는가?

(5) 열에 민감한 물질이나 반응성 물질을 취급하는 펌프를 위해 고온이 되면 정지하도록 조치를 하였는가?

(6) 염소와 같이 유해한 액체의 열팽창에 대비하여 안전밸브 대신 서지드럼을 두었는가?

(7) 기계적 교반이 이루어지지 않아서 위험한 조건이 되는 경우를 대비하여 비상교반이나 딥배관(Dip pipe)을 설치하였는가?

(8) 설비의 가동이 정지되었을 때 배관 안에 있는 물질을 배출시킬 수 있도록 구멍(Weep hole)을 두었는가?

(9) 조작자의 부주의로 인화성 물질이나 매우 유해한 물질이 펌프 다음의 용기에서 넘쳐흐르는 것을 예방하기 위해 펌프 기동 스위치 스테이션에 데드맨을 설치하였는가?

(10) 다른 지역에서 공정지역으로 인화성 물질을 이송하는 펌프를 원격으로 정지시킬 필요가 있는가?

(11) 보일러의 물 공급 배관의 레귤레이터와 같이 열 방출을 위해 보온을 하지 않는 배관이 있는가?

(12) 위험물질 취급배관에는 적절한 가스킷의 형식과 재질을 사용하였는가?

12. 산업안전보건기준에 관한 규칙에서 크레인을 사용하여 작업을 할 때 작업시작 전 점검사항과 악천후 및 강풍 시 작업 중지 조건에 대하여 설명하시오.

◇ 작업시작 전 점검사항
1. 권과방지장치, 브레치크, 클러치 및 운전장치의 기능
2. 주행로의 상측 및 트롤 리가 횡행하는 레일의 상태
3. 와이어로프가 통하고 있는 곳의 상태

◇ 악천후 및 강풍 시 작업 중지
1. 사업주는 비, 눈, 바람 또는 그 밖의 기상상태의 불안정으로 인하여 근로자가 험해질 우려가 있는 경우에는 작업을 중지해야 한다. 다만, 태풍 등으로 위험이 예상되거나 발생되어 긴급 복구작업을 필요로 하는 경우에는 그러하지 아니하다.
2. 사업주는 순간풍속이 초당 10m를 초과하는 경우 타워크레인의 설치, 수리. 점검 또는 해체 작업을 중지해야 하며, 순간 풍속이 초당 15m를 초과하는 경우에는 타워크레인의 운전작업을 중지하여야 한다.

◇ 폭풍에 의한 이탈 방지
사업주는 순간풍속이 초당 30m를 초과하는 바람이 불어올 우려가 있는 경우 옥외에 설치되어 있는 주행크레인에 대하여 이탈 방지 장치를 작동시키는 등 이탈 방지를 위한 조치를 하여야 한다.

◇ 폭풍 등으로 인한 이상 유무 점검
사업주는 순간풍속이 초당 30m를 초과하는 바람이 불거나 중진 이상 진도의 지진이 있은 후에 옥외에 설치되어 있는 양중기를 사용하여 작업을 하는 경우에는 미리 기계 각 부위에 이상이 있는지를 점검하여야 한다.

13. 기계설비 위험성평가의 효율적인 실행을 위하여 준비하여야 할 사항 6가지를 설명 하시오.

[127회 1교시 13번] [126회 1교시 9번] [124회 1교시 12번] [124회 2교시 5번]
[123회 2교시 5번] [121회 1교시 11번] [120회 4교시 6번] [117회 4교시 3번]
[108회 4교시 6번] [105회 4교시 6번]

◇ 사전준비

위험성평가 실시규정 작성, 평가대상 선정, 평가에 필요한 각종 자료 수집
  1. 작업표준, 작업절차 등에 관한 정보
  2. 기계·기구, 설비 등의 사양서, 물질안전보건자료(MSDS) 등의 유해·위험요인에 관한 정보
  3. 기계·기구, 설비 등의 공정 흐름과 작업 주변의 환경에 관한 정보
  4. 같은 장소에서 사업의 일부 또는 전부를 도급을 주어 행하는 작업이 있는 경우 혼재 작업의 위험성 및 작업 상황 등에 관한 정보
  5. 재해사례, 재해통계 등에 관한 정보
  6. 작업환경 측정 결과, 근로자 건강진단 결과에 관한 정보
  7. 그 밖에 위험성평가에 참고가 되는 자료 등

국가기술 자격검정 시험문제

기술사 제 127 회				제 2 교시 (시험시간: 100분)		
2022년도	분야	안전관리	자격종목	기계안전기술사	성명	

※ 다음 문제 중 4문제를 선택하여 설명하시오. (각 문제당 25점)

1. 사고를 발생시키는 과정과 관련한 내용 중 다음을 설명하시오.
   [127회 2교시 1번] [126회 1교시 1번] [121회 2교시 1번]

1) 하인리히(Heinrich)의 도미노 이론을 각 단계별로 설명하시오.

◇ 산업재해는 사회적 환경, 개인적 결함, 불안전상태 등 5단계의 요소가 상관적, 연쇄적으로 작용하여 발행하게 되며, 어느 한 가지만 제거해도 재해가 예방된다는 이론

◇ 하인리히의 도미노 이론은 불안전한 행동과 상태의 제거에 초점

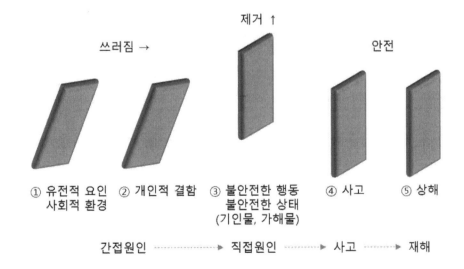

① 1단계 : 유전적 요인 및 사회적 환경
성장과정에서 사회 환경으로부터 학습된 환경적 요인과 유전적 혹은 신체적
요인으로, 사고의 기초원인(간접원인)이다.

◆ 사고의 성격적 특성은 유전적으로 발생
◆ 환경적 요인이 성격에 악영향을 초래

② 2단계 : 개인적 결함
무모하거나 격렬하고 급한 기질, 신경질 혹은 흥분적 기질, 또는 동기부여의
실패 등으로 사고의 2차원인(간접원인)이다.

◆ 선천적인 요인과 함께 개인적, 후천적 요인은 불안전한 행동을 유발
◆ 인적결함은 불안전한 행동 및 불안전한 상태를 유발

③ 3단계 : 불안전한 상태 및 불안전한 행동
불안전한 행동은 사고의 직접적인 원인이 된다. 예를 들면, 안전장치 기능 제거,
보호구 복장 미착용, 불안전한 조작, 불안전한 자세 위치 등과 같은 인적요인을
의미한다. 이러한 요소들은 직접 원인으로서 현장에서 이러한 직접 원인을 제거
하면 사고를 예방할 수 있다.

◆ 불안전한 상태
- 사고발생의 직접적인 원인으로 작업장의 시설 및 환경불량
- 안전장치의 결여, 기계설비의 결함, 부적당한 방호상태, 보호구 결함 등
◆ 불안전한 행동
- 직접적으로 사고를 일으키는 원인으로 인간의 불안전한 행위 등의 인적요인
- 안전장치의 기능제거, 기계, 기구의 잘못 사용, 보호구 미착용 등

④ 4단계 : 사고

◆ 불안전한 행동이나 상태가 선행되어 작업능률 저하
◆ 직접 또는 간접적으로 인명·재산 손실 초래

⑤ 5단계 : 재해

◆ 직접적으로 사고로부터 생기는 재해
◆ 사고의 최종결과로 인적, 물적 손실 초래

2) 직접 원인인 불안전한 상태와 근로자의 불안전한 행동에 대한 각각의 사례를 6가지씩 쓰고 설명하시오.

◇ 불안전한 상태

'불안전한 상태'는 작업을 수행하려고 할 때의 모든 외적조건에 잠재적 위험성을 가지고 있는 상태를 말한다. 예를 들면 부적합한 환경조건(고온·습도, 유해성 가스, 분진의 존재, 현저한 소음) 또 설비, 장치, 기계에 결함이 있고, 또 작업 용구, 보호구, 방호설비에 결함이 있는 등 재해발생의 우려가 많은 상태를 말한다.

◆ 재해원인 요소 분류에서는 불안전 상태 분류
① 물적 자체의 결함
② 방호조치의 결함
③ 물건의 두는 방법, 작업개소의 결함
④ 보호구, 복장 등의 결함
⑤ 작업환경의 결함
⑥ 부외적, 자연적 불안전상태
⑦ 작업방법의 결함
⑧ 기타 및 불안전상태가 아닌 것

◇ 불안전한 행동

불안전한 행동은 사고를 초래하게 된 근로자 자신의 행동에 대한 불안전한 요소를 말한다(노동부 재해원인의 분류에서) 이러한 불안전한 행동은 재해를 일으키는 직접적인 요인인 인적요인을 말한다.

◆ 재해원인 요소분류에 있어서 불안전한 행동의 분류
① 위험한 장소 접근
② 안전장치의 기능 제거
③ 복장, 보호구의 잘못 사용
④ 기계·기구의 잘못 사용
⑤ 운전중인 기계장치의 손질
⑥ 불안전한 속도 조작
⑦ 위험물 취급 부주의
⑧ 불안전한 상태 방치
⑨ 불안전한 자세 동작
⑩ 감독 및 연락 불충분
⑪ 기타

2. 산업안전보건기준에 관한 규칙에서 정하고 있는 양중기의 와이어로프 등 달기구에 대한 다음의 내용을 설명하시오.

[127회 2교시 2번] [114회 1교시 6번] [111회 4교시 2번]

1) 달기구의 안전계수 사용기준

> 제163조(와이어로프 등 달기구의 안전계수)
>
> ① 사업주는 양중기의 와이어로프 등 달기구의 안전계수(달기구 절단하중의 값을 그 달기구에 걸리는 하중의 최대값으로 나눈 값을 말한다)가 다음 각 호의 구분에 따른 기준에 맞지 아니한 경우에는 이를 사용해서는 아니 된다.
>   1. 근로자가 탑승하는 운반구를 지지하는 달기와이어로프 또는 달기체인의 경우 : 10 이상
>   2. 화물의 하중을 직접 지지하는 달기와이어로프 또는 달기체인의 경우 : 5 이상
>   3. 훅, 샤클, 클램프, 리프팅 빔의 경우: 3 이상
>   4. 그 밖의 경우: 4 이상
> ② 사업주는 달기구의 경우 최대허용하중 등의 표식이 견고하게 붙어 있는 것을 사용하여야 한다.

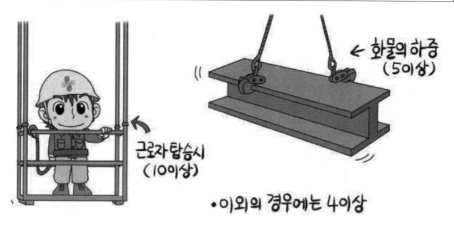

2) 곤돌라형 달비계를 설치하는 경우 준수사항

◇ 사업주는 곤돌라형 달비계를 설치하는 경우에는 다음 각 호의 사항을 준수해야 한다. 〈개정 2021. 11. 19.〉

1. 다음 각 목의 어느 하나에 해당하는 와이어로프를 달비계에 사용해서는 아니 된다.
    가. 이음매가 있는 것
    나. 와이어로프의 한 꼬임[[스트랜드(strand)를 말한다. 이하 같다]]에서 끊어진 소선(素線)[필러(pillar)선은 제외한다]]의 수가 10퍼센트 이상(비자전로프의 경우에는 끊어진 소선의 수가 와이어로프 호칭지름의 6배 길이 이내에서 4개 이상이거나 호칭지름 30배 길이 이내에서 8개 이상)인 것
    다. 지름의 감소가 공칭지름의 7퍼센트를 초과하는 것
    라. 꼬인 것
    마. 심하게 변형되거나 부식된 것
    바. 열과 전기충격에 의해 손상된 것
2. 다음 각 목의 어느 하나에 해당하는 달기 체인을 달비계에 사용해서는 아니 된다.
    가. 달기 체인의 길이가 달기 체인이 제조된 때의 길이의 5퍼센트를 초과한 것
    나. 링의 단면지름이 달기 체인이 제조된 때의 해당 링의 지름의 10퍼센트를 초과하여 감소한 것
    다. 균열이 있거나 심하게 변형된 것
3. 삭제 〈2021. 11. 19.〉
4. 달기 강선 및 달기 강대는 심하게 손상·변형 또는 부식된 것을 사용하지 않도록 할 것
5. 달기 와이어로프, 달기 체인, 달기 강선, 달기 강대는 한쪽 끝을 비계의 보 등에, 다른 쪽 끝을 내민 보, 앵커볼트 또는 건축물의 보 등에 각각 풀리지 않도록 설치할 것
6. 작업발판은 폭을 40센티미터 이상으로 하고 틈새가 없도록 할 것
7. 작업발판의 재료는 뒤집히거나 떨어지지 않도록 비계의 보 등에 연결하거나 고정시킬 것
8. 비계가 흔들리거나 뒤집히는 것을 방지하기 위하여 비계의 보·작업발판 등에 버팀을 설치하는 등 필요한 조치를 할 것
9. 선반 비계에서는 보의 접속부 및 교차부를 철선·이음철물 등을 사용하여 확실하게 접속시키거나 단단하게 연결시킬 것
10. 근로자의 추락 위험을 방지하기 위하여 다음 각 목의 조치를 할 것
    가. 달비계에 구명줄을 설치할 것
    나. 근로자에게 안전대를 착용하도록 하고 근로자가 착용한 안전줄을 달비계의 구명줄에 체결(締結)하도록 할 것
    다. 달비계에 안전난간을 설치할 수 있는 구조인 경우에는 달비계에 안전난간을 설치할 것

3. 기계사용에 대한 본질안전설계 대책 중 오조작에 의한 위험을 방지하기 위한 다음의 조치사항을 쓰시오.

[KOSHA GUIDE M-137-2012 기계의 제작 사용시 안전기준에 관한 기술지침]

1) 조작부분

오조작에 의한 위험을 방지하기 위해서 조작장치 등에 대해서는 다음에서 정하는 방법으로 조치할 것

(1) 조작부분 등은 다음에서 정하는 것으로 할 것
   (가) 기동, 정지, 운전제어 모드의 선택 등을 용이하게 할 수 있을 것
   (나) 식별을 명확하게 하고 오조작의 우려가 있는 경우에는 적절한 표시를 할 것
   (다) 조작의 방향과 그것에 의한 기계 운동부분의 동작 방향이 상호 일치할 것
   (라) 조작의 양 및 조작의 저항력이 조작에 의해 실행되는 동작의 양에 적합할 것
   (마) 유해·위험성이 있는 기계 운동부분에 대해서는 의도적인 조작을 하지 않는한 조작할 수 없을 것
   (바) 조작하고 있을 때만 기계의 운동부분이 동작하는 기능을 갖는 조작장치에 대해서는 조작부분으로부터 손을 놓아 조작을 중단했을 때는 기계의 운동부분이 정지됨과 동시에 해당 조작부분이 즉시 중립위치로 돌아갈 것
   (사) 키보드로 행하는 조작과 같이 조작부분과 동작과의 사이에 1:1 대응이 아닌 조작에 대해서는 실행되는 동작이 디스플레이 등에 명확하게 표시되고 필요에 따라 동작이 실행되기 전에 조작을 해제할 수 있을 것
   (아) 보호장갑 또는 안전화 등의 개인용 보호구의 사용이 필요한 경우 이를 사용함으로 인하여 발생할 수 있는 조작상의 제약이 고려되어 있을 것
   (자) 비상정지장치 등의 조작부분은 조작 시 예상되는 부하에 충분한 강도를 가질 것
   (차) 조작을 적정하게 하기 위해서 필요한 표시장치가 조작위치로부터 명확히 인식할 수 있는 위치에 있을 것
   (카) 신속하고 확실하게 조작할 수 있는 위치에 조작장치가 설치되어 있을 것
   (타) 안전방호를 해야 할 영역 (이하 "안전방호영역"이라 한다) 안에는 필요한 비상정지장치 등의 조작장치만 설치할 것

2) 기동장치

(가) 기동장치를 의도적으로 조작했을 때에 한하여 기계의 기동이 가능할 것

(나) 복수의 기동장치를 갖는 기계로 복수의 근로자가 작업에 종사할 경우 기동장치의 조작에 의해 다른 근로자에게 위험이 생길 우려가 있는 것에 대해서는 하나의 기동장치의 조작에 의해 기동하는 부분을 제한하는 등 해당 위험을 방지하기 위한 조치를 할 것

(다) 안전방호 영역에 근로자의 접근 여부를 알 수 있는 위치에 설치하고 설치 장소가 부적당한 경우에는 사각지대를 없애도록 기계의 형상을 변경하거나 또는 반사경 설치 등 간접적인 방법을 조치할 것

3) 운전제어모드

(가) 방호대책 또는 작업순서가 서로 다른 복수의 운전제어 모드로 사용되는 기계에 대해서는 각각의 운전제어 모드의 위치로 고정할 수 있고, 키 스위치, 패스워드 등에 의해 의도하지 않는 변환을 방지할 수 있는 모드 변환장치를 갖출 것

(나) 설정, 공정의 변환, 청소, 보수점검 등으로 인해 가드를 떼거나 방호장치를 해제해서 기계를 운전할 때에 사용하는 모드에는 다음의 모든 기능을 갖출 것

① 선택한 모드 이외의 운전모드로 작동하지 않을 것

② 유해·위험성이 있는 운동부분은 촌동장치 또는 양수조작 제어장치의 조작에 의해서만 동작할 수 있을 것

③ 동작을 연속해서 할 필요가 있는 경우 유해·위험성이 있는 운동부분의 동작은 저속도 동작, 저구동력 동작, 촌동 동작 또는 단계적 조작에 의한 동작으로 구분 되어 있을 것

4. 고령화 설비의 수명예측과 관련하여 다음을 설명하시오.

[KOSHA GUIDE M-146-2012 고령화 설비의 손상평가와 수명예측에 관한 기술지침]

1) 용어의 뜻을 설명하시오.

① 경년손상

"경년손상"이란 해가 거듭되면서 발생하는 손상으로, 재료가 고온에서 장시간 가열 및 담금질 등에 의하여 재료 전체의 특성이 변화하고, 특히 파괴인성 및 충격 에너지의 변화로 인하여 취성이 현저하게 나타나는 현상을 말한다.

② 열시효취화

"열시효취화"란 운전온도 300℃의 비크리이프 영역에서 장시간 가열에 의한 취화를 말한다.

③ 크리프

"크리이프(CREEP)"란 일정온도에서 일정한 하중이 작용하는 경우에 시간의 경과에 따라 재료의 변형이 증가하는 현상을 말한다.

2) 수명의 지배인자에 대하여 설명하시오.

◆ 설비의 수명예측은 최초 설계시뿐만 아니라, 사용기간 중에도 지속적으로 실시하여 최신의 발전된 기술을 도입하여 예측의 정확도를 기하여야 한다.

◆ 재료의 결함과 경년손상이 수명의 지배인자이다. 현재 설치된 기기에는 결함이 없는 것이 원칙이나, 공업재료는 대개 비금속 개재물, 편석 등의 재료결함을 내포하고 있으며, 기기의 사용기간 중에도 부식피트, 마멸, 피로균열, 응력부식 균열 등의 결함이 발생하고, 또한 그 결함은 재료결함 및 제조시의 결함을 시작점으로 하여 진전된다는 사실을 주지하여야 한다.

◆ 모든 결함을 파악하여 수명예측을 하는 것은 거의 불가능하므로, 일반적으로 설계시에는 결함을 고려하지 않는 것을 원칙으로 한다. 설계시의 수명 예측은 재료 및 구조가 건전하다는 것을 전제로 한다.

◆ 피로 및 응력부식균열은 국소파괴 현상이며, 재료 전체가 손상을 받지 않고 일부 구역에서 균열이 발생, 진전되어 파괴에 이른다.

- 온도 이력에 직접 관련되지 않는 경년손상으로는 수소취화 등이 있으며 그 특징은 다음과 같다.
  (1) 해가 거듭되면서 재료 전체의 취화가 진행된다.
  (2) 반드시 균열을 수반하지는 않는다.
  (3) 부하응력과 취화를 가속하는 경우가 있다.
  (4) 다른 요인으로 균열이 발생되는 경우에는 취화가 한계결함치수의 현저한 감소를 가져온다.
- 실제로 경년손상이 문제가 되는 것은 피로 및 응력부식균열 등의 복합 효과이다. 크리이프의 경우에는 기공이 발생, 성장하여 재료 전체의 손상에 부가하여 국부적으로 균열이 발생하여 진전된다.
- 경년손상은 좁은 의미에서 재료 전체의 취화이며, 넓은 의미에서 균열을 수반하는 현상을 포함하는 것으로 전자는 경년열화, 후자는 경년손상으로 구분한다.

5. 오스테나이트(Austenite)계 스테인리스강(StainlessSteel)에서 발생되는 입계부식의 현상과 방지대책에 대하여 설명하시오.

◇ 입계부식의 현상
- 오스테나이트계 스테인리스강을 500~800℃로 가열시키면 결정입계에 탄화물($Cr23C6$)가 생성하고 인접부분의 Cr량은 감소하여 Cr결핍증이 형성됨
- 이러한 상태를 만드는 것을 예민화처리라고 함
- 이렇게 처리된 강을 산성용액 중에 침지하면 Cr결핍증이 현저히 부식되어 떨어져 나감
- 크롬의 농도가 감소되면 내식성이 저하되기 때문에 스테인리스 스틸 고유의 특성인 금속의 전성, 연성을 상실하여 재료가 파단될 수 있음

◇ 입계부식의 방지대책
- 용접 후 고온 용체화 처리를 함
- 용접 접합부를 500~800℃로 가열 후 수냉시키면, 크롬탄화물이 재용해되어 고용체로 됨
- 탄소화 결합하는 합금원소를 첨가해 크롬탄화물이 형성되지 못하게 함
- 347형과 321형에 Nb와 Ti를 첨가하는데, 이것을 안정화조건이라고 함
- 탄소 함량을 0.03wt% 이하로 낮추어 상당한 양의 크롬탄화물이 생성되는 것을 방지할 수 있음

6. 기계설비의 위험점 종류 6가지를 쓰고 산업현장에서 적용되는 사례를 각각에 대하여 설명하시오.

구분	내역	그림
협착점	▪ 왕복 운동을 하는 동작부분과 움직임이 없는 고정부분 사이에서 형성되는 위험점 ▪ 사업장의 기계 설비에서 많이 볼 수 있음 예) 인쇄기, 프레스, 절단기, 성형기, 펀칭기	
끼임점	▪ 고정 부분과 회전하는 동작 부분이 함께 만드는 위험점 예) 연삭숫돌과 작업받침대, 교반기의 날개와 하우스, 반복왕복 운동을 하는 기계부분	
절단점	▪ 회전하는 운동 부분 자체 ▪ 운동하는 기계의 돌출부에서 초래되는 위험점 예) 밀링의 커터, 둥근톱의 톱날, 벨트의 이음새	
물림점	▪ 서로 반대방향으로 맞물려 회전하는 2개의 회전체에 물려 들어가는 위험점이 만들어지는 것 ◆ 예) 롤러와 기어	
접선 물림점	▪ 회전하는 부분의 접선방향으로 물려 들어갈 위험이 만들어지는 위험점 ◆ 예) 풀리와 브이벨트 사이, 피니언과 랙의 사이, 체인과 스프로킷 휠의 사이	
회전 말림점	▪ 회전하는 물체에 작업복, 머리카락 등이 말려드는 위험이 존재하는 점 ◆ 예) 회전하는 축, 커플링, 회전하는 공구	

국가기술 자격검정 시험문제

기술사   제 127 회   제 3 교시   (시험시간: 100분)

2022년도	분야	안전관리	자격종목	기계안전기술사	성명	

※ 다음 문제 중 4문제를 선택하여 설명하시오. (각 문제당 25점)

1. 산업안전보건기준에 관한 규칙에서 근로자의 위험을 방지하기 위한 다음의 내용을 설명하시오.

[127회 2교시 1번] [124회 4교시 2번][121회 2교시 2번] [120회 1교시 12번]
[120회 3교시 5번] [111회 1교시 6번]

1) 사전조사 및 작업계획서를 작성하고 그 계획에 따라 작업을 하여야하는 작업의 종류 (13가지)

산업안전보건기준에 관한 규칙 제38조(사전조사 및 작업계획서의 작성 등)
  ① 사업주는 다음 각 호의 작업을 하는 경우 근로자의 위험을 방지하기 위하여 별표 4에 따라 해당 작업, 작업장의 지형·지반 및 지층 상태 등에 대한 사전조사를 하고 그 결과를 기록·보존하여야 하며, 조사결과를 고려하여 별표 4의 구분에 따른 사항을 포함한 작업계획서를 작성하고 그 계획에 따라 작업을 하도록 하여야 한다.

  1. 타워크레인을 설치·조립·해체하는 작업
  2. 차량계 하역운반기계등을 사용하는 작업(화물자동차를 사용하는 도로상의 주행작업은 제외한다. 이하 같다)
  3. 차량계 건설기계를 사용하는 작업
  4. 화학설비와 그 부속설비를 사용하는 작업
  5. 제318조에 따른 전기작업(해당 전압이 50볼트를 넘거나 전기에너지가 250볼트암페어를 넘는 경우로 한정한다)
  6. 굴착면의 높이가 2미터 이상이 되는 지반의 굴착작업

7. 터널굴착작업

8. 교량 (상부구조가 금속 또는 콘크리트로 구성되는 교량으로서 그 높이가 5미터 이상이거나 교량의 최대 지간 길이가 30미터 이상인 교량으로 한정한다)의 설치 · 해체 또는 변경 작업

9. 채석작업

10. 건물 등의 해체작업

11. 중량물의 취급작업

12. 궤도나 그 밖의 관련 설비의 보수 · 점검작업

13. 열차의 교환 · 연결 또는 분리 작업(이하 "입환작업"이라 한다)

2) 중량물 취급 작업계획서에 포함되어야 할 내용(5가지)

가. 추락위험을 예방할 수 있는 안전대책

나. 낙하위험을 예방할 수 있는 안전대책

다. 전도위험을 예방할 수 있는 안전대책

라. 협착위험을 예방할 수 있는 안전대책

마. 붕괴위험을 예방할 수 있는 안전대책

2. 동기 내용이론은 사람들이 동기를 유발하는 요인이 내부적 욕구라고 생각하고 구체적인 욕구를 규명하는데 초점을 둔 이론이다. 이에 대한 내용 중 다음을 설명하시오.

1) 매슬로(Maslow)의 욕구단계 이론

Maslow 욕구단계설

◇ 욕구 발생의 전제 조건

 ◆ 인간은 충족되지 않는 욕구를 만족하기 위해서 동기가 부여된다.

 ◆ 사람들은 공통적인 범위의 욕구가 있으며, 이런 보편적인 욕구는 충족되어야 할 순서대로 계층적으로 서열화 되어 있다.

 ◆ 하위 욕구가 만족되면 상위 욕구가 발현되고, 이를 만족시키기 위한 행동을 한다.

 ◆ 하위 욕구가 충족되지 않으면, 다음 단계의 욕구가 동기 부여되지 않는다.

◇ 욕구단계이론

1. 생리적 욕구
   - 식욕, 휴식, 잠자리 등 육체적 필요 및 의식주에 대한 욕구
   - 인간의 생명을 유지해가기 위한 기본적인 욕구

2. 안전욕구
   - 신체적인 위험에 대한 공포로부터 벗어나 안전과 보호를 유지하려는 욕구
   - 생리적 욕구를 충족시키지 못하게 되는 위험으로부터 해방되려는 욕구

3. 사회적 욕구
   - 인간은 사회적 존재이기 때문에 인간에게는 여러 가지 집단에 소속하고 싶은 욕구와 여러 집단에 의해 받아들여지고 싶은 욕구가 있으며, 그것은 애정, 친분, 우정, 수용, 소속감 등에 대한 관심으로 나타남.

4. 존경 욕구
   - 소속단체의 구성원으로서 명예나 권력을 누리려는 욕구
     1) 내부적 존경요인 : 자아 존중감, 자율, 성취 등
     2) 외부적 존경요인 : 지위, 신분, 인정, 관심의 대상이 되는 것 등

5. 자아실현의 욕구
   - 자신의 재능과 잠재력을 충분히 발휘해서 자기가 이룰 수 있는 모든 것을 성취하려는 가장 높은 수준의 욕구
   - 성장욕구, 자기완성욕구 등이 포함

2) 맥그리거(McGregor)의 X이론과 Y이론

◇ 1950년대 미국 경영계, 산업계에서 조직내에서의 인간관계를 넘어 인격완성 혹은 자아실현이야말로 인간에게 가장 중요한 것이며, 기업은 이러한 인간욕구 중에서도 가장 인간다운 욕구에 관심을 가져야 할 의무가 있다고 주장
◇ XY이론의 기본 개념은 인간과 일의 관계에 대한 기본적인 가정을 X이론과 Y이론이라는 가설로 나눈 것
◇ 맥그리거는 경영자들에게 인간의 본성에 대한 관점을 제시하고 인간에 대해 X이론적, Y이론적 관점에 따라 종업원을 대하는 방식이 달라져야 한다고 주장

X이론	Y이론
◆ 일을 싫어함 ◆ 조직에 무관심 ◆ 책임회피 ◆ 강제통제 필요 ◆ 선척적 악한마음 ◆ 비자발적 행동	◆ 일을 좋아함 ◆ 자기관리 중심 ◆ 책임감이 강함 ◆ 자아실현욕구 중시 ◆ 창조적 인간 ◆ 선천적 선한마음

◆ X이론의 가정
 - 보통 인간은 태어나면서부터 일을 싫어하며 가능하면 일하지 않으려고 한다.
 - 인간에게는 일을 싫어하는 특성이 있으므로 조직목적을 달성하기 위한 노력을 기울이게 하기 위해서는 강제하고 통제하고 명령하고 처벌의 위협을 가하지 않으면 안 된다.
 - 보통 인간은 지시받기를 좋아하고 책임을 회피하고자 하며, 비교적 야심이 적고 안전하기를 가장 원한다.

◆ Y이론의 가정
 - 일을 하기 위하여 심신의 노력을 기울이는 것은 놀이나 휴식과 마찬가지로 자연적인 것이다.
 - 외부로부터의 통제나 처벌, 위협 등이 조직목적 달성을 위한 유일한 방법은 아니다.
 - 인간은 목표달성을 위하여 스스로 방향을 정하고 통제하며 일한다.
 - 목표달성에 헌신적으로 기여할 것인지 여부는 달성했을 때 얻는 보상에 달려 있다.
 - 보통 인간은 조직 내 문제해결을 위하여 비교적 고도의 상상력이나 창의력을 발휘할 수 있는 능력을 가지고 있다.
 - 보통 인간이 가지고 있는 지적 잠재능력은 극히 일부만 활용된다.

◇ X이론은 지시와 통제에 근거한 억압중심의 전통적 관리를 표현한 것이고, Y이론은 개인의 목표와 조직 목표의 통합을 시도하는 새로운 경영철학을 제시한 것으로 맥그리거는 Y이론에 의거한 새로운 관리원칙 하에서 조직의 구성원들이 기업 번영을 위해 노력할 때 비로소 종업원 자신의 욕구 충족과 조직 목표 달성이 이루어진다고 보고 이것을 개인목표와 조직목표와의 통합의 원칙이라고 주장

3. 기계안전관련 제어시스템의 부품류 설계시 반영되는 성능요구수준(PLr)의 결정방법을 위험성 그래프를 도시하여 설명하시오.

[KOSHA GUIDE M-192-2017 기계안전을 위한 제어시스템의 안전 관련 부품류 설계 기술지침]

성능요구수준(PLr) 결정방법

(1) 성능 요구수준은 제어시스템(예를 들면, 기계적 보호장치) 또는 추가적인 안전기능들과 무관한 다른 기술적 방법에 의하여 위험성 감소가 기대되는 안전기능에 의하여 결정한다.

(2) 상해의 심각도 S1, S2
   (가) 안전 기능의 고장으로부터 발생하는 위험성의 추정에서는 오직 경미한 부상들(보통 원상회복이 가능한)과 심각한 부상들(보통 원상회복이 불가능한) 그리고 사망만을 고려한다.
   (나) 합병증이 없는 타박상 또는 열상은 S1으로 분류하고 절단 또는 사망은 S2로 설정한다.

(3) 위험요인에 대한 빈도, 노출시간 F1, F2
   (가) 파라미터 F1 또는 F2에 대해 선택되는 일반적인 유효시간 주기는 명시하기 어려우나 사람이 자주 또는 지속적으로 위험요인에 노출된다면 F2로 선택한다.
   (나) 빈도 파라미터는 위험요인에 대한 접근 빈도와 기간에 따라서 선택한다.
   (다) 위험요인에 대한 노출기간은 장비가 사용되는 총 기간에 대하여 측정한 평균을 기준으로 결정하고 결과를 평가하는 것이 바람직하다. 예를 들면 작업물을 공급하고 이동시키기 위한 주기적 작업의 사이사이에 기계와 기구들 사이에 정기적으로 접근하는 것이 필요하다면 F2가 선택되는 것이 좋고, 간헐적인 접근만이 요구된다면 F1이 바람직하다.

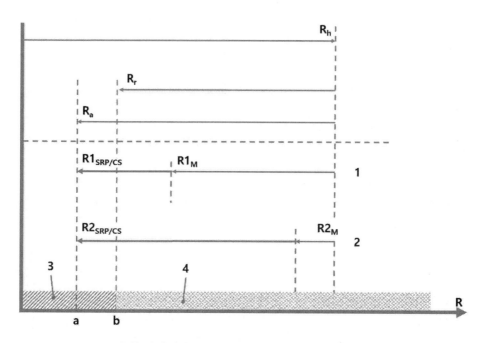

R_h	특정한 위험한 상황에 대한, 보호조치가 적용되기 전의 위험성
R_r	보호조치로부터 요구되는 위험성 감소
R_a	보호조치에 의해 달성된 실제 위험성 감소
1	해결책 1 - SRP/CS 외의 보호조치 (예를 들면, 기계적 수단)에 의한 위험성 감소의 중요한 부분, SRP/CS에 의해 위험성이 감소된 작은 부분
2	해결책 2 - SRP/CS에 의해 위험성이 감소된 주요한 부분 (예를 들면, 빛 차단기), SRP/CS 외의 보호조치(예를 들면, 기계적 수단)에 의해 감소된 위험성의 작은 부분
3	충분히 감소된 위험성
4	불충분한 위험성 감소
R	위험성
a	해결책 1,2에 대한 잔존 위험성
b	충분히 감소된 위험성
$R1_{SRP/CS}$ $R2_{SRP/CS}$	SRP/CS에 의해 수행된 안전기능으로 인한 위험성감소
$R1_M$, $R2_M$	SRP/CS 이외의 보호조치로부터의 위험성감소 (예, 기계적 수단)
비고	위험성감소에 대한 추가정보는 KSB ISO 12100 참조

위험한 상황에 대한 위험성감소 절차의 개요

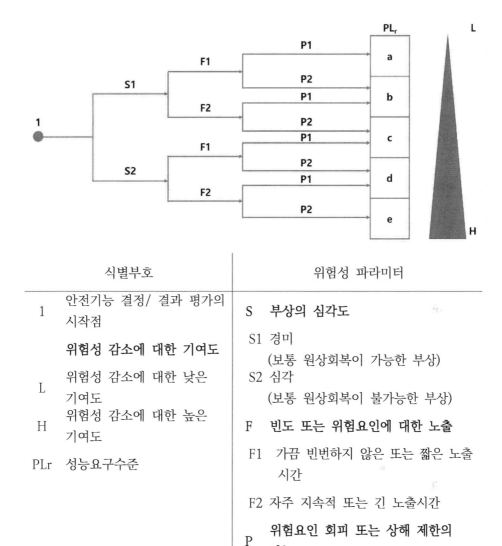

식별부호	위험성 파라미터
1 안전기능 결정/ 결과 평가의 시작점	S 부상의 심각도
위험성 감소에 대한 기여도	S1 경미 (보통 원상회복이 가능한 부상)
L 위험성 감소에 대한 낮은 기여도	S2 심각 (보통 원상회복이 불가능한 부상)
H 위험성 감소에 대한 높은 기여도	F 빈도 또는 위험요인에 대한 노출
PLr 성능요구수준	F1 가끔 빈번하지 않은 또는 짧은 노출 시간
	F2 자주 지속적 또는 긴 노출시간
	P **위험요인 회피 또는 상해 제한의 가능**
	P1 특정 조건에서 가능
	P2 거의 불가능

안전기능에 요구되는 PLr 결정을 위한 위험성 그래프

4. 기어 및 감속기 사용시 발생하는 기어손상의 종류와 손상방지 대책에 대하여 설명하시오.

[KOSHA GUIDE M-148-2012 기어 및 감속기의 유지보수에 관한 기술지침]

손상의 종류와 손상방지

◇ 마멸 (Wear)

(1) 마찰면이 닳아 없어지는 현상으로 연마마멸, 긁기마멸, 과부하마멸 및 부식 마멸 등이 있다.

(2) 연마마멸은 윤활유에 섞여 있거나 치면에 박혀있는 미세한 입자에 의해 기어표면에 흠집이 나는 현상이며, 긁기마멸은 연마마멸과 유사하나 비교적 큰 입자에 의해 기어 표면에 흠집이 나는 현상이며, 과부하마멸은 저속으로 과하중을 받았을 때 금속이 점차 얇은 층상 또는 판상으로 벗겨지는 현상 이고, 부식마멸은 윤활유에 습기, 물, 산, 알칼리 등이 혼입되어 피치선에 평행하게 부식이 발생되어 움푹 패이는 현상이다.

(3) 마멸을 방지하기 위해서는 감속기 내부를 세정하고 필터 및 윤활유 등을 교체 한다.

◇ 소성항복 (Plastic deformation)

(1) 소성항복은 과하중으로 생기는 치면의 영구변형으로 이 끝 또는 이의 표면이 거칠게 변하는 현상으로 압연항복, 피이닝(Peening), 파상항복 등이 있다.

(2) 압연항복은 균일한 접촉하중과 미끄럼에 의해 발생되고, 피이닝은 국부적인 충격 또는 불규칙한 접촉하중에 의해 발생되며, 파상항복은 큰 미끄럼 하중에 의해 발생되며 치면 전역에 비늘모양의 무늬가 생긴다.

(3) 소성항복을 방지하기 위해서는 기어에 걸리는 부하나 충격을 줄여 주어야 되므로 근본적인 검토가 필요하다.

◇ 스코오링 (Scoring)

(1) 스코오링은 높은 압력, 과도한 미끄럼, 온도 상승 등으로 인하여 유막이 파괴되어 금속면끼리 접촉되어 기어 표면에 찢어진 듯한 긁힌 자국이 나타나는 현상이다.

(2) 가벼운 스코오링은 미끄럼 방향으로 약간 찢어진 듯한 긁힌 자국이 나타나는 형상이며, 심한 스코오링은 긁힌 자국이 깊게 나타나는 현상이다.

(3) 용착을 방지하기 위해서는 높은 면압에도 견딜 수 있는 윤활유를 사용한다.

◇ 표면피로(Surface fatigue)

(1) 표면피로는 치면에 국부적인 높은 압축응력이 가해져 움푹 패이는 현상으로 피팅 등이 있다.

(2) 초기 피팅은 사용 초기에 피치선을 따라 작은 구멍이 발생되는 현상으로 국부적으로 돌출된 부분이 점차 없어지면서 진행이 멈추게 된다. 심한 피팅은 진행이 멈추지 않고 계속되어 치면의 중앙 부분에 상당히 큰 구멍들이 생기며 급속한 파괴를 일으키기도 한다. 피로가 더욱 심해지면 넓은 부분에서 크고 작은 박리현상이 나타난다.

(3) 표면피로를 방지하기 위해서는 치면에 국부적으로 높은 압축응력이 발생되지 않도록 해야하므로 과부하를 피하고 적정 윤활 등의 조치가 수반되어야 한다.

◇ 버어닝(Burning)

(1) 버어닝은 과하중, 과속도, 백래시 부적합 및 윤활불량 등이 원인이 되어 마찰열 등에 의하여 기어 표면이 변색되고 경도가 저하되는 현상이다. 점도가 높은 윤활유를 사용하는 경우에도 발생한다.

(2) 버어닝을 방지하기 위해서는 윤활유의 적정 점도가 유지되고 윤활이 원활하여야 한다.

◇ 간섭(Interference)

(1) 간섭은 국부적으로 매우 높은 하중이 기어에 가해지는 현상이다.

(2) 부적정한 설계 및 제작, 조립시 기어 중심거리 부족, 이 끝의 여유가 충분하지 않은 경우 등에 발생된다.

(3) 간섭을 방지하기 위해서는 설계·제작·조립 시 기어의 적정 중심거리 유지 및 이 끝과 이의 뿌리 사이의 적정 간격을 유지하여야 한다.

◇ 절손(Breakage of tooth)

(1) 절손은 기어의 이가 부러지는 현상으로 과부하에 의한 절손과 피로에 의한 절손 등이 있다.

(2) 과부하에 의한 절손은 기어 사이에 이물질이 끼어 움직이지 않게 되는 등 뜻하지 않은 충격하중으로 파손되며, 파단면이 주철과 비슷한 결정상을 나타낸다. 피로에 의한 절손은 반복하중으로 인하여 작은 균열로 시작하여 이의 일부 또는 전부가 부러지는 현상으로 파단면의 변색, 마멸 등이 관찰된다.

(3) 절손을 방지하기 위해서는 기어의 이 사이에 이물질이 끼어들지 못하도록 하고, 과부하를 방지하여야 한다.

◇ 균열(Crack)

(1) 균열은 이의 중심부가 연하거나 부적정한 열처리로 인해 잔류응력이 발생되어 이가 조각이 나거나 얇게 벗겨지는 현상이다.

(2) 균열을 방지하기 위해서는 열처리 사양에 맞추어 기어의 이 부분을 열처리하여야 하며, 열처리 후 잔류 응력을 완전히 제거하여야 한다.

◇ 소입균열(Crack by quenching)

(1) 소입균열은 열처리의 부적정, 날카로운 모서리, 절삭자국 등이 원인이 되어 발생 되며 이뿌리 또는 이 끝에서 시작되어 검은 균열 자국이 나타난다.

(2) 소입균열을 방지하기 위해서는 소입 시방서에 따라 적정 열처리를 하여야 하며, 날카로운 모서리, 절삭자국 등을 제거하여야 한다.

5. '사업장 위험성평가에 관한 지침'과 관련된 내용 중 다음을 설명하시오.

[127회 3교시 5번] [126회 1교시 9번] [124회 1교시 12번] [124회 2교시 5번]
[123회 2교시 5번] [121회 1교시 11번] [120회 4교시 6번] [117회 4교시 3번]
[108회 4교시 6번] [105회 4교시 6번]

1) 위험성평가의 정의
- 사업장의 유해·위험요인 파악
- 부상 또는 질병의 발생가능성(빈도), 중대성(강도) 추정·결정
- 감소대책 수립 및 실행

2) 위험성평가의 법적근거

산업안전보건법 제36조(위험성평가의 실시)

① 사업주는 건설물, 기계·기구, 설비, 원재료, 가스, 증기, 분진, 근로자의 작업행동 또는 그 밖의 업무로 인한 유해·위험 요인을 찾아내어 부상 및 질병으로 이어질 수 있는 위험성의 크기가 허용 가능한 범위인지를 평가하여야 하고, 그 결과에 따라 이 법과 이 법에 따른 명령에 따른 조치를 하여야 하며, 근로자에 대한 위험 또는 건강장해를 방지하기 위하여 필요한 경우에는 추가적인 조치를 하여야 한다.

② 사업주는 제 1항에 따른 평가 시 고용노동부장관이 정하여 고시하는 바에 따라 해당 작업장의 근로자를 참여시켜야 한다.

③ 사업주는 제 1항에 따른 평가의 결과와 조치사항을 고용노동부령으로 정하는 바에 따라 기록하여 보존하여야 한다.

④ 제 1항에 따른 평가의 방법, 절차 및 시기, 그 밖에 필요한 사항은 고용노동부장관이 정하여 고시한다.

3) 위험성평가의 실시 주체
- 사업주
- 안전보건관리책임자, 관리감독자, 안전관리자·보건관리자, 대상공정작업자

4) 위험성평가의 추진절차

- ◆ 1단계
  - 사전 준비 : 평가대상 작업(공정) 선정 및 안전보건정보 조사
  - 정확한 작업이 중요한 단계
  - 작업 흐름도에 따라 대상 및 범위 확정

- ◆ 2단계
  - 유해·위험요인 파악 및 도출
  - 가장 중요한 단계
  - 작업 별 상세히 파악

- ◆ 3단계
  - 위험성 추정
  - 유해·위험요인 심사 후 정량화
  - 가능성 및 중대성 조합

- ◆ 4단계
  - 위험성 결정
  - 유해·위험요인 발생 가능성 및 중대성 평가
  - 유해·위험요인 총 3단계 구분 (낮음 1~2, 보통 3~4, 높음 6~9)
  - 높은 순서대로 우선적 개선 가능하도록 우선순위 결정

- ◆ 5단계
  - 위험성 감소대책 수립 및 실행
  - 위험성 수준 높음 또는 보통 경우 위험 범위 확정
  - 필요 시 추가 감소대책 수립 및 실행
  - 잔여 유해·위험요인 게시, 주지 등으로 알림

- ◆ 6단계
  - 기록
  - 위험성평가 수행 결과 관계자에게 공유 및 교육 목적

5) 위험성평가의 방법 및 시기

◆ 최초평가
 - 설립일로부터사업 1년 이내(2014년 3월 13일 이후 설립된 사업장)

◆ 수시평가
 - 다음 사항 중 해당하는 경우 착수 전 수시로 실시
 - 사업장 건설물의 설치·이전·변경 또는 해체
 - 기계·기구, 설비·원재료 등의 신규 도입 또는 변경
 - 건설물, 기계·기구, 설비 등의 정비 또는 보수
 - 작업방법 또는 작업절차의 신규 도입 또는 변경
 - 그 밖의 사업주가 필요하다고 판단한 경우

◆ 정기평가
 - 최초평가 후 매년 정기적으로 실시
 - 기계·기구, 설비 등의 기간 경과에 의한 성능 저하
 - 근로자 교체 등에 수반한 안전·보건과 관련되는 지식 또는 경험의 변화
 - 현재 수립되어있는 위험성 감소대책의 유효성

6. 용접 작업 후 발생하는 현상과 관련된 다음의 내용을 설명하시오.

[127회 3교시 6번] [121회 3교시 6번]

◇ 모든 금속의 용접부에는 용접이 완료된 후에 잔류응력이 발생
◇ 잔류응력은 해당 구조물을 변형시키거나 주어진 응력에 견딜 수 없게 함
◇ 과도한 잔류응력이 용접부에 남아 쉽게 부식 피로현상이 발생
◇ 부식환경에 먼저 노출되어 용접부가 선택적으로 부식되는 위험이 있음

1) 용접잔류응력 측정방법

◇ 응력이완법
  ◆ 용접부를 절삭 또는 천공등 기계 가공에 의하여 응력을 해방하고, 이에 생기는
    탄성변형을 전기적 또는 기계적 변형도계를 써서 측정하는 방법

◇ 홀드릴에 의한 측정법
  ◆ 응력을 측정하고자 하는 제품 표면에 스트레인 게이지를 부착하고 일정 깊이로
    홀드릴 가공하여 이때 발생하는 스트레인을 측정하여 응력을 계산하는 방법

◇ 자기적 방법
  ◆ 잔류응력이 자성체에 미치는 영향을 이용하여 잔류응력을 측정하는 방법으로
    용접에는 별로 이용되지 않는 방법

◇ X선 회절법
  ◆ 금속의 응력은 결정입자들의 극히 미세한 변형에 의하여 발생하므로 X선 회절
    법을 이용하여 원자 위치의 변위를 측정하여 작용된 응력을 알게 된다.

◇ 계장화 압입 시험법
  ◆ 재료에 가해지는 압입 하중에 따른 압입 깊이를 연속적으로 측정하여 압입
    하중 변위의 곡선을 얻고 이곡선의 분석을 통해 재료의 기계적 특성을 평가하는
    기법

2) 잔류응력 완화법

용접 작업시에 주의하여도 잔류응력을 완전히 없애는 것은 매우 곤란하며 잔류응력을 제거 또는 완화 해야할 때에는 용접 후의 인위적인 응력제거법을 사용해야한다.

◇ 노내풀림법
  * 응력제거 열처리법 중에서 가장 널리 이용되며 그 효과도 큼
  * 제품 전체를 노 속에 넣고 적당한 온도에서 일정시간 유지한 후 노 속에서 서냉시키는 방법

◇ 국부풀림법
  * 제품이 커서 노내에 넣을 수 없을 경우나 현장 용접된 것으로서 노내풀림법을 못할 경우에는 용접부 부근에 국부풀림법을 실시
  * 용접부 부근에 일정한 온도 및 시간을 유지한 다음 서냉
  * 국부풀림은 온도를 불균일하게 할 뿐만 아니라 이를 실시하면 잔류응력이 발생될 염려가 있으므로 주의 해야함

◇ 기계적응력완화법
  * 잔류응력이 있는 제품에 하중을 주고, 용접부에 약간의 소성변형을 일으킨 다음 하중을 제거하는 방법
◇ 피닝(Peening)에 의한 방법
  * 끝이 구면인 특수한 피닝 해머로 용접부를 연속적으로 타격을 주어 인장응력을 완화하는데 효과가 있으며 용착금속의 균열방지에도 이용됨

◇ 저온응력완화법
  * 미국의 린데사에서 개발하여 린데법이라고도 불림
  * 용접선 양측에 150mm 폭을 특수한 가열토치를 사용하여 정속도로 150℃~200℃ 정도의 저온으로 가열한 다음에 수중급랭 시켜 용접선 방향의 인장응력을 완화하는 방법

3) 변형교정법

용접을 할 때 발생한 변형을 교정하는 것을 변형 교정이라 한다. 변형 교정에는 많은 시간과 비용이 필요하므로 변형이 발생을 최대한으로 억제할 수 있는 시공법을 취하는 것이 가장 바람직하다. 그러나 실제에 있어서 수축이나 변형과 동시에 잔류응력이 발생하기 때문에 잔류응력을 작게 하려고 하면 변형이 커지게 되고 반대로 변형을 억제하기 위하여 구속하면 잔류응력이 커진다.

따라서 양쪽을 동시에 해결하기는 매우 곤란하다. 일반적으로 구조물의 강도상 중요한 부재로 사용되는 두꺼운 판에 대해서는 잔류응력을 절게 할 수 있는 시공법을 채택하여야 하고, 얇은 판에서 경감시키는 방향으로 시공법을 채택할 수밖에는 없다, 이와 같이 하여 용접한 것이라도 제품이 된 다음 변형이 생기면 미관상 또는 강도상, 성능상 좋지 못하므로 변형을 교정하기 위하여 변형교정 작업을 하여야 한다.

변형교정 방법은 그 제품의 종류, 변형의 모양과 야에 의하여 여러 가지 방법이 사용되나 주로 다음과 같은 것들은 열거할 수 있다.

1. 얇은 판에 대한 점 수축법(점 가열법)
2. 형재에 대한 직선 수축법(선상 가열법)
3. 가열 후 해머질 하는 법
4. 후판에 대하여 가열 후 압력을 주어 수냉하는 법
5. 롤러에 의한 법
6. 피닝법
7. 절단에 의한 정형과 재 용접

국가기술 자격검정 시험문제

기술사   제 127 회   제 4 교시 (시험시간: 100분)

2022년도	분야	안전관리	자격종목	기계안전기술사	성명	

※ 다음 문제 중 4문제를 선택하여 설명하시오. (각 문제당 25점)

1. 네덜란드의 Human Factor학 전문가인 라스무센(Jens Rasmussen)과 리즌(James Reason)이 분류한 내용 중 다음을 설명하시오.

1) 라스무센(Jens Rasmussen)의 인간의 행동 3가지

인간의 불안전한 행동을 의도적인 경우와 비의도적인 경우로 나누었다. 비의도적인 행동은 모두 숙련기반의 에러, 의도적 행동은 규칙기반 에러와 지식기반 에러로 분류하였다.

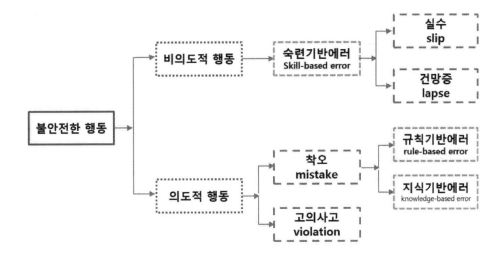

◇ 숙련기반 에러(skill based error)
- ◆ 무의식에 의한 행동, 행동 패턴에 의한 자동적 행동
- ◆ 대부분 실행과정에서의 에러
- ◆ 숙련 상태에 있는 행동을 수행하다가 나타날 수 있는 에러로 실수(slip)와 단기 기억 망각(lapse)이 있다.
- ◆ 자동차에서 내릴 때 마음이 급해 창문 닫는 것을 잊고서 내리는 경우
- ◆ 전화 통화 중 상대의 전화번호를 기억했으나 전화를 끊은 후 옮겨 적을 펜을 찾는 중에 기억을 잃어버리는 경우이다.

◇ 규칙기반 에러(rule based error)
- ◆ 친숙한 상황에 적용되며 저장된 규칙을 적용하는 행동
- ◆ 처음부터 잘못된 규칙을 기억하고 있거나, 정확한 규칙이라 해도 상황에 맞지 않게 잘못 적용하는 경우의 에러이다.
- ◆ 자동차는 우측 운행을 한다는 규칙을 가지고 좌측 운행하는 나라에서 우측 운행을 하다 사고를 낸 경우이다.

◇ 지식기반 에러(knowledge based error)
- ◆ 생소하고 특수한 상황에서 나타나는 행동
- ◆ 처음부터 장기기억 속에 관련 지식이 없는 경우
- ◆ 인간은 추론(inference)이나 유추(analogy)와 같은 고도의 지식 처리 과정을 수행해야 한다. 이런 과정에서 실패해 오답을 찾은 경우를 지식기반 착오라 한다.
- ◆ 외국에서 자동차를 운전할 때 그 나라의 교통 표지판의 문자를 몰라서 교통 규칙을 위반하게 되는 경우이다.

2) 리즌(James Reason)의 불안전행동 유형 4가지

◇ Slip(실수)
- 상황이나 목표의 해석을 제대로 하였으나 의도와는 다른 행동을 하는 경우에 발생하는 오류
- 목표와 결과의 불일치로 쉽게 발견되나 피드백이 있어야 오류의 발견이 가능함
- 주의 산만이나 주의 결핍에 의해 발생할 수 있으며, 잘못된 디자인이 원인이 됨

◇ Lapse(망각, 건망증)
- 여러 과정이 연계적으로 일어나는 행동 중의 일부를 잊어버리거나 기억의 실패에 의하여 발생하는 오류

◇ Mistake(착오)
- 상황해석을 잘못하거나 목표를 잘못 이해하고 착각하여 행하는 오류
- 주어진 정보가 불완전하거나 오해하는 경우에 주로 발생하며, 틀린 줄 모르고 발생하기 때문에 중대한 사건이 될 수 있을 뿐만 아니라 오류를 찾아내기도 어려움
- 주어진 정보가 불완전하거나 오해하는 경우에 주로 발생

◇ Violation(위반, 고의사고)
- 정해진 규칙을 알고 있음에도 불구하고 고의로 따르지 않거나 무시하는 행위
- 작업 수행 과정에 대한 올바른 지식을 가지고 있고, 이에 맞는 행동을 할 수 있음에도 일부러 나쁜 의도를 가지고 발생시키는 에러
  예) 운전 중 과속, 신호 위반 등 알고 있음에도 불구하고 고의로 무시하는 경우
  정상인임에도 불구하고 고의로 장애인 주차구역에 주차를 시키는 경우

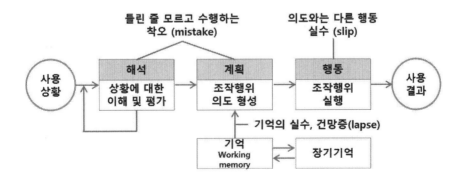

※ 불안전 행동의 내용과 근로자 반응

인적오류			내용	근로자의 반응 예
비의도적 행동	숙련 기반 오류 (skill based error)	망각(건망증) (Lapse)	단기 기억으로의 회상 및 기억 불능	깜박했어요.
		실수 (Slip)	부주의 등에 의한 단순 오류	단순 실수였어요.
의도적 행동	착오 (mistake)	규칙 기반 착오 (rule based mistake)	규칙의 잘못된 적용 혹은 잘못된 규칙 학습	앗, 그게 아니었나요?
		지식 기반 착오 (knowledge based mistake)	추론, 유추 등의 인지적 과정에서 발생하는 오류	앗, 전혀 몰랐어요.
	위반 (violation)	일상적 위반 (routine violation)	평상 시 작업 규칙, 절차 등을 위반	평소 다들 이렇게 해요.
		상황적 위반 (situational violation)	특수한 상황(시간 압박 등)에서 규칙을 위반	급해서 그랬어요.
		예외적 위반 (exceptional violation)	생소한 상황에서 문제를 해결하고자 규칙을 어기는 위반	이렇게라도 해보려고 했어요.

2. 산업안전보건기준에 관한 규칙에서 정하고 있는 작업시작 전 점검사항과
관련하여 다음 항목을 각각 설명하시오.

1) 로봇의 작동 범위에서 그 로봇에 관하여 교시 등의 작업을 할 때 (3가지)

◇ 작업 시작 전 점검 사항
　　로봇의 작동범위 내에서 그 로봇에 관하여 교시 등의 작업을 할 때에는 작업
　　시작 전 점검을 실시해야 한다.
　◆ 외부전선의 피복 또는 외장의 손상 유무
　◆ 매니퓰레이터 작동의 이상 유무
　◆ 제동장치 및 비상정지 장치의 기능

2) 고소작업대를 사용하여 작업을 할 때 (5가지)

　◆ 비상정지장치 및 비상하강 방지장치 기능의 이상 유무
　◆ 과부하 방지장치의 작동 유무(와이어로프 또는 체인구동방식의 경우)
　◆ 아웃트리거 또는 바퀴의 이상 유무
　◆ 작업면의 기울기 또는 요철 유무
　◆ 활선작업용 장치의 경우 홈·균열·파손 등 그 밖의 손상 유무

3) 컨베이어 등을 사용하여 작업을 할 때 (4가지)

　◆ 원동기 및 풀리(pulley) 기능의 이상 유무
　◆ 이탈 등의 방지장치 기능의 이상 유무
　◆ 비상정지장치 기능의 이상 유무
　◆ 원동기·회전축·기어 및 풀리 등의 덮개 또는 울 등의 이상 유무

3. 프레스 금형에 의한 위험을 방지하기 위한 대책을 3가지로 구분하여 설명
하시오.

[KOSHA GUIDE M-138-2012 프레스 금형작업의 안전에 관한 기술지침]

◇ 금형에 의한 위험방지
 ◆ 금형 안전화와 울

(1) 금형의 사이에 작업자의 신체의 일부가 들어가지 않도록 다음 부분의 간격이
  8mm 이하 되도록 설치한다. 〈그림 참조〉

 (가) 상사점 위치에 있어서 펀치와 다이, 이동 스트리퍼와 다이, 펀치와 스트리퍼
   사이 및 고정 스트리퍼와 다이 등의 간격이 8mm 이하이면 울은 불필요하다.

 (나) 상사점 위치에 있어서 고정 스트리퍼와 다이의 간격이 8mm 이하이더라도
   펀치와 고정 스트리퍼 사이가 8mm 이상이면 울을 설치하여야 한다.

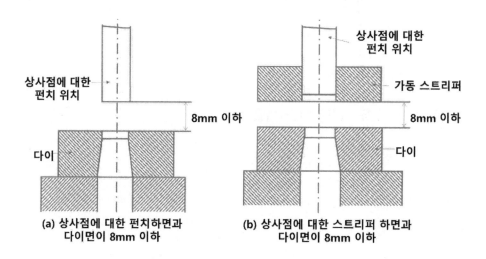

(a) 상사점에 대한 펀치하면과   (b) 상사점에 대한 스트리퍼 하면과
   다이면이 8mm 이하   다이면이 8mm 이하

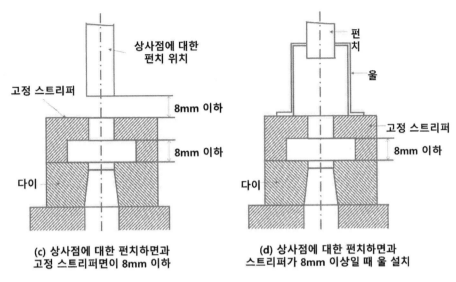

**(c) 상사점에 대한 펀치하면과
고정 스트리퍼면이 8mm 이하**

**(d) 상사점에 대한 펀치하면과
스트리퍼가 8mm 이상일 때 울 설치**

행정이 짧은 경우의 금형 안전화

(2) 울의 설치

(가) 금형 사이에 작업자의 신체의 일부가 들어가지 않도록 울을 설치한다.

(나) 울로 인하여 작업의 방해를 받지 않도록 울의 소재 자체를 투명한 플라스틱
또는 타공망이나 철망 등을 이용한다.

(다) 적절한 내구성과 견고성이 유지되어야 하므로 통상 사용재료는 금속재인
경우 두께가 1.5mm 미만인 소재도 사용 가능하나 경금속은 2.0mm 이상
으로 해야 한다.

(라) 울을 쉽게 제거할 수 없도록 고정 시킬 때 여러개의 나사로 체결하는 것이
바람직하며, 조임볼트는 밖에서 안으로, 위에서 아래로, 1개보다는 2개를
이용하여 조여야 하고 볼트의 머리는 공구를 사용할 공간이 충분하도록
금형 고정판 부위에 너무 가깝지 않도록 한다.

(마) 울에 설치된 송급 및 배출구 부위의 뚜껑이나, 덮개 등 개폐 장치에는
인터록 장치를 설치한다.

(3) 금형의 사이에 손을 넣을 필요가 없게 한다.

(가) 재료 또는 제품을 자동적으로 또는 위험한계를 벗어난 장소에서 송급 한다.
  ① 1차 가공용 송급장치 : 로울피더(Rollfeeder)
  ② 2차 가공용 송급장치 : 슈트, 푸셔 피더(Pusher feeder), 다이얼 피더
          (Dialfeeder), 트랜스퍼 피더(Transfer feeder) 등
  ③슬라이딩 다이 (Slidingdie, 하형 자신을 안내로 송급 하는 형식)

(나) 제품 및 스크랩이 금형에 부착되는 것을 방지하기 위해 스프링 플런저
    (Springplunger), 볼플런저, 키커핀(Kickerpin) 등을 설치한다.

(다) 제품 및 스크랩은 자동적으로 또는 위험한계 밖으로 배출하기 위해 공기
    분사 장치, 키커, 이젝터 등을 설치한다.
  ① 공기분사장치용 구멍을 울에 만들 경우 분사장치의 직경은 손가락 굵기보다는
    작아야 하고 울의구멍도 손가락이 들어갈 수 없도록 작아야 한다.
  ② 배출된 부품을 모으는 슈터와 용기를 금형에 부착할 때에는 위험구멍 등이
    발생 되지 않도록 하고 작업 진동 등에 의해 떨어지는 경우가 없도록 견고하게
    고정 부착한다.

4. 산업용 로봇 방호장치 중 광 전자식 방호장치의 성능기준 중에서 다음 3가지 내용을 설명하시오.

[별표 26] 광전자식 방호장치 성능기준 및 시험방법(제38조 관련)(방호장치 안전인증 고시)

1) R-1, R-2
광전자식 방호장치의 종류는 연결사용 가능여부에 따라 아래 표와 같다.

종류	내 용
R-1	정상 작동 중에 감지 소자가 작동될 경우 또는 장치의 전원이 차단 되었을 경우에는 적어도 하나 이상의 출력 신호 개폐 장치의 출력 회로가 꺼짐 상태로 있어야 한다.
R-2	정상 작동 중에 감지 기능이 작동될 경우 또는 장치의 전원이 제거 되었을 경우에는 적어도 두 개 이상의 출력 신호 개폐 장치의 출력 회로가 꺼짐 상태로 있어야 한다.

광전자식 방호장치의 종류

2) 뮤팅

가. 뮤팅된 상태에서 출력 신호 개폐 장치는 감지 장치 작동 시 켜짐 상태를 유지하여야 한다.

나. 뮤팅 신호의 올바른 순서 및 타이밍에 의해서만 뮤팅을 활성화 하여야 하며, 뮤팅 신호에 이상이 발생하는 경우 뮤팅은 활성화되지 않아야 한다.

다. 뮤팅을 비활성화하기 위해서는 최소한 독립된 두 개의 하드와이어 뮤팅 신호원이 있어야 하며, 뮤팅 신호원 중 한 개의 상태만 바뀌어도 뮤팅 기능은 정지하여야 한다.

라. 뮤팅 신호는 뮤팅 중에 연속적으로 존재하여야 한다. 신호가 연속적으로 존재하지 않을 때에는 잘못된 시퀀스 또는 사전에 설정된 시간제한 만료를 통해 잠금 상태 또는 재기동 방지 기능이 발생하여야 한다.

마. 뮤팅 기능의 고장은 결함검출 요구사항에 따라 감지하여야 하며, 최소한 다른 뮤팅 조건이 발생하도록 허용하지 않아야 한다. 뮤팅 기능의 필요한 고장 검출은 자동적으로 수행을 하여야 한다.

바. 뮤팅 상태를 나타내는 신호나 지시기가 있어야 한다.

3) 한계기능시험

한계기능 A, B시험은 제24호와 제25호의 시험에 필요한 시험조건이며, 재기동 방지기능이 있는 경우 시험 중에는 이 기능을 선택할 수 없어야 하며 바이패스 (bypass) 되어서도 아니 된다.

가. 한계기능시험A (A시험)

1) 검출영역에 장애물이 없는 상태에서는 출력신호 개폐장치가 켜짐 상태로 5초 이상 유지될 것

2) 차광봉을 검출영역에 위치시킨다. 그러면, 출력신호 개폐장치는 켜짐 상태에서 꺼짐 상태로 바뀌어 5초 이상 유지될 것

3) 차광봉을 검출영역에서 제거한다. 그러면, 출력신호 개폐장치는 꺼짐 상태에서 켜짐 상태로 되어 5초 이상 유지되어야 한다. 반면에 차광봉이 검출영역에 있으면, 꺼짐 상태로 유지될 것

나. 한계기능시험B(B시험)

B시험은 A시험과 달리 차광봉이 검출영역에서 제거된 상태에서는 출력신호 개폐장치가 꺼짐 상태를 허용하며 그 외에는 A시험과 동일하다. 다만, 이때 위험에 이르는 결함이 발생해서는 안 된다.

5. 고체입자이송용 벨트 컨베이어(Belt Conveyor)에 관한 다음의 내용을 설명하시오.

[KOSHA GUIDE M-07-2001 컨베이어의 안전에 관한 기술지침]

1) 설비의 설계 순서

◇ 컨베이어를 설계 및 제작하는 때에는 다음 각호의 사항을 준수하여야 한다.

(1) 충분한 강도 및 안전도를 가져야 한다.

(2) 화물이 이탈할 우려가 없어야 한다.

(3) 화물을 싣고 내리며 운반을 하는 곳에서 화물이 낙하할 우려가 없어야 한다.

(4) 경사 컨베이어, 수직 컨베이어는 정전, 전압강하 등에 의한 화물 또는 운반 구의 이탈 및 역주행을 방지하기 위한 장치를 설치하여야 한다.

(5) 전동 또는 수동에 의해 작동하는 기복장치, 신축장치, 선회장치, 승강장치를 갖는 컨베이어에는 이들 장치의 작동을 고정하기 위한 장치를 설치하여야 한다.

(6) 컨베이어의 동력전달 부분에는 덮개 또는 울을 설치하여야 한다.

(7) 컨베이어 벨트, 풀리, 롤러, 체인, 체인스프로킷, 스크루 등에 근로자 신체의 일부가 말려드는 등 근로자에게 위험을 미칠 우려가 있는 부분에는 덮개 또는 울을 설치하여야 한다.

(8) 컨베이어의 기동 또는 정지를 위한 스위치는 명확히 표시되고 용이하게 조작 가능한 것으로 접촉·진동 등에 의해 불의에 기동할 우려가 없는 것이어야 한다.

(9) 컨베이어에는 급유자가 위험한 가동부분에 접근하지 않고 급유가 가능한 장치를 설치하여야 한다.

(10) 화물의 적재 또는 반출을 인력으로 하는 컨베이어에서는 근로자가 화물의 적재 또는 반출 작업을 쉽게 할 수 있도록 컨베이어의 높이, 폭, 속도 등이 적당하여야 한다.

(11) 수동조작에 의한 장치의 조작에 필요한 힘은 196N(20kgf) 이하로 하여야 한다.

2) KOSHA GUIDE에 의한 벨트 컨베이어 안전조치

(1) 벨트 폭은 화물의 종류 및 운반량에 적합한 것으로 하며 필요한 경우에는 화물을 벨트의 중앙에 적재하기 위한 장치를 설치한다.

(2) 운반정지, 불규칙한 화물의 적재 등에 의해 화물이 낙하하거나 흘러내릴 우려가 있는 벨트 컨베이어 (화물이 점착성이 있는 경우는 경사 컨베이어에 한한다)에는 화물이 낙하하거나 흘러내림에 의한 위험을 방지하기 위한 장치를 설치하여야 한다.

(3) 벨트 컨베이어의 경사부에 있어서 화물의 전체 적재량이 4900N(500kgf) 이하이며 1개 화물의 중량이 294N(30kgf)를 초과하지 않는 경우로서 벨트의 과속 또는 후진으로 인하여 근로자에게 위험을 미칠 우려가 없을 때에는 역주행 방지장치를 설치하지 아니하여도 좋다

(4) 벨트 또는 풀리에 점착하기 쉬운 화물을 운반하는 벨트 컨베이어에는 벨트 클리너, 풀리 스크레이퍼 등을 설치한다.

(5) 근로자에게 위험을 미칠 우려가 있는 호퍼 및 슈트의 개구부에는 덮개 또는 울을 설치하여야 한다.

(6) 대형의 호퍼 및 슈트에는 가능한 한 점검구를 설치한다.

(7) 이완측 벨트에 점착한 화물의 낙하에 의하여 근로자에게 위험을 미칠 우려가 있는 경우는 당해 점착물의 낙하에 의한 위험을 방지하기 위한 설비를 설치하여야 한다.

(8) 근로자에게 위험을 미칠 우려가 있는 테이크업 장치에는 덮개 또는 울을 설치하여야 하며, 특히 중력식 테이크업 장치에는 추 밑으로 근로자가 출입하는 것을 방지하기 위한 덮개 또는 울을 설치하거나 추의 낙하를 방지하기 위한 장치를 설치하여야 한다.

(9) 벨트 컨베이어에의 화물 공급은 가능한 한 적당한 피더, 슈트 등을 사용한다.

(10) 벨트 클리너, 풀리 스크레이퍼 등에 대하여는 조정 및 정비를 철저히 하고 벨트 컨베이어의 운전상태를 최적으로 유지한다.

3) 컨베이어 퇴적 및 침적물 청소작업 시 안전작업내용

◇ 퇴적 및 침적물 청소작업을 할 때 안전작업
  - 퇴적 및 침적물 청소를 할 때는 벨트 컨베이어를 정지하고 중앙운전실과 연락해 현장 스위치 키는 작업자가 휴대하며, '작업 중', '청소 중'이라는 꼬리표를 부착
  - 퇴적 및 침전물이 최소화되도록 스크레이퍼의 상태를 점검하고 간격을 조정
  - 청소가 끝나면 벨트 컨베이어 가동 시 사전점검과 경보 후 가동
  - 청소작업을 할 때 안전모, 안전화, 방진마스크 등 개인보호구를 착용
  - 벨트의 손상과 마모, 롤러의 파손, 테이크 업의 작동상태, 비상정지 장치 운반물의 적재 적정성 등을 점검하고 항상 정상을 유지하도록 관리

◇ 컨베이어 벨트 보수, 교체작업 시 안전작업
  - 컨베이어 벨트 운전을 정지하고 비상정지 스위치를 조작
  - 중앙운전실에 연락하여 스위치를 껐는지 확인하고 현장 스위치 키를 뽑아 작업자가 관리
  - 보수작업 중 꼬리표를 부착하여 제3자의 가동을 경고 후 작업 실시
  - 작업 전 컨베이어 벨트를 가동해 벨트 상의 운반물을 제거
  - 각 기계의 방호덮개를 임의 해체하지 않고 작업을 위해 해체할 때 작업 종료 후 안전시설물 등을 원상 복귀

6. 산업안전보건법에서 규정하고 있는 공정안전보고서(PSM)에 대한 다음의 내용을 설명 하시오.

[127회 4교시 6번] [124회 1교시 11번] [114회 4교시 4번]

1) 공정안전보고서(PSM) 개요

◇ 공정안전관리(PSM) 도의 정의

산업안전보건법에서 정하는 유해·위험물질을 제조·취급·저장하는 설비를 보유한 사업장은 그 설비로부터의 위험물질 누출 및 화재·폭발 등으로 인한 '중대산업사고'를 예방하기 위하여 공정안전보고서를 작성·제출하여 심사·확인을 받도록 한 법정 제도

* 관련 근거 : 산업안전보건법 제49조의2(공정안전보고서의 제출 등) 3
  - 공정안전보고서의 내용을 변경하여야 할 사유가 발생하는 경우에는 지체없이 보완
  - 고용노동부장관은 공정안전보고서의 이행상태를 정기적으로 평가
  - 공정안전보고서의 보완상태가 불량한 사업장은 공정안전보고서 재제출
* 미제출 시 : 1,000만원 이하의 과태료
* 제출 주체 : 공정안전보고서 제출 대상 사업장의 사업주
* 제출 시기 : 착공일 30일 전
  - 유해·위험물질 제조 ·취급 ·저장설비의 설치 · 이전 시
  - 주요 구조부분의 변경 시
* 제출 서류
  - 공정안전보고서 심사신청서 (고용노동부 고시 제2017-62호 별지 1호 서식)
  - 공정안전보고서 2부

◇ 공정안전보고서의 제출목적

위험물질의 누출, 화재, 폭발 등으로 인하여 사업장 내 근로자에게 즉시 피해를 주거나 사업장 인근 지역에 피해를 줄 수 있는 사고(중대산업사고)를 예방하기 위함

2) 제출대상업종

산업안전보건법 시행령 제43조 (공정안전보고서의 제출 대상)

① 법 제44조제1항 전단에서 "대통령령으로 정하는 유해하거나 위험한 설비"란 다음 각 호의 어느 하나에 해당하는 사업을 하는 사업장의 경우에는 그 보유 설비를 말하고, 그 외의 사업을 하는 사업장의 경우에는 별표 13에 따른 유해·위험물질 중 하나 이상의 물질을 같은 표에 따른 규정량 이상 제조·취급·저장하는 설비 및 그 설비의 운영과 관련된 모든 공정설비를 말한다.

1. 원유 정제처리업
2. 기타 석유정제물 재처리업
3. 석유화학계 기초화학물질 제조업 또는 합성수지 및 기타 플라스틱물질 제조업. 다만, 합성수지 및 기타 플라스틱물질 제조업은 별표 13 제1호 또는 제2호에 해당하는 경우로 한정한다.
4. 질소 화합물, 질소·인산 및 칼리질 화학비료 제조업 중 질소질 비료 제조
5. 복합비료 및 기타 화학비료 제조업 중 복합비료 제조(단순혼합 또는 배합에 의한 경우는 제외한다)
6. 화학 살균·살충제 및 농업용 약제 제조업[농약 원제(原劑) 제조만 해당한다]
7. 화약 및 불꽃제품 제조업

② 제1항에도 불구하고 다음 각 호의 설비는 유해하거나 위험한 설비로 보지 않는다.

1. 원자력 설비
2. 군사시설
3. 사업주가 해당 사업장 내에서 직접 사용하기 위한 난방용 연료의 저장설비 및 사용설비
4. 도매·소매시설
5. 차량 등의 운송설비
6. 「액화석유가스의 안전관리 및 사업법」에 따른 액화석유가스의 충전·저장시설
7. 「도시가스사업법」에 따른 가스공급시설
8. 그 밖에 고용노동부장관이 누출·화재·폭발 등의 사고가 있더라도 그에 따른 피해의 정도가 크지 않다고 인정하여 고시하는 설비

③ 법 제44조제1항 전단에서 "대통령령으로 정하는 사고"란 다음 각 호의 어느 하나에 해당하는 사고를 말한다.

1. 근로자가 사망하거나 부상을 입을 수 있는 제1항에 따른 설비(제2항에 따른 설비는 제외한다. 이하 제2호에서 같다)에서의 누출·화재·폭발 사고
2. 인근 지역의 주민이 인적 피해를 입을 수 있는 제1항에 따른 설비에서의 누출·화재·폭발 사고

3) 공정안전관리 12대 실천과제

◇ 공정안전관리를 위한 12대 실천과제 주요내용

실천과제	세부추진사항
공정안전자료의 주기적인 보완 및 체계적 관리	▪ 공정안전자료 보완 및 관리규정 제정 ▪ 공정안전자료 관리시스템 구축 및 주기적 보완 (원본관리) ▪ 보완내용 공지 및 공정안전자료 제·개정목록 작성
공정위험성평가 체제 구축 및 사후관리	▪ 공정위험성평가 종합계획 수립·시행 ▪ 사업장 자체적인 위험성평가체제 구축 ▪ 주기적인 위험성평가 실시 및 평가결과 사후관리
안전운전절차 보완 및 준수	▪ 안전운전절차서의 제·개정 절차 표준화 ▪ 안전운전절차서의 주기적인 보완 ▪ 안전운전절차 준수여부를 자체적으로 확인하기 위한 체제 구축
설비별 위험 등급에 따른 효율적인 관리	▪ 설비 종류별 윙머등급 분류체계 수립 및 절차서 유지·관리 ▪ 설비점검 마스터 작성, 종합계획수립 후 검사 등 실시, 설비이력 관리 ▪ 장치·설비의 유지보수 시스템 구축 (전산화)
작업허가절차 준수	▪ 주기적인 안전작업절차 개선·보완 ▪ 안전작업허가절차(발급·승인·입회) 준수여부 확인 ▪ 안전작업허가서 내용 이행여부 수시점검
협력업체 선정시 안전관리 수준 반영	▪ 객관적인 평가체제 구축 ▪ 협력업체 선정시 안전보건분야 실적 반영 ▪ 상주 및 비상주 협력업체에 대한 주기적인 평가 및 등급 관리

실천과제	세부추진사항
근로자(임직원)에 대한 실질적인 PSM 교육	▪ 연간 교육계획의 수립 및 실행 ▪ PSM 12개 구성요소 별 교육교재 작성 ▪ 계층별 PSM 교육 및 성과측정
유해·위험설비의 가동(시운전)전 안전점검	▪ 유해·위험설비에 대한 설비별 가동전 점검표 작성 및 주기적인 보완 ▪ 가동 전 점검실시 점검결과에 따라 시운전 여부 판단 ▪ 유해·위험요인 제거후 가동
설비 등 변경시 변경관리절차 준수	▪ 변경의 범위(변경 판정기준)를 명확하게 설정·적용 ▪ 변경사유 발생시 변경관리 절차 준수 ▪ 변경관리위원회의 실질적인 활동 및 권한부여
객관적인 자체 검사 실시 및 사후조치	▪ 정기적인 자체감사 계획 수립·실시 ▪ 자체감사 점검표(Check-list)의 주기적 보완 ▪ 자체감사팀 구성 및 권한부여
정확한 사고원인 규명 및 재발 방지	▪ 아차사고(공정사고)를 포함하여 사고원인조사 수행 ▪ 동종업체 사고사례 분석·활용 ▪ 자사 및 타사 사고사례 데이터베이스 구축
비상대응 시나리오 작성 및 주기적인 훈련	▪ 최악의 상태를 가정한 비상대응 시나리오 작성 ▪ 종합적이고 입체적인 피해 최소화 전략 수립 ▪ 주기적인 자체비상훈련 및 외부 합동비상훈련

제126회 (2022년)
기계안전기술사

126회 기계안전기술사 출제 유형

교시	번호	세부항목
1	1	산업안전의 기본이론
1	2	기계설계 및 기계제작
1	3	인간공학 및 행동과학
1	4	기계설계 및 기계제작
1	5	산업안전의 기본이론
1	6	산업안전보건법
1	7	인간공학 및 행동과학
1	8	산업안전보건법
1	9	산업안전보건법
1	10	제조물 책임법
1	11	안전보건 경영시스템
1	12	산업안전보건법
1	13	위험기계기구 및 설비의 방호조치
2	1	안전보건 경영시스템
2	2	기계설계 및 기계제작
2	3	그 밖의 기계안전 시사성 관련 사항
2	4	산업안전보건법
2	5	기계설계 및 기계제작
2	6	기계설계 및 기계제작
3	1	보호구 및 안전표지 등
3	2	기계재료, 용접결함, 열처리
3	3	산업안전보건기준에 관한 규칙
3	4	산업안전보건법
3	5	그 밖의 기계안전 시사성 관련 사항
3	6	위험기계기구 및 설비의 방호조치
4	1	기계재료, 용접결함, 열처리
4	2	산업안전보건법
4	3	기계설계 및 기계제작
4	4	산업안전보건법
4	5	산업안전보건법
4	6	인간공학 및 행동과학

126회 (2022년) 기계안전기술사

기술사   제 126 회   제 1 교시 (시험시간: 100분)

2022년도	분야	안전관리	자격 종목	기계안전기술사	성명	

※ 다음 문제 중 10문제를 선택하여 설명하시오. (각 문제당 10점)

1. 하인리히와 버드의 재해 구성 비율에 대하여 설명하시오.

[127회 2교시 1번] [126회 1교시 1번] [121회 2교시 1번]

◇ 하인리히의 도미노 이론 : 불안전한 행동과 상태의 제거에 초점
◇ 재해 발생 비율 : 1(사망 또는 중상) : 29(경상) : 300(무상해 사고)

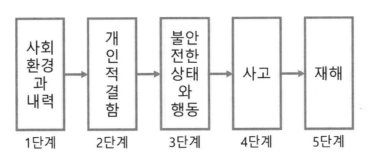

하인리히(H.WHeinrich)의 도미노(domino)이론

◇ 버드의 수정 도미노 이론 : 기본적인 제거에 초점
◇ 재해 발생 비율 : 1(사망) : 10(경상) : 30(물적피해) : 600(아차사고)

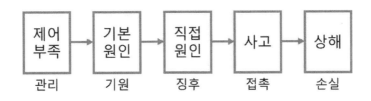

2. 회전축(Shaft)에서 발생하는 위험속도(Critical speed)와 공진(Resonance) 의 정의를 설명하시오.
[126회 1교시 2번] [123회 4교시 5번]

◇ 위험속도 (Critical speed)
  ◆ 회전축의 변위가 고유진동수와 일치하거나 극히 동일할 경우 발생하는 공진

◇ 공진 (Resonance)
  ◆ 진동하는 계의 진폭이 급격하게 늘어나는 현상
  ◆ 외부에서 주기적으로 가하여지는 힘의 진동수가 진동하는 계 고유의 진동수에 가까워질 때 발생

3. 아래 그림은 곤돌라 제작 및 안전기준에 의한 누름버튼 표시의 기능이다. 누름버튼 표시가 의미하는 내용에 대해 각각 설명하시오.

(1)	(2)	(3)	(4)
❙	◯	⦶	⊖
기동	정지	기동과 정지를 교대로 작동하는 누름 버튼	누르는 동안만 작동하고 놓았을 때 정지하는 버튼

4. 리벳작업 중 코킹(Caulking)과 플러링(Fullering)에 대하여 설명하시오.
[126회 1교시 4번]

◇ 리베팅 (riveting)
  ◆ 드릴링 : 리벳이 들어갈 구멍을 뚫는 것
    - 리벳 구멍은 지름 20mm까지는 펀칭으로 구멍을 뚫고 리벳 구멍은 리벳 지름보다 1~1.5mm 정도 크게 뚫는다.

- 리밍 : 뚫린 구멍을 리머로 정밀하게 다듬는 것
  - 리벳을 구멍에 넣고 양쪽에 스냅(snap)을 대고 때려서 머리부분을 만든다.
  - 리벳지름 10mm 이상인 것은 열간 리벳팅, 그 이하인 것은 냉간 리벳팅 한다.

◇ 코킹 (caulking)
- 기밀을 필요로 하는 경우에는 리벳팅이 끝난 뒤에 리벳머리의 주위와 강판의 가장자리를 정과 같은 공구로 때리는 작업을 코킹이라 한다.
- 강판의 가장자리를 75°~85° 가량 경사지게 놓는다.
- 5mm 이상의 강판에서 작업 가능

◇ 플러링 (fullering)
- 기밀을 더욱 완벽하게 하기 위하여 강판과 같은 나비의 끝이 넓은 공구로 때리는데 이를 플러링이라 한다.

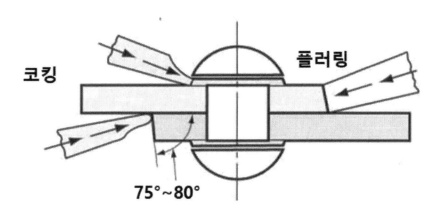

5. 안전심리 5요소에 대하여 설명하시오.

안전심리 5요소는 동기, 기질, 감정, 습성, 습관이다.

◇ 동기(Motive)
- 능동력은 감각에 의한 자극에서 일어나는 사고의 결과
- 사람의 마음을 움직이는 원동력

◇ 기질(Temper)
  * 인간의 성격, 능력 등 개인적인 특성을 말하는 것
  * 생활환경에 영향을 받음

◇ 감정(Emotion)
  * 희로애락의 의식

◇ 습성(Habits)
  * 동기, 기질, 감정 등이 밀접한 관계를 형성하여 인간의 행동에 영향을 미칠 수 있도록 하는 것

◇ 습관(Custom)
  * 자신도 모르게 습관화된 현상
  * 습관에 영향을 미치는 요소 : 동기, 기질, 감정, 습성

6. 산업안전보건기준에 관한 규칙에서 정하는 리프트와 승강기의 뜻과 종류에 대하여 설명하시오.

리프트

"리프트"란 동력을 사용하여 사람이나 화물을 운반하는 것을 목적으로 하는 기계설비로서 다음 각 목의 것을 말한다.

가. 건설용 리프트
  동력을 사용하여 가이드레일(운반구를 지지하여 상승 및 하강 동작을 안내하는 레일)을 따라 상하로 움직이는 운반구를 매달아 사람이나 화물을 운반할 수 있는 설비 또는 이와 유사한 구조 및 성능을 가진 것으로 건설현장에서 사용하는 것

나. 산업용 리프트
  동력을 사용하여 가이드레일을 따라 상하로 움직이는 운반구를 매달아 화물을 운반할 수 있는 설비 또는 이와 유사한 구조 및 성능을 가진 것으로 건설현장 외의 장소에서 사용하는 것

다. 자동차정비용 리프트

　동력을 사용하여 가이드레일을 따라 움직이는 지지대로 자동차 등을 일정한
　높이로 올리거나 내리는 구조의 리프트로서 자동차 정비에 사용하는 것

라. 이삿짐운반용 리프트

　연장 및 축소가 가능하고 끝단을 건축물 등에 지지하는 구조의 사다리형 붐에
　따라 동력을 사용하여 움직이는 운반구를 매달아 화물을 운반하는 설비로서
　화물자동차 등 차량 위에 탑재하여 이삿짐 운반 등에 사용하는 것

승강기

"승강기"란 건축물이나 고정된 시설물에 설치되어 일정한 경로에 따라 사람이나
화물을 승강장으로 옮기는 데에 사용되는 설비로서 다음 각 목의 것을 말한다.

가. 승객용 엘리베이터

　사람의 운송에 적합하게 제조·설치된 엘리베이터

나. 승객화물용 엘리베이터

　사람의 운송과 화물 운반을 겸용하는데 적합하게 제조·설치된 엘리베이터

다. 화물용 엘리베이터

　화물 운반에 적합하게 제조·설치된 엘리베이터로서 조작자 또는 화물취급자
　1명은 탑승할 수 있는 것(적재용량이 300킬로그램 미만인 것은 제외한다)

라. 소형화물용 엘리베이터

　음식물이나 서적 등 소형 화물의 운반에 적합하게 제조·설치된 엘리베이터로서
　사람의 탑승이 금지된 것

마. 에스컬레이터

　일정한 경사로 또는 수평로를 따라 위·아래 또는 옆으로 움직이는 디딤판을
　통해 사람이나 화물을 승강장으로 운송시키는 설비

7. 인간의 주의 특성 3가지에 대하여 설명하고 Muller-Lyer의 착시 현상에 대하여 그림을 그리고 설명하시오.

◇ 선택성
  ◆ 사람은 한 번에 여러 종류의 자극을 지각하거나 수용하지 못하며, 소수의 특정한 것으로 한정해서 선택하는 기능을 말한다.
  ◆ 주의력에 한계가 있어 주의력을 선택적으로 배분
  ◆ 주의력의 중복 집중의 곤란
    - 주의는 동시에 두 개 이상의 방향을 잡지 못한다.
    - 주의력의 한계가 있어 주의력을 선택적으로 배분

◇ 변동성
  ◆ 주의력의 단속성(고도의 주의는 장시간 지속할 수 없다.)
  ◆ 주의는 리듬이 있어 언제나 일정한 수준을 지키지는 못한다.
  ◆ 주의력 수준의 고저가 주기(40~50분)적으로 변동

◇ 방향성
  ◆ 한 지점에 주의를 하면 다른 곳의 주의는 약해진다.
  ◆ 주의의 초점이 존재해 그곳에는 주의 수준이 높으나 주변으로는 거리가 멀어 질수록 저하
  ◆ 주의의 외향과 내향(개인의 내부 심리상태에 집중)
  ◆ 주의를 집중한다는 것은 좋은 태도라고 볼 수 있으나 반드시 최상이라고 할 수는 없다.
  ◆ 공간적으로 보면 시선의 초점에 맞았을 때는 쉽게 인지되지만 시선에서 벗어난 부분은 무시되기 쉽다.

Muller-Lyer의 착시 현상

◇ 뮬러리어 착시는 양식화된 화살표시로 구성된 시각착시 중의 한 가지
◇ 독일의 사회학자인 Franz Carl Müller-Lyer (1857 – 1916)가 최초로 고안한 개념

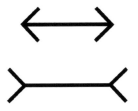

그림에서 보면 화살머리가 양쪽으로 붙은 형태나 한쪽은 화살머리 다른 쪽은
화살꼬리로 된 형태에 비하여 화살꼬리가 양쪽으로 붙은 도형이 가장 길게 보인다.

8. 산업안전보건법에 의한 상시근로자 20명 이상 50명 미만인 사업장에서 안전보건관리 담당자를 선임해야하는 사업과 업무에 대하여 설명하시오.
[2022년 1교시 8번]

산업안전보건법 시행령 제24조(안전보건관리담당자의 선임 등)

① 다음 각 호의 어느 하나에 해당하는 사업의 사업주는 법 제19조제1항에 따라 상시근로자 20명 이상 50명 미만인 사업장에 안전보건관리담당자를 1명 이상 선임해야 한다.

  1. 제조업

  2. 임업

  3. 하수, 폐수 및 분뇨 처리업

  4. 폐기물 수집, 운반, 처리 및 원료 재생업

  5. 환경 정화 및 복원업

② 안전보건관리담당자는 해당 사업장 소속 근로자로서 다음 각 호의 어느 하나에 해당하는 요건을 갖추어야 한다.

  1. 제17조에 따른 안전관리자의 자격을 갖추었을 것

  2. 제21조에 따른 보건관리자의 자격을 갖추었을 것

  3. 고용노동부장관이 정하여 고시하는 안전보건교육을 이수했을 것

③ 안전보건관리담당자는 제25조 각 호에 따른 업무에 지장이 없는 범위에서 다른 업무를 겸할 수 있다.

④ 사업주는 제1항에 따라 안전보건관리담당자를 선임한 경우에는 그 선임 사실 및 제25조 각 호에 따른 업무를 수행했음을 증명할 수 있는 서류를 갖추어 두어야 한다.

9. 사업장 위험성평가와 관련하여 범위 결정 요소를 설명하시오.

[127회 1교시 13번] [126회 1교시 9번] [124회 1교시 12번] [124회 2교시 5번]
[123회 2교시 5번] [121회 1교시 11번] [120회 4교시 6번] [117회 4교시 3번]
[108회 4교시 6번] [105회 4교시 6번]

사업장 위험성평가 관련 범위 결정 5요소는 다음과 같다.

1) 위험성평가의 정의
- ◆ 사업장의 유해·위험요인 파악
- ◆ 부상 또는 질병의 발생가능성(빈도), 중대성(강도) 추정·결정
- ◆ 감소대책 수립 및 실행

2) 위험성평가의 법적근거

산업안전보건법 제36조(위험성평가의 실시)

① 사업주는 건설물, 기계·기구, 설비, 원재료, 가스, 증기, 분진, 근로자의 작업 행동 또는 그 밖의 업무로 인한 유해·위험 요인을 찾아내어 부상 및 질병으로 이어질 수 있는 위험성의 크기가 허용 가능한 범위인지를 평가하여야 하고, 그 결과에 따라 이 법과 이 법에 따른 명령에 따른 조치를 하여야 하며, 근로자에 대한 위험 또는 건강장해를 방지하기 위하여 필요한 경우에는 추가적인 조치를 하여야 한다.

② 사업주는 제 1항에 따른 평가 시 고용노동부장관이 정하여 고시하는 바에 따라 해당 작업장의 근로자를 참여시켜야 한다.

③ 사업주는 제 1항에 따른 평가의 결과와 조치사항을 고용노동부령으로 정하는 바에 따라 기록하여 보존하여야 한다.

④ 제 1항에 따른 평가의 방법, 절차 및 시기, 그 밖에 필요한 사항은 고용노동부장관이 정하여 고시한다.

3) 위험성평가의 실시 주체
- ◆ 사업주
- ◆ 안전보건관리책임자, 관리감독자, 안전관리자·보건관리자, 대상공정작업자

4) 위험성평가의 추진절차

- ◆ 1단계
  - 사전 준비 : 평가대상 작업(공정) 선정 및 안전보건정보 조사
  - 정확한 작업이 중요한 단계
  - 작업 흐름도에 따라 대상 및 범위 확정

- ◆ 2단계
  - 유해·위험요인 파악 및 도출
  - 가장 중요한 단계
  - 작업 별 상세히 파악

- ◆ 3단계
  - 위험성 추정
  - 유해·위험요인 심사 후 정량화
  - 가능성 및 중대성 조합

- ◆ 4단계
  - 위험성 결정
  - 유해·위험요인 발생 가능성 및 중대성 평가
  - 유해·위험요인 총 3단계 구분 (낮음 1~2, 보통 3~4, 높음 6~9)
  - 높은 순서대로 우선적 개선 가능하도록 우선순위 결정

- ◆ 5단계
  - 위험성 감소대책 수립 및 실행
  - 위험성 수준 높음 또는 보통 경우 위험 범위 확정
  - 필요 시 추가 감소대책 수립 및 실행
  - 잔여 유해·위험요인 게시, 주지 등으로 알림

- ◆ 6단계
  - 기록
  - 위험성평가 수행 결과 관계자에게 공유 및 교육 목적

5) 위험성평가의 방법 및 시기

- ◆ 최초평가
  - 설립일로부터사업 1년 이내(2014년 3월 13일 이후 설립된 사업장)

- ◆ 수시평가
  - 다음 사항 중 해당하는 경우 착수 전 수시로 실시
  - 사업장 건설물의 설치·이전·변경 또는 해체
  - 기계·기구, 설비·원재료 등의 신규 도입 또는 변경
  - 건설물, 기계·기구, 설비 등의 정비 또는 보수
  - 작업방법 또는 작업절차의 신규 도입 또는 변경
  - 그 밖의 사업주가 필요하다고 판단한 경우

- ◆ 정기평가
  - 최초평가 후 매년 정기적으로 실시
  - 기계·기구, 설비 등의 기간 경과에 의한 성능 저하
  - 근로자 교체 등에 수반한 안전·보건과 관련되는 지식 또는 경험의 변화
  - 현재 수립되어있는 위험성 감소대책의 유효성

10. 제조물책임법에서 정하는 결함의 종류에 대하여 설명하시오.
[126회 1교시 10번] [123회 2교시 3번] [120회 3교시 4번] [117회 2교시 6번]

◇ "제조상의 결함"이라 함은 제조업자의 제조물에 대한 제조·가공상의 주의의무의 이행여부에 불구하고 제조물이 원래 의도한 설계와 다르게 제조·가공됨으로써 안전하지 못하게 된 경우를 말한다.
  예) 제조 과정에 이물질이 혼입된 식품, 자동차에 부속품이 빠져있는 경우.

◇ "설계상의 결함"이라 함은 제조업자가 합리적인 대체설계를 채용하였더라면 피해나 위험을 줄이거나 피할 수 있었음에도 대체설계를 채용하지 아니하여 당해 제조물이 안전하지 못하게 된 경우를 말한다.
  예) 녹즙기에 어린이들의 손가락이 잘려 나간 경우처럼 설계 자체에서 안전성이 결여됨

◇ "표시상의 결함"이라 함은 제조업자가 합리적인 설명·지시·경고 기타의 표시를 하였더라면 당해 제조물에 의하여 발생될 수 있는 피해나 위험을 줄이거나 피할 수 있었음에도 이를 하지 아니한 경우를 말한다.

　예) 취급 설명서나 경고 사항 등의 부적절성이나 미비 등 표시 불량에 의한 결함.

11. 중대재해 처벌 등에 관한 법률에서 정하는 중대산업재해와 중대시민재해를 설명하시오.

[127회 1교시 1번] [126회 1교시 11번] [123회 3교시 3번]

중대산업재해

"중대산업재해"란 「산업안전보건법」 제2조제1호에 따른 산업재해 중 다음 각 목의 어느 하나에 해당하는 결과를 야기한 재해를 말한다.

　가. 사망자가 1명 이상 발생
　나. 동일한 사고로 6개월 이상 치료가 필요한 부상자가 2명 이상 발생
　다. 동일한 유해요인으로 급성중독 등 대통령령으로 정하는 직업성 질병자가 1년 이내에 3명 이상 발생

중대시민재해

"중대시민재해"란 특정 원료 또는 제조물, 공중이용시설 또는 공중교통수단의 설계, 제조, 설치, 관리상의 결함을 원인으로 하여 발생한 재해로서 다음 각 목의 어느 하나에 해당하는 결과를 야기한 재해를 말한다. 다만, 중대산업재해에 해당하는 재해는 제외한다.

　가. 사망자가 1명 이상 발생
　나. 동일한 사고로 2개월 이상 치료가 필요한 부상자가 10명 이상 발생
　다. 동일한 원인으로 3개월 이상 치료가 필요한 질병자가 10명 이상 발생

12. 주요 구조 부분을 변경하는 경우 안전인증을 받아야 하는 유해·위험 기계 및 설비를 설명하시오.

[127회 1교시 2번] [126회 1교시 12번] [121회 3교시 4번] [114회 1교시 9번]
[111회 1교시 12번] [108회 3교시 2번] [105회 1교시 11번]

[121회 3교시 4번] 참조

제84조(안전인증)

① 유해·위험기계등 중 근로자의 안전 및 보건에 위해(危害)를 미칠 수 있다고 인정되어 대통령령으로 정하는 것을 제조하거나 수입하는 자(고용노동부령으로 정하는 안전인증대상기계등을 설치·이전하거나 **주요 구조 부분을 변경하는 자를 포함**한다.)는 안전인증대상기계등이 안전인증기준에 맞는지에 대하여 고용노동부장관이 실시하는 안전인증을 받아야 한다.

1. 다음 각 목의 어느 하나에 해당하는 기계 또는 설비
   가. 프레스
   나. 전단기 및 절곡기(折曲機)
   다. 크레인
   라. 리프트
   마. 압력용기
   바. 롤러기
   사. 사출성형기(射出成形機)
   아. 고소(高所) 작업대
   자. 곤돌라

13. 프레스의 슬라이드 등에 의한 위험을 방지할 수 있는 방호장치 기능 4가지를 설명하시오.

방호장치	기능
게이트 가드식	슬라이드 작동 중에는 신체의 일부가 위험한계 내에 들어갈 우려가 없을 것
광전자식	신체 일부가 위험한계 내에 접근한 경우 슬라이드 등의 작동을 정지시킬 수 있을 것
수인식	슬라이드와 작업자 손을 끈으로 연결하여 슬라이드 하강 시 작업자 손을 당겨 위험영역에서 빼낼 수 있도록 하는 장치 신체의 일부를 슬라이드 등의 작동과 함께 위험한계 내에서 배제할 수 있을 것
양수조작식	누름버튼(작동버튼)을 조작한 손이 위험한계 내에 도달하기 전에 슬라이드 작동을 정지시키거나, 양 손으로 누름 버튼을 조작한 손이 위험한계 내에 도달하지 않을 것

국가기술 자격검정 시험문제

2022년도	분야	안전관리	자격종목	기계안전기술사	성명	

※ 다음 문제 중 4문제를 선택하여 설명하시오. (각 문제당 25점)

1. 안전보건경영시스템(KS Q ISO 45001)에 의하면 최고경영자가 리더십과 의지표현을 실증하여야 하는 사항과 안전보건방침을 수립, 실행 및 유지하여야 하는 사항에 대하여 설명하시오.
   [126회 2교시 1번] [123회 4교시 6번]

최고경영자는 OH&S 경영시스템에 대한 **리더십과 의지표명을 실증**하여야 한다.

   ◆ 안전하고 건강한 작업장 및 활동의 제공뿐만 아니라 작업 관련 상해 및 건강상 장해의 예방에 대한 전반적인 책임과 책무를 짐
   ◆ OH&S 방침과 관련된 OH&S 목표가 수립하고 조직의 전략적 방향과 조화됨을 보장
   ◆ OH&S 경영시스템 요구사항이 조직의 비즈니스 프로세스와 통합됨을 보장
   ◆ OH&S 경영시스템의 수립, 실행, 유지 및 개선에 필요한 자원이 가용됨을 보장
   ◆ 효과적인 OH&S 경영의 중요성을 의사소통하고 OH&S 경영시스템 요구사항과의 적합성에 대한 중요성을 의사소통
   ◆ OH&S 경영시스템이 의도된 결과를 달성함을 보장
   ◆ OH&S 경영시스템의 효과성에 기여하도록 인원들을 감독 및 지원
   ◆ 지속적 개선의 보장 및 증진
   ◆ 다른 경영자의 책임 분야에 리더십이 적용될 때 리더십을 실증할 수 있도록 다른 관련 경영자 역할을 지원
   ◆ OH&S 경영시스템의 의도된 결과를 지원하는 조직 내 문화를 개발, 선도 및 증진

- 사건, 유해·위험요인, 리스크와 기회를 보고 할 때 근로자를 보복으로부터 보호
- 조직이 근로자의 협의 및 참여 프로세스를 수립, 실행하도록 보장
- 산업안전보건위원회를 설립 및 기능에 대한 지원

최고경영자는 다음과 같은 **OH&S 방침을 수립, 실행 및 유지**하여야한다.

- 작업-관련 상해 및 건강상 장해 예방을 위해 안전하고 건강한 근무 조건을 제공하겠다는 의지를 포함하여야 하며, 조직의 목적, 규모 및 상황과 OH&S 리스크와 OH&S 기회의 특정 성격에 적절함
- OH&S 목표를 설정하기 위한 틀을 제공
- 법적 요구사항 및 기타 요구사항을 충족하겠다는 의지를 포함
- 유해·위험요인을 제거하고 OH&S 리스크를 감소시키겠다는 의지를 포함
- OH&S 경영시스템의 지속적 개선에 대한 의지를 포함
- 근로자 및 존재하는 경우, 근로자 대표의 협의 및 참여에 대한 의지를 포함.

- OH&S 방침은 다음과 같아야 한다.
  - 문서화된 정보로 이용 가능
  - 조직 내에서 의사소통됨
  - 해당하는 경우, 이해관계자가 이용 가능함
  - 관련이 있고 적절함

2. 기계·기구 및 설비의 제작 설계 시 고려하여야 할 아래 내용에 대하여 설명하시오.

가) 허용응력(Allowable stress)

- 기계부품은 장시간 여러 가지 하중하에 있더라도 파괴, 고장, 영구변형이 남지 않아야 함
- 따라서 작용하는 응력은 제한돼야 하며, 이 제한된 응력이 허용응력이라고 함

나) 안전계수(Factor of safety)

- 기준강도와 허용응력의 비로 여러 변수를 적용하여 설계자가 기계기구 및 설비를 안전하게 사용하기 위한 강도를 산출하기 위해 이용함
- 높은 안전계수를 적용하면 비용이 기하급수적으로 증가할 수 있으므로 적절한 안전계수 설정이 중요함

다) 기준강도 결정 시 고려사항 5가지

재질의 사용조건 및 수명 등을 고려하여 다음과 같은 값을 적용
- 항복점 : 정하중이 연강과 같은 연성재료에 작용 시
- 극한강도 : 정하중이 주철과 같은 취성재료로 작용 시
- 크리프 한도 : 고온에서 정하중 작용
- 피로한도 : 반복 하중의 작용
- 좌굴하중 : 좌굴이 예상되는 긴 기둥

라) 안전계수 결정 시 고려사항 5가지

- 재료의 종류 및 그 균질성에 대한 신뢰도
  - 취성재료는 연성재료보다 안전율 크게
- 응력 계산의 정확도 크기
  - 형상이 복잡하고 응력 작용 상태가 복잡한 경우 안전율 크게
- 작용응력의 종류
  - 정하중의 경우 작게, 충격하중의 경우 안전율 크게
- 작용 하중 값의 정확도 크기
  - 관성력 등이 작용하는 경우 안전율 크게
- 불연속 부분의 존재
  - 불연속 부분에는 응력집중이 발생함으로 안전율 크게
- 공작 정도와 가공면의 상태
- 사용 수명
- 작동 환경

3. 에스컬레이터 또는 무빙워크에는 건축물의 장애물로 인해 부상이 발생할
   수 있는 장소, 특히 계단 교차점 및 십자형으로 교차하는 지점에서의
   적절한 예방조치가 취해져야 할 안전 보호판의 설치기준과 예외기준을
   설명하시오. (단, 아래 그림의 A와 B에 들어갈 수치를 제시할 것)

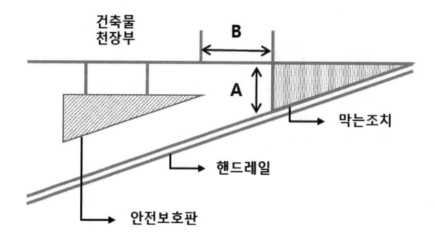

3-1 예방조치가 취해져야 할 안전 보호판의 설치기준

◇ 설치기준
- 삼각부의 수직거리가 30cm(A) 되는 곳까지 막을 것
- 탄력성 있는 재료로 마감 처리할 것
- 막은 부위에 충돌을 경고하기 위한 25~35cm(B) 전방에 신체에 손상이 없는
  재질(아크릴 등)로 비고정식 안전 보호관을 설치할 것

3-2 예외기준

◇ 예외규정
  건축물의 천장부 또는 측면이 핸드레일로부터 50cm 이상 떨어져 있는 경우
  또는 교차각이 45도를 초과하는 경우에는 막는 조치를 하지 않아도 됨

4. 산업안전보건기준에 관한 규칙에서 정의하는 차량계 건설기계와 차량계 하역운반기계 등에 대하여 아래 내용을 설명하시오.

가) 차량계 건설기계 및 차량계 하역운반기계 등의 종류

차량계 건설기계

1. 도저형 건설기계(불도저, 스트레이트도저, 틸트도저, 앵글도저, 버킷도저 등)
2. 모터그레이더
3. 로더(포크 등 부착물 종류에 따른 용도 변경 형식을 포함한다)
4. 스크레이퍼
5. 크레인형 굴착기계(크램쉘, 드래그라인 등)
6. 굴삭기(브레이커, 크러셔, 드릴 등 부착물 종류에 따른 용도 변경 형식을 포함한다)
7. 항타기 및 항발기
8. 천공용 건설기계(어스드릴, 어스오거, 크롤러드릴, 점보드릴 등)
9. 지반 압밀침하용 건설기계(샌드드레인머신, 페이퍼드레인머신, 팩드레인머신 등)
10. 지반 다짐용 건설기계(타이어롤러, 매커덤롤러, 탠덤롤러 등)
11. 준설용 건설기계(버킷준설선, 그래브준설선, 펌프준설선 등)
12. 콘크리트 펌프카
13. 덤프트럭
14. 콘크리트 믹서 트럭
15. 도로포장용 건설기계(아스팔트 살포기, 콘크리트 살포기, 아스팔트 피니셔, 콘크리트 피니셔 등)
16. 제1호부터 제15호까지와 유사한 구조 또는 기능을 갖는 건설기계로서 건설작업에 사용하는 것

차량계 하역운반기계

안전보건기준에 관한 규칙 [제10절 차량계 하역운반기계 등]
제2관 지게차
제3관 구내운반차
제4관 고소작업대
제5관 화물자동차

나) 작업을 하는 경우 근로자의 위험을 방지하기 위한 작업계획서 내용

작업명	사전조사 내용	작업계획서 내용
차량계 하역운반 기계 등을 사용하는 작업	-	가. 해당 작업에 따른 추락·낙하·전도·협착 및 붕괴 등의 위험 예방대책 나. 차량계 하역운반기계 등의 운행경로 및 작업방법
차량계 건설기계를 사용하는 작업	해당 기계의 굴러 떨어짐, 지반의 붕괴 등으로 인한 근로자의 위험을 방지하기 위한 해당 작업장소의 지형 및 지반상태	가. 사용하는 차량계 건설기계의 종류 및 성능 나. 차량계 건설기계의 운행경로 다. 차량계 건설기계에 의한 작업방법

◇ 작성한 작업계획서의 내용을 해당 근로자에게 알려야 한다.
  ◆ 해당 작업에 투입되는 근로자에게 작업 전 작업계획서 주요 내용, 안전수칙 등을 정기안전보건교육, 툴박스미팅(TBM) 등을 활용해 알림(교육)
  ◆ 필요시 교육내용을 작업계획서나 교육이력 등에 기록
  ◆ 특별 교육 대상작업[2]인 경우 작업 전 관련 내용 교육 실시

다) 자주 또는 견인에 의하여 화물자동차에 싣거나 내리는 작업을 할 때에 발판·성토 등을 사용하는 경우 전도 또는 굴러 떨어짐에 의한 위험을 방지하기 위한 준수 사항

1. 싣거나 내리는 작업은 평탄하고 견고한 상소에서 할 것
2. 발판을 사용하는 경우에는 충분한 길이·폭 및 강도를 가진 것을 사용하고 적당한 경사를 유지하기 위하여 견고하게 설치할 것
3. 자루·가설대 등을 사용하는 경우에는 충분한 폭 및 강도와 적당한 경사를 확보할 것

---

2)운반용 등 하역기계를5대 이상 보유한 사업장에서의 해당기계로 하는 작업 등 40개 작업

5. 동력으로 작동되는 문의 설치조건에 대하여 설명하시오.

안전보건기준에 관한 규칙 제12조(동력으로 작동되는 문의 설치 조건)

사업주는 동력으로 작동되는 문을 설치하는 경우 다음 각 호의 기준에 맞는 구조로 설치하여야 한다.

1. 동력으로 작동되는 문에 근로자가 끼일 위험이 있는 2.5미터 높이까지는 위급하거나 위험한 사태가 발생한 경우에 문의 작동을 정지시킬 수 있도록 비상정지장치 설치 등 필요한 조치를 할 것. 다만, 위험구역에 사람이 없어야만 문이 작동되도록 안전장치가 설치되어 있거나 운전자가 특별히 지정되어 상시 조작하는 경우에는 그러하지 아니하다.

2. 동력으로 작동되는 문의 비상정지장치는 근로자가 잘 알아볼 수 있고 쉽게 조작할 수 있을 것

3. 동력으로 작동되는 문의 동력이 끊어진 경우에는 즉시 정지되도록 할 것. 다만, 방화문의 경우에는 그러하지 아니하다.

4. 수동으로 열고 닫을 수 있도록 할 것. 다만, 동력으로 작동되는 문에 수동으로 열고 닫을 수 있는 문을 별도로 설치하여 근로자가 통행할 수 있도록 한 경우에는 그러하지 아니하다.

5. 동력으로 작동되는 문을 수동으로 조작하는 경우에는 제어장치에 의하여 즉시 정지시킬 수 있는 구조일 것

6. 공작기계의 절삭가공에서 발생하는 절삭저항과 3분력에 대하여 그림을
   그리고 설명하시오.

공작기계에서 가공물을 절삭할 때 발생하는 절삭 저항 3분력

① 주분력 : 절삭방향의 분력
   • 가공면에 접해서 회전축과 직각 방향의 분력, 절삭방향으로 평행한 분력

② 이송분력(횡분력) : 이송분력
   • 회전축과 평행한 분력 이송방향으로 평행한 분력

③ 배분력 : 절삭깊이 방향 분력
   • 절삭깊이 방향의 분력, 절삭공구 축방향으로 평행한 분력

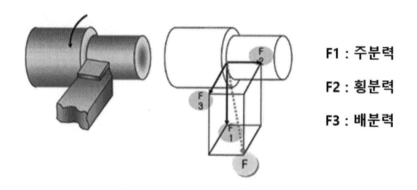

F1 : 주분력

F2 : 횡분력

F3 : 배분력

국가기술 자격검정 시험문제

기술사　　제 126 회　　　　　　　　　제 3 교시　(시험시간: 100분)

2022년도	분야	안전관리	자격 종목	기계안전기술사	성명	

※ 다음 문제 중 4문제를 선택하여 설명하시오. (각 문제당 25점)

1. 안전모를 사용구분에 따라 종류별로 분류하고 시험성능기준에 대하여 설명하시오.

종류별로 분류

종류 (기호)	사 용 구 분	비고
AB	물체의 낙하 또는 비래 및 추락에 의한 위험을 방지 또는 경감시키기 위한 것	
AE	물체의 낙하 또는 비래에 의한 위험을 방지 또는 경감하고, 머리부위 감전에 의한 위험을 방지하기 위한 것	내전압성[3]
ABE	물체의 낙하 또는 비래 및 추락에 의한 위험을 방지 또는 경감하고, 머리부위 감전에 의한 위험을 방지하기 위한 것	내전압성

시험성능기준

항 목	시 험 성 능 기 준
내관통성	안전모는 관통거리가 11.1밀리미터 이하이어야 한다.
충격 흡수성	최고 전달 충격력이 4,450뉴턴(N)을 초과해서는 안 되며, 모체와 착장체의 기능이 상실되지 않아야 한다.
난연성	모체가 불꽃을 내며 5초 이상 연소되지 않아야 한다.
턱끈 풀림	150뉴턴(N) 이상 250뉴턴(N) 이하에서 턱끈이 풀려야 한다.

---

[3] 내전압성이란 7,000V 이하의 전압에 견디는 것을 말한다.

2. 구름베어링을 구성하는 부품 4가지를 설명하시오.
[126회 3교시 2번] [123회 1교시 8번] [114회 4교시 2번] [105회 2교시 6번]

구름베어링(Rolling Bearing)은 상대하고 있는 2개의 궤도륜 사이에 전동체를 넣어서 굴림 운동을 일으킬 수 있는 구조로 되어 있고 마찰이 대단히 적다.

내륜, 외륜, 전동체, 케이지의 4가지 주요부분으로 구성되어 있다.

◇ 외륜 : 외부의 큰 고리
◇ 내륜 : 안쪽의 작은 고리
◇ 전동체 : 외륜과 내륜의 고리사이에서 움직이는 구슬 또는 롤러
◇ 케이지 : 전동체의 위치를 고정시켜주는 장치

1) 외륜(Outerrace)

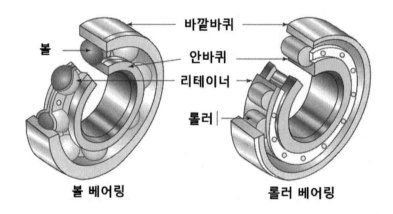

볼 베어링   롤러 베어링

전동체를 둘러싸고 있는 외측의 궤도륜을 말한다. 외륜에는 안쪽에 홈이 파져 있고 바깥쪽은 평평한 형상을 한다.

2) 내륜 (Inner race)
궤도륜의 바깥쪽에 홈이 파져 있고 안쪽은 평평한 형상을 하고 있다.

3) 전동체

전동체의 형상은 여러 가지가 있다.

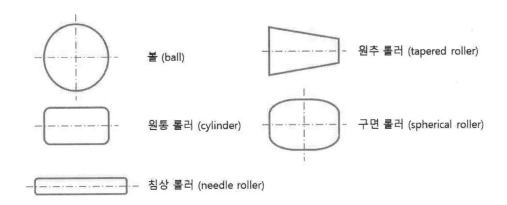

4) 케이지 (Cage 또는 Retainer)

전동체를 전원주에 고르게 배치하고, 상호간의 접촉을 피하고 마모와 소음을
방지하는 역할을 하는 것을 말한다.

3. 산업안전보건기준에 관한 규칙에 의한 밀폐공간 장소에 대하여 설명하시오.

[126회 3교시 3번] [124회 1교시 7번] [114회 2교시 5번]

제618조(정의)

1. "밀폐공간"이란 산소결핍, 유해가스로 인한 질식·화재·폭발 등의 위험이
   있는 장소로서 별표 18에서 정한 장소를 말한다.
2. "유해가스"란 탄산가스·일산화탄소·황화수소 등의 기체로서 인체에 유해한
   영향을 미치는 물질을 말한다.
3. "적정공기"란 산소농도의 범위가 18퍼센트 이상 23.5퍼센트 미만, 탄산가스의
   농도가 1.5퍼센트 미만, 일산화탄소의 농도가 30피피엠 미만, 황화수소의
   농도가 10피피엠 미만인 수준의 공기를 말한다.
4. "산소결핍"이란 공기 중의 산소농도가 18퍼센트 미만인 상태를 말한다.
5. "산소결핍증"이란 산소가 결핍된 공기를 들이마심으로써 생기는 증상을 말한다.

제619조 (밀폐공간 작업 프로그램의 수립·시행)

① 사업주는 밀폐공간에서 근로자에게 작업을 하도록 하는 경우 다음 각 호의 내용이 포함된 밀폐공간 작업 프로그램을 수립하여 시행하여야 한다.
  1. 사업장 내 밀폐공간의 위치 파악 및 관리 방안
  2. 밀폐공간 내 질식·중독 등을 일으킬 수 있는 유해·위험 요인의 파악 및 관리 방안
  3. 제2항에 따라 밀폐공간 작업 시 사전 확인이 필요한 사항에 대한 확인 절차
  4. 안전보건교육 및 훈련
  5. 그 밖에 밀폐공간 작업 근로자의 건강장해 예방에 관한 사항
② 사업주는 근로자가 밀폐공간에서 작업을 시작하기 전에 다음 각 호의 사항을 확인하여 근로자가 안전한 상태에서 작업하도록 하여야 한다.
  1. 작업 일시, 기간, 장소 및 내용 등 작업 정보
  2. 관리감독자, 근로자, 감시인 등 작업자 정보
  3. 산소 및 유해가스 농도의 측정결과 및 후속조치 사항
  4. 작업 중 불활성가스 또는 유해가스의 누출·유입·발생 가능성 검토 및 후속 조치 사항
  5. 작업 시 착용하여야 할 보호구의 종류
  6. 비상연락체계
③ 사업주는 밀폐공간에서의 작업이 종료될 때까지 제2항 각 호의 내용을 해당 작업장 출입구에 게시하여야 한다.

제619조의2(산소 및 유해가스 농도의 측정)

① 사업주는 밀폐공간에서 근로자에게 작업을 하도록 하는 경우 작업을 시작(작업을 일시 중단하였다가 다시 시작하는 경우를 포함한다)하기 전 다음 각 호의 어느 하나에 해당하는 자로 하여금 해당 밀폐공간의 산소 및 유해가스 농도를 측정하여 적정공기가 유지되고 있는지를 평가하도록 해야 한다.
  1. 관리감독자
  2. 법 제17조제1항에 따른 안전관리자 또는 법 제18조제1항에 따른 보건관리자
  3. 법 제21조에 따른 안전관리전문기관 또는 보건관리전문기관
  4. 법 제74조에 따른 건설재해예방전문지도기관
  5. 법 제125조제3항에 따른 작업환경측정기관
  6. 「한국산업안전보건공단법」에 따른 한국산업안전보건공단이 정하는 산소 및 유해가스 농도의 측정·평가에 관한 교육을 이수한 사람

② 사업주는 제1항에 따라 산소 및 유해가스 농도를 측정한 결과 적정공기가 유지되고 있지 아니하다고 평가된 경우에는 작업장을 환기시키거나, 근로자에게 공기호흡기 또는 송기마스크를 지급하여 착용하도록 하는 등 근로자의 건강장해 예방을 위하여 필요한 조치를 하여야 한다.

제620조(환기 등)

① 사업주는 근로자가 밀폐공간에서 작업을 하는 경우에 작업을 시작하기 전과 작업 중에 해당 작업장을 적정공기 상태가 유지되도록 환기하여야 한다. 다만, 폭발이나 산화 등의 위험으로 인하여 환기할 수 없거나 작업의 성질상 환기하기가 매우 곤란한 경우에는 근로자에게 공기호흡기 또는 송기마스크를 지급하여 착용하도록 하고 환기하지 아니할 수 있다.
② 근로자는 제1항 단서에 따라 지급된 보호구를 착용하여야 한다.

제621조(인원의 점검)

사업주는 근로자가 밀폐공간에서 작업을 하는 경우에 그 장소에 근로자를 입장시킬 때와 퇴장시킬 때마다 인원을 점검하여야 한다.

제622조(출입의 금지)

① 사업주는 사업장 내 밀폐공간을 사전에 파악하여 밀폐공간에는 관계 근로자가 아닌 사람의 출입을 금지하고, 별지 제4호서식에 따른 출입금지 표지를 밀폐공간 근처의 보기 쉬운 장소에 게시하여야 한다.
② 근로자는 제1항에 따라 출입이 금지된 장소에 사업주의 허락 없이 출입해서는 아니 된다.

제623조(감시인의 배치 등)

① 사업주는 근로자가 밀폐공간에서 작업을하는 동안 작업상황을 감시할 수 있는 감시인을 지정하여 밀폐공간 외부에 배치하여야 한다.
② 제1항에 따른 감시인은 밀폐공간에 종사하는 근로자에게 이상이 있을 경우에 구조요청 등 필요한 조치를 한 후 이를 즉시 관리감독자에게 알려야 한다.
③ 사업주는 근로자가 밀폐공간에서 작업을 하는 동안 그 작업장과 외부의 감시인 간에 항상 연락을 취할 수 있는 설비를 설치하여야 한다.

제624조(안전대 등)

① 사업주는 밀폐공간에서 작업하는 근로자가 산소결핍이나 유해가스로 인하여
   추락할 우려가 있는 경우에는 해당 근로자에게 안전대나 구명밧줄, 공기호흡기
   또는 송기마스크를 지급하여 착용하도록 하여야 한다.
② 사업주는 제1항에 따라 안전대나 구명밧줄을 착용하도록 하는 경우에 이를
   안전하게 착용할 수 있는 설비 등을 설치하여야 한다.
③ 근로자는 제1항에 따라 지급된 보호구를 착용하여야 한다.

제625조(대피용 기구의 비치)

   사업주는 근로자가 밀폐공간에서 작업을 하는 경우에 공기호흡기 또는 송기마스크,
   사다리 및 섬유로프 등 비상시에 근로자를 피난시키거나 구출하기 위하여 필요한
   기구를 갖추어 두어야 한다.

4. 작업의자형 달비계를 설치하는 경우에 사업주가 준수해야 하는 사항에 대하여 설명하시오.

산업안전보건기준에 관한 규칙 제63조(달비계의 구조)
② 사업주는 작업의자형 달비계를 설치하는 경우에는 다음 각 호의 사항을 준수해야
   한다. 〈신설 2021. 11. 19.〉
   1. 달비계의 작업대는 나무 등 근로자의 하중을 견딜 수 있는 강도의 재료를
      사용하여 견고한 구조로 제작할 것
   2. 작업대의 4개 모서리에 로프를 매달아 작업대가 뒤집히거나 떨어지지 않도록
      연결할 것
   3. 작업용 섬유로프는 콘크리트에 매립된 고리, 건축물의 콘크리트 또는 철재
      구조물 등 2개 이상의 견고한 고정점에 풀리지 않도록 결속(結束)할 것
   4. 작업용 섬유로프와 구명줄은 다른 고정점에 결속되도록 할 것
   5. 작업하는 근로자의 하중을 견딜 수 있을 정도의 강도를 가진 작업용 섬유
      로프, 구명줄 및 고정점을 사용할 것
   6. 근로자가 작업용 섬유로프에 작업대를 연결하여 하강하는 방법으로 작업을
      하는 경우 근로자의 조종 없이는 작업대가 하강하지 않도록 할 것

7. 작업용 섬유로프 또는 구명줄이 결속된 고정점의 로프는 다른 사람이 풀지 못하게 하고 작업 중임을 알리는 경고표지를 부착할 것
8. 작업용 섬유로프와 구명줄이 건물이나 구조물의 끝부분, 날카로운 물체 등에 의하여 절단되거나 마모(磨耗)될 우려가 있는 경우에는 로프에 이를 방지할 수 있는 보호 덮개를 씌우는 등의 조치를 할 것
9. 달비계에 다음 각 목의 작업용 섬유로프 또는 안전대의 섬유벨트를 사용하지 않을 것
   가. 꼬임이 끊어진 것
   나. 심하게 손상되거나 부식된 것
   다. 2개 이상의 작업용 섬유로프 또는 섬유벨트를 연결한 것
   라. 작업높이보다 길이가 짧은 것
10. 근로자의 추락 위험을 방지하기 위하여 다음 각 목의 조치를 할 것
   가. 달비계에 구명줄을 설치할 것
   나. 근로자에게 안전대를 착용하도록 하고 근로자가 착용한 안전줄을 달비계의 구명줄에 체결(締結)하도록 할 것

5. 스마트팩토리 수준과 스마트팩토리 안전시스템 수준을 비교하여 설명하시오.

◇ 스마트팩토리 수준

구분	정의
기초수준	기초 ICT를 활용하여 생산 일부의 정보를 수집 및 활용하고 기존 인프라 활용을 통하여 최소비용으로 정보시스템을 구축하는 수준
중간수준 1	설비의 정보를 최대한 자동으로 수집하고 인프라와 신뢰성 있는 정보를 공유함으로써 생산과정의 자동화를 지향하는 수준
중간수준 2	모기업과 공급사슬 및 엔지니어링 관련 정보를 공유함으로써 최적화와 자동제어를 기반으로 실시간 의사 결정할 수 있는 제어형 공장을 달성하는 수준
고도화수준	사물과 인터넷 서비스를 IoT/IoS화 하여 사물, 서비스, 비즈니스 모듈 간 실시간으로 소통체계를 구축하고 사이버 공간에서 생산활동을 구현하는 수준

◇ 스마트팩토리 안전시스템 수준

구분	정의
Safety 4	빅데이터와 AI 기술을 통해 부품고장, 교환주기 예지 및 예지적 방호조치, CPS 상에서 자율안전확인(자기적합성 선언)
Safety 3	이상 상태 모니터링을 통한 설비·자동제어, 이력 관리, 설비 수명 예측 등
Safety 2	기계·설비류(모듈설비 포함) 및 작업자 안전 모니터링
Safety 1	기계·설비류(모듈설비 포함) 안전기준 및 국내·외 관련 규격

6. 롤러기의 방호장치인 가드 설치 시 개구부 간격을 계산하는 식과 해당되는 위험점에 대하여 설명하시오.

6-1 개구부 간격을 계산하는 식

가드를 설치할 때 일반적인 개구부의 간격은 다음의 수식으로 계산한다.

$$y = 6 + 0.15 \, x \ (x < 160mm)$$

(단: $x \geq 160mm$ 이면 y=30)

여기서 x : 개구부에서 위험점까지의 최단거리(mm)

y : 개구부의 간격(mm)

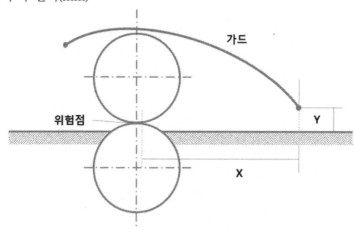

다만, 위험점이 전동체인 경우 개구부의 간격은 다음식으로 계산한다.

$$y = 6 + x/10 \text{ (단, } x \langle 760\text{mm에서 유효)}$$

여기서 x : 개구부에서 전동대차 위험점까지의 최단거리(mm)

y : 개구부의 간격(mm)

6-2 방호장치

롤러기는 각종 재료 및 위험도에 따라 다음과 같이 방호장치를 설치하여야 한다.

1) 위험기계 기구인 롤러기에는 급정지장치를 설치한다.

   가. 급정지장치의 종류
    (1) 손 조작식 : 밑면으로부터 1.8m이내
    (2) 복부 조작식 : 밑면으로부터 0.8m~1.1m이내
    (3) 무릎 조작식 : 밑면으로부터 0.4m~0.6m이내

   나. 성능기준 - 무부하로 울 회전 시 위의 정지거리 내에서 정지

   다. 설치방법
    (1) 급정지장치의 조작부는 롤러기의 전면 후면에 각각 1개씩 수평으로 설치하고, 그 길이는 롤의 길이 이상이어야 한다.
    (2) 손으로 조작하는 급정지장치의 조작부에 사용하는 줄은 사용중에 늘어나거나 끊어지지 않아야 한다.
    (3) 급정지장치가 동작한 경우에는 롤러기의 기동장치를 재조작하지 않으면 가동되지 않는 구조라야 한다.
    (4) 롤러기에는 방호장치로서 울 또는 안내롤 등을 설치하여야 한다.
      X : 개구면에서 위험점까지의 최단거리(mm)
      Y : X에 대한 개구부 간격(mm)
      이를 도식으로 표시해보면 $Y = 6 + 0.15X$(mm)

두꺼운 원재료를 가공할 때 개구부 간격 Y가 작게되면 원재료의 투입이 불가능해지거나 불량품이 생산되게 된다. 그러므로 가공에 충분한 개구부를 얻고 안전을 확보하기 위해서는 X거리를 충분히 확보해야 한다.

국가기술 자격검정 시험문제

2022년도	분야	안전관리	자격 종목	기계안전기술사	성명	

※ 다음 문제 중 4문제를 선택하여 설명하시오. (각 문제당 25점)

1. 기계가공에서 사용되는 절삭제에 대하여 아래 내용을 설명하시오.

가) 사용 목적
- 공구의 인선을 냉각시켜 공구의 경도저하를 방지함
- 가공물을 냉각시켜, 절삭열에 의한 정밀도 저하를 방지함
- 공구의 마모를 줄이고 윤활 및 세척작용으로 가공표면을 양호하게함
- 칩을 씻어주고 절삭부를 깨끗이 닦아 절삭작용을 쉽게함

나) 구비조건
- 윤활성, 냉각성이 우수하여야함
- 화학적으로 안전하고 위생상 해롭지 않아야함
- 공작물과 기계에 녹이 슬지 않아야함
- 칩 분리가 용이하여 회수가 쉬워야함
- 휘발성이 없고 인화점이 높아야함
- 값이 저렴하고 쉽게 구할 수 있어야함

다) 종류
- 수용성 절삭유 : 점성이 낮고 비열이 커서 냉각효과가 크고 고속 절삭 및 연삭 가공액으로 많이 사용함
- 광유 : 냉각성이 적어 경절삭에 사용함
- 유화유 : 광유 + 비눗물
- 동물성유 : 식물성유보다는 점성이 높아 저속절삭 사용함
- 식물성유 : 종자유, 콩기름, 올리브유, 면실유

2. 중대재해 처벌 등에 관한 법률에서 정하는 '안전보건관리체계의 구축 및 그 이행'에 관한 조치 사항에 대하여 설명하시오.

중대재해처벌법 시행령 제4조(안전보건관리체계의 구축 및 이행 조치)

법 제4조제1항제1호에 따른 조치의 구체적인 사항은 다음 각 호와 같다.

1. 사업 또는 사업장의 **안전·보건에 관한 목표와 경영방침을 설정**할 것

2. 「산업안전보건법」 제17조부터 제19조까지 및 제22조에 따라 두어야 하는 인력이 총 3명 이상이고 다음 각 목의 어느 하나에 해당하는 사업 또는 사업장인 경우에는 **안전·보건에 관한 업무를 총괄·관리하는 전담 조직을 둘 것**. 이 경우 나목에 해당하지 않던 건설사업자가 나목에 해당하게 된 경우에는 공시한 연도의 다음 연도 1월 1일까지 해당 조직을 두어야 한다.
   가. 상시근로자 수가 **500명 이상**인 사업 또는 사업장
   나. 「건설산업기본법」 제8조 및 같은 법 시행령 별표 1에 따른 토목건축공사업에 대해 같은 법 제23조에 따라 평가하여 공시된 시공 능력의 순위가 상위 200위 이내인 건설사업자

3. 사업 또는 사업장의 특성에 따른 **유해·위험요인을 확인하여 개선하는 업무절차를 마련**하고, 해당 업무절차에 따라 유해·위험요인의 확인 및 개선이 이루어지는지를 **반기 1회 이상 점검한 후 필요한 조치**를 할 것. 다만, 「산업안전보건법」 제36조에 따른 위험성평가를 하는 절차를 마련하고, 그 절차에 따라 위험성 평가를 직접 실시하거나 실시하도록 하여 실시 결과를 보고받은 경우에는 해당 업무절차에 따라 유해·위험요인의 확인 및 개선에 대한 점검을 한 것으로 본다.

4. 다음 각 목의 사항을 이행하는 데 **필요한 예산을 편성하고 그 편성된 용도에 맞게 집행**하도록 할 것

   가. 재해 예방을 위해 필요한 안전·보건에 관한 인력, 시설 및 장비의 구비
   나. 제3호에서 정한 유해·위험요인의 개선
   다. 그 밖에 안전보건관리체계 구축 등을 위해 필요한 사항으로서 고용노동부 장관이 정하여 고시하는 사항

5. 「산업안전보건법」제15조, 제16조 및 제62조에 따른 안전보건관리책임자, 관리감독자 및 안전보건총괄책임자(이하 이 조에서 "안전보건관리책임자 등"이라 한다)가 같은 조에서 규정한 **각각의 업무를 각 사업장에서 충실히 수행**할 수 있도록 다음 각 목의 조치를 할 것

   가. 안전보건관리책임자등에게 해당 업무 수행에 **필요한 권한과 예산을 줄 것**

   나. 안전보건관리책임자 등이 해당 업무를 충실하게 수행하는지를 **평가하는 기준을 마련하고, 그 기준에 따라 반기 1회 이상 평가ㆍ관리**할 것

6. 「산업안전보건법」제17조부터 제19조까지 및 제22조에 따라 **정해진 수 이상의 안전관리자, 보건관리자, 안전보건관리담당자 및 산업보건의를 배치**할 것. 다만, 다른 법령에서 해당 인력의 배치에 대해 달리 정하고 있는 경우에는 그에 따르고, 배치해야 할 인력이 다른 업무를 겸직하는 경우에는 고용노동부장관이 정하여 고시하는 기준에 따라 안전ㆍ보건에 관한 업무 수행시간을 보장해야 한다.

7. 사업 또는 사업장의 안전ㆍ보건에 관한 사항에 대해 **종사자의 의견을 듣는 절차를 마련**하고, 그 절차에 따라 의견을 들어 재해 예방에 필요하다고 인정하는 경우에는 그에 대한 개선방안을 마련하여 이행하는지를 반기 1회 이상 점검한 후 필요한 조치를 할 것. 다만, 「산업안전보건법」제24조에 따른 산업안전보건위원회 및 같은 법 제64조ㆍ제75조에 따른 안전 및 보건에 관한 협의체에서 사업 또는 사업장의 안전ㆍ보건에 관하여 논의하거나 심의ㆍ의결한 경우에는 해당 종사자의 의견을 들은 것으로 본다.

8. 사업 또는 사업장에 중대산업재해가 발생하거나 발생할 급박한 위험이 있을 경우를 대비하여 다음 각 목의 조치에 관한 **매뉴얼을 마련하고, 해당 매뉴얼에 따라 조치하는지를 반기 1회 이상 점검**할 것

   가. 작업 중지, 근로자 대피, 위험요인 제거 등 대응조치
   나. 중대산업재해를 입은 사람에 대한 구호조치
   다. 추가 피해방지를 위한 조치

9. 제3자에게 업무의 도급, 용역, 위탁 등을 하는 경우에는 종사자의 안전 · 보건을 확보하기 위해 다음 각 목의 **기준과 절차를 마련하고, 그 기준과 절차에 따라 도급, 용역, 위탁 등이 이루어지는지를 반기 1회 이상 점검**할 것

　　가. 도급, 용역, 위탁 등을 받는 자의 산업재해 예방을 위한 조치 능력과 기술에 관한 평가기준 · 절차
　　나. 도급, 용역, 위탁 등을 받는 자의 안전 · 보건을 위한 관리비용에 관한 기준
　　다. 건설업 및 조선업의 경우 도급, 용역, 위탁 등을 받는 자의 안전 · 보건을 위한 공사기간 또는 건조기간에 관한 기준

10. 법 적용 대상은 상시근로자가 5명 이상인 사업 또는 사업장
　　다만, 50명(50억원) 이상은 '22.1.27.부터, 5~49명(50억원 미만)은 '24.1.27. 부터 적용
　　- 여기서 '사업 또는 사업장'은 산업안전보건법상 사업장과 달리 경영상 일체를 이루는 조직 단위로서 법인, 기관, 기업 그 자체를 말하며
　　- 장소적 개념에 따라서 판단할 것이 아니므로 본사와 생산을 담당하는 공장은 '하나의 사업 또는 사업장'으로 봐야 함

3. 기어의 아래 내용에 대하여 설명하시오.

가) 백래시(Backlash) 정의
기계에 쓰이는 나사, 톱니바퀴 등의 서로 맞물려 운동하는 기계 장치 등에서 운동방향으로 일부러 만들어진 틈

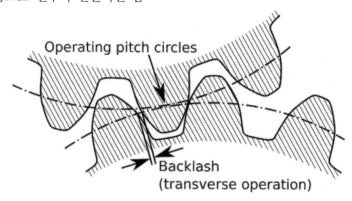

나) 모듈, 원주피치 및 지름피치의 정의와 관계되는 수식

- ◆ 피치는 톱니 하나에 대한 값
- ◆ 360도를 톱니수로 나누면 피치각이 되며 이 각에 해당하는 피치원을 원주피치라고 하고 기초원에 해당하는 것을 기초원 피치라고 함
- ◆ 모듈이 톱니 하나에 대한 지름이므로 원주율을 곱하면 원주피치가 됨
- ◆ 기초원 지름을 구하듯이 원주피치에 cos값을 곱하면 기초원 피치가 됨

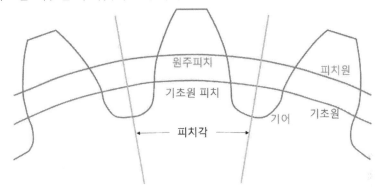

◇ 모듈 : $m = \dfrac{d}{z}$ (m : 모듈, d : 피치원 지름, z : 잇수)

◇ 원주피치 : $P_c = \dfrac{\pi d}{z}$ (P_c : 원주피치, d : 피치원 지름, z : 잇수)

◇ 지름피치 : $P_d = \dfrac{z}{d}$ (P_d : 지름피치, d : 피치원 지름, z : 잇수)

4. 상시 근로자수가 500명인 전기장비 제조업종의 주식회사 사업장이 있다. 산업안전보건법에 의거 아래 내용에 대하여 설명하시오.

가) 회사의 정관에 안전 및 보건에 관한 계획 수립 시 포함하여야 하는 내용

제14조(이사회 보고 및 승인 등)

① 「상법」 제170조에 따른 주식회사 중 대통령령으로 정하는 회사의 대표이사는 대통령령으로 정하는 바에 따라 매년 회사의 안전 및 보건에 관한 계획을 수립하여 이사회에 보고하고 승인을 받아야 한다.

② 제1항에 따른 대표이사는 제1항에 따른 안전 및 보건에 관한 계획을 성실하게 이행하여야 한다.

③ 제1항에 따른 안전 및 보건에 관한 계획에는 **안전 및 보건에 관한 비용, 시설, 인원 등의 사항을 포함**하여야 한다.

나) 안전관리자 및 보건관리자의 수

구분	업종	상시근로자 수	선임인원
안전관리자	14. 전기장비 제조업	500명 이상	2명 이상
보건관리자	16. 전기장비 제조업	500명 이상 2천명 미만	2명 이상

다) 안전보건관리책임자, 안전관리자 및 보건관리자의 신규교육 및 보수교육 시간

교육대상	교육시간	
	신규교육	보수교육
안전보건관리책임자	6시간 이상	6시간 이상
안전관리자	34시간 이상	24시간 이상
보건관리자	34시간 이상	24시간 이상

라) 안전관리자의 업무
1. 산업안전보건위원회 또는 안전 및 보건에 관한 노사협의체에서 심의·의결한 업무와 해당 사업장의 안전보건관리규정 및 취업규칙에서 정한 업무
2. 위험성평가에 관한 보좌 및 지도·조언
3. 안전인증 대상 기계 등과 자율안전 확인 대상 기계 등 구입 시 적격품의 선정에 관한 보좌 및 지도·조언
4. 해당 사업장 안전교육계획의 수립 및 안전교육 실시에 관한 보좌 및 지도·조언
5. 사업장 순회점검, 지도 및 조치 건의
6. 산업재해 발생의 원인 조사·분석 및 재발 방지를 위한 기술적 보좌 및 지도·조언
7. 산업재해에 관한 통계의 유지·관리·분석을 위한 보좌 및 지도·조언
8. 법 또는 법에 따른 명령으로 정한 안전에 관한 사항의 이행에 관한 보좌 및 지도·조언
9. 업무 수행 내용의 기록·유지
10. 그 밖에 안전에 관한 사항으로서 고용노동부장관이 정하는 사항

5. 위험물질을 제조·취급하는 작업장의 비상구 설치기준에 대하여 설명하시오.

안전보건기준에 관한 규칙 제17조(비상구의 설치)

① 사업주는 별표 1에 규정된 위험물질을 제조·취급하는 작업장과 그 작업장이 있는 건축물에 제11조에 따른 출입구 외에 안전한 장소로 대피할 수 있는 비상구 1개 이상을 다음 각 호의 기준을 모두 충족하는 구조로 설치해야 한다. 다만, 작업장 바닥면의 가로 및 세로가 각 3미터 미만인 경우에는 그렇지 않다.

1. 출입구와 같은 방향에 있지 아니하고, 출입구로부터 3미터 이상 떨어져 있을 것
2. 작업장의 각 부분으로부터 하나의 비상구 또는 출입구까지의 수평거리가 50미터 이하가 되도록 할 것
3. 비상구의 너비는 0.75미터 이상으로 하고, 높이는 1.5미터 이상으로 할 것
4. 비상구의 문은 피난 방향으로 열리도록 하고, 실내에서 항상 열 수 있는 구조로 할 것

② 사업주는 제1항에 따른 비상구에 문을 설치하는 경우 항상 사용할 수 있는 상태로 유지하여야 한다.

6. 아래 사항에 관한 인간공학적 고려사항에 대하여 각각 설명하시오.

가) 작업장 설계
- 작업장 설계 및 작업장비의 배치와 작업절차는 주요 인간 공학적 표준에 따라 설계되어야 함
- 작업장 설계 시 생산, 유지, 보수 및 시스템 지원 담당자 등 다양한 유형의 근로자의 의견을 적극 반영하여야 함
- 디자인은 근로자의 신체 크기, 강점, 지적 능력을 포함하는 근로자의 특성을 고려하여야 함
- 작업절차는 안전성과 운용성 및 유지관리에 적합하도록 설계되어야 함
- 비정상 또는 긴급을 요구하는 모든 예측 가능한 운영조건을 고려하여 설계하여야 함
- 근로자와 시스템 간의 상호작용을 고려하여 설계하여야 함

나) 작업허가시스템 운영

- 작업허가는 작업장의 경영자 및 감독자와 근로자 사이의 안전을 확보하기 위한 효율적인 의사소통 방법임을 인식하여야 함
- 작업허가는 작업의 공백이나 중복이 없이 누가 무엇을 수행하는지에 대한 역할과 책임을 명확히 하고 위험요인에 대한 단계별 통제가 이루어지는 방향으로 운영되어야 함
- 작업허가 시스템과 작업허가 관련 절차에 관한 문서를 작성할 때에는 근로자의 안전에 관한 의견을 반영해야 함
- 동시 또는 상호 의존적으로 실시하는 업무에서는 관련 작업허가가 서로 연관성을 갖도록 하여 위험관리상의 사각지대가 발생하지 않도록 하여야 함
- 작업허가 시스템의 모든 근로자에게 안전에 관한 안전보건교육을 실시하고 작업허가 시스템과 관련되어 있는 다른 사람들에게도 관련 정보를 제공해야 함

다) 유지관리, 검사와 시험

- 유지관리 등 업무의 제반 활동을 위하여 각 담당자 별로 역할과 책임을 부여해야 함
- 관련 시설과 장비를 확인하기 위한 시스템을 확보하고, 유지관리 등 시스템에 그 관련 시설과 장비를 포함시켜야 함
- 유지관리 등 업무 담당 근로자의 능력을 보증할 수 있고, 유지관리 등 활동에 착수하고 있는 근로자의 능력을 확인하고 감독하는 시스템을 구축해야 함
- 유지관리 등 업무의 적절한 지시와 적절한 자원을 위한 절차를 마련해야 함
- 유지관리 등 업무 시의 문제점에 대한 초기 징후를 찾아 관리하여야 함
  예) 초과하는 수리시간, 직원으로부터 부정적인 피드백
- 일정한 점검표에 따라 유지관리가 정해진 절차에 따라 실시되어야 함
- 인적오류로부터 발생하는 실수와 사고를 조사하고 시스템을 개선해야 함
- 유지관리 등 업무 수행 시 모든 직원 사이에 효과적인 의사소통을 보장해야 함
- 시험, 검사 및 증명 테스트를 위한 명확한 동과/실패 기준을 위한 절차를 갖추어야 함
- 유지관리 등 업무에 종사하는 근로자를 작업설계, 작업분석, 작업절차 제정 등에 참여시켜야 함

제124회 (2021년)
기계안전기술사

124회 기계안전기술사 출제 유형

교시	번호	세부항목
1	1	기계설계 및 기계제작
1	2	기계설계 및 기계제작
1	3	재료시험 및 응력해석
1	4	안전교육 및 지도
1	5	산업안전보건법
1	6	산업안전보건기준에 관한 규칙
1	7	산업안전보건기준에 관한 규칙
1	8	산업안전보건기준에 관한 규칙
1	9	산업안전보건기준에 관한 규칙
1	10	기계·설비결함의 진단 및 평가
1	11	산업안전보건법
1	12	기계·설비의 위험성 평가
1	13	산업안전보건법
2	1	기계설계 및 기계제작
2	2	산업안전보건기준에 관한 규칙
2	3	산업안전보건법
2	4	안전문화
2	5	기계재료, 용접결함, 열처리
2	6	기계·설비의 위험성 평가
3	1	기계설계 및 기계제작
3	2	재료시험 및 응력해석
3	3	기계재료, 용접결함, 열처리
3	4	기계재료, 용접결함, 열처리
3	5	산업기계 설비 및 운반기계의 특징과 안전한 사용
3	6	산업안전보건법
4	1	직업적성 및 산업심리
4	2	산업안전보건기준에 관한 규칙
4	3	기계재료, 용접결함, 열처리
4	4	기타 전기, 화공 안전에 관한 기본사항
4	5	인간의 특성과 안전과의 관계
4	6	기타 전기, 화공 안전에 관한 기본사항

124회 (2021년) 기계안전기술사

2021년도	분야	안전관리	자격 종목	기계안전기술사	성 명	

※ 다음 문제 중 10문제를 선택하여 설명하시오. (각 문제당 10점)

1. 기계설비 구조설계 시 재료의 안전율을 정의하고 안전율 결정 시 고려 사항 3가지를 설명하시오.

정의

구조물의 파괴를 피하기 위해, 구조물이 실제로 지지할 수 있는 하중이 사용중에 필요한 하중보다 커야 한다. 이때 구조물의 내하능력을 강도라 하며, 실제의 강도와 요구되는 강도의 비를 안전율이라 한다. 안전율은 구조물의 파괴를 피하기 위해 1보다 항상 커야 한다.

안전율 결정 시 고려사항

- 구조물의 우발적인 초과하중의 확률
- 하중의 형태
- 하중값의 정확성
- 피로파괴의 가능성
- 재료성질의 다양성
- 해석과정의 정확성
- 파괴의 결과 (손상의 대소)

안전율을 정하는 방법

- 허용응력

$$안전율 = \frac{항복응력(\sigma y)}{허용응력(\sigma a)}$$

극한응력

$$안전율 = \frac{극한응력\,(\sigma u)}{허용응력\,(\sigma a)}$$

극한하중

$$안전율 = \frac{극한하중}{사용하중}$$

2. 소음관리의 적극적 대책과 소극적 대책에 대하여 설명하시오.
[124회 1교시 2번] [108회 4교시 2번]

분류	방법	예시
소음원 대책 (적극적 대책)	▪ 진동량과 진동 부분의 표면을 줄임 ▪ 장비의 적절한 설계, 관리, 윤활 ▪ 차음벽 설치 ▪ 노후부품 교환 ▪ 덮개, 장막 사용 ▪ 탄력성 있는 재질의 공구 사용	▪ 부조합 조정, 부품 교환 ▪ 저소음형 기계의 사용 ▪ 방음커버 ▪ 소음기, 흡음덕트 ▪ 방진고무 사용 ▪ 제진재 장착 ▪ 소음기, 덕트, 차음벽 사용 ▪ 자동화 도입
전파경로 대책 (적극적 대책)	▪ 소음원을 멀리 이동 시킴 ▪ 흡음재를 사용하여 반사음을 억제 ▪ 소음기, 차음벽 이용	▪ 변경배치 ▪ 차폐물, 방음창, 방음실 ▪ 건물내부 흡음처리 ▪ 소음기, 덕트, 차음벽 이용
수음자 대책 (소극적 대책)	▪ 방음용구 착용 (귀마개, 귀덮개 착용) ▪ 노출시간 단축 및 적절한 휴식	▪ 방음 감시실 ▪ 작업스케쥴의 조정, 원격 조정 ▪ 귀마개, 귀덮개

3. 피로강도 감소의 주요인자 5가지를 설명하시오.

[124회 1교시 3번] [123회 1교시 2번] [114회 1교시 4번] [108회 2교시 4번]
[105회 3교시 5번] [102회 1교시 13번]

세부내용 [108회 2교시 4번] 참조

피로한도에 영향을 주는 요소

노치, 치수효과, 표면거칠기, 부식, 반복하중, 압입가공, 온도

- 노치효과
  - 다면의 형상이 변하는 부위에 피로한도 급격히 저하
  - 기계부재에는 노치 또는 비금속 개재물[4] 등의 재료 결함이 존재하고 이러한
    응력 집중에 의해 국부적으로 높은 응력이 발생
  - 인장강도가 높은 재료는 노치효과가 낮은 현상으로 하지 않으면 피로성능이
    저하하므로 이들 재료를 사용한 효과가 없어짐
- 치수효과
  - 부재 치수가 커지면 피로한도 저하
  - 평활재, 노치재를 막론하고 시험편의 치수가 변하면 피로 강도가 변하며,
    일반적으로 지름이 크면 피로한도 감소

- 표면효과
  - 재료파괴는 표면에서 시작하므로 표면조건에 대단히 민감
  - 표면이 거칠수록 피로한도 저하

- 온도영향
  - 실온 이상이면 피로한도 저하
  - 상온 이하의 저온에서의 피로한도는 일반적으로 온도의 저하와 함께 상승
  - 크리프강도 높을수록 피로한도 증가

- 부식효과 : 부식이 많이 되면 피로한도 감소
- 압입효과 : 억지끼워맞춤, 때려박음 등의 압입효과는 노치효과 이상의 악영향
  끼침
- 속도효과 : 하중 반복될 경우 피로한도 저하

---

4) 철강 내에 개재하는 고형체의 비금속성 불순물, 즉 철이나 망가니즈, 규소 및 인 등
의 합금 원소의 산화물, 유화물, 규산염 등을 총칭해서 비금속 개재물이라고 한다.

4. 안전보건 교육지도의 8원칙을 설명하시오.

① 수강자의 입장에서 교육
② 학습, 동기를 부여
③ 쉬운것에서 어려운 것 순으로 교육
④ 한 번에 한 가지씩 순서대로 교육
⑤ 반복해서 지도 : 무의식 행동까지 반복
⑥ 구체적인 실무에 근거
   - 사전제시, 견학, 보조자료 활용, 사고 사례
   - 중점 재강조, 그룹토의, 의견청취, 속담격언 연결
⑦ 5감을 활용
⑧ 기능적으로 이해
   - 효과 : 강한 기억, 자기중심, 자기만족 억제, 일에 적극성, 응급능력

5. 아브라함 매슬로(Abraham H. Maslow)의 인간 욕구 5단계에 대하여 설명하시오.

Maslow 욕구단계설

◇ 욕구 발생의 전제 조건
  ◆ 인간은 충족되지 않는 욕구를 만족하기 위해서 동기가 부여된다.
  ◆ 사람들은 공통적인 범위의 욕구가 있으며, 이런 보편적인 욕구는 충족되어야 할 순서대로 계층적으로 서열화 되어 있다.
  ◆ 하위 욕구가 만족되면 상위 욕구가 발현되고, 이를 만족시키기 위한 행동을 한다.
  ◆ 하위 욕구가 충족되지 않으면, 다음 단계의 욕구가 동기 부여되지 않는다.

◇ 욕구단계이론

1. 생리적 욕구
   - 식욕, 휴식, 잠자리 등 육체적 필요 및 의식주에 대한 욕구
   - 인간의 생명을 유지해가기 위한 기본적인 욕구

2. 안전욕구

- 신체적인 위험에 대한 공포로부터 벗어나 안전과 보호를 유지하려는 욕구
- 생리적 욕구를 충족시키지 못하게 되는 위험으로부터 해방되려는 욕구

3. 사회적 욕구

- 인간은 사회적 존재이기 때문에 인간에게는 여러 가지 집단에 소속하고 싶은 욕구와 여러 집단에 의해 받아들여지고 싶은 욕구가 있으며, 그것은 애정, 친분, 우정, 수용, 소속감 등에 대한 관심으로 나타남.

4. 존경 욕구

- 소속단체의 구성원으로서 명예나 권력을 누리려는 욕구
    1) 내부적 존경요인 : 자아 존중감, 자율, 성취 등
    2) 외부적 존경요인 : 지위, 신분, 인정, 관심의 대상이 되는 것 등

5. 자아실현의 욕구

- 자신의 재능과 잠재력을 충분히 발휘해서 자기가 이룰 수 있는 모든 것을 성취하려는 가장 높은 수준의 욕구
- 성장욕구, 자기완성욕구 등이 포함

6. 산업안전보건법상 1) 산업재해, 2) 중대재해, 3) 중대산업사고의 정의에 대하여 설명하시오.
[124회 1교시 6번] [117회 1교시 9번]

1) 산업재해
"산업재해"란 노무를 제공하는 사람이 업무에 관계되는 건설물·설비·원재료·가스·증기·분진 등에 의하거나 작업 또는 그 밖의 업무로 인하여 사망 또는 부상하거나 질병에 걸리는 것을 말한다.

2) 중대재해
"중대재해"란 산업재해 중 사망 등 재해 정도가 심하거나 다수의 재해자가 발생한 경우로서 고용노동부령으로 정하는 재해를 말한다.
    1. 사망자가 1명 이상 발생한 재해
    2. 3개월 이상의 요양이 필요한 부상자가 동시에 2명 이상 발생한 재해
    3. 부상자 또는 직업성 질병자가 동시에 10명 이상 발생한 재해

3) 중대산업사고

사업장에 유해하거나 위험한 설비가 있는 경우 그 설비로부터의 위험물질 누출, 화재 및 폭발 등으로 인하여 사업장 내의 근로자에게 즉시 피해를 주거나 사업장 인근 지역에 피해를 줄 수 있는 사고

1. 근로자가 사망하거나 부상을 입을 수 있는 설비에서의 누출 · 화재 · 폭발 사고
2. 인근 지역의 주민이 인적 피해를 입을 수 있는 설비에서의 누출 · 화재 · 폭발 사고

사고의 종류		판단기준	
중대산업사고	대상설비, 대상물질, 사고유형, 피해정도 등이 모두 판단기준에 해당된 사고로 공정안전관리 사업장에서 발생한 사고	대상설비	영 제33조의6에 따른 원유정제처리업 등 7개 업종 사업장: 해당 업종과 관련된 주제품을 생산하는 설비 및 그 설비의 운영과 관련된 설비에서의 사고 ·규정량 적용 사업장: 영 별표 10에 따른 유해·위험물질을 제조·취급·저장하는 설비 및 그 설비의 운영과 관련된 모든 공정설비에서의 사고
중대한 결함	근로자 또는 인근주민의 피해가 없을 뿐 그 밖의 사고 발생 대상설비, 사고물질, 사고유형이 중대산업사고에 해당하는 사고	대상물질	영 제33조의6에 따른 원유정제처리업 등 7개 업종 사업장: 안전보건규칙 별표 1에 따른 위험물질(170여종) 규정량 적용 사업장: 영 별표 10에 따른 유해·위험물질
그 밖의 화학사고	중대산업사고 또는 중대한 결함이 아닌 모든 화학사고	사고유형	·화학물질에 의한 화재, 폭발, 누출사고
		피해정도	근로자: 1명 이상이 사망하거나 부상한 경우 인근지역 주민: 피해가 사업장을 넘어서 인근 지역까지 확산될 가능성이 높은 경우

7. 근로자가 밀폐공간에서 작업할 때 수립·시행하는 밀폐공간 작업 프로그램에 포함되는 내용에 대하여 설명하시오.

[126회 3교시 3번] [124회 1교시 7번] [114회 2교시 5번]

산업안전보건기준에 관한 규칙 제619조(밀폐공간 작업 프로그램의 수립·시행)

① 사업주는 밀폐공간에서 근로자에게 작업을 하도록 하는 경우 다음 각 호의 내용이 포함된 밀폐공간 작업 프로그램을 수립하여 시행하여야 한다.

1. 사업장 내 밀폐공간의 위치 파악 및 관리 방안
2. 밀폐공간 내 질식·중독 등을 일으킬 수 있는 유해·위험 요인의 파악 및 관리 방안
3. 제2항에 따라 밀폐공간 작업 시 사전 확인이 필요한 사항에 대한 확인 절차
4. 안전보건교육 및 훈련
5. 그 밖에 밀폐공간 작업 근로자의 건강장해 예방에 관한 사항

② 사업주는 근로자가 밀폐공간에서 작업을 시작하기 전에 다음 각 호의 사항을 확인하여 근로자가 안전한 상태에서 작업하도록 하여야 한다.

1. 작업 일시, 기간, 장소 및 내용 등 작업 정보
2. 관리감독자, 근로자, 감시인 등 작업자 정보
3. 산소 및 유해가스 농도의 측정결과 및 후속조치 사항
4. 작업 중 불활성가스 또는 유해가스의 누출·유입·발생 가능성 검토 및 후속조치 사항
5. 작업 시 착용하여야 할 보호구의 종류
6. 비상연락체계

③ 사업주는 밀폐공간에서의 작업이 종료될 때까지 제2항 각 호의 내용을 해당 작업장 출입구에 게시하여야 한다.

밀폐공간 작업 프로그램에 포함되는 내용

(가) 밀폐공간의 위치, 형상, 크기 및 수량 등 목록 작성
(나) 밀폐공간의 사진이나 도면(필요시)
(다) 밀폐공간 작업의 당위성 및 필요성

(라) 작업 중 작업특성 또는 주변 환경요인에 의해 질식, 중독, 화재, 폭발 등을
    일으킬 수 있는 유해위험 요인(근로자가 상시 출입하지 않고 출입이 제한된
    장소로서 해당공간에서 산소결핍, 가스누출 등 유해요인발생 가능성 포함)
(마) 밀폐공간작업에 대한 허가 및 수행요령
(바) 근로자에 대한 교육과 훈련의 방법
(사) 산소 및 유해가스 농도의 측정과 후속조치 요령
(아) 환기장비의 사용 및 환기요령
(자) 작업 시 근로자가 작용하여야 할 보호구 및 안전장구류
(차) 감시인의 배치와 상시 연락체계 구축방안
(카) 밀폐공간 작업에 대한 감독과 모니터링 방안
(타) 비상사태 발생 시의 조치 및 보고요령(재해자에 대한 응급처지 포함)
(파) 프로그램의 평가 및 기록보존 방안

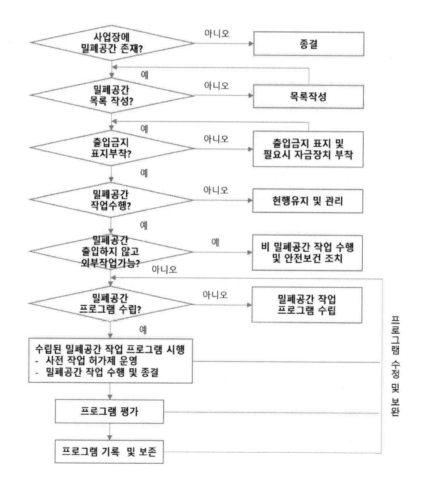

8. 상시작업을 하는 장소의 작업면 조도(照度) 기준을 설명하시오.

안전보건기준에 관한 규칙 제8조(조도)

사업주는 근로자가 상시 작업하는 장소의 작업면 조도(照度)를 다음 각 호의 기준에 맞도록 하여야 한다. 다만, 갱내(坑內) 작업장과 감광재료(感光材料)를 취급하는 작업장은 그러하지 아니하다.

1. 초정밀작업: 750럭스(lux) 이상
2. 정밀작업: 300럭스 이상
3. 보통작업: 150럭스 이상
4. 그 밖의 작업: 75럭스 이상

9. 강의 열처리 방법 4가지를 설명하시오.

◇ 금속재료가 각종 사용목적에 따른 기능을 충분히 발휘하려면 각 용도에 적당한 성분을 가진 재료를 선택하여야 하고, 그 재료의 내부 결정 조직이 목적하는 용도에 가장 적합한 상태로 조절되는 것이 필요하다.

◇ 이 조절방법으로 금속을 적당한 온도로 가열 및 냉각 등의 조작을 하여 목적한 성질을 부여하는 것을 열처리하고 한다.

◇ 열처리의 종류

- ◆ 담금질(Quenching, 퀜칭)
  - 급랭시켜 재질을 경화
  - 탄소강의 경도를 크게 하기 위하여 적당한 온도까지 가열 후 물 또는 기름에 급랭시키는 방법
  - 물은 냉각 효과가 뛰어나지만 강 표면의 기포막에 의해 냉각을 방해받아 불균일한 균열이 생길 수 있음
  - 기름은 냉각효과가 떨어지지만 합금강의 담금질에 적당

◆ 뜨임(Tempering, 템퍼링)
 - 담금질 후 인성을 부여, 조직을 균질화
 - 담금질한 강철은 경도가 큰 반면 취성이 있음
 - 다소 경도가 희생되더라도 인성이 필요한 기계부품에는 담금질한 강철을 다시 가열하여 인성을 증가시킴
 - 가열 정도는 변태점 이하까지 가열하여 인성을 증가시킴
 - 뜨임 온도가 너무 높든가 또는 온도 지속시간이 너무 길면 담금질 효과가 떨어지므로 뜨임 지속시간은 탄소강에서는 약30분 내외로 하고 기름 또는 공기중에서 냉각

◆ 풀림(Annealing, 어닐링)
 - 재질을 연하게 하고, 결정을 조절
 - 인장강도, 항복점, 연신율 등이 낮은 탄소강에 적당한 강도와 인성을 갖게 하기 위하여 일정시간 가열하여 석회 속에서 서서히 냉각시켜 재질을 연하게 하고, 결정을 조절

◆ 불림(Normalizing, 노멀라이징)
 - 소재를 균질로 하고 표준화
 - 내부응력을 제거하거나 결정조직을 표준화
 - 단조나 압연 등의 소성가공으로 제작된 강재는 결정구조가 거칠고 내부응력이 불규칙하여 기계적 성질이 좋지않으므로 표준조직으로 만들기 위해 일정한 온도로 가열한 상태에서 공랭하는 것

10. RBI(Risk Based Inspection)와 RCM(Reliability Centered Maintenance)에 대하여 설명하시오.

◇ RBI (Risk Based Inspection) : 위험기반검사
◇ 개요
위험기반검사는 화학플랜트 등 위험설비를 보유하고 있는 산업에서 기계설비의 유지보수를 위하여 도입하여 사용하고 있는 검사방법으로 기존의 전통적인 시간 개념에 따른 과도한 보수에서 탈피하여 설비의 위험도를 고려하여 조건에 따라서 검사를 실시한다. 따라서 기존 방법보다 안전성이나 효율성 측면에서 탁월하며, 경제적이고, 설비의 효율성을 증대시킬 수 있다.

◇ 위험기반검사의 수행절차

위험기반검사 기법을 이용하여 설비를 검사할 때는 다음 순서에 준하여 실시하면 된다.

검사대상설비에 대한 데이터 및 정보를 수집하다. 위험성평가에 필요한 데이터 및 정보를 수집할 때에는 해당설비의 위험성을 정성적, 정량적으로 평가해야 하는데 필요한 사항을 포함해야 한다. 즉 설비의 신뢰성에 영향을 줄 수 있는 다음과 같은 자료를 수집해야 한다.

- ◆ 설비의 종류 (회전설비, 고정설비, 배관, 밸브)
- ◆ 설비의 재질
- ◆ 검사방법, 고장발생 주기, 유지보수이력, 설비교체비용
- ◆ 취급물질의 종류 및 수량
- ◆ 운전조건, 부식환경, 열화속도 등
  - 사고 발생확률과 사고발생시 피해규모를 고려하여 설비의 위험도를 평가한다.
  - 설비별 위험등급을 분류한다.
  - 설비위험등급에 따라 적절한 검사계획을 수립, 실시한다. 설비의 위험등급을 고려하여 설비의 검사주기, 검사절차 및 검사방법 등 검사계획을 수립한 다음 검사를 실시한다. 이를 통해 위험등급이 높은 설비는 위험등급을 낮추도록 해야 한다.
  - 이후 주기적으로 위험성 재평가를 실시하여 검사계획에 반영한다.

◇ 설비 위험도의 정의

- ◆ 설비의 위험도는 설비의 고장발생 가능성과 고장발생시 손실의 크기를 곱하여 다음과 같이 정의할 수 있다.

> Risk = 설비의 고장발생의 가능성(Uncertainty) × 고장발생시 손실의 크기(Damage)

- ◆ 설비위험도는 위와 같이 고장발생 가능성과 고장발생 시 피해규모의 곱으로 표시할 수 있다.
- ◆ 따라서 Risk는 가능성이나 피해가 없으면 0이 된다. 결국 설비 관리활동은 가능성이나 손실의 크기를 줄여 위험도를 감소시키는 활동이라 할 수 있다.
  - 설비의 고장발생 가능성과 고장 발생시 손실의 크기를 고려하여 계산한 위험도에 따라 해당 설비별 위험등급을 구분하고 위험등급이 높은 것은 검사방법의 개선 등을 통해 위험등급을 낮추어야 한다.

◇ 위험기반검사의 접근법

◆ 위험기반검사는 크게 정성적 위험기반검사와 정량적 위험기반 검사로 나눌 수 있다.

◆ 정성적 위험기반검사는 후자보다 검사에 필요한 데이터가 많이 필요하지는 않지만 최소한 다음과 같은 데이터는 확보해야 한다.

① 설비의 종류 (회전기계, 고정설비, 배관, 밸브)
② 설비의 재질
③ 검사방법, 고장발생 주기, 유지보수이력, 설비교체비용
④ 취급물질의 종류 및 수량
⑤ 운전조건, 부식환경, 열화속도

11. 공정안전관리(PSM) 도의 정의 및 12대 요소를 설명하시오.
[127회 4교시 6번] [124회 1교시 11번] [114회 4교시 4번]

공정안전관리(PSM) 도의 정의

산업안전보건법에서 정하는 유해·위험물질을 제조·취급·저장하는 설비를 보유한 사업장은 그 설비로부터의 위험물질 누출 및 화재·폭발 등으로 인한 '중대산업사고'를 예방하기 위하여 공정안전보고서를 작성·제출하여 심사·확인을 받도록 한 법정 제도

◆ 관련 근거 : 산업안전보건법 제49조의2(공정안전보고서의 제출 등)
 - 공정안전보고서의 내용을 변경하여야 할 사유가 발생하는 경우에는 지체없이 보완
 - 고용노동부장관은 공정안전보고서의 이행상태를 정기적으로 평가
 - 공정안전보고서의 보완상태가 불량한 사업장은 공정안전보고서 재제출
◆ 미제출 시 : 1,000만원 이하의 과태료
◆ 제출 주체 : 공정안전보고서 제출 대상 사업장의 사업주
◆ 제출 시기 : 착공일 30일 전
 - 유해·위험물질 제조 ·취급 ·저장설비의 설치 · 이전 시
 - 주요 구조부분의 변경 시

◆ 제출 서류
  - 공정안전보고서 심사신청서
  - 공정안전보고서 2부

공정안전보고서의 제출목적

위험물질의 누출, 화재, 폭발 등으로 인하여 사업장 내 근로자에게 즉시 피해를 주거나 사업장 인근 지역에 피해를 줄 수 있는 사고(중대산업사고)를 예방하기 위함

공정안전관리를 위한 12대 실천과제 주요내용

실천과제	세부추진사항
공정안전자료의 주기적인 보완 및 체계적 관리	▪ 공정안전자료 보완 및 관리규정 제정 ▪ 공정안전자료 관리시스템 구축 및 주기적 보완 (원본관리) ▪ 보완내용 공지 및 공정안전자료 제·개정목록 작성
공정위험성평가 체제 구축 및 사후관리	▪ 공정위험성평가 종합계획 수립·시행 ▪ 사업장 자체적인 위험성평가체제 구축 ▪ 주기적인 위험성평가 실시 및 평가결과 사후관리
안전운전절차 보완 및 준수	▪ 안전운전절차서의 제·개정 절차 표준화 ▪ 안전운전절차서의 주기적인 보완 ▪ 안전운전절차 준수여부를 자체적으로 확인하기 위한 체제 구축
설비별 위험 등급에 따른 효율적인 관리	▪ 설비 종류별 윌머등급 분류체계 수립 및 절차서 유지·관리 ▪ 설비점검 마스터 작성, 종합계획수립 후 검사 등 실시, 설비이력 관리 ▪ 장치·설비의 유지보수 시스템 구축 (전산화)

실천과제	세부추진사항
작업허가절차 준수	▪ 주기적인 안전작업절차 개선·보완 ▪ 안전작업허가절차(발급·승인·입회) 준수여부 확인 ▪ 안전작업허가서 내용 이행여부 수시점검
협력업체 선정시 안전관리 수준 반영	▪ 객관적인 평가체제 구축 ▪ 협력업체 선정시 안전보건분야 실적 반영 ▪ 상주 및 비상주 협력업체에 대한 주기적인 평가 및 등급 관리
근로자(임직원)에 대한 실질적인 PSM 교육	▪ 연간 교육계획의 수립 및 실행 ▪ PSM 12개 구성요소 별 교육교재 작성 ▪ 계층별 PSM 교육 및 성과측정
유해·위험설비의 가동(시운전)전 안전점검	▪ 유해·위험설비에 대한 설비별 가동전 점검표 작성 및 주기적인 보완 ▪ 가동 전 점검실시 점검결과에 따라 시운전 여부 판단 ▪ 유해·위험요인 제거후 가동
설비 등 변경시 변경관리절차 준수	▪ 변경의 범위(변경 판정기준)를 명확하게 설정·적용 ▪ 변경사유 발생시 변경관리 절차 준수 ▪ 변경관리위원회의 실질적인 활동 및 권한부여
객관적인 자체 검사 실시 및 사후조치	▪ 정기적인 자체감사 계획 수립·실시 ▪ 자체감사 점검표(Check-list)의 주기적 보완 ▪ 자체감사팀 구성 및 권한부여
정확한 사고원인 규명 및 재발 방지	▪ 아차사고(공정사고)를 포함하여 사고원인조사 수행 ▪ 동종업체 사고사례 분석·활용 ▪ 자사 및 타사 사고사례 데이터베이스 구축
비상대응 시나 리오 작성 및 주기적인 훈련	▪ 최악의 상태를 가정한 비상대응 시나리오 작성 ▪ 종합적이고 입체적인 피해 최소화 전략 수립 ▪ 주기적인 자체비상훈련 및 외부 합동비상훈련

12. 위험성평가 시 수시평가 및 정기평가의 해당 조건에 대하여 설명하시오.

[127회 1교시 13번] [126회 1교시 9번] [124회 1교시 12번] [124회 2교시 5번]
[123회 2교시 5번] [121회 1교시 11번] [120회 4교시 6번] [117회 4교시 3번]
[108회 4교시 6번] [105회 4교시 6번]

◇ 수시평가
   ◆ 해당하는 계획이 있는 경우에는 해당 계획의 실행을 착수하기 전에 실시
      1. 사업장 건설물의 설치·이전·변경 또는 해체
      2. 기계·기구, 설비, 원재료 등의 신규 도입 또는 변경
      3. 건설물, 기계·기구, 설비 등의 정비 또는 보수(주기적·반복적 작업으로서 정기평가를 실시한 경우에는 제외)
      4. 작업방법 또는 작업절차의 신규 도입 또는 변경
      5. 중대산업사고 또는 산업재해(휴업 이상의 요양을 요하는 경우에 한정한다) 발생 (재해발생 작업을 대상으로 작업을 재개하기 전에 실시)
      6. 그 밖에 사업주가 필요하다고 판단한 경우

◇ 정기평가
   ◆ 최초평가 후 매년 정기적으로 실시
   ◆ 고려사항
      1. 기계·기구, 설비 등의 기간 경과에 의한 성능 저하
      2. 근로자의 교체 등에 수반하는 안전·보건과 관련되는 지식 또는 경험의 변화
      3. 안전·보건과 관련되는 새로운 지식의 습득
      4. 현재 수립되어 있는 위험성 감소대책의 유효성 등

13. 금속의 기계적 성질 5가지에 대하여 설명하시오.

◇ 강도
   ◆ 재료가 외부 하중에 견디는 능력으로 하중의 형태에 따라 인장강도, 전단강도, 비틀림강도, 충격강도, 피로강도 등으로 분류
   ◆ 인장강도는 최대 인장강도와 항복강도로 표현됨
   ◆ 최대 인장강도는 해당 금속재료가 감당할 수 있는 최대 하중과 관련되고, 금속재료가 파단 되는 시점에서의 인장하중
   ◆ 항복강도란 그 목 재료의 외부 인장력에 의한 변형이 탄성 한계를 벗어나는

시점에서의 인장력을 말하며, 일반적으로 강재의 인장강도와 변형량의 곡선상에서 0.2% 편심 항복강도로 표시
- ◆ 대부분의 구조물 설계시 금속재료가 감당할 수 있는 최대 강도를 결정하는 기준으로 항복강도를 사용

◇ 연성
- ◆ 강재가 하중에 의해서 파괴되지 않는 범위 내에서 변형 또는 길이가 늘어나는 성질을 의미
- ◆ 높은 연성을 가지는 금속을 "ductile"하다고 부르며, 연성이 나쁜 금속을 "brittle"하다고 함
- ◆ 압연 방향의 강재의 경우 방향에 따라 물성치가 차이가 나는데, 압연 방향의 강도가 가장 크고, 철판 폭 방향의 인장강도는 약 30%, 연성은 약 50% 정도 저하되며, 강판의 두께 방향으로는 강도 및 연성은 이 보다 훨씬 더 떨어짐
- ◆ 강재의 연성은 인장 시험을 통하여 인장강도와 동시에 측정되며, 인장률과 파단면의 수축률로 표현됨

◇ 경도
- ◆ 금속의 표면에서의 흠집(indentation) 또는 침투(penetration)에 대한 저항력으로 표현
- ◆ 측정이 쉬워 많이 사용됨

◇ 내충격성
- ◆ 강재가 외부의 충격 에너지를 흡수할 수 있는 능력
- ◆ 강재의 내충격성 또는 노치 내충격성은 강재가 파괴되기 전까지 강재가 흡수할 수 있는 충격 에너지로 표현됨
- ◆ 무연성 천이 온도
  - 강재의 내충격성을 판단하는 기준
  - 강재의 연성이 취성으로 변하는 온도를 의미

◇ 피로강도
- ◆ 반복적으로 작용하는 하중에 대하여 강재가 파괴되지 않는 강도를 의미
- ◆ 대부분의 강재의 파손 현상은 피로 현상에 의한 것
- ◆ 한계응력이란 반복 하중의 횟수에 관계없이 금속재료가 파손되지 않는 하중의 최대강도를 의미
- ◆ 탄소강의 피로강도는 대개 인장강도의 절반 수준
- ◆ 강재의 표면가공에 따라 피로강도는 현저한 차이를 보임
- ◆ Grinding 방향도 피로강도에 영향을 미치는데, grinding 방향이 인장하중 (P)방향과 나란하도록 관리하는 것이 중요

국가기술 자격검정 시험문제

기술사   제 124 회   제 2 교시   (시험시간: 100분)

2021년도	분야	안전관리	자격 종목	기계안전기술사	성명	

※ 다음 문제 중 4문제를 선택하여 설명하시오. (각 문제당 25점)

1. 방폭구조의 종류 6가지에 대하여 그림을 그리고 설명하시오.

방폭구조의 종류	그림
◇ 내압 방폭 구조 (Ex d Zone1, 2) ◆ 방폭전기기기 용기 내부에서 가연성 가스의 폭발이 발생한 경우, 그 용기가 폭발 압력에 견디고 접합면, 개구부 등을 통해 외부의 가연성가스가 인화되지 않도록 한 구조 ◆ 용기의 안전틈새를 통해 화염이 냉각되어 외부 착화되지 않음 ◆ 최대 안전틈새(ⅡA~C)	
◇ 안전증 방폭 구조 (Ex e Zone1, 2) 정상운전 중에 폭발성 가스 또는 증기에 점화원이 될 전기불꽃 아크 또는 고온부분 등의 발생을 방지하기 위하여 기계적, 전기적 구조상 또는 온도상승에 대해서 특히 안전도를 증가시킨 구조	

방폭구조의 종류	그림
◇ 압력 방폭 구조 (Ex p Zone1, 2) 용기 내부에 신선한 공기나 불활성가스 등의 보호기체를 주입하여 내부압력을 유지하도록 만들어 외부로부터 가연성 가스 및 증기의 침입을 막는 구조	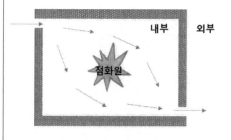
◇ 유입방폭구조 (Ex o) 용기 내부에 절연유를 주입하여 점화원이 될 수 있는 부분을 기름 속에 넣어 위험 분위기 가스가 점화원과 접촉하지 못하 도록 하는 구조	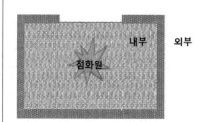
◇ 본질 안전 방폭 구조(Ex i Zone 0, 1, 2) 정상시 및 사고시에 전기회로를 통하여 공급되는 에너지가 최소점화에너지 이하로 통제되어 외부 가연성혼합기의 폭발성 가스가 점화될 우려가 없는 구조	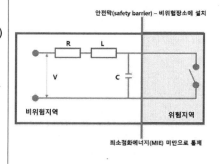
◇ 특수방폭구조 (Ex s) 위에서 설명한 구조 이외의 방폭구조로 폭발성가스나 증기에 점화 또는 위험분 위기로의 인화를 방지할 수 있는 것이 시험이나 기타 방법에 의해서 확인된 구조	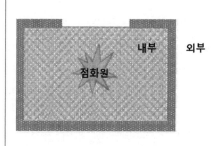

2. 다음 사항에 대하여 설명하시오.
[111회 1교시 5번] [124회] 2교시 2번]

1) 와이어로프 '6 × 24'
[124회] 2교시 2번] [111회 1교시 5번]

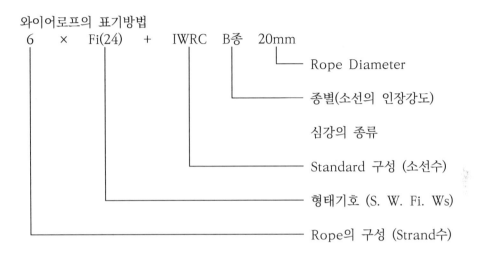

와이어로프의 표기방법

6　×　Fi(24)　+　IWRC　B종　20mm

- Rope Diameter
- 종별(소선의 인장강도)
- 심강의 종류
- Standard 구성 (소선수)
- 형태기호 (S. W. Fi. Ws)
- Rope의 구성 (Strand수)

2) 와이어로프 폐기 기준
[124회 2교시 2번] [121회 3교시 1번]

안전보건기준에 관한 규칙 제63조(달비계의 구조)

1. 다음 각 목의 어느 하나에 해당하는 와이어로프를 달비계에 사용해서는 아니
   된다.
   가. 이음매가 있는 것
   나. 와이어로프의 한 꼬임[(스트랜드(strand)를 말한다. 이하 같다)]에서 끊어진
       소선(素線)[필러(pillar)선은 제외한다)]의 수가 10퍼센트 이상(비자전로프의
       경우에는 끊어진 소선의 수가 와이어로프 호칭지름의 6배 길이 이내에서
       4개 이상이거나 호칭지름 30배 길이 이내에서 8개 이상)인 것
   다. 지름의 감소가 공칭지름의 7퍼센트를 초과하는 것
   라. 꼬인 것
   마. 심하게 변형되거나 부식된 것
   바. 열과 전기충격에 의해 손상된 것

3) 달기 체인 폐기 기준

다음 각 목의 어느 하나에 해당하는 달기 체인을 달비계에 사용해서는 아니 된다.
  가. 달기 체인의 길이가 달기 체인이 제조된 때의 길이의 5퍼센트를 초과한 것
  나. 링의 단면지름이 달기 체인이 제조된 때의 해당 링의 지름의 10퍼센트를
     초과하여 감소한 것
  다. 균열이 있거나 심하게 변형된 것

3. 작업장 안전보건활동 중 TBM(Tool Box Meeting)에 대하여 다음 사항을 설명하시오.

1) TBM 3단계

① 제1단계 (도입)
 인사, 직장 체조, 무재해기 게양, 안전 연설(1분), 목표 제창

② 제2단계 (점검 정비)
 건강, 복장, 공구, 보호구, 수공구, 사용 기기, 재료 등의 점검 정비

③ 제3단계 (작업 지시)
- 전달 연락 사항
- 금일의 작업 지시 5W 1H + 위험 예지
- 지적 확인 (중점 실시 사항 2point), 복창

④ 제4단계 (위험 예지)
당일 작업에 대한 위험 예측 활동과 위험 예지 훈련 실시
- 현상파악(1R) : 구두만으로 문제점 제기
- 본질추구(2R) : 중요 위험, one point : 제창
- 대책수립(3R) : 구체적이며 실행 가능한 대책을 세움
- 목표설정(4R) : 실천하기 위한 팀 행동목표를 설정하여 전원이 제창

⑤ 제5단계 (확인)
- 위험에 대한 대책과 팀 목표의 확인, touch and call 실시
- 가장 큰 위험요소에 대해서 확인해야 할 사항을 "OOOO 좋아!" 등으로 복창

2) 추진 시 유의사항

1. 작업계획을 추진할 때 관계 작업자가 이해하기 쉽도록 칠판, 괘도, 도면 등을 사용하여 설명

2. 지시사항의 철저한 실시에 대한 배려
   - 작업자 능력에 맞는 작업을 할당
   - 지시내용은 상대가 이해하기 쉽도록 6하원칙을 구사해 구체적으로 전달
   - 감독자 자신이 할 수 있는 것은 지시하지 않음

3. 위험예지를 실시할 때
   - 안전작업순서에 대신하는 작업안전의 진행방법을 지도하는데 있으므로, 작업자가 생각하도록 해서 발언하게 한다.
   - 위험예지에서는 무엇을 테마로 할 것인지 생각해 자료를 준비한다.

4. 감독자와 관계 작업자와의 의사 소통할 때
   - 위험예지를 하는 자리에서 하도록 유의한다.
   - 감독자는 전원으로부터 의견을 내놓도록 지도한다.

4. 보온재 하 부식(Corrosion Under Insulation, CUI)에 대하여 다음 사항을 설명하시오.

◇ 정의
- 보온재 하부에 물과 산소로 인해 발생하는 부식으로 설비 표면에서 발생하는 부식
- 특성상 손상범위가 광범위하고 파열양상을 띠며 전체적인 검사가 어렵고 발생 위치의 예측이 어려우며 검사에 막대한 비용이 소요된다는 점에서 석유화학공장에서 침묵의 살인자로 불림

◇ 보온재 부식에 취약한 재질
- CUI에 특히 취약한 재질은 탄소강, 저합금강, 300계열 및 이상계(Duplex) 스테인레스강

   ① 탄소강, 저합금강
   공식(Pitting) 및 두께 감소가 발생하기 쉬움

② 300계열 및 이상계(Duplex) 스테인레스강

염화물이 존재시 응력부식균열 (SCC: Stress Corrosion Cracking)에 취약하며 이상계 스테인레스강은 상대적으로 그 민감도가 낮음

◇ 손상 촉진 인자
 ◆ 보온재 하부로 침투하는 침투수가 문제이데 가장 문제가 되는 것은 빗물
 ◆ 해안가에 취치한 플랜트의 경우 빗물속에는 대표적인 부식물질인 Chloride(염화물), SOx(황산화물)가 다량 포함되어 있음
 ◆ Chloride나 SOx가 함유된 빗물이 보온재 하부로 침투할 경우 일반 수용액 환경보다 높은 부식률을 보이게 됨
 ◆ 부식속도는 물의 증발온도까지는 표면온도에 비례하여 상승
 ◆ 물이 증발되지 않고 보온재가 오래 젖어 있는 상태인 100~121℃일 경우 부식율이 높음
 ◆ 해수환경에서는 121℃보다 높은 온도까지 부식이 증가

◇ 발생 주요 설비
 ◆ 냉각탑, 증기배기관, 침수설비, 산과 가스에 노출된 설비, 수냉 스프레이로 냉각되는 설비에서 주로 발생

◇ 결함 형상
 ◆ CUI가 발생한 금속표면은 푸석한 박편 산화피막(loose, flaky scale)으로 덮여 있으며, 국부부식은 옹이(carbyncle)형태의 공식(Pitting)으로 나타남
 ◆ 칼슘 규산염을 함유한 보온재로 싸여 있는 STS는 국부적인 공식, 염화물 응력부식균열 (CSCC, Chloride -induced Stress Corrosion Cracking)이 발생

◇ 예방 및 대책
 ◆ CUI를 막는 방법은 도색과 코팅이며, 증기유입을 막는 보온, 밀폐가 최선의 방법임
 ◆ 특히 보온재 선정이 중요한데 밀봉형 셀 다공성 유리소재(Closed-cell foam glass material)는 미네랄 울에 비해 상대적으로 함수율이 작아 부식에 저항성이 높음
 ◆ 300계열의 STS에서는 염화물이 적은 보온재를 사용해야 CISCC를 막을 수 있음
 ◆ 운전조건 개선을 통한 CUI억제는 불가능하며 열손실이 크지 않으면 보온재를 제거하는 것도 하나의 방법

5. 위험성평가방법 중 정성적, 정량적 평가방법의 특징 및 종류를 쓰고 정성적 평가기법 중 4M, Check list, What-if, 위험과 운전분석(HAZOP)에 대하여 설명하시오.

[127회 1교시 13번] [126회 1교시 9번] [124회 1교시 12번] [124회 2교시 5번]
[123회 2교시 5번] [121회 1교시 11번] [120회 4교시 6번] [117회 4교시 3번]
[108회 4교시 6번] [105회 4교시 6번]

5-1 위험성 평가기법(Risk Accessment)

1. 정성적 위험성 평가 기법
   ① 안전 검토 (Safety Review)
   ② 4M 리스크 평가기법
   ③ 고장 모드 및 영향 분석 (Failure Modes and Effect Analysis)
   ④ 운전 및 분석기법(HAZOP STUDY)
   ⑤ 예비 잠재위험 분석 (Preliminary Hazard Analysis)
   ⑥ CHECKLIST
   ⑦ 사고예방질문 분석기법(WHAT-IF)
   ⑧ 공정위험분석기법(PHR)
   ⑨ 사고결과분석(CA)
   ⑩ KRAS 기법

2. 정량적 위험성 평가 기법
   ① 확률론적 위험 평가
   ② 화학공정 정량적 위험분석
   ③ 결함 수 분석 (FTA)
   ④ 사건 수 분석 (ETA)
   ⑤ 인적 신뢰도 분석

5-2 4M

- 공정(작업)내 잠재하고 있는 유해위험요인을 Man(인적), Machine(기계적), Media(물리환경적), Management(관리적) 등 4가지 분야로 리스크를 파악하여 위험제거 대책을 제시하는 방법

5-3 Check List

◇ 공정 및 설비의 오류, 결함상태, 위험상황 등을 목록화한 형태로 작성하여 경험적으로 비교함으로써 위험성을 파악하는 방법

◇ 안전점검 시 점검자에 의한 점검 개소의 누락이 없도록 활용하는 안전점검 기준표

　◆ 특징
　　사용이 간편
　　소용 시간이 적음
　　복잡하거나 예측하기 어려운 사항들이 누락되기 쉬움

　◆ 작성 시 유의사항
　　사업장에 적합한 독자적 내용으로 할 것
　　정기적 검토 및 Update
　　내용은 구체적, 쉬운 표현, 재해방지에 실효성이 있을 것
　　위험성을 비교하여 긴급한 순서대로 작성

　◆ 장점
　　1) 미숙련자가 사용할 수 있다.
　　2) 개개인의 기술자가 수행한 작업에 대해서 경영층이 검토할 수 있는 자료를 제공한다,
　　3) 화학공장의 위험성평가 방법을 제공한다.

　◆ 단점
　　1) 체크리스트 작성자의 경험을 기반으로 하므로 주기적으로 검사 보완되어야 한다.
　　2) 체크리스트에 없는 항목은 점검이 안 되고 체계적인 위험 확인이 안 된다.

5-4 사고 예상 질문 분석 (What-if)

◇ HAZOP의 간단한 대안으로 개발되어 Hazop 분석법이나 FMECA처럼 정확하게 구조화되어 있지는 않지만, 사용자가 상황에 맞추어 기본 개념을 수정해가면 되는 방식

◇ 잠재한 위험에 대해 예상질문을 통해 사전에 위험요소를 확인

◇ 그 위험의 결과 및 크기를 줄이는 방법을 제시하는 안전성 평가기법

　◆ 장점
　　1) 분석이 용이하여 시간과 경비를 절약 할수 있다.

　◆ 단점
　　1) What if 질문을 정확히 만들어야 한다.
　　2) 분석자에 의하여 결과가 다르게 나온다.

5-5 위험과 운전분석(HAZOP)

"위험과 운전분석(Hazard and operability(HAZOP) study)"이라 함은 공정에 존재하는 위험요인과 공정의 효율을 떨어뜨릴 수 있는 운전상의 문제점을 찾아내어 그 원인을 제거하는 방법

◆ 위험성과 운전성을 정해진 규칙과 설계도면 (P&ID)에 의하여 체계적으로 분석 및 평가하는 기법
◆ 수행 시기
  - 설계 완료 단계 (설계가 구체화 된 시점)
  - 공장건설 완료 후 시운전 전 단계
◆ 특징
  프로젝트 모든 단계에서 적용가능
  안전상 문제뿐 아니라 운전상의 문제점도 확인 가능
  장치설비의 복잡함으로 인한 문제점 도출 가능
  검토결과에 따라 정량적 평가를 위한 자료제공 가능
◆ 장점
  1) 구체적이고 체계적인 평가기법이다.
  2) 위험성 뿐 만 아니라 운전에 관한 정보도 알 수 있다.
  3) 자유토론을 하는 과정에서 공장의 위험요소들을 규명함으로서 위험요소를 철저히 찾을 수 있다.
  4) 안전 비전문가도 수행할 수 있다.
◆ 단점
  1) 5~7명의 전문 인력이 필요하므로 시간과 노력이 많이 요구된다.
  2) 평가자의 자질에 의하여 결과가 달라진다.
  3) 공학적이고 구체적인 정보제공을 못한다.

6. 응력집중, 응력집중계수 및 응력집중 완화 대책에 대하여 설명하시오.

◇ 응력집중 stress concentration
  단면의 급격한 변화로 인해 응력이 국부적으로 커지는 현상

◇ 단면이 일정한 봉에 인장하중이 작용할 때 단면에는 인장하중이 균일하게 분포하나
  건설기계, 구조물, 기타 기계 등의 실제 형상은 구조상 홈, 구멍, 돌기 등 단면의
  형상이 급격히 변하는 부분이 있으며, 응력은 그 부분에서 급격히 커짐

◇ 응력집중 계수 (형상계수) stress concentration factor
  ① 탄성 범위 내에서 단면부 평균응력에 대한 최대 응력의 비
  ② 재료의 종류, 크기, 형상 및 하중의 종류에 따라 변함
  ③ 연성재료는 계수 값이 작고, 취성재료는 큼
  ④ 노치부위 반경이 작을수록 계수 값은 커짐
  ⑤ 서로 닮은 꼴일 경우 물체의 크기와 상관없음

◇ 응력집중 완화 대책
  ① 단이 진 부분을 라운드 처리하거나 변화가 완만하게 되도록 테이퍼 지게 함
  ② 몇 개의 단면 변화 부를 설치하여 재료 내의 응력 흐름을 완만하게 함
  ③ 응력 집중부에 보강재를 결합, 응력집중을 완화
  ④ 열처리를 하여 경도를 증가시킴
  ⑤ 표면 거칠기를 정밀하게 함

국가기술 자격검정 시험문제

기술사	제 124 회				제 3 교시 (시험시간: 100분)		
2021년도	분야	안전관리	자격종목	기계안전기술사	성명		

※ 다음 문제 중 4문제를 선택하여 설명하시오. (각 문제당 25점)

1. 강의 표면경화법에 대하여 설명하시오.

[124회 3교시 1번] [108회 1교시 12번]

◆ 기계부품의 표면은 경도가 크고 내부는 인성이 큰 것이 요구될 때가 많으며, 이와 같은 용도에는 탄소함유량이 적은 재료가 사용된다.

◆ 탄소량이 적은 것은 담금질하여서도 경도가 높아지지 않는다. 그러므로 특별한 방법으로 표면 경화를 실시하여야 한다.

◇ 금속 경화법의 종류

구분	종류	
화학적 표면경화	침탄법	고체침탄법
		액체침탄법
		가스침탄법
	질화법	
	청화법	
물리적 표면경화	고주파경화법	
	화염경화법	

1. 화학적 표면경화

◇ 침탄법

탄소강은 탄소량이 많을수록 경도가 크게 된다. 그러나 반대로 취약성이 있어 충격에 대하여 약하게 된다. 기계 부품은 재료내부는 탄소량이 적고 인성이 큰 재질이 필요하며, 표면은 탄소량이 많고 마멸저항이 큰 것이 이상적이다.
연한 강철의 표면에 탄소를 침투시켜 표면을 고탄소강으로 만들고 이것을 담금질 하면 표면만 경화된 강철이 된다.
표면에 탄소를 침투시키는 방법을 침탄법이라고 한다.

- ◆ 고체침탄법
  목탄이나 코크스 분말과 침탄 촉진제 등을 900℃~950℃로 3~4시간 가열하여 침탄하는 방법
- ◆ 액체침탄법
  침탄제에 염화물과 탄화염을 40~50% 정도 첨가하고, 600℃~900℃에 C (탄소)와 N(질소)을 동시에 소재의 표면에 침투하는 방법
- ◆ 가스침탄법
  고온의 탄화수소계의 가스를 표면에 침투시키는 것

◇ 청화법

- ◆ 강철을 청화물(NaCN, KCN)로 표면 경화하는 방법
- ◆ 침탄과 질화가 동시에 진행되므로 침탄질화법이라고 함

◇ 질화법

질소는 고온에서 철 또는 강철에 작용하여 질화철을 형성한다. 이 질화물은 경도가 크고 내식성이 크다. 그러나 표면에만 작용시키면 마멸저항 및 경도가 큰 재질이 된다.

- ◆ 질화 처리한 것의 특징
  가. 경화층은 얇고 경도가 침탄한 것보다 큼
  나. 마멸 및 부식에 대한 저항이 큼
  다. 질화법은 담금질 할 필요가 없음

◇ 침탄법과 질화법의 비교

구분	침탄법	질화법
경도	작다	크다 취성이 있다
열처리	필요	불필요
수정	가능	불가능
변형	생김	적다
침탄층	단단하다	여리다

2. 물리적 표면경화

◇ 고주파경화법

0.4~0.5%의 탄소강을 고주파를 사용하여 일정온도로 가열한 후 담금질하여 뜨임하는 방법

◆ 표면에 에너지가 집중하기 때문에 가열시간을 단축할 수 있음
◆ 가공물의 응력을 최대한 억제할 수 있음
◆ 가열시간이 짧으므로 산화나 탈탄 염려가 없음

◇ 화염경화법

◆ 산소-아세틸렌 가스로 강철 표면을 빨리 가열하고 이것을 담금질하면 표면이 경화됨
◆ 주로 대형 가공물의 열처리 경화에 사용됨

2. 응력-변형률 선도에 대하여 설명하시오.
[114회 1교시 3번] [117회 1교시 7번] [124회 3교시 2번]

◇ 인장시험은 규정된 시험편의 양단에 인장하중을 서서히 가해서 이것이 파단될 때까지 계속 인장력을 가한다. 인장시험은 비교적 간단한 시험에 속하며, 이로 인해 재료의 항복점, 탄성한도, 극한강도, 파괴강도 등을 알 수 있다.

① 비례한도 : 비례한도 이내에서는 응력을 제거하면 원상태로 돌아감
② 탄성한도 : 재료가 탄성을 잃어버리는 최대한의 응력
③ 상부항복점 : 영구변형이 명확하게 나타나기 시작하는 점
④ 하부항복점 : 소성변형-항복점 이상의 응력을 받는 재료가 영구변형을 일으 키는 과정
⑤ 극한강도(인장강도) : 최대하중을 받는 구간(최대응력)
⑥ 파괴강도(파단점) : 극한강도를 넘어서 결국 파단 되는 구간

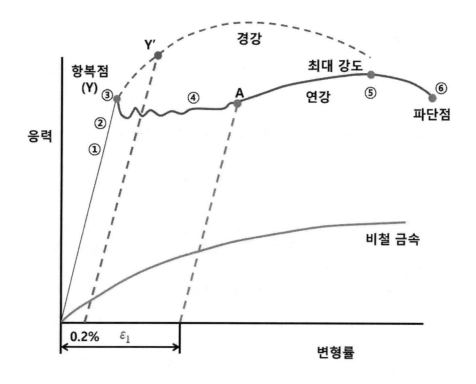

◇ 탄성 변형 구간

- 항복점(Y점) 이전에는 하중의 증가에 따라 변형률이 직선적으로 증가함
- 이 범위 내에서 하중을 제거하면 변형은 없어지고 원위치로 돌아가는 탄성 변형이 일어남

◇ 소성 변형 구간

- 하중이 더욱 증가하여 항복점을 넘어서면 재료는 소성변형을 하여 영구 변형하게 됨
- A점에서 하중을 제거하여도 재료는 원위치로 돌아가지 못하고 $\varepsilon 1$만큼 변형됨
- 저탄소강(연강)의 경우 항복점이 명확하게 나타나지만, 경강 또는 비철금속과 같은 경우에는 항복점이 명확하게 구별되지 않는 경우가 많음
- 이러한 경우에는 보통 0.2%의 영구 변형률에 해당하는 점(Y'점)을 항복점으로 대신하며, 이것을 내력이라고 함

◇ 응력변형률 선도에 영향인자

① 시험 온도의 영향

시험결과는 실험실의 온도와 습도 등에 따라 결과값이 다르게 나타난다.

Ex) BCC금속은 온도감소에 따라 항복응력이 빠르게 나타나게 됨

② 시험편 단면 형상

시험편이 원형이냐, 직사각형 단면이냐에 따라 시험값은 다르게 나타난다.

Ex) 원형단면인 경우 직사각형단면일 때 보다 인장강도 및 항복점은 높아지게 된다.

3. 기계설비의 고장률 곡선(bathtub curve)을 그리고 고장 유형별 원인과 대책을 설명하시오.

[124회 3교시 3번] [105회 1교시 4번]

◇ 장비의 고장은 크게 세 가지로 나눌 수 있음

◇ 시간이 지남에 따라서 나타나는 고장의 일반적인 형태는 초기고장, 우발고장, 마모고장으로 구분

$$고장율(\lambda) = \frac{기간중의 고장건수(r)}{총가동시간(t)}$$

총 가동 시간은 전체수량 × 가동시간

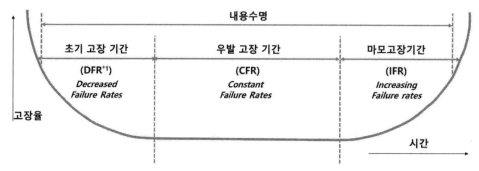

[기계의 고장률(욕조곡선, Bathtub Curve)]

1. 초기고장

   설비 등 사용 개시 후의 비교적 빠른 시기에 설계, 제작, 조립상의 결함, 사용 환경과의 부적합 등에 의해서 발생하는 고장이다.
   - 디버깅(Debugging) 기간 : 결함을 찾아내어 고장률을 안정시키는 기간
   - 번인(Burn-in) 기간 : 장시간 움직여보고 그 동안에 고장난 것을 제거시키는 기간
   ◆ 대책 : 적절한 'burn-in'기간을 설정하여 고장을 발견하고 디버깅(debugging)을 행하여 제거

2. 우발고장

   초기고장 기간과 마모고장 기간 사이에 우발적으로 발생하는 고장이다. 돌발형 고장이라 시간의 의존성이 없고, 전적으로 랜덤해서, 언제 다음 고장이 일어날지 예측할 수 없게 일어나며, 평균적으로 동일비율로 발생한다.
   ◆ 대책 : 정상운전 중의 고장에 대해 사후보전 (BM: Breakdown Maintenance)을 실시

3. 마모고장

구성부품 등의 피로, 마모, 노화현상 등에 의해 발생하며 시간의 경과와 함께 고장률이 급격히 커진다.

　◆ 대책 : 설비부품등 노화에 따른 마모 고장의 경우 예방보전(PM)을 통해 고장
　　　　　률을 감소

4. 수소취성(Hydrogen Embrittlement)의 메커니즘, 수소 확산 지연방법에 대하여 설명하고 보일러, 고압 반응기 등의 스테인리스(stainless)강에서 나타나는 수소취성과 관련된 부식의 종류를 설명하시오.

◇ 수소취성 메커니즘
　◆ 1단계 : 표면의 수소원자가 모임
　◆ 2단계 : 입계를 따라 수소원자가 이동
　◆ 3단계 : 입계 간 갈라짐 발생
　◆ 4단계 : 인장응력을 이기지 못해 부서짐

1단계 (표면의 수소원자가 모임)　　　　2단계 (입계를 따라 수소원자가 이동)

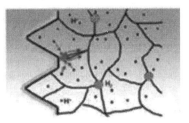 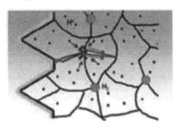

3단계 (입계 간 갈라짐 발생)　　　　4단계 (인장응력을 이기지 못해 부서짐)

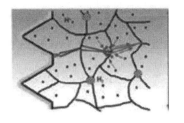 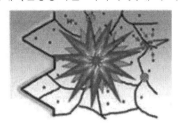

◇ 수소 확산 지연방법

- 수소가 발생되는 화학적 환경 억제 (음극방식, 산세처리 등)
- 기계적인 녹 제거 방법 (Sand Blast, Shot Blast 등)
- 부식 억제제 첨가 (Inhibitor) 〉 수소 발생 속도 감소
- 재료의 인장강도 낮춤 (690Mpa↓) 〉 수소에 의한 민감도 저하
- 수소취성제거처리 실시 (Baking, 200℃ × 4hr)
- 아연 말 화성피막 (Dachrotizing), 메카니컬 플레이팅 (세라다이징) 등을 통한 고내식 도금처리 적용

◇ 스테인리스강 수소취성 부식의 종류

- 부식
- 용접
- 산세
- 전기도금

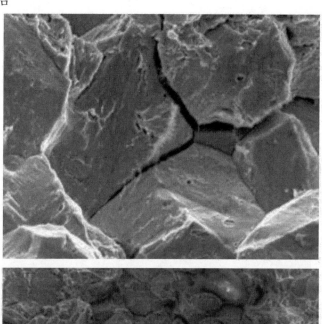

5. 작업절차서(작업순서)를 작성할 때 유의사항에 대하여 설명하시오.

◇ 작업절차서의 정비
- ◆ 사업장에서 안전보건을 확보하기 위해서는 사업장 전체의 안전보건관리에 관한 안전보건관리규정의 작성과 그 주지 철저가 중요하다. 나아가 안전보건 관리규정에는 그 내용의 한 부분으로, 현장에서의 작업을 안전하게, 그리고 정확하게 행하기 위한 작업절차서가 포함되어 있어야 한다. 작업절차서는 제일 선에서의 안전한 작업을 확보하기 위한 안내서로서, 안전작업기준, 안전작업 절차, 안전작업매뉴얼 등의 명칭으로 불리는 경우도 있고, 그 내용은 기업, 사업장에 따라 다양하다.

◇ 작업절차서 작성 목적
- ◆ 위험이 발생할 수 있는 현장 상황을 조사
- ◆ 이에 따라 작업 동선과 계획을 설정
- ◆ 위험 요소와 작업 방법에 대해 작업자에게 설명하기 위함

◇ 작업절차서의 구비요건
- ◆ 사업장에서 안전한 작업을 수행하기 위해서는 명칭 여하에 관계없이 작업절차 등을 작성하여 관계 작업자로 하여금 철저히 준수하도록 하는 것이 중요하다. 작업절차서가 구비 하여야 할 일반적인 요건은 다음과 같다.

① 작업의 실정에 입각한 것일 것
작업절차서는 기본적으로 각 작업장에서 이루어지고 있는 공정(줄걸이 작업, 지게차 운전작업 등)별로 작성한다. 작업의 목적, 난이도, 위험성, 작업속도, 다음 공정의 작업과의 관련성 등 당해 작업에 요구되는 조건에 적합하고 실행할 수 있는 것이어야 한다. 이 경우 위험성의 판단에 있어 서는 위험성평가 기법을 활용한다.

② 표현이 구체적일 것
작업절차를 준수하는 자는 작업장의 제일선에서 일하고 있는 작업자이기 때문에 난해한 용어, 미사여구, 추상적인 표현은 일절 금물이다. 그리고 읽는 사람에 따라 이해가 달라지는 것을 피하기 위하여 수치로 표현할 수 있는 것은 숫자로 표현하는 것이 바람직하다.

③ 안전의 포인트를 누락 하지 않을 것

작업절차의 목적은 일련의 공정을 올바르고 적정한 속도로 안전하게 행하기 위하여 작성하는 것이다. 따라서 대상이 된 공정을 구성하는 단위 동작을 행할 때 불안전한 행동, 불안전한 상태가 발생하지 않도록 각 동작의 포인트와 이와 관련된 재해를 예방하기 위한 안전의 급소를 반드시 기입하는 것이 중요하다.

④ 너무 상세하지 않을 것

대상작업은 일반적으로 단위작업별로 단위작업을 구성하는 많은 요소작업으로 분해될 수 있지만, 아주 간단한 단위작업에까지 지나치게 분해하는 것은 역효과를 낳을 수도 있다. 지나치게 분해하면 방대한 절차서가 되어 버려 절차서가 무시되는 결과를 초래할 수도 있다.

⑤ 법령 등에 위반한 내용이 없을 것

작업절차의 내용은 당연하지만 산안법령, 사내의 각종의 규정 등에 위반한 것이어서는 안 된다. 작성하는 경우에는 미리 규정의 유무 및 그 내용 등을 조사하는 것이 필요하다.

⑥ 이상 시의 조치에 대해 정하고 있을 것

절차서는 작업이 정상적으로 진행되는 순서로 작성되지만, 실제의 작업에서는 절차의 도중에 이상, 장애(이하「이상」이라고 한다.)가 발생하는 경우도 드물지 않고, 그것을 회복하는 작업(비정상작업)을 절차의 도중에 행하는 과정에서 발생하는 재해도 적지 않다. 특히 이상 시에는 작업자가 눈앞에 벌어진 일에 주의를 빼앗기고 당황하여 조작을 잘못하기 쉬우므로 과거의 체험 등을 토대로 예상되는 이상에 대처하는 절차를 넣는 것이 바람직하다.

◇ 작업절차서의 작성 유의사항

 ◆ 작업절차서는 작업의 상세를 숙지하고 있는 현장감독자가 중심이 되어 작성하는 것이 일반적이다. 현장감독자는 작업상황을 잘 관찰하여 작업절차서를 작성할 때에 필요한 공정의 구분 등을 적절하게 정하는 것이 필요하다.
 ◆ 작업절차서를 준수하여야 할 작업자의 의견이 반영되어 있지 않은 것은 결국은 그림의 떡으로 끝나버리므로, 작성의 과정에서 작업자에게 충분히 의견을 내도록 하는 것도 감독자의 중요한 역할이다.

작업절차서를 작성할 때의 유의사항으로서는 다음과 같은 것이 있다.

① 단계(Step)의 수가 너무 많아서는 안 된다.
② 불필요하다고 생각되는 단계는 가급적 생략한다.
③ 단계의 순서는 작업이 가장 원활하게 진행되도록 구성한다.
④ 각 단계의 동작은 무리가 없는 위치, 자세로 행하도록 한다.
⑤ 책상에서의 작성만이 아니라 작업자의 실연(實演)도 하면서 작성한다.
⑥ 주된 단계의 급소에 대해서는 전원이 납득할 때까지 검토한다.
   (급하게 결론을 내어 지켜지지 않는 경우가 있다.)
⑦ 초안이 작성되면 그 내용에 따라 시범적으로 행하고 부적절한 부분은 수정한다.
⑧ 안이 정해지면 작성의 책임자는 상사에게 설명하는 한편, 양식, 문장 (표현)의 조정을 하고 소정의 절차에 의해 결재를 받아 사업장 차원에서 정식으로 결정한다.
   (때로는 기업 전체의 것으로 하는 경우도 있다.)

절차서의 대부분은 사업장에서 정상적으로 이루어지는 작업에 대해서 정해지는 경우가 많지만, 기계·설비의 수리, 검사, 보전 등 이른바 비정상 작업에서 재해가 발생하는 경우가 오히려 많으므로 위험성이 큰 것, 작업 빈도가 많은 것, 과거에 재해 또는 아차사고가 발생한 적이 있었던 것 등을 중심으로 비정상작업에 대해서도 작성할 필요가 있다.

6. 사업장의 안전 및 보건을 유지하기 위하여 작성하는 『안전보건관리규정』에 대하여 다음 사항을 설명하시오.

산업안전보건법 제25조(안전보건관리규정의 작성)

1) 포함해야 하는 사항 중 5가지

   ① 안전 및 보건에 관한 관리조직과 그 직무에 관한 사항
   ② 안전보건교육에 관한 사항
   ③ 작업장의 안전 및 보건 관리에 관한 사항
   ④ 사고 조사 및 대책 수립에 관한 사항
   ⑤ 그 밖에 안전 및 보건에 관한 사항

2) 작업장 안전관리에 대한 세부내용

   ① 안전 · 보건관리에 관한 계획의 수립 및 시행에 관한 사항
   ② 기계 · 기구 및 설비의 방호조치에 관한 사항
   ③ 유해 · 위험기계등에 대한 자율검사프로그램에 의한 검사 또는 안전검사에 관한 사항
   ④ 근로자의 안전수칙 준수에 관한 사항
   ⑤ 위험물질의 보관 및 출입 제한에 관한 사항
   ⑥ 중대재해 및 중대산업사고 발생, 급박한 산업재해 발생의 위험이 있는 경우 작업중지에 관한 사항
   ⑦ 안전표지 · 안전수칙의 종류 및 게시에 관한 사항과 그 밖에 안전관리에 관한 사항

3) 작업장 보건관리에 대한 세부내용

   ① 근로자 건강진단, 작업환경측정의 실시 및 조치절차 등에 관한 사항
   ② 유해물질의 취급에 관한 사항
   ③ 보호구의 지급 등에 관한 사항
   ④ 질병자의 근로 금지 및 취업 제한 등에 관한 사항
   ⑤ 보건표지 · 보건수칙의 종류 및 게시에 관한 사항과 그 밖에 보건관리에 관한 사항

국가기술 자격검정 시험문제

기술사		제 124 회		제 4 교시 (시험시간: 100분)		
2021년도	분야	안전관리	자격종목	기계안전기술사	성명	

※ 다음 문제 중 4문제를 선택하여 설명하시오. (각 문제당 25점)

1. 인간의 불안전행동을 유발하는 심리적 요인에 대하여 설명하시오.

불안전행동을 유발하는 심리적 요인

◇ 부주의 : 착각, 착시, 근도반응, 생략행위, 억측판단, 초조반응
◇ 목적 수행을 위한 행동 전개 과정에서 목적으로부터 벗어나는 심리적, 신체적 변화 현상
◇ 주의의 저하나 주의가 산만해진 상태
◇ 부주의 현상은 의식수준과 관계가 있으며 다음과 같은 경우 발생
  ◆ 의식수준의 저하 및 파동
    - 뚜렷하지 않은 의식의 상태로 심신이 피로하거나 단조로움 등에 의해서 발생
    - 최대집중시간 40~50분
  ◆ 의식의 우회
    - 의식의 흐름이 샛길로 빗나갈 경우로 작업도중 격정, 고뇌, 욕구불만 등에 의해서 발생
    - 가정불화, 개인적 고민, 공상으로 인한 부주의
  ◆ 의식의 단절
    - 의식의 흐름에 단절이 생기고 공백상태가 나타나는 경우 (의식의 중단)
    - 의식은 깨어있으나 의식 흐름이 단절된 상태
  ◆ 의식의 과잉
    - 돌발사태, 긴급 이상 사태 직면 시 순간적으로 의식이 긴장하고 한 방향으로만 집중되는 판단력 정지, 긴급 장위 반응 등의 주의의 일점 집중 현상이 발생

◇ 근도반응
  ◆ 완곡한 방법을 취하지 않고 충동적으로 행동하는 일

◇ 생략행위
  ◆ 지름길반응과 유사한 행동으로서 규칙 무시와 제멋대로의 판단에서 나오는 행동
  ◆ 예) 작업 시에 소정의 작업용구를 사용하지 않고 가까이에 있는 다른 용도의
        용구를 사용하는 것, 소정의 보호구를 사용하지 않는 것, 정해져 있는
        작업 절차를 지키지 않는 것
  ※ 지름길반응 : 지나가야 할 길이 있음에도 불구하고, 가급적 가까운 길을 걸어
                빨리 목적장소에 도달하려고 하는 행동

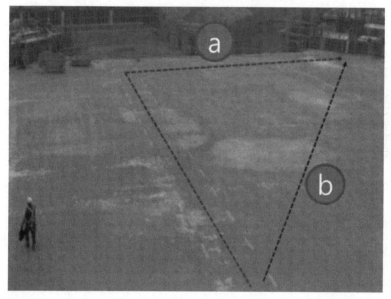

◇ 억측판단
  ◆ 자의적인 주관적 판단, 희망적 관측을 토대로 위험을 확인하지 않은 채 괜찮을
     거라고 생각하고 행동하는 것
  ◆ 교차로에서 신호를 기다리고 있던 자동차가 전방의 신호가 녹색으로 바뀌고
     나서 출발하는 것이 아니라, 좌우의 신호가 적색으로 바뀌자마자 바로 출발하는
     행동 등이 이것에 해당

◇ 초조반응
  ◆ 감지, 판단, 행동의 순서를 판단없이 행동하는 것

2. 작업 전에 사전조사 및 작업계획서를 작성하고 그 계획에 따라 작업을 하여야 하는 작업의 종류 13가지를 설명하고, 차량계 하역운반기계를 사용하는 작업의 작업계획서 내용 2가지를 설명하시오.

[127회 2교시 1번] [124회 4교시 2번][121회 2교시 2번] [120회 1교시 12번]
[120회 3교시 5번] [111회 1교시 6번]

2-1 작업의 종류 13가지
안전보건기준에 관한 규칙 제38조(사전조사 및 작업계획서의 작성 등)

1. 타워크레인을 설치·조립·해체하는 작업

2. 차량계 하역운반기계등을 사용하는 작업(화물자동차를 사용하는 도로상의 주행작업은 제외한다. 이하 같다)

3. 차량계 건설기계를 사용하는 작업

4. 화학설비와 그 부속설비를 사용하는 작업

5. 제318조에 따른 전기작업(해당 전압이 50볼트를 넘거나 전기에너지가 250 볼트암페어를 넘는 경우로 한정한다)

6. 굴착면의 높이가 2미터 이상이 되는 지반의 굴착작업

7. 터널굴착작업

8. 교량(상부구조가 금속 또는 콘크리트로 구성되는 교량으로서 그 높이가 5 미터 이상이거나 교량의 최대 지간 길이가 30미터 이상인 교량으로 한정한다)의 설치·해체 또는 변경 작업

9. 채석작업

10. 건물 등의 해체작업

11. 중량물의 취급작업

12. 궤도나 그 밖의 관련 설비의 보수·점검작업

13. 열차의 교환·연결 또는 분리 작업(이하 "입환작업"이라 한다)

2-2 작업계획서 내용 2가지

◆ 추락·낙하·전도·협착 및 붕괴 등의 위험을 예방할 수 있는 안전대책에 관한 작업계획 작성 → 작업계획에 따라 작업 실시

◆ 작업계획에는 차량계 하역운반기계 등의 운행경로 및 작업방법 포함

◆ 작업계획을 작성한 때에는 그 내용을 당해 근로자에게 교육 실시

※ 차량계 하역운반기계 정의

동력원에 의하여 특정되지 아니한 장소로 스스로 이동할 수 있는 지게차 · 구내 운반차 · 화물차동차 등의 차량계 하역운반기계 및 고소작업대

3. Fe3C 평형 상태도를 그리고 A2 변태, A4 변태, 동소체에 대하여 설명 하시오.

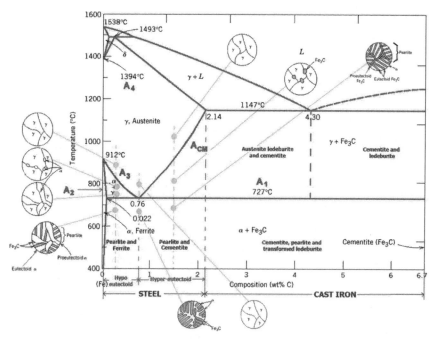

◇ A2 변태점 : 768℃ ~ 순철의 자기변태점, 퀴리점 (※ 강의 경우 770℃)
◇ A4 변태점 : 1,400℃ ~ 동소변태점
◇ 동소체 : 고체상태 내에서 결정격자의 변화가 생기는 것.

4. 화재의 종류, 폭발의 종류, 폭발범위(폭발한계)에 영향을 주는 요인에 대하여 설명하시오

4-1 화재의 종류

화재는 연소 특성에 따라 A급화재, B급화재, C급화재, D급화재 4종류로 분류

◇ 일반가연물 화재(A급 화재)
* 연소 후 재를 남기는 종류의 화재로써 목재, 종이, 섬유, 플라스틱 등으로 만들어진 가재도구, 각종 생활용품 등이 타는 화재
* 소화방법 : 주로 물에 의한 냉각소화 또는 분말소화약제를 사용
  ※ 물을 1분에 1리터 정도 쏟으면 일반가연물 0.7㎥ 에 붙은 불을 끌 수 있다.

◇ 유류 및 가스화재(B급 화재)
* 연소 후 아무 것도 남기지 않는 종류의 화재로써 휘발유, 경유, 알코올, LPG 등 인화성액체, 기체 등의 화재
* 소화방법 공기를 차단시켜 질식소화하는 방법으로 포소화약제를 이용하거나, 할로겐화합물, 이산화탄소, 분말소화약제 등을 사용

◇ 전기화재(C급 화재)
* 전기기계.기구 등에 전기가 공급되는 상태에서 발생된 화재
* 전기적 절연성을 가진 소화약제로 소화해야 하는 화재
* 소화방법 : 이산화탄소, 할로겐화물소화약제, 분말소화약제를 사용

◇ 금속화재(D급 화재)
* 특별히 금속화재를 분류할 경우에는 리튬, 나트륨, 마그네슘 같은 금속화재를 D급 화재로 분류
* 소화방법 : 팽창질석, 팽창진주암, 마른 모래 등을 사용

※ 식용유화재(F급 화재 또는 K급 화재)
* 튀김용기의 식용유가 과열되면 불이 붙기 쉽고, 불을 끄더라도 냉각이 쉽지 않아 순간적으로 꺼졌던 불이 다시 불이 붙는 재발화의 위험성이 있어 과거에는 유류화재(B급화재)로 분류하였으나 최근에는 별도 분류함

※ 우리나라에서는 A급 화재, B급 화재 및 C급 화재 3가지로만 분류하고 있음 (국제 표준화기구의 ISO 7202 분류기준에 따름)

4-2 폭발의 종류

◇ 화학적 폭발
  - 가스폭발 : 증기운 폭발
  - 고체폭발 : 화약류
  - 분해폭발 : 아세틸렌
  - 분진폭발 : 석탄, 알루미늄 분진

◇ 물리적 폭발
  - 압력방출에 의한 폭발
  - 수증기 폭발
  - 과열액체 증기폭발(보일러)
  - 저온액화가스 증기폭발

4-3 폭발범위에 영향을 주는 요인

◇ 폭발범위는 보통 1기압, 상온 측정치로 최저 농도를 폭발하한계(Lower Explosive Limit, LEL), 최고 농도를 폭발상한계(Upper Explosive Limit, UEL)라고 한다.

◇ 폭발범위는 폭발하한계와 폭발상한계 사이의 범위를 말한다.

	연소범위	

0   하한계   상한계   100%

◇ 폭발범위에 영향을 주는 인자

  - 산소 농도
    - 가연성 가스에 산소가 투입되면 기존의 폭발범위보다 더 넓어짐
    - 메탄의 경우 5.0% ~ 15% 이던 연소범위가 산소가 투입되면 5.1% ~ 61%로 넓어져서 폭발상한계가 크게 확대되는 결과를 나타냄
    - 가연성 가스의 농도가 짙어지더라도 반응할 수 있는 산소가 충분히 있어서 폭발이 가능하게 된다는 것을 의미함

- ◆ 압력
  - 압력은 기체 분자간의 거리를 좁히는 효과가 있음
  - 분자 상호간의 거리가 짧아지면 유효충돌이 증가하게 되고 반응이 활성화되어 폭발범위가 넓어지는 결과를 발생시킴
  - 폭발하한계의 변화보다는 폭발상한계가 증가하여 폭발범위가 넓어짐

- ◆ 온도
  - 가연성 가스의 온도가 증가하면 분자 운동이 활발해지고, 분자 상호간의 유효 충돌 횟수가 증가하는데 따라서 화염의 전파도 용이하게 됨
  - 온도가 상승할수록 반응속도가 증가하므로 연소범위는 확대됨
  - 온도가 100℃ 증가하면 연소하한계는 8% 감소하고, 연소하한계는 8% 증가한 다는 법칙이 있음

- ◆ 불활성 가스
  - 불활성 가스는 질소나 헬로겐족 가스 등을 의미
  - 가연성 가스가 들어있는 용기나 배관에 불활성 가스를 투입하면 산소의 농도가 저하되므로 폭발범위가 좁아짐
  - 폭발하한계는 크게 변화하지 않지만 폭발상한계는 낮아지는 효과를 얻게되고, 가연성 가스의 전체적인 폭발범위는 좁아짐

5. 재해손실비용의 산출 방법에서 1) 하인리히(Heinrich) 방식과, 2) 시몬즈 (Simonds) 방식에 대하여 설명하시오.

[121회 4교시 4번] [124회 4교시 5번]

1) 하인리히(H. W. Heinrich) 방식
- ◆ 총 재해 비용= 직접비용 + 간접비용
  - 직접비용 : 피해자에게 지불되는 재해 비용
        → 유족급여, 장의비, 휴업급여, 요양급여)
  - 간접비용: 시간 손실, 기계설비 파손
        → 인적손실, 물적손실, 생산차질, 특수손실
- ◆ 직접비 : 간접비= 1:4
  - 간접비가 직접비의 4배 소요
  - 업종이 다른 사업장에 일률적용은 부적당

2) 시몬스(RH. Simonds) 방식

◆ 총 재해 비용 = 보험비용+ 비보험비용
 - 보험비용 : 직접보험비용+ 부대비용(산재보험료)
 - 비보험비용 :
   A×휴업상해건수(영구부분노동불능)+B×통원상해건수(일시노동불능)+C×구급상해건수(8시간이내치료)+D×무상해사고건수(제3자작업중지, 임금손실, 재료•설비교체, 부상자임금지불비용, 재해에따른특별금여등)
※ A, B, C, D는 상해정도에 의한 평균재해비용
◆ 평균재해 비용을 산출하기 어렵고 제도 등의 차이로 우리나라는 적용곤란

3) 콤페스(Compes) 방식

◆ 총 재해 비용= 개별비용비+ 공용비용비
 - 개별비용비(직접손실) : 작업중단, 수리비용, 사고조사
 - 공용비용비 : 보험료, 안전보건팀 유지비, 기업 명예비, 안전감에 대한 추상적 비용

4) 버드(Bird)방식

◆ 직접비 : 간접비= 1 : 5
◆ 직접비(보험료)
 - 의료비
 - 보상금
◆ 간접비(비보험손실비용)
 - 건물손실비
 - 기구및장비손실
 - 제품및재료손실
 - 조업중단, 지연으로인한손실
 - 비보험손실
   1) 시간비
   2) 교육비
   3) 조사비
   4) 임대비 등

6. 공정 내 독성물질을 저장하는 탱크에서 반응기로 이송하는 배관이 아래와 같은 조건에서 설계, 시공, 운전되어 8년간 사용 중에 있으며 두께측정 결과 5.35 mm를 나타내고 있다. ANSI/ASME B31.3 Code를 적용하여 동 배관에 대해 1) 최소요구두께(mm), 2) 부식율(mm/yr), 3) 예측 잔여 수명(yr)을 구하시오. (단, 계산값은 소수점 2번째 자리에서 반올림)

〈Piping Specification〉

(1) Pipe Size = 150A, Sch.40S(7.10 mm)

(2) Outside Diameter = 165.2 mm

(3) Pipe Material = A312 TP304L, SMLS

(4) Design Pressure = 0.5 kg/mm^2

(5) Design Temp. = 100℃

(6) Allowable Stress(S) = 11.74 kg/mm^2

(7) Corrosion Allowance = 0.00 mm

(8) 용접효율(E) = 1.00

(9) 배관재질의 온도에 따른 보정계수(Y)는 아래 테이블 참조

재질＼온도	482℃이하 (900°F 이하)	510℃ (950°F)	538℃ (1000°F)	566℃ (1050°F)	593℃ (1100°F)	621℃ (1150°F)	649℃ (1200°F)	677℃이상 (1250°F 이상)
페라이트강	0.4	0.5	0.7	0.7	0.7	0.7	0.7	0.7
오스테나이트강	0.4	0.4	0.4	0.4	0.5	0.7	0.7	0.7
니켈합금 및 다른재질	0.4	0.4	0.4	0.4	0.4	0.4	0.5	0.7

---

1) 최소요구두께(mm),

ASME B31.3 304.1.2 Straight Pipe Under Internal Pressure
(t<D/6인 경우)

$$t = \frac{P \cdot D}{2(S \cdot E + P \cdot Y)} + CA$$

  E = 용접효율

  S = 설계온도에서의 허용응력

  P = Design Pressure

  Y = Coefficient (보정계수)

  D = Outside Diameter

  CA = Corrosion Allowance (부식여유)

$$t = \frac{0.5 \times 165.2}{2\,(11.74 \times 1 + 0.5 \times 0.4)} + 0 = 3.46mm$$

t = 3.46mm

2) 부식율(mm/yr),

$$\text{연간 부식률} = \frac{7.10mm - 5.35mm}{8yr} = 0.22mm/yr$$

부식률 = 0.22mm/yr

3) 예측 잔여수명(yr)

$$\text{예측잔여수명} = \frac{\text{현재두께} - \text{최소요구두께}}{\text{연간부식률}} = \frac{5.35mm - 3.46mm}{0.22mm/yr} = 8.59yr$$

예측잔여수명 = 8.59yr

제123회 (2021년)
기계안전기술사

123회 기계안전기술사 출제 유형

교시	번호	세부항목
1	1	위험기계기구 및 설비의 방호조치
1	2	위험기계기구 및 설비의 방호조치
1	3	산업안전보건법
1	4	기계재료, 용접결함, 열처리
1	5	기계재료, 용접결함, 열처리
1	6	기계설계 및 기계제작
1	7	기계재료, 용접결함, 열처리
1	8	기계재료, 용접결함, 열처리
1	9	기계재료, 용접결함, 열처리
1	10	기계재료, 용접결함, 열처리
1	11	산업안전보건법
1	12	산업안전보건법
1	13	산업안전보건법
2	1	산업안전보건법
2	2	재료시험 및 응력해석
2	3	제조물 책임법
2	4	기계재료, 용접결함, 열처리
2	5	기계재료, 용접결함, 열처리
2	6	산업안전보건법
3	1	산업안전보건법
3	2	기타 전기, 화공 안전에 관한 기본사항
3	3	산업안전보건법
3	4	기계재료, 용접결함, 열처리
3	5	산업안전보건법
3	6	재료시험 및 응력해석
4	1	기계설비의 산업표준
4	2	위험기계기구 및 설비의 방호조치
4	3	기계재료, 용접결함, 열처리
4	4	산업안전보건기준에 관한 규칙
4	5	기계설계 및 기계제작
4	6	안전보건 경영시스템

123회 (2021년) 기계안전기술사

기술사　　제 123 회　　　　　　　　　제 1 교시　(시험시간: 100분)

2020년도	분야	안전관리	자격종목	기계안전기술사	성명	

※ 다음 문제 중 10문제를 선택하여 설명하시오. (각 문제당 10점)

1. 컨베이어(Conveyor) "기복장치"의 적용 예를 들고 설명하시오.

◇ 기복장치
- 기복장치에는 붐이 불시에 낙하되는 것을 방지하기 위한 장치 및 크랭크의 반동을 방지하기 위한 장치가 설치되고, 정상적으로 작동될 것
  - 기계식 봉, 걸쇠, 스프링 또는 유압 평형추 장치 등
- 붐의 위치를 조절하는 컨베이어에는 조절 가능한 범위를 제한하는 장치가 설치되고 정상적으로 작동될 것
  - 기계적 엔드 스토퍼, 리미트 스위치 등

2. 양중기용 줄걸이 작업용구로 많이 사용하고 있는 섬유벨트(Belt sling)의
   단점 5가지를 설명하시오.

① 섬유로프에 대한 사용기준 및 폐기기준이 명확하지 않음
   - 육안검사에 한계가 있음
   - 제조사의 기준에 참고해야 함
   - 작업현장 내 규정에 따르도록 되어 있음
   - 기타 관련 규정
     - [단체표준] SPS-KSA0151-V3444-5954 선박용 섬유로프 사용기준
     - [KOSHA-GUIDE M-94-2011] 조선업 안전점검 기술지침
② 쉽게 절단할 수 있고 내마모성이 떨어짐
③ 알카리에는 강하나 산에는 매우 약함
④ 직사광선에 약함
⑤ 습기에 약함
⑥ 고온에 약함
⑦ 모서리가 날카로운 것, 돌출부, 거친 표면에 쉽게 손상됨

3. 동력으로 작동되는 기계·기구로써 방호조치를 하지 아니하고는 양도·대여·
   설치 또는 사용에 제공하여서는 아니 되는 경우에 해당하는 조건 및 해당
   방호조치 3가지를 설명하시오.
   [123회 1교시 11번] [124회 4교시 3번]

3-1 양도·대여·설치 또는 사용에 제공하여서는 아니 되는 경우에 해당하는 조건
   - 작동 부분에 돌기 부분이 있는 것
   - 동력전달 부분 또는 속도조절 부분이 있는 것
   - 회전기계에 물체 등이 말려 들어갈 부분이 있는 것

3-2 동력으로 작동되는 기계·기구로써 방호조치
- 예초기 : 날접촉 예방장치
- 원심기 : 회전체 접촉 예방장치
- 공기압축기 : 압력방출장치
- 금속절단기 : 날접촉 예방장치
- 지게차 : 헤드 가드, 백레스트(backrest), 전조등, 후미등, 안전벨트
- 포장기계 : 구동부 방호 연동장치

◇ 법 제80조제2항에서 "고용노동부령으로 정하는 방호조치"란 다음 각 호의 방호조치를 말한다.
  1. 작동 부분의 돌기부분은 묻힘형으로 하거나 덮개를 부착할 것
  2. 동력전달부분 및 속도조절부분에는 덮개를 부착하거나 방호망을 설치할 것
  3. 회전기계의 물림점(롤러나 톱니바퀴 등 반대방향의 두 회전체에 물려 들어가는 위험점)에는 덮개 또는 울을 설치할 것

4. 테르밋 주조용접(Thermit cast welding)과 테르밋 가압용접(Thermit pressure welding)을 설명하시오.

◇ 테르밋 용접
- 용접열원을 외부로부터 공급받는 것이 아닌 테르밋 반응에 의해 생성되는 열을 이용하는 용접법
- 테르밋 반응 : 금속산화물과 알루미늄 간의 탈산반응
- 적합 부재간의 적당한 틈새를 만들고, 그 주위를 주형으로 둘러싼 후 주형 밑 부분에 있는 예열구멍으로부터 모재를 적당한 온도까지 예열
- 주형 속에서 테르밋반응에 의해 생성된 용융금속이 응고될 때까지 방치하고 적당한 온도까지 냉착 후 주형을 해제함

◇ 테르밋 용접의 특징
- 작업이 단순하여 작업숙련도가 낮음
- 작업시간이 짧아 능률적임
- 용접기구가 간단하고 저렴함
- 이동이 쉬워 현장용접이 가능함

◆ 용접변형이 작음

◆ 용접 접합강도가 낮음

◇ 테르밋 용접의 종류

◆ 테르밋 주조 용접

용접홈을 800~900℃로 예열한 후 주형에 테르밋 반응에 의해 녹은 금속을
주입시켜 융착

◆ 테르밋 가압용접

모재의 단면을 맞재어 놓고, 그 주위에 테르밋 반응에서 생긴 슬래그 및 용융
금속을 주입하여 가열시킨 후 강한 압력을 주어 용접

5. 와이어로프의 보통꼬임(Ordinary lay) 및 랭꼬임(Lang lay)의 개념과 장·단점을 설명하시오.

[124회] 2교시 2번] [124회] 4교시 5번]

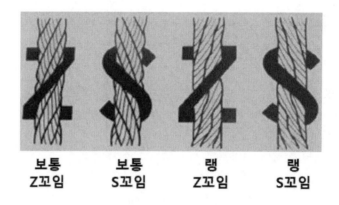

| 보통 Z꼬임 | 보통 S꼬임 | 랭 Z꼬임 | 랭 S꼬임 |

◇ 와이어로프의 꼬는 방법에는 왼쪽 꼬임, 오른쪽 꼬임의 구별이 있으며, 스트랜드와
와이어로프의 꼬임이 반대방향인 것을 보통꼬임(common lay, regular lay),
같은 방향인 것을 랭꼬임(Lang's lay)이라고 함

◇ KS에서는 로프의 왼쪽, 오른쪽 꼬임만으로는 틀리기 쉬우므로 그림과 같이 Z꼬임,
S꼬임이라고 구별

◇ 보통꼬임은 랭꼬임에 비하여 소선(wire)의 꼬임의 경사가 급격하기 때문에 접촉
면적이 적고, 소선의 마멸이 빠르지만, 엉키어 풀리지 않으므로 취급이 쉬움

◇ 랭꼬임은 꼬임의 경사가 완만하므로 접촉 면적이 크고 마멸에 의한 손상이 적기 때문에서 내구성이 높고, 또한 유연성도 보통꼬임보다 좋으나, 엉키어 풀리기 쉬우므로 취급에 주의를 기울여야 함
◇ 일반적으로는 보통 Z꼬임이 많이 사용
◇ 보통꼬임-표기는"O"
   ◆ 스트랜드의 꼬임 방향과 로프를 구성하는 소선의 꼬임 방향이 반대
   ◆ 로프의 자체 변형이 적고 하중을 걸었을 때 저항성이 큼
   ◆ 킹크가 잘 생기지 않음
   ◆ 소선의 마모가 쉬움
   ◆ 기계, 건설, 선박, 수산 등에 널리 사용됨
◇ 랭(랑그)꼬임-표기는"L"
   ◆ 스트랜드의 꼬임 방향과 로프를 구성하는 소선의 꼬임 방향이 동일
   ◆ 꼬임이 풀리기 쉬움
   ◆ 킹크가 잘 생김
   ◆ 내마모성이 우수
   ◆ 삭도용과 광산용에 주로 사용

6. 윤활유의 사용목적 및 구비조건을 각각 4가지씩 설명하시오.

6-1 윤활유의 사용목적
   ◆ 감마작용 : 강한 유막으로 인하여 타서 눌러붙는 현상의 방지등 마찰저항을 적게하는 작용
   ◆ 응력분산작용 : 국부압력을 액전체에 균등하게 분산하는 작용
   ◆ 냉각작용 : 마찰에 의해 생긴 열 또는 외부로부터 전달된 열 등을 흡수하여 다른 곳으로 방열하는 작용
   ◆ 밀봉작용 : 물이나 먼지 등의 침입을 막아주는 작용
   ◆ 방청작용 : 산소, 물 또는 부식성가스의 침투에 의하여 윤활면이 녹스는 것을 보호해 주는 작용

6-2 구비조건
   ◆ 적당한 점도가 있고 유막이 강할 것
   ◆ 온도에 따르는 점도 변화가 적고, 유성이 클 것

- 점도지수 : 온도 변화에 대한 점도 변화 비율, 점도지수가 높을수록 온도에
   의한 점도 변화가 적음
- ◆ 인화점이 높고 발열이나 화염에 인화되지 않을 것
- ◆ 중성이며 베어링 메탈을 부식시키지 않을 것
- ◆ 내열, 내압성을 가질 것
- ◆ 사용 중에 변질이 되지않으며 불순물이 잘 혼합되지 않을 것
- ◆ 발생열을 흡수하여 열전도율이 좋을 것
- ◆ 가격이 저렴할 것

7. 강(Steel)의 열간가공(Hot working) 및 냉간가공(Cold working)의 특징을 각각 4가지씩 설명하시오.

◇ 열간가공 : 재결정 온도 이상에서 소성가공하는 고온가공
- ◆ 작은 힘으로 큰 변형을 줄 수 있다.
- ◆ 재질의 균일화가 이루어진다.
- ◆ 가공도가 커서 거친 가공에 적합하다.
- ◆ 가열로 인해 산화되기 쉬워 정밀가공은 곤란하다.

◇ 냉간가공 : 재결정 온도 이하에서 소성가공하는 상온기온이다.
- ◆ 제품의 치수를 정확히 할 수 있다.
- ◆ 가공면이 아름답다.
- ◆ 가공경화로 강도 및 경도가 증가하고 연신율이 감소한따.
- ◆ 가공방향으로 섬유조직이 되어 방향에 따라 강도가 달라진다.

8. 미끄럼베어링의 재료가 갖추어야 할 조건 5가지를 설명하시오.
[123회 1교시 8번] [114회 4교시 2번][105회 2교시 6번]

① 하중에 견딜 수 있도록 충분한 강도와 강성을 가져야한다.
② 마찰 계수가 작아야한다.
③ 피로강도가 높아야한다.
④ 마찰열을 잘 소산할 수 있도록 열 전도율이 좋아야한다.
⑤ 마모가 적고 내구성이 커야한다.

9. 소성가공법 6가지를 설명하시오.

[123회 1교시 9번] [117회 3교시 4번] [117회 4교시 2번]

◇ 소성가공의 종류

구분	내역	그림
압연가공 (Rolling)	- 금속 재료를 회전하는 롤러 사이에 통과시켜 성형하는 방법 - 판의 제조에 이용됨 - 봉(Bar), 관(Pipe), 형강재, 레일 등을 만들 수 있음	
인발가공 (Drawing)	- 다이의 구멍을 통하여 재료를 축방향으로 당겨 바깥지름을 감소시키는 가공법 - 봉(Bar), 관(Pipe), 선의 제조에 이용됨	
압출가공 (Extrusion)	- 금속을 실린더 모양의 컨테이너에 넣고 한쪽에 램(Ram)에 압력을 가하여 밀어내어 가공하는 방법 - 봉(Bar), 관(Pipe), 형재의 제조에 적용함	
프레스 가공 (Pressing)	- 판재를 펀치와 다이 사이에서 압축하여 성형하는 방법 - 전단 가공, 굽힘, 압축, 딥 드로잉(Deep Drawing) 등으로 분류함	
단조가공 (Forging)	- 잉고트(Ingot)의 소재를 단조 기계나 해머로 두들겨서 성형하는 가공법 - 자유 단조와 형 단조로 구분함	
전조 (Roll Forming)	- 압연과 비슷하며 전조 공구를 이용하여 나사나 기어 등을 성형하는 가공법	

10. 와이어로프 등에 적용되는 "슬리브 (Sleeve)"와 "심블 (Thimble)"을 그림으로 그리고 설명하시오.

◇ 슬리브 : 고리부의 압착에 사용하는 금속관을 말하며, 와이어로프 슬링에 사용함
 ◆ 슬리브에는 흠, 현저한 녹, 찌그러짐 등의 사용상 유해한 결점이 없어야 함
 ◆ KS D 6761에 규정하는 5052 또는 이것과 동등 이상의 품질을 갖는 알루미늄 합금 관
 ◆ KS D 3517에 규정하는 이음매가 없는 STKM11A 또는 이것과 동등 이상의 품질을 갖는 탄소 강관
 ◆ KS D 5301에 규정하는 C1220T-O 또는 이것과 동등 이상의 품질을 갖는 구리 합금 관

◇ 심블 : 와이어로프 또는 각종 로프를 구부려서 사용할 때 마찰에 의한 마모 및 손상을 방지하기 위해 장치하는 금속 고리를 말함
 ◆ 심블의 재료는 KS D 3503에 규정하는 SS275 또는 이것과 동등 이상의 품질을 갖는 것으로 함

11. 동력으로 작동되는 기계·기구로써 고용노동부령으로 정하는 기계·기구·
    설비 및 방호 장치·보호구 등의 사용제한 4가지를 설명하시오.
    [123회 1교시 11번] [124회 4교시 3번]

산업안전보건기준에 관한 규칙 제36조 (사용의 제한)

① 유해하거나 위험한 기계·기구에 대한 방호조치가 없는 것
   - 작동 부분에 돌기가 있는 것
   - 동력전달 부분 또는 속도조절 부분이 있는 것
   - 회전기계에 물체 등이 말려 들어갈 부분이 있는 것
② 안전인증기준에 적합하지 않는 것
③ 자율안전확인신고에 적합하지 않는 것
④ 안전검사를 받지 않는 것

12. 산업안전보건법 개정·시행(2021.1.16.) 관련 건설기계관리법에서 적용
    제외되었던 지게차 운전자 교육이 추가되었는데 이에 대한 자격·면허·
    기능 또는 경험 조건을 설명하시오.
    [123회 1교시 12번] [121회 3교시 2번] [120회 1교시 13번] [108회 1교시 5번]
    [105회 2교시 1번]

◇ 자격·면허·기능 또는 경험 조건

◆ 국가기술자격법에 따른 지게차 운전기능사의 자격
◆ 건설기계관리법 제26조 제4항 및 같은법 시행규칙 제73조 제2항 제3호에
  따라 실시하는 소형 건설기계의 조종에 관한 교육과정을 이수한 사람

안전은 관리입니다

지게차 주요질의사항 (운전자격기준)

지게차 법 개정관련 Q&A

Q₁. 지게차 운전자 자격과 관련하여 어떤 사항이 변경되었나요?

A 유해·위험작업의 취업 제한에 관한 규칙이 신설(별표 1, 4의2호 신설)되어 기존의 건설기계관리법을 적용받지 않는 지게차인 경우에도 지게차 교육을 이수한 자만 운전할 수 있도록 법이 개정되었습니다.

구분	작업명	작업범위	자격·면허·기능 또는 경험
[신설]	4의2. 지게차 [전동식으로 솔리드타이어를 부착한 것 중 도로(「도로교통법」 제2조 제1호에 따른 도로를 말한다)가 아닌 장소에서만 운행하는 것을 말한다]를 사용하는 작업	지게차를 취급하는 업무	1) 「국가기술자격법」에 따른 지게차 운전기능사의 자격 2) 「건설기계관리법」 제26조제4항 및 같은 법 시행규칙 제73조 제2항제3호에 따라 실시하는 소형 건설기계의 조종에 관한 교육과정을 이수한 사람

Q₂. 법 개정에 따라 교육 이수 의무 대상으로 확대된 지게차는 어떤 지게차 인가요?

A 건설기계관리법의 적용을 받지 않는 지게차*입니다.
*전동식으로 솔리드타이어(우레탄 등)를 부착한 것 중 도로가 아닌 장소에서만 운행하는 지게차

Q₃. 건설기계관리법 비적용 지게차는 모두 지게차 교육을 이수하여야 하나요?

A 동력을 이용하여 이동하는 지게차는 교육 대상입니다. (아래 사진 참조)

Q₄. 어떤 교육을 이수하여야 하나요?

A 지게차 조종 교육기관에서 실시하는 지게차 조종 교육과정(12H)을 이수하면 됩니다.

Q₅. 어디서 교육을 받아야 하나요?

A 지게차 조종 교습학원, 직업능력개발훈련시설등 각 시·도지사가 지정한 교육기관에서 받으면 됩니다. (별첨 참고)

Q₆. 지게차 교육이수를 위해 자동차 운전면허(1종 보통)가 필요하나요?

A 아니요. 자동차 운전면허가 필요하지 않으며, 지게차 조종 교육(12H) 이수 후 교육기관에서 제공하는 이수증을 소지하고 있으면 됩니다.

Q₇. 언제까지 교육을 받아야 하나요?

A 2020년 하반기에 교육신청 집중이 우려되오니 사업장 규모별로 아래 시기까지 이수바랍니다.
» 100인 이상 사업장 : ~ 2020. 6. 30. 이내에 교육 이수
» 50인~100인 사업장 : ~ 2020. 9. 30. 이내에 교육 이수
» 50인 미만 사업장 : ~ 2021. 1. 15. 이내에 교육 이수

교육대상(예시)

좌식 지게차   입식 지게차   보행식 지게차   전동 이동식 스태커

교육 비대상(예시)

수동 이동식 산토카   수동 이동식 스태커   전동 이동식 팔레트 대차   수동 이동식 팔레트 대차

지게차 법 개정관련 Q&A

Q1 지게차 안전장치와 관련하여 어떤 사항이 변경되었나요?

A 산업안전보건기준에 관한 규칙 제179조 제2항이 신설되어 지게차 작업중 충돌 위험이 있는 경우 후진경보기와 경광등을 설치하거나 후방감지기를 설치해야 합니다.

구 분	내 용
[신설]	**제179조(전조등 등의 설치)** ① 생략 ② 사업주는 지게차 작업 중 근로자와 충돌할 위험이 있는 경우에는 지게차에 후진경보기와 경광등을 설치하거나 후방감지기를 설치하는 등 후방을 확인할 수 있는 조치를 해야 한다.

Q2 후진경보기와 경광등, 후방감지기 모두 설치하여야 하나요?

A 아니요. 후진경보기와 경광등을 설치한 지게차는 후방감지기를 설치하지 않아도 됩니다.

Q3 후진경보기와 경광등은 어떠한 장치인가요?

A 후진경보기는 갑작스러운 사고나 위험을 광선이나 음향 따위를 이용하여 알리는 장치이며 경광등은 긴급함을 알리기 위해 설치하는 붉은빛을 발하는 것을 말합니다.

Q4 후방감지기란 정확히 어떠한 장치들을 말하는 건가요?

A 후방감지기는 후방을 감지하여 지게차 후미에 사람 또는 물체가 근접할 경우 지게차가 정지하거나 거리에 따라 운전자에게 시각, 청각적으로 주의를 주는 장치를 말하며 후방 감지카메라(모니터 포함), 후방 감지센서, 모션감지센서 등이 해당됩니다.

Q5 후사경이나 룸미러도 후방감지기로 인정되나요?

A 아니요. 후사경 및 룸미러는 후방감지기에 해당되지 않습니다.

후진경보기 및 경광등(예시)

경보기(음향)

경보기(광선)

경광등

후방감지기(예시)

후방감지카메라(모니터포함)

후방감지센서

모션감지센서

13. 산업안전보건법에서 정하고 있는 안전보건표지 종류 및 형태 중 「급성 독성물질의 경고」 표지를 그려 설명하시오.

분류	종류	용도 및 설치, 부착 장소	장소 예시	그림
경고표지	급성독성물질 경고	급성독성 물질이 있는 장소	농약 제조, 보관소	

◇ "급성독성 물질"이라 함은

입 또는 피부를 통하여 1회 또는 24시간 이내에 수 회로 나누어 투여되거나 호흡기를 통하여 4시간 동안 노출 시 나타나는 유해한 영향을 말한다.

◆ 경고표지 요소 결정

명칭		테트라에틸 납 (Cas. No. 78-00-2)
그림 문자		※ 감탄부호는 해골과 X형이 제공됨에 따라 제공 안함
신호어		위험
유해 위험 문구		◆ H300 : 삼키면 치명적임 ◆ H311 : 피부와 접촉하면 유독함 ◆ H330 : 흡입하면 치명적임 ◆ H361 : 태아 또는 생식능력에 손상을 일으킬 것으로 의심됨
예방 조치 문구	예방	◆ P201 : 사용 전 취급 설명서를 확보하시오 ◆ P202 : 모든 안전 예방조치 문구를 읽고 이해하기 전에는 취급하지 마시오 ◆ P202 : 모든 안전 예방조치 문구를 읽고 이해하기 전에는 취급하지 마시오
	대응	◆ P301+P310 : 삼켰다면 즉시 의료기관(의사)의 진찰을 받으시오 ◆ P302+P325 : 피부에 묻으면 다량의 물로 씻으시오 ◆ P304+P340 : 흡입하면 신선한 공기가 있는 곳으로 옮기고 호흡하기 쉬운 자세로 안정을 취하시오

기술사	제 123 회			제 2 교시 (시험시간: 100분)		
2021년도	분야	안전관리	자격종목	기계안전기술사	성명	

※ 다음 문제 중 4문제를 선택하여 설명하시오. (각 문제당 25점)

1. 산업안전보건법 시행규칙에서 정하고 있는 안전검사 면제 조건 7가지를 설명하시오.

제125조(안전검사의 면제)

안전검사 대상기계 등이 다른 법령에 따라 안전성에 관한 검사나 인증을 받은 경우로서 안전검사를 면제할 수 있는 있다.

다음 각 호의 어느 하나에 해당하는 경우를 말한다.

1. 「건설기계관리법」 제13조제1항제1호·제2호 및 제4호에 따른 검사를 받은 경우(안전검사 주기에 해당하는 시기의 검사로 한정한다)
2. 「고압가스 안전관리법」 제17조제2항에 따른 검사를 받은 경우
3. 「광산안전법」 제9조에 따른 검사 중 광업시설의 설치·변경공사 완료 후 일정한 기간이 지날 때마다 받는 검사를 받은 경우
4. 「선박안전법」 제8조부터 제12조까지의 규정에 따른 검사를 받은 경우
5. 「에너지이용 합리화법」 제39조제4항에 따른 검사를 받은 경우
6. 「원자력안전법」 제22조제1항에 따른 검사를 받은 경우
7. 「위험물안전관리법」 제18조에 따른 정기점검 또는 정기검사를 받은 경우
8. 「전기사업법」 제65조에 따른 검사를 받은 경우
9. 「항만법」 제26조제1항제3호에 따른 검사를 받은 경우
10. 「화재예방, 소방시설 설치·유지 및 안전관리에 관한 법률」 제25조제1항에 따른 자체점검 등을 받은 경우
11. 「화학물질관리법」 제24조제3항 본문에 따른 정기검사를 받은 경우

2. 1)피로한도(Fatigue limit)에 영향을 주는 인자 4가지, 2)피로강도를 상승
   시키는 인자 4가지 및 3)S-N 곡선을 그림으로 그려 설명하시오.
   [124회 1교시 3번] [123회 1교시 2번] [114회 1교시 4번] [108회 2교시 4번]
   [105회 3교시 5번] [102회 1교시 13번]

세부내용 [108회 2교시 4번] 참조

1) 피로한도(Fatigue limit)에 영향을 주는 인자 4가지

   노치, 치수효과, 표면거칠기, 부식, 반복하중, 압입가공, 온도

   ◆ 노치효과
     - 다면의 형상이 변하는 부위에 피로한도 급격히 저하
     - 기계부재에는 노치 또는 비금속 개재률 등의 재료 결함이 존재하고 이러한
       응력 집중에 의해 국부적으로 높은 응력이 발생
     - 인장강도가 높은 재료는 노치효과가 낮은 현상으로 하지 않으면 피로성능이
       저하하므로 이들 재료를 사용한 효과가 없어짐
   ◆ 치수효과
     - 부재 치수가 커지면 피로한도 저하
     - 평활재, 노치재를 막론하고 시험편의 치수가 변하면 피로 강도가 변하며,
       일반적으로 지름이 크면 피로한도 감소

   ◆ 표면효과
     - 재료파괴는 표면에서 시작하므로 표면조건에 대단히 민감
     - 표면이 거칠수록 피로한도 저하

   ◆ 온도영향
     - 실온 이상이면 피로한도 저하
     - 상온 이하의 저온에서의 피로한도는 일반적으로 온도의 저하와 함께 상승
     - 크리프강도 높을수록 피로한도 증가

   ◆ 부식효과 : 부식이 많이 되면 피로한도 감소
   ◆ 압입효과 : 억지끼워맞춤, 때려박음 등의 압입효과는 노치효과 이상의 악영향
               끼침
   ◆ 속도효과 : 하중 반복될 경우 피로한도 저하

2) 피로강도를 상승시키는 인자 4가지

- ◆ 진동 및 공명이 발생하는 위치를 피해서 용접 연결부 배치로 피로하중을 최소화
- ◆ 부식성 환경의 노출을 최소화
- ◆ 응력 집중 계수를 낮게 설계
- ◆ 적합한 모재, 용가재 및 용접 공정을 선택
- ◆ 시공 전 그루브 형상 및 표면을 처리
- ◆ 후처리실시
- ◆ 고주파 침탄, 질화 열처리에 의한 강도 및 강성부여
- ◆ 롤링 압연에 의한 강도 및 강성 부여
- ◆ 표층부 압축 잔류응력이 발생하는 각종 처리
- ◆ 전해연마, 래핑 등 표면을 매끄럽게 하여, 표면 거칠기에 의한 노치효과를 감소시키고 이론 수명에 근접하도록 유도

3) S-N 곡선 그림

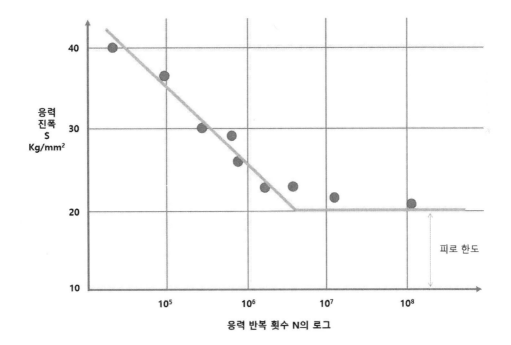

3. 제조물 책임법에 따라 제조물의 결함과 손해배상책임을 지는 자의 면책 사유에 대하여 각각 3가지 설명하시오.
[126회 1교시 10번] [123회 2교시 3번] [120회 3교시 4번] [117회 2교시 6번]

3-1 제조물의 결함

◇ "제조상의 결함"이라 함은 제조업자의 제조물에 대한 제조·가공상의 주의의무의 이행여부에 불구하고 제조물이 원래 의도한 설계와 다르게 제조·가공됨으로써 안전하지 못하게 된 경우를 말한다.
　　예) 제조 과정에 이물질이 혼입된 식품, 자동차에 부속품이 빠져있는 경우.

◇ "설계상의 결함"이라 함은 제조업자가 합리적인 대체설계를 채용하였더라면 피해나 위험을 줄이거나 피할 수 있었음에도 대체설계를 채용하지 아니하여 당해 제조물이 안전하지 못하게 된 경우를 말한다.
　　예) 녹즙기에 어린이들의 손가락이 잘려 나간 경우처럼 설계 자체에서 안전성이 결여됨

◇ "표시상의 결함"이라 함은 제조업자가 합리적인 설명·지시·경고 기타의 표시를 하였더라면 당해 제조물에 의하여 발생될 수 있는 피해나 위험을 줄이거나 피할 수 있었음에도 이를 하지 아니한 경우를 말한다.
　　예) 취급 설명서나 경고 사항 등의 부적절성이나 미비 등 표시 불량에 의한 결함.

3-2 손해배상책임을 지는 자의 면책사유

제조물 책임법 제4조(면책사유)

① 제3조에 따라 손해배상책임을 지는 자가 다음 각 호의 어느 하나에 해당하는 사실을 입증한 경우에는 이 법에 따른 손해배상책임을 면(면)한다.
  1. 제조업자가 해당 제조물을 공급하지 아니하였다는 사실
  2. 제조업자가 해당 제조물을 공급한 당시의 과학·기술 수준으로는 결함의 존재를 발견할 수 없었다는 사실
  3. 제조물의 결함이 제조업자가 해당 제조물을 공급한 당시의 법령에서 정하는 기준을 준수함으로써 발생하였다는 사실
  4. 원재료나 부품의 경우에는 그 원재료나 부품을 사용한 제조물 제조업자의 설계 또는 제작에 관한 지시로 인하여 결함이 발생하였다는 사실

② 제3조에 따라 손해배상책임을 지는 자가 제조물을 공급한 후에 그 제조물에
결함이 존재한다는 사실을 알거나 알 수 있었음에도 그 결함으로 인한 손해의
발생을 방지하기 위한 적절한 조치를 하지 아니한 경우에는 제1항제2호부터
제4호까지의 규정에 따른 면책을 주장할 수 없다.

4. 아크(Arc)용접봉의 피복제에 대하여 다음을 설명하시오.

용접봉의 구조는 간단한 선재(Wire)의 외주부에 약품을 발라놓은 봉이며, 선재를
심선, 주위에 발라놓은 약품을 피복제 (비피복용접봉, 피복용접봉)

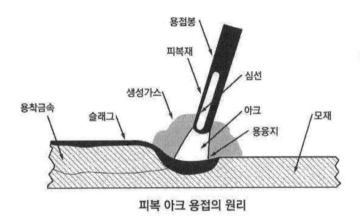

피복 아크 용접의 원리

1) 역할 5가지

1. 아크를 안정시킨다.
   - 교류는 1초에 120번 전류전압이 끊어지게 되어 아크가 연속적으로 발생될 수
     없음
   - 피복제는 전류가 끊어져도 계속 아크가 발생하도록하여 아크를 안정시킴

2. 용융 금속을 보호한다.
   - 중성 또는 환원성분 위기를 만들어 질화나 산화를 예방

3. 용적(녹은 쇳물의 방물)을 미세화하여 용착 효율을 높인다.

4. 수직자세, 위보기 자세 등 어려운 자세를 쉽게한다. 피복제는 용적이 튀어나가게 해주는 역할을 한다. 이로인해 용적이 불려 올라가서 붙게한다.

5. 용착금속의 냉각속도를 느리게 한다.
 ◆ 용융점이낮고 적당한 점성을 가진 슬래그가 생성되어 용접부를 덮어 급랭을 방지하여 준다.

6. 슬래그 제거를 쉽게 한다.

7. 전기절연 작용을 한다.
 ◆ 피복제는 전기가 통하지 않으므로 좁은 곳을 용접할 때 옆에 닿아도 전기가 통하지 않아 아크가 발생하지 않으며, 용접봉을 갈아끼울 때 감전의 위험이 없다.

2) 성분 5가지

1. 아크안정제
 ◆ 기능 : 피복제의 성분이 아크열에 의해 이온화하여 아크전압을 낮추고 아크를 정화시킨다.
 ◆ 성분 : 산화티탄(TiO_2), 규산나트륨(Na_2SiO_3), 석회석, 규산칼륨

2. 가스발생제
 ◆ 기능 : 중성 또는 환원성 가스를 발생시켜 아크분위기를 대기로부터 차단 보호하고 용융금속의 산화나 질화를 방지한다.
 ◆ 성분 : 녹말, 톱밥, 석회석, 탄산바륨($BaCO_3$), 셀룰로오스

3. 슬래그 발생제
 ◆ 기능 : 용융점이 낮은 가벼운 슬래그를 만들어 용융금속의 표면을 덮어 산화나 질화를 방지하고 용융금속의 급냉을 방지하여 기포나 불순물 개입을 적게한다.
 ◆ 성분 : 산화철, 석회석, 규사, 장석, 형석, 산화티탄

4. 탈산제
* 기능 : 용융 금속 중의 산화물을 탈산정련하는 정련
* 성분 : 규소철(Fe-Si), 망간철(Fe-Mn), 티탄철(Fe-Ti), 알루미늄

5. 합금철첨가제
* 기능 : 용접금속의 여러 성질을 개선하기 위해 첨가하는 금속원소
* 성분 : 망간, 실리콘, 니켈, 구리, 크롬, 몰리브덴

6. 고착제
* 기능 : 용접봉의 심선에 피복제를 고착시킨다.
* 성분 : 물유리, 규산칼륨

3) 형식 3가지

1. 슬래그 생성식 용접봉
* 쇳물의 수위를 액상의 용제 또는 슬래그가 둘러싸서 외기와 직접 접촉을 못하도록 녹은 쇳물의 표면을 보호하는 용접봉
* 현재 사용하고 있는 대부분의 형식
* 슬래그가 많아서 숙련되지 않은 작업자가 작업을 할 경우 녹은 쇳물과 구분이 곤란하므로 운봉법이 적당하지 않으면 슬래그 혼입을 가져오는 결점이 있음

2. 가스발생식 용접봉
* 용제의 환원가스나 불활성 가스 등에 의하여 녹은 쇳물을 감싸서 이들의 연막 속에서 용접하는 용접봉
* 유기물형 용접봉
* 용접전류의 선정, 운봉법등을 잘못하면 언더컷이 발생되기 쉬움

3. 반가스 발생식 용접봉
* 슬래그 생성식과 가스 발생식의 특징을 절충한 용접봉

5. 축의 종류를 1)작용 하중 및 모양에 따라 3가지로 분류하여 설명하고,
   2)축 설계 시 고려할 사항 5가지를 설명하시오.

1) 축의 종류 작용 하중 및 모양에 따른 3가지 분류

◇ 작용하중에 의한 분류
  ◆ 차축 : 바퀴는 회전하지만 축은 고정되어 있어, 주로 휨 하중만을 받는 자동차의
           앞 또는 뒷바퀴, 철도 차량 및 자전거 허브 축 등에 사용되는 축의 형태
  ◆ 전동축: 주로 회전에 의해 동력을 전달하는 축으로써 굽힘과 비틀림을 동시에
           받으며 프로펠러 축이나 일반 공장용으로 많이 사용되는 축
  ◆ 스핀들 : 축의 길이가 지름에 비해 짧고 정밀하며 주로 비틀림 하중을 받는
           축으로 주로 공작 기계의 주축으로 사용되는 축의 형태

◇ 모양에 따른 분류
  ◆ 직선축 : 일반적으로 많이 사용되는 곧은 축
  ◆ 크랭크축 : 직선, 왕복운동을 회전운동으로 변환시키는 축으로 피스톤형 내연
             기관에서 볼 수 있는 축
  ◆ 플렉시블 축 : 전동축에 휨성을 부여해 축의 방향을 자유롭게 바꾸거나 충격을
               완화시키기 위한 축으로 유연성축이라고도 부르며, 비틀림 강도
               는 매우 크지만 굽힘 강도는 매우 작은 것

2) 축 설계 시 고려할 사항 5가지
  ◆ 강도 : 물체의 강한 정도로써 재료가 파괴되기까지의 변형 저항을 말하며 정하중,
          반복하중, 충격하중 등에 충분히 견딜 수 있어야 함
  ◆ 강성 : 외부에서 변형을 가할 때의 변형 저항을 말하며, 굽힘 변형량과 비틀림
          변형량이 일정한 한도 이내에서 이루어지도록 제한하여 설계함
  ◆ 진동 : 설계 시 공진할 때의 위험 속도를 고려하여야 함
  ◆ 부식 : 재료선택 및 표면처리를 고려해 방부대책을 강구해야 함
  ◆ 열팽창 : 고온에서 운전되는 제트 엔진, 가스 터빈, 증기 터빈 등은 축의 열응력과
           열 변형을 고려하여 설계하여야 함

6. 산업안전보건법상 정부의 책무와 관련하여 추진하고 있는 안전문화를 정의하고 국내의 안전문화를 저해하는 요소 2가지와 선진화 활동에 대하여 3가지를 설명하시오.

산업안전보건법상 정부의 책무 제 4조(정부의 책무)

정부는 이 법의 목적을 달성하기 위하여 다음 각 호의 사항을 성실히 이행할 책무를 진다고 개정한다.

① 산업 안전 및 보건 정책의 수립 및 집행

② 산업재해 예방 지원 및 지도

③ 근로기준법 제 76조의2에 따른 직장 내 괴롭힘 예방을 위한 조치기준 마련, 지도 및 지원

④ 사업주의 자율적인 산업 안전 및 보건 경영체제 확립을 위한 지원

⑤ 산업 안전 및 보건에 관한 의식을 복돋우기 위한 홍보, 교육 등 안전문화 확산 추진

⑥ 산업 안전 및 보건에 관한 기술의 연구, 개발 및 시설의 설치, 운영

⑦ 산업재해에 관한 조사 및 통계의 유지, 관리

⑧ 산업 안전 및 보건 관련 단체 등에 대한 지원 및 지도, 감독

⑨ 그 밖에 노무를 제공하는 사람의 안전 및 건강의 보호, 증진

(정부는 제1항 각 호의 사항을 효율적으로 수행하기 위하여 한국산업안전보건 공단법에 따른 한국산업안전보건공단, 그 밖의 관련 단체 및 연구기관에 행적직, 재정직 지원을 할 수 있다.)

◇ 국내의 안전문화를 저해하는 요소

❖ 산업구조(다단계 도급, 플랫폼 산업 등)·취업구조(특수형태종사·비정규직· 여성·외국인노동자의 증가 등) 및 산업현장의 변화(4차 산업혁명, 신기술·신규 화학물질 사용 등)로 사업장 내의 유해·위험요인 다양화

❖ 사업주는 안전보건관리를 투자보다는 비용의 개념으로 인식, 사업장내 자율적 안전보건활동 저조

◇ 안전문화의 선진화 활동

❖ 사업장의 자율적 안전문화 형성과 정착을 위한 기반 확충

❖ 사업장 구성원의 안전보건의식 향상을 위한 노사 참여형 안전보건문화 활동 유도

❖ 노사단체, 시민단체 등의 전문성, 인프라, 네트워크를 활용한 안전문화 확산을 지원하고 산업 안전보건 분야 안전문화 인프라 확대

국가기술 자격검정 시험문제

기술사		제 123 회			제 3 교시 (시험시간: 100분)		
2021년도	분야	안전관리	자격종목	기계안전기술사	성명		

※ 다음 문제 중 4문제를 선택하여 설명하시오. (각 문제당 25점)

1. 산업안전보건법에 의거 실시하고 있는 안전인증심사의 종류 4가지 및 방법을 설명하시오.

시행령 제110조(안전인증 심사의 종류 및 방법)
① 유해·위험기계등이 안전인증기준에 적합한지를 확인하기 위하여 안전인증기관이 하는 심사는 다음 각 호와 같다.

1. 예비심사
   기계 및 방호장치·보호구가 유해·위험기계등 인지를 확인하는 심사(법 제84조 제3항에 따라 안전인증을 신청한 경우만 해당한다)

2. 서면심사
   유해·위험기계등의 종류별 또는 형식별로 설계도면 등 유해·위험기계등의 제품기술과 관련된 문서가 안전인증기준에 적합한지에 대한 심사

3. 기술능력 및 생산체계 심사
   유해·위험기계등의 안전성능을 지속적으로 유지·보증하기 위하여 사업장에서 갖추어야 할 기술능력과 생산체계가 안전인증기준에 적합한지에 대한 심사. 다만, 다음 각 목의 어느 하나에 해당하는 경우에는 기술능력 및 생산체계 심사를 생략한다.

   가. 영 제74조제1항제2호 및 제3호에 따른 방호장치 및 보호구를 고용노동부장관이 정하여 고시하는 수량 이하로 수입하는 경우

나. 제4호가목의 개별 제품심사를 하는 경우

다. 안전인증(제4호나목의 형식별 제품심사를 하여 안전인증을 받은 경우로 한정한다)을 받은 후 같은 공정에서 제조되는 같은 종류의 안전인증대상 기계등에 대하여 안전인증을 하는 경우

4. 제품심사

유해·위험기계등이 서면심사 내용과 일치하는지와 유해·위험기계등의 안전에 관한 성능이 안전인증기준에 적합한지에 대한 심사. 다만, 다음 각 목의 심사는 유해·위험기계등별로 고용노동부장관이 정하여 고시하는 기준에 따라 어느 하나만을 받는다.

가. 개별 제품심사

서면심사 결과가 안전인증기준에 적합할 경우에 유해·위험기계등 모두에 대하여 하는 심사(안전인증을 받으려는 자가 서면심사와 개별 제품심사를 동시에 할 것을 요청하는 경우 병행할 수 있다)

나. 형식별 제품심사

서면심사와 기술능력 및 생산체계 심사 결과가 안전인증기준에 적합할 경우에 유해·위험기계등의 형식별로 표본을 추출하여 하는 심사(안전인증을 받으려는 자가 서면심사, 기술능력 및 생산체계 심사와 형식별 제품심사를 동시에 할 것을 요청하는 경우 병행할 수 있다)

2. 심실세동전류를 정의하고 심실세동전류와 통전시간과의 관계를 식으로 나타내고 설명하시오.

1) 심실세동전류 정의

통전 전류를 다시 증가해서 심장에 흐르는 전류가 어떤 값에 도달하면, 심장이 경련을 일으키며, 정상 맥동이 뛰지 않게 되어 혈액을 내보내는 심실이 세동을 일으키게 되는데, 이 전류를 심실세동전류라고 하며, 이 상태는 대단히 위험해서 사망하는 일이 많음

2) 심실세동전류와 통전시간과의 관계 식

$$I = \frac{165}{\sqrt{T}} (ma)$$ I=심실세동전류(ma), T=통전시간(s)

3. 「중대재해 처벌 등에 관한 법률(2021.01.08. 국회통과)」에 의한 중대재해를 정의하고 중대산업재해 사업주와 경영책임자 등의 처벌 기준에 대하여 설명하시오.
[127회 1교시 1번] [126회 1교시 11번] [123회 3교시 3번]

중대재해처벌법 제2조(정의)

1. "중대재해"란 "중대산업재해"와 "중대시민재해"를 말한다.
2. "중대산업재해"란 「산업안전보건법」 제2조제1호에 따른 산업재해 중 다음 각 목의 어느 하나에 해당하는 결과를 야기한 재해를 말한다.
   가. 사망자가 1명 이상 발생
   나. 동일한 사고로 6개월 이상 치료가 필요한 부상자가 2명 이상 발생
   다. 동일한 유해요인으로 급성중독 등 대통령령으로 정하는 직업성 질병자가 1년 이내에 3명 이상 발생
3. "중대시민재해"란 특정 원료 또는 제조물, 공중이용시설 또는 공중교통수단의 설계, 제조, 설치, 관리상의 결함을 원인으로 하여 발생한 재해로서 다음 각 목의 어느 하나에 해당하는 결과를 야기한 재해를 말한다. 다만, 중대산업재해에 해당하는 재해는 제외한다.
   가. 사망자가 1명 이상 발생
   나. 동일한 사고로 2개월 이상 치료가 필요한 부상자가 10명 이상 발생
   다. 동일한 원인으로 3개월 이상 치료가 필요한 질병자가 10명 이상 발생

제6조(중대산업재해 사업주와 경영책임자등의 처벌)

① 제4조 또는 제5조를 위반하여 제2조제2호가목의 중대산업재해에 이르게 한 사업주 또는 경영책임자등은 1년 이상의 징역 또는 10억원 이하의 벌금에 처한다. 이 경우 징역과 벌금을 병과할 수 있다.

② 제4조 또는 제5조를 위반하여 제2조제2호나목 또는 다목의 중대산업재해에 이르게 한 사업주 또는 경영책임자등은 7년 이하의 징역 또는 1억원 이하의 벌금에 처한다.

③ 제1항 또는 제2항의 죄로 형을 선고받고 그 형이 확정된 후 5년 이내에 다시 제1항 또는 제2항의 죄를 저지른 자는 각 항에서 정한 형의 2분의 1까지 가중한다.

4. 금속재료의 경도(Hardness) 시험방법 4가지의 특징을 설명하시오.
[123회 3교시 4번] [120회 4교시 4번]

① 브리넬 경도
- 강구의 압자를 일정한 시험하중으로 시편에 압연시켜 시험하는 시험기로 열처리, 주물, 주강, 특수강 제품 금속소재 및 비철금속, 합금소재, 플라스틱, 합성수지 등의 경도시험에 편리한 측정기

② 로크웰 경도
- 열처리, 합금강, 공구강, 금현강 등 연질 및 경질재료의 금속에 폭넓게 사용되며 작동이 간편하고 고정도를 유지하는 시험기로서 신속한 시험을 할 수 있는 시험기
- 측정시간이 짧으며, 시험의 숙련도가 요구되지 않고, 측정 자동화가 쉬움
- 압입하는 압자의 종류, 사용하는 힘에 따라 여러 종류로 나뉨
- 이것을 스케일이라 하고 경도에 사용되는 스케일은A,B,C,D,E,F,G,H,K,N,T 로 나뉨

③ 비커스 경도
- 작은 하중을 사용하기 때문에 압흔은 현미경의 도움 없이는 육안으로 관측이 힘듦
- 얇은 소재 그리고 보석과 같이 흠집을 많이 내서는 안되는 재료, 도금 층, 탈탄 층과 같은 표면층 측정에 사용됨
- 현미경으로 수백 배로 확대해서 압흔을 측정하므로, 측정자의 조그만 오차가 경도값에 큰 영향을 주기에 측정자의 숙련이 요구됨

④ 쇼어 경도
- 시험기가 작고 중량이 가벼워서 휴대하기가 용이함
- 시험편에 아주 적은 흔적이 생기기 때문에 완성제품을 직접 시험할 수 있음
- 시험편이 비교적 적고 얇은 것도 측정이 가능함
- 쇼어 경도 시험기는 비교적 탄성률에 큰 차이가 없는 재료를 시험할 때에는 경도치의 신뢰성이 크지만, 고무와 같이 탄성률의 차이가 큰 재료에서는 부적합함
- 예를 들면 경질고무는 강철보다 큰 쇼어 경도값이 나타나는 모순이 생길 수 있으나 탄성률과 쇼어 경도값이 비례되는 것만은 아님
- 예를 들어 탄소강에서 C%에 따라 경도는 상당히 큰 차이가 있는 반면에 탄성률은 대체로 변화가 없음

5. 고용노동부고시 제2020-53호 '사업장 위험성평가에 관한 지침'과 관련
   위험성평가의 1)정의, 2)실시주체, 3)추진절차, 4)방법·시기에 대하여
   설명하시오.
   [127회 1교시 13번] [126회 1교시 9번] [124회 1교시 12번] [124회 2교시 5번]
   [123회 2교시 5번] [121회 1교시 11번] [120회 4교시 6번] [117회 4교시 3번]
   [108회 4교시 6번] [105회 4교시 6번]

1) 위험성평가 정의

사업장의 유해·위험요인을 파악하고 해당 유해·위험요인에 의한 부상 또는 질병의
발생 가능성(빈도)과 중대성(강도)을 추정·결정하고 감소대책을 수립하여 실행하는
일련의 과정

2) 위험성평가 실시주체

위험성평가는 사업주가 주체가 되어
① 안전보건관리책임자
② 관리감독자
③ 안전관리자·보건관리자 또는 안전보건관리담당자
④ 대상 공정의 작업자가 참여하여 각자의 역할을 분담하여 실시

3) 위험성평가 추진절차

위험성평가는 사업주 또는 안전보건관리책임자가 중심이 되어 수행
- 1단계 : 사전준비를 통해 평가대상을 확정하고 실무에 필요한 자료를 입수
- 2단계 : 다양한 방법을 통해 유해,위험요인을 파악
- 3단계 : 파악된 유해,위험요인에 대한 위험성을 추정
  ※ 상시근로자 수 20명 미만 사업장(총 공사금액 20억 미만의 건설공사)의
     경우 위험성 추정을 생략할 수 있음
- 4단계 : 유해,위험요인별로 추정한 위험성의 크기가 허용 가능한 범위 인지
          여부 판단
- 5단계 : 허용할 수 없는 위험성의 경우 감소대책을 세워야 하며 감소대책은
          실행가능하고 합리적인 대책인지를 검토, 감소대책은 우선순위를
          정해 실행하고 실행 후에는 허용할 수 있는 범위 이내이어야 함.

◇ 사전준비

위험성평가 실시규정 작성, 평가대상 선정, 평가에 필요한 각종 자료 수집
1. 작업표준, 작업절차 등에 관한 정보
2. 기계·기구, 설비 등의 사양서, 물질안전보건자료(MSDS) 등의 유해·위험요인에 관한 정보
3. 기계·기구, 설비 등의 공정 흐름과 작업 주변의 환경에 관한 정보
4. 같은 장소에서 사업의 일부 또는 전부를 도급을 주어 행하는 작업이 있는 경우 혼재 작업의 위험성 및 작업 상황 등에 관한 정보
5. 재해사례, 재해통계 등에 관한 정보
6. 작업환경 측정 결과, 근로자 건강진단 결과에 관한 정보
7. 그 밖에 위험성평가에 참고가 되는 자료 등

◇ 유해·위험요인 파악

◆ 유해·위험을 일으키는 잠재적 가능성이 있는 요인을 찾아내는 과정
◆ 사용 방법
1. 사업장 순회점검에 의한 방법 (특별한 사정이 없는 한 포함)
2. 청취조사에 의한 방법
3. 안전보건 자료에 의한 방법
4. 안전보건 체크리스트에 의한 방법
5. 그 밖에 사업장의 특성에 적합한 방법

◇ 위험성 추정

◆ 유해·위험요인이 부상 또는 질병으로 이어질 수 있는 가능성 및 중대성의 크기를 추정하여 위험성의 크기를 산출
1. 가능성과 중대성을 행렬을 이용하여 조합하는 방법
2. 가능성과 중대성을 곱하는 방법
3. 가능성과 중대성을 더하는 방법
4. 그 밖에 사업장의 특성에 적합한 방법

◆ 위험성 추정시 주의사항
1. 예상되는 부상 또는 질병의 대상자 및 내용을 명확하게 예측할 것
2. 최악의 상황에서 가장 큰 부상 또는 질병의 중대성을 추정할 것

3. 부상 또는 질병의 중대성은 부상이나 질병 등의 종류에 관계없이 공통의 척도를 사용하는 것이 바람직하며, 기본적으로 부상 또는 질병에 의한 요양 기간 또는 근로손실 일수 등을 척도로 사용할 것
  4. 유해성이 입증되어 있지 않은 경우에도 일정한 근거가 있는 경우에는 그 근거를 기초로 하여 유해성이 존재하는 것으로 추정할 것
  5. 기계·기구, 설비, 작업 등의 특성과 부상 또는 질병의 유형을 고려할 것

◇ 위험성 결정
  ◆ 유해·위험요인별 위험성추정 결과와 사업장 설정한 허용가능한 위험성의 기준을 비교하여 추정된 위험성의 크기가 허용가능한지 여부를 판단
  ◆ 유해·위험요인별 위험성 추정 결과와 사업장 자체적으로 설정한 허용 가능한 위험성 기준을 비교하여 해당 유해·위험요인별 위험성의 크기가 허용 가능한지 여부를 판단
  ◆ 허용 가능한 위험성의 기준은 위험성 결정을 하기 전에 사업장 자체적으로 설정해 두어야 함

◇ 위험성 감소대책 수립 및 실행
  ◆ 위험성 결정 결과 허용 불가능한 위험성을 합리적으로 실천 가능한 범위에서 가능한 한 낮은 수준으로 감소시키기 위한 대책을 수립하고 실행
  ◆ 위험성의 크기, 영향을 받는 근로자 수 및 다음 각 호의 순서를 고려하여 위험성 감소를 위한 대책을 수립하여 실행
    1. 위험한 작업의 폐지·변경, 유해·위험물질 대체 등의 조치 또는 설계나 계획 단계에서 위험성을 제거 또는 저감하는 조치
    2. 연동장치, 환기장치 설치 등의 공학적 대책
    3. 사업장 작업절차서 정비 등의 관리적 대책
    4. 개인용 보호구의 사용
  ◆ 사업주는 위험성 감소대책을 실행한 후 해당 공정 또는 작업의 위험성의 크기가 사전에 자체 설정한 허용 가능한 위험성의 범위인지를 확인
  ◆ 위험성이 자체 설정한 허용 가능한 위험성 수준으로 내려오지 않는 경우에는 허용 가능한 위험성 수준이 될 때까지 추가의 감소대책을 수립·실행
  ◆ 중대재해, 중대산업사고 또는 심각한 질병이 발생할 우려가 있는 위험성으로서 위험성 감소대책의 실행에 많은 시간이 필요한 경우에는 즉시 잠정적인 조치를 강구

- 위험성평가를 종료한 후 남아 있는 유해·위험요인에 대해서는 게시, 주지 등의 방법으로 근로자에게 알려야 함

◇ 기록 및 보존

- 사업장에서 위험성평가 활동을 수행한 근거와 그 결과를 문서로 작성하여 보관
- 기록의 보존연한은 실시 시기별 위험성평가를 완료한 날로부터 기산하여 3년간 보존
- 기록내용
  1. 위험성평가를 위해 사전조사 한 안전보건정보
  2. 그 밖에 사업장에서 필요하다고 정한 사항

4) 위험성평가의 실시시기
◇ 위험성평가는 최초평가 및 수시평가, 정기평가로 구분하여 실시
- 최초평가 및 정기평가는 전체 작업을 대상으로 함

◇ 수시평가

- 해당하는 계획이 있는 경우에는 해당 계획의 실행을 착수하기 전에 실시
  1. 사업장 건설물의 설치·이전·변경 또는 해체
  2. 기계·기구, 설비, 원재료 등의 신규 도입 또는 변경
  3. 건설물, 기계·기구, 설비 등의 정비 또는 보수(주기적·반복적 작업으로서 정기평가를 실시한 경우에는 제외)
  4. 작업방법 또는 작업절차의 신규 도입 또는 변경
  5. 중대산업사고 또는 산업재해(휴업 이상의 요양을 요하는 경우에 한정한다) 발생 (재해발생 작업을 대상으로 작업을 재개하기 전에 실시)
  6. 그 밖에 사업주가 필요하다고 판단한 경우

◇ 정기평가

- 최초평가 후 매년 정기적으로 실시
- 고려사항
  1. 기계·기구, 설비 등의 기간 경과에 의한 성능 저하
  2. 근로자의 교체 등에 수반하는 안전·보건과 관련되는 지식 또는 경험의 변화
  3. 안전·보건과 관련되는 새로운 지식의 습득
  4. 현재 수립되어 있는 위험성 감소대책의 유효성 등

6. 하중의 종류를 1)작용하는 방향, 2)걸리는 속도, 3)분포상태에 따라 분류
   하고 설명 하시오.

1) 작용하는 방향
- 인장하중 : 작용 방향으로 재료를 늘어나게 하는 하중
- 압축하중 : 작용 방향으로 재료를 누르는 하중
- 전단하중 : 근접한 평행면에 크기가 같고 방향이 반대인 하중
- 굽힘하중 : 재료를 굽히려고 작용하는 하중
- 비틀림하중 : 재료가 비틀어지도록 작용하는 하중

2) 걸리는 속도
- 정하중 : 시간에 따라 크기와 방향이 변하지 않는 하중
- 동하중 : 시간에 따라 크기와 방향이 변하는 하중
- 충격하중 : 짧은 시간에 작용하는 하중
- 반복하중 : 계속하여 반복 작용하는 하중으로 진폭은 일정하며 주기는 규칙적인
  하중
- 교번하중 : 하중의 크기와 방향이 변화하면서 인장하중과 압축하중이 연속적으로
  작용하는 하중
- 이동하중 : 이동하면서 작용하는 하중

3) 분포상태
- 집중하중 : 일정한 점 또는 매우 작은 면적에 작용하는 하중
- 분포하중 : 재료의 여러 부분 혹은 일정한 범위에 분포하여 작용하는 하중

국가기술 자격검정 시험문제

기술사   제 123 회   제 4 교시 (시험시간: 100분)

2021년도	분야	안전관리	자격종목	기계안전기술사	성명	

※ 다음 문제 중 4문제를 선택하여 설명하시오. (각 문제당 25점)

1. 프레스의 양수조작식 방호장치에 대하여 다음을 설명하시오.

1) 양수조작식 방호장치 설치 안전거리 계산식

$D \geq 1.6(Tl + Ts)$

D : 안전거리(mm)작동시간

Tl : 누름버튼에서 손을 떼는 순간부터 급정지기구가 작동 개시 하기까지 시간(ms)
Ts : 급정지 기구가 작동을 개시 할 때 부터 슬라이드가 정지할 때까지의 시간

$Tl + Ts$ = 최대정지시간

2) 양수조작식 방호장치 구비조건 6가지

① 1행정 1정지기구를 프레스에 사용함

② 완전 회전식 클러치 프레스에는 기계적 1행정 1정지기구를 구비하고 있는 양수기동식 방호장치에 한하여 사용함

③ 안전거리가 확보되어야 함

④ 비상정지스위치를 구비하여야 함

⑤ 슬라이드 작동 중 누름버튼에서 손을 떼서 손이 위험한계에 들어가기 전에 슬라이드 작동이 정지되어야 함

⑥ 1행정마다 누름버튼에서 양손을 떼지 않으면 재기동 작업을 할 수 없는 구조여야 함

2. 자동차정비용 리프트를 사용하는 경우 작업자나 관리자가 반드시 점검하여야 할 사항을 6가지로 구분하여 설명하시오.

◇ 자동차 정비용 리프트는 자동차를 정비할 때 차체를 들어 올린 상태로 유지하여 차체 하부 등에서 용이 하게 작업을 할 수 있도록 고안된 장비로서 기둥의 수에 따라 2주식, 4주식, X타입 등으로 나뉘며 보다 간단한 구조의 리프트도 있다.

◇ 주요 안전 장치 및 기능
  ◆ 와이어 안전장치(편심로울러)
    와이어가 끊어졌을 때 로울러가 레일과 기계적으로 맞물려 낙하를 방지
  ◆ 안전록크레일, 안전록커, 아암록크기어
    기둥에 안전로크 레일과 록커가 장착되어 낙하를 방지하고, 리프트 상승 시 아암록크 기어가 견고하게 서로 맞물려 아암이 회전, 이탈 방지
  ◆ 상승제한 리미트, 센서
    상승제한 장치로 작업자가 인지하지 못한 상태에서 차량이 과도하게 상승하지 않도록 방지

◇ 주요 위험요인
  ◆ 차량 승강 상태에서 하부 작업 시 불시 하강으로 인한 정비작업자 끼임 및 리프트의 승·하강 시 타작업자 출입으로 인한 끼임 재해 발생의 위험이 있음
  ◆ 자동차 승강 시 익스텐션의 이탈과, 차량 초과 상승으로 인한 흔들림으로 인하여 자동차가 떨어지는 사고 발생의 위험이 있음
  ◆ 리프트 조작 시 바닥의 수공구 등을 밟아 걸려 넘어지는 전도 재해
  ◆ 차량 승강장위에 올라가 부주의에 의한 추락 위험 등이 있음

◇ 관리자가 점검하여야 할 사항
  ◆ 승인받은 사람 이외에 임의조작금지
  ◆ 정비 등의 작업시 사용설명서 숙지
  ◆ 하중인양장치 및 인양팔의 운동범위에 장애물 제거
  ◆ 인양 후 차량 안착상태의 확인
  ◆ 인양작업 중 리프트장치의 작동상태 감시
  ◆ 작동 중 접근금지 및 탑승금지

3. 기계요소 중 기어에서 1)이의 간섭 원인과 예방법, 2)전위 기어의 사용 목적에 대하여 설명하시오.

1) 기어의 간섭 원인과 예방법

◇ 기어의 간섭(언더컷)

  ◆ 언더컷

  ◆ 회전하는 기어의 이에 간섭이 일어나, 이 끝이 이 뿌리를 파먹는 현상

  ◆ 이 뿌리가 점차 가늘어짐에 따라 이의 강도가 약해지고, 물림의 길이가 짧아짐

◇ 기어의 간섭(언더컷)의 원인

  ◆ 잇수의 차이가 많이 나기 때문

◇ 기어의 간섭(언더컷)의 예방법

  ◆ 피니언과 기어의 잇수 차이를 줄이기

  ◆ 하중 부담에 무리가 가지 않는 선에서 기어의 이끝 높이를 줄이기(낮은 이 사용)

  ◆ 치형을 수정해 간섭을 방지하며 물림률을 유지시킬 수 있는 전위기어의 사용

  ◆ 기어의 압력각을 크게 설정해 물림 길이를 길게 하는 방법 이용

2) 전위 기어의 사용 목적

  ◆ 두 기어 사이의 중심거리를 변화시키고자 할 때

  ◆ 언더컷을 방지하고자 할 때

  ◆ 이의 강도를 증가시키고자 할 때

  ◆ 물림률을 증가시키고자 할 때

  ◆ 최소 잇수를 적게 하고자 할 때

4. 산업안전보건기준에 관한 규칙에서 정하고 있는 근로자에게 보호구를 지급해야 할 작업조건 7가지 및 각각에 대한 해당 보호구를 설명하시오.

[123회 4교시 4번] [114회 4교시 6번]

제32조(보호구의 지급 등)

① 사업주는 다음 각 호의 어느 하나에 해당하는 작업을 하는 근로자에 대해서는 다음 각 호의 구분에 따라 그 작업조건에 맞는 보호구를 작업하는 근로자 수 이상으로 지급하고 착용하도록 하여야 한다.

1. 물체가 떨어지거나 날아올 위험 또는 근로자가 추락할 위험이 있는 작업 : 안전모

2. 높이 또는 깊이 2미터 이상의 추락할 위험이 있는 장소에서 하는 작업 : 안전대(安全帶)

3. 물체의 낙하·충격, 물체에의 끼임, 감전 또는 정전기의 대전(帶電)에 의한 위험이 있는 작업 : 안전화

4. 물체가 흩날릴 위험이 있는 작업 : 보안경

5. 용접 시 불꽃이나 물체가 흩날릴 위험이 있는 작업 : 보안면

6. 감전의 위험이 있는 작업: 절연용 보호구

7. 고열에 의한 화상 등의 위험이 있는 작업 : 방열복

8. 선창 등에서 분진(粉塵)이 심하게 발생하는 하역작업 : 방진마스크

9. 섭씨 영하 18도 이하인 급냉동어창에서 하는 하역작업 : 방한모·방한복· 방한화·방한장갑

10. 물건을 운반하거나 수거·배달하기 위하여 「자동차관리법」 제3조제1항제5 호에 따른 이륜자동차(이하 "이륜사동차"라 한다)를 운행하는 작업: 「도로교 통법 시행규칙」 제32조제1항 각 호의 기준에 적합한 승차용 안전모

5. 펌프 진동 원인을 1)수력적, 2)기계적 원인으로 5가지씩 분류하고, 저감 대책을 각각 설명하시오.
[126회 1교시 2번] [123회 4교시 5번]

1) 펌프 진동의 수력적 원인 5가지와 저감 대책

◇ 수력적 원인 5가지

◆ 펌프 내의 압력 변동
- 임펠러 출구와 볼류트 혀 끝 부분의 간섭
- 부분 토출량에서의 편류 박리현상

◆ 소용돌이
- 카르만 소용돌이
- 공기흡입 소용돌이
- 수중 소용돌이

◆ 캐비테이션
- 유효 NPSH의 부족
- 회전수의 과대
- 펌프 흡입구의 편류
- 최대 토출량에서의 사용
- 흡입 스트레나 메쉬의 영향

◆ 워터 햄머

◇ 저감 대책
◆ 펌프 내의 압력 변동
- 임펠러 외경과 볼류트의 간격을 적절한 크기로 함
- 임펠러의 입구에서의 흐름을 부드럽게 함

◆ 소용돌이
- 강성 보강에 의해 진동을 구속하는 경우가 있음
- 사용 토출량을 조정함

◆ 캐비테이션

- 임펠러 후연의 현상을 변화시키는 등으로 카르만와의 발생을 억제함
- 구조물의 고유 진동수를 예상된 카르만와의 주파수에서 충분히 다르게   함
- 흡입수조에 와류 방지장치 정류판 등을 취부함
- 흡입관에서 잠수 깊이를 증대시킴
- 계획단계에서 충분히 조사해 소용돌이의 발생이 없는 수조의 형상을 채용함
- 흡입 근방의 흐름에 수중 소용돌이의 선회를 방지함
※ 카르만 효과
  축구공, 야구공 등 둥근 구 모양의 물체가 회전 없이 날아갈 때 마주 오던 공기가 뒤로 흐르면서 공의 뒷면에 공기의 소용돌이가 위상을 번갈아 규칙적으로 생기며, 이것에 의해 공의 양력이 +/-로 변하여 움직임이 상당히 불규칙해지는 것이다. 축구에서의 무회전 슛, 야구에서의 너클볼 등이 날아갈 때 공이 제멋대로 흔들리며 날아가는 이유도 바로 카르만 효과 때문이다.

- ◆ 캐비테이션
  - 계획시점에서 검토해 처리함

- ◆ 워터 햄머
  - 서어징 탱크를 설치하고 이상압력 상승을 완화시킴
  - 관경을 키우고 유속을 낮게 함

2) 펌프 진동의 기계적 원인 5가지와 저감 대책

◇ 기계적 원인 5가지

- ◆ 언밸런스 진동
  - 회전체의 밸런스 불량
  - 회전체의 마모 및 부식
  - 회전체의 부착 및 부착물의 박리
  - 회전체의 변형 및 파손
  - 센터링 불량
- ◆ 회전체의 위험속도
- ◆ 공진
  - 펌프 자체의 공진
  - 연결계와 관계된 공진

- ◆ 기초의 불량

- ◆ 베어링의 마모
  - 배관 등의 공진

◇ 저감 대책
- ◆ 언밸런스 진동
  - 밸런스 수정을 행함
  - 마모, 부식의 수리 및 밸런스의 수정
  - 이물질을 제거 또는 이물질의 부착방지를 계획함
  - 센터링 수정
  - 면 센터링에 대해서도 수정
  - 센터링 하우징(특히 압축펌프에서는 중요)

- ◆ 회전체의 위험속도
  - 계획 설계시에 충분한 검토를 해서 처리하는 것이 통상임
  - 상용 운전속도는 위험속도의 값에서 25% 정도 벗어나는 것이 요망됨
  - 펌프 내부를 점검해 내부씰의 틈새를 규정된 치수로 함

- ◆ 공진
  - 계획단계에서 검토해 설치(일반적으로 사후 대책에 막대한 비용과 공기를 요함)
  - 계획단계에서 검토해 처리(가능하면 휠드밸런스를 행함)

- ◆ 기초의 불량
  - 라이너의 취부를 행함
  - 체결을 증대시킴
  - 그라우트 등 기초의 보강을 행함
  - 상면의 강도를 포함해 기초 강도를 올림
  - 구조 설계의 단계에 있어서 기계의 밸런스를 고려함

- ◆ 베어링의 마모
  - 베어링을 교환함
  - 공진을 피함

6. 안전보건경영시스템(ISO 45001)을 P(Plan)·D(Do)·C(Check)·A(Action) 관점에서 그림을 그려 설명하시오.

[126회 2교시 1번] [123회 4교시 6번]

계획-실행-검토-조치 사이클

이 표준에 적용된 OH&S 경영시스템 접근법은 계획-실행-검토-조치(PDCA)의 개념에 기초하고 있다. PDCA 개념은 조직에서 지속적 개선을 달성하기 위해 활용되는 반복적인 프로세스이다. 다음과 같이 경영시스템과 각 개별 요소에 적용할 수 있다.

- 계획 : OH&S 리스크, OH&S 기회 및 다른 리스크와 기회를 결정 및 평가하고, 조직의 OH&S 방침과 일치하는 결과를 만들어 내는 데 필요한 OH&S 목표 및 프로세스를 수립
- 실행 : 계획된 대로 프로세스를 실행
- 검토 : OH&S 방침 및 목표와 관련한 활동 및 프로세스를 모니터링 및 측정, 그 결과를 보고
- 조치 : 의도된 결과를 달성하기 위해 OH&S 성과를 지속적으로 개선하기 위한 조치를 취함. 이 표준은 그림과 같이 PDCA 개념을 새로운 틀에 통합한다.

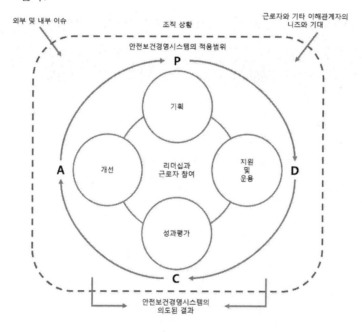

제121회 (2020년)
기계안전기술사

121회 기계안전기술사 출제 유형

교시	번호	세부항목
1	1	산업안전보건법
1	2	본질적 안전화
1	3	산업안전보건법
1	4	기계재료, 용접결함, 열처리
1	5	산업재해조사 및 예방대책
1	6	인간공학 및 행동과학
1	7	기계재료, 용접결함, 열처리
1	8	산업안전보건법
1	9	기계재료, 용접결함, 열처리
1	10	산업안전보건법
1	11	산업안전보건법
1	12	재료시험 및 응력해석
1	13	기계재료, 용접결함, 열처리
2	1	인간의 특성과 안전과의 관계
2	2	산업안전보건법
2	3	산업안전보건법
2	4	위험기계기구 및 설비의 방호조치
2	5	기계재료, 용접결함, 열처리
2	6	기계설계 및 기계제작
3	1	산업안전보건기준에 관한 규칙
3	2	산업기계 설비 및 운반기계의 특징과 안전한 사용
3	3	산업안전보건법
3	4	산업안전보건법
3	5	산업안전보건법
3	6	기계재료, 용접결함, 열처리
4	1	산업안전보건기준에 관한 규칙
4	2	산업안전보건법
4	3	산업안전보건법
4	4	산업재해조사 및 예방대책
4	5	기계재료, 용접결함, 열처리
4	6	기계재료, 용접결함, 열처리

121회 (2020년) 기계안전기술사

기술사		제 121 회			제 1 교시	(시험시간: 100분)	
2020년도	분야	안전관리	자격종목	기계안전기술사		성명	

※ 다음 문제 중 10문제를 선택하여 설명하시오. (각 문제당 10점)

1. 안전검사 고시(고용노동부 고시 제2020-43호)에서 제시한 갑종 압력용기와 을종 압력용기를 정의하고, 두 압력용기의 주요구조 부분의 명칭 3가지를 설명하시오.

1-1 갑종 압력용기와 을종 압력용기를 정의

◇ "갑종 압력용기"란
  설계압력이 게이지 압력으로 0.2메가파스칼(MPa)을 초과하는 화학공정 유체취급 용기와 설계압력이 게이지압력으로 1메가파스칼(MPa)을 초과하는 공기 또는 질소 취급용기를 말하며,

◇ "을종 압력용기"란 그 밖의 용기를 말한다.

◇ 압력용기의 "주요 구조부분"
  ◆ 동체, 경판, 받침대(새들 및 스커트 등)

1-2 압력용기의 주요구조 부분의 명칭

1) 주요 압력부위 (Pressure Parts)

  ◆ 동체(Shell)
   내용물을 담고 압력을 받는 주요부분, 형상은 응력집중을 최소화하기 위해 원통형이 주로 사용된다.

- 경판(Head) : 동체 끝부분을 막는 부분
- 관판 (Tube Sheet)
- 노즐 및 플랜지
- 전열관

2) 비압력 부위 (Non-pressure Parts)

받침대(Support) 부위	용도
새들(Saddle)	수평형 압력용기 지지용
스커트(Skirt)	수직 압력용기 지지용
레그(Leg)	중소형 압력용기 지지용 (수직형)
러그(Lug)	구조물 위에 설치되는 수직형 압력용기

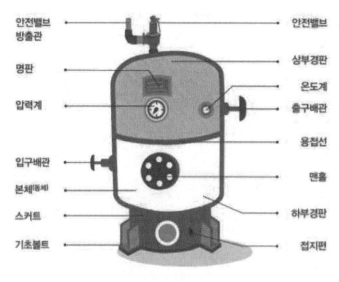

압력용기의 구조

2. 기계·기구에 적용되는 페일 세이프(Fail Safe)의 정의와 기능적인 측면을
   3단계로 분류하여 설명하시오.
   [121회 1교시 2번] [114회 1교시 7번] [105회 2교시 3번]

◇ 정의
   고장이나 오류가 발생하는 경우(fail)에도 안전한 상태(safe)를 유지하는 방식

◇ 기능적인 측면 3단계
   ◆ fail passive : 부품이 고장나면 통상 기계는 정지하는 방향으로 이동
   ◆ fail active : 부품이 고장나면 기계는 경보를 울리며, 짧은 시간 동안 운전 가능
   ◆ fail operational : 부품의 고장이 있어도 기계는 추후 보수가 있을 때까지 병
                      렬계통, 대기여분계통 등으로 안전한 기능을 유지

3. 산업안전보건법령상의 안전보건관리체계에서 안전보건관리담당자를 두어야
   하는 사업의 종류와 사업장의 상시근로자 수, 안전보건관리담당자 업무에
   대하여 설명하시오.
   [2022년 1교시 8번] [2020년 1교시 3번]

시행령 제24조(안전보건관리담당자의 선임 등)

① 다음 각 호의 어느 하나에 해당하는 사업의 사업주는 법 제19조제1항에
   따라 **상시근로자 20명 이상 50명 미만인 사업장**에 안전보건관리담당자를
   1명 이상 선임해야 한다.
   1. 제조업
   2. 임업
   3. 하수, 폐수 및 분뇨 처리업
   4. 폐기물 수집, 운반, 처리 및 원료 재생업
   5. 환경 정화 및 복원업

② 안전보건관리담당자는 해당 사업장 소속 근로자로서 다음 각 호의 어느 하나에
   해당하는 요건을 갖추어야 한다.

1. 제17조에 따른 안전관리자의 자격을 갖추었을 것
2. 제21조에 따른 보건관리자의 자격을 갖추었을 것
3. 고용노동부장관이 정하여 고시하는 안전보건교육을 이수했을 것

③ 안전보건관리담당자는 제25조 각 호에 따른 업무에 지장이 없는 범위에서 다른 업무를 겸할 수 있다.

④ 사업주는 제1항에 따라 안전보건관리담당자를 선임한 경우에는 그 선임 사실 및 제25조 각 호에 따른 업무를 수행했음을 증명할 수 있는 서류를 갖추어 두어야 한다.

제25조(안전보건관리담당자의 업무)

안전보건관리담당자의 업무는 다음 각 호와 같다.
1. 법 제29조에 따른 안전보건교육 실시에 관한 보좌 및 지도·조언
2. 법 제36조에 따른 위험성평가에 관한 보좌 및 지도·조언
3. 법 제125조에 따른 작업환경측정 및 개선에 관한 보좌 및 지도·조언
4. 법 제129조부터 제131조까지의 규정에 따른 각종 건강진단에 관한 보좌 및 지도·조언
5. 산업재해 발생의 원인 조사, 산업재해 통계의 기록 및 유지를 위한 보좌 및 지도·조언
6. 산업 안전·보건과 관련된 안전장치 및 보호구 구입 시 적격품 선정에 관한 보좌 및 지도·조언

4. 산업현장에서 사용되고 있는 플랜지 이음부의 밀봉설비인 가스켓(Gasket) 선정기준에 대하여 설명하시오.

플랜지 및 개스킷 등의 접합부에 관한 기술지침(KOSHA GUIDE (D-9-2012)

가스켓의 선정시에는 취급하는 위험물질의 물리화학적 성질, 사용온도, 압력 등과 아래 선정지침을 참고하여 적당한 재질의 가스킷을 선정한다.

개스킷의 선정지침

가스킷의 종류	재질		최고사용 온도(℃)	최고사용압력 (호칭압력)	비고
판형 개스킷 Sheet gasket	압축석면		400	300 (PN 50)	
	비석면 압축 Sheet		400		
	테프론		230		
	순흑연 (Graphite)		800		
	고무		100~250		
스파이럴형 개스킷 Spiral wound gasket	파형박판 (Hoop)	STS 304	500	2500 (PN 420)	다음과 같은 조건에서 사용되는 가스킷은 내·외면 붙이가 있는 것이어야 한다. 1.호칭지름 〉600mm 이며, 호칭압력〉 900 (PN150) 2.350mm〈호칭지름 〈600mm이며, 호칭압력〉1500 (PN250) 3.100mm〈호칭지름 〈350mm이며, 호칭압력〉2500 (PN420)
		STS 316	600		
		STS 316L	800		
		STS321/247	850		
		Monel	800		
		Inconel600	850		
		Titanium	500		
	충진재 Filler	석면	600		
		테프론	230		
		순흑연	850		
금속피복형 개스킷 Metal jacket gasket	연강 (soft iron)		530	300 (PN 50)	
	5Cr-0.5Mo강		650		
	STS 304/304L		800		
	STS 316/316L		800		
	구리		400		
	알루미늄		430		
	티타늄		800		
	Monel		800		
	STS 321/347		850		
금속 개스킷 Metal gasket	연강 (soft iron)		530	1. 주름형 (Corrugated); 300(PN50) 2. 톱니형 (Serrated); 600(PN100) 3. 링형 (Ring joint) 모든압력범위	
	5Cr-0.5Mo강		650		
	STS 304/304L		800		
	STS 316/316L		800		
	구리		400		
	알루미늄		430		
	티타늄		800		
	Monel		800		
	STS 321/347		850		

- 본 지침은 취급하는 위험물질이 개스킷 재질에 대하여 비부식성이며, 비반응성인 것을 기준으로 작성되었으므로 유체의 물리화학적 특성에 따라 최고 사용온도 및 압력을 조정하여야 한다.
- 최고사용압력은 플랜지의 호칭압력을 말한다.
- 스파이럴형 개스킷은 파형 박판 및 충진재의 사용온도를 동시에 만족할 수 있도록 재질을 선택하여야 한다.
- 고무로 제조된 개스킷을 사용하는 경우에는 고무의 특성에 따라 사용 온도를 결정하여야 한다.
- 본 선정 지침을 벗어난 온도·압력 범위에서 사용하고자 할 때는 전문 제조업체와 상의하여 결정할 수 있다.

5. 산업재해의 ILO(국제노동기구) 구분과 근로손실일수 7,500일의 산출근거와 의미를 설명하시오.

신체장해등급	사망, 1, 2, 3		4	5	6	7
근로손실일수	7500		5500	4000	3000	2200
신체장해등급	8	9	10	11	12	13	14
근로손실일수	1500	1000	600	400	200	100	50

사망에 의한 손실일수 7,500일 산출근거
  ① 사망자의 평균연령 : 30세
  ② 근로 가능 연령 : 55세
  ③ 근로 손실 연수: 55 - 30 = 25년
  ④ 년간 근로손실 일수: 300일
  ⑤ 사망으로 인한 근로 손실일수 : 25년× 300일 = 7,500일

6. 에너지대사율(Relative Metabolic Rate)의 산출식과 작업강도를 4가지로
   구분하여 설명하시오.

◇ 기초대사율 (Basal Metabolic Rate) : 생명 유지에 필요한 단위 시간당 에너지 양

- 기초대사율은 체형, 나이, 성별 등 개인차에 따라 다르며, 일반적으로 신체가
  크고 젊을수록, 여자보다는 남자의 기초대사량이 크다.

- 성인 기초 대사량 : 1,500~1,800kcal/일

- 기초+여가 대사량 : 2,300kcal/일

- 작업 시 정상적인 에너지 소비량 : 4,300kcal/일

작업 시의 에너지 대사량은 휴식 후부터 작업 종료시까지의 에너지 대사량을
나타내며, 총에너지 소모량은 기초에너지대사량과 휴식시 에너지 대사량, 작업 시
에너지대사량을 합한 것으로 나타낼 수 있다.
에너지 대사율(RMR)은 기초대사량에 대한 작업대사량의 비로 정의된다.

$$R = \frac{\text{작업 시 에너지 대사량 - 안정 시 에너지 대사량}}{\text{기초대사량}} = \frac{\text{작업대사량}}{\text{기초대사량}}$$

초중작업 7이상
중(重)작업 4~7
중(中)작업 2~4
경작업 0~2

- 가벼운 작업(light work)인 경우 에너지 소비율은 매우 적고 (2.5kcal/min)
  에너지 요구량은 신체의 산화성 대사만으로도 쉽게 충족
- 약간 힘든 작업(moderate work)인 경우 에너지 소비율은
  2.5~5.0kcal/min이며, 이 정도의 에너지 소비량도 산화성 대사작용으로
  충족 가능
- 힘든 작업(heavy work)은 5.0~7.5kcal/min 정도의 에너지 소비량을 요구.
  신체적으로 건강한 사람이라면 산화성 대사에 의해 공급되는 에너지를 통해
  비교적 긴 시간 동안 작성 수행 가능. 작업을 시작할 때 발생한 산소 결핍은
  작업이 종료되기 전에는 해소되지 않음

- 에너지 소비율 7.5~10.kcal/min의 매우 힘든 작업(very heavy work)과 에너지 소비율 10.kcal/min 이상의 극히 힘든 작업(extermely)의 경우에는 신체적으로 건강한 사람이라 해도 작업 기간 중에 안정 상태 조건에 도달하지 못함
- 이러한 유형의 작업이 계속될수록 산소 결핍과 젖산의 축적이 증가하며, 이러한 이유로 작업자들은 자주 휴식을 취하거나 완전히 작업을 멈추어야 함

7. 크레인을 사용하여 철판 등의 자재 운반 작업 시 사용하는 리프팅 마그넷 (Lifting Magnet) 구조의 요구사항 4가지를 설명하시오.

① 리프팅 마그넷은 비상시 최소한 10분 이상의 흡착력을 유지할 것.
② 부착된 이름 판에 정격하중이 명기되어 있을 것.
③ 조작 회로 대지 전압은 교류 150볼트, 직류 300볼트를 초과하지 않을 것.
④ 정전 시 배터리에서 전원이 공급될 경우 배터리에서 공급됨을 알리기 위한 경보가 울리고, 화물을 바닥에 안전하게 내릴 수 있는 구조일 것.

8. 랙 및 피니언(Rack & Pinion)식 건설용리프트의 운반구 추락에 대비한 낙하방지장치 (Governor)에 대한 작동원리 및 작동기준을 설명하시오.

◇ 작동원리
- 낙하방지장치는 원심력의 원리를 이용한 장치
- 운반구가 정격속도의 1.3배로 하강하면 리프트의 전원을 자동으로 차단하여 브레이크가 작동하게 함으로써 운반구의 추락을 방지하는 역할을 함
- 운반구가 정격속도의 1.4배이상의 속도로 하강하면 기계식 멈춤장치가 동작하여 리프트의 운반구 낙하를 징지하도록 함

◇ 작동기준
- 운반구의 하강속도가 정격속도의 1.3배에 도달했을 때에는 전원을 자동으로 차단하는 장치
- 정격속도의 1.4배를 넘지 않는 범위에서 운반구의 하강을 기계적으로 제지하는 장치

9. 강(Steel)의 5대 기본원소와 각 원소가 금속에 미치는 영향에 대하여 2가지씩 설명하시오.

[121회 1교시 9번] [114회 1교시 11번] [108회 1교시 3번]

① 탄소(C)
- 강의 강도를 높이는데 가장 효과적이며 중요한 원소로, 오스테나이트에 고용되어 담금질 시 마르텐사이트조직을 형성시킨다.
- 탄소량 증가에 따라 담금질 경도를 향상시키지만 담금질 시 변향 가능성을 크게 만든다.

② 망간(Mn)
- 강중에는 보통 0.35~1.0%가 함유되어 있다. 그중 일부는 강속에 고용되어 일부는 강중에 함유된 황과 결합하여 비금속 개재물인 MnS를 형성하는데 이 MnS는 연성이 있어서 소성 가공 시 가공 방향으로 길게 연산된다.
- MnS의 형성으로 강속에 있는 황성분이 감소하면서 결정립이 취약해지고 저융점화합물인 FeS의 형성을 억제시킨다.

③ 황(S)
- 보통 망간, 아연, 티타늄, 몰리브덴 등과 결합하여 강의 피삭성을 개선시키며 망간과 결합하여 MnS 개재물을 형성한다.
- 강중에 망간의 양이 충분하지 못할 경우 철과 결합하여 FeS를 형성한다.

④ 인(P)
- 강중에 균일하게 분포되어 있으면 별 문제가 되지 않지만 보통 Fe3P의 해로운 화합물을 형성한다. 이 Fe3P는 극히 취약하고 편석되어 있어서 풀림처리를 해도 균질화되지 않고 단조, 압연 등 가공 시 길게 늘어난다.
- 충격저항을 저하시키고 뜨임취성을 촉진하며 쾌삭강에서는 피삭성을 개선시키지만 일반적으로 강에 해로운 원소로 취급된다.

⑤ 규소(Si)
- 선철과 탈산제에서 잔류된 것으로 SiO2와 같은 화합물을 형성하지 않는 한 페라이트 속에 고용되므로 강의 기계적 성질에 큰 영향을 미치지 않고, 강력한 탈산제로써 4.5%까지 첨가하면 강도가 향상되지만 2%이상 첨가시는 인성이 저하되고 소성가공성을 해치기 때문에 첨가량에 한계가 있다.
- 뜨임시 연화 저항성을 증대시키는 효과가 있다.

10. 산업안전지도사(기계안전분야)의 직무 및 업무범위를 설명하시오.

10-1 산업안전지도사(기계안전분야)의 직무

◇ 공정상의 안전에 관한 평가 · 지도

◇ 유해 · 위험의 방지대책에 관한 평가 · 지도

◇ 제1호 및 제2호의 사항과 관련된 계획서 및 보고서의 작성

◇ 그 밖에 산업안전에 관한 사항으로서 대통령령으로 정하는 사항
  - 법 제36조에 따른 위험성평가의 지도
  - 법 제49조에 따른 안전보건개선계획서의 작성
  - 그 밖에 산업안전에 관한 사항의 자문에 대한 응답 및 조언

10-2 업무범위

◇ 유해위험방지계획서, 안전보건개선계획서, 공정안전보고서, 기계 · 기구 · 설비의 작업계획서 및 물질안전보건자료 작성 지도

◇ 다음의 사항에 대한 설계 · 시공 · 배치 · 보수 · 유지에 관한 안전성 평가 및 기술 지도
  - 전기
  - 기계 · 기구 · 설비
  - 화학설비 및 공정

◇ 정전기 · 전자파로 인한 재해의 예방, 자동화설비, 자동제어, 방폭전기설비 및 전력시스템 등에 대한 기술 지도

◇ 인화성 가스, 인화성 액체, 폭발성 물질, 급성독성 물질 및 방폭설비 등에 관한 안전성 평가 및 기술 지도

◇ 크레인 등 기계 · 기구, 전기작업의 안전성 평가

◇ 그 밖에 기계, 전기, 화공 등에 관한 교육 또는 기술 지도

11. 산업안전보건법 시행규칙 제50조(공정안전보고서의 세부 내용 등)에 따른 1) 공정 위험성평가서 종류와 2) 비상조치계획 작성 시 포함되어야 할 사항을 각각 5가지씩 설명하시오.

[121회 1교시 11번] [108회 4교시 6번] [105회 4교시 6번]

1) 공정 위험성평가서 종류

- 체크리스트(Check List)
- 상대위험순위 결정(Dow and Mond Indices)
- 작업자 실수 분석(HEA)
- 사고 예상 질문 분석(What-if)
- 위험과 운전 분석(HAZOP)
- 이상위험도 분석(FMECA)
- 결함 수 분석(FTA)
- 사건 수 분석(ETA)
- 원인결과 분석(CCA)
- 가목부터 자목까지의 규정과 같은 수준 이상의 기술적 평가기법

2) 비상조치계획 작성 시 포함되어야 할 사항

- 비상조치를 위한 장비·인력 보유현황
- 사고발생 시 각 부서·관련 기관과의 비상연락체계
- 사고발생 시 비상조치를 위한 조직의 임무 및 수행 절차
- 비상조치계획에 따른 교육계획
- 주민홍보계획
- 그 밖에 비상조치 관련 사항

12. 비파괴시험방법 중 자분탐상검사의 자화방법 5가지에 대하여 설명하시오.

[105회 2교시 2번] [114회 1교시 5번] [117회 2교시 2번] [120회 3교시 6번]
[121회 1교시 12번]

① 자석
- 영구자석 혹은 전자석을 피검사물에 두면 두극 사이의 피검사물에 자기장이 형성된다.

② 전기단자 또는 프로드(Prod)를 이용한 전류 흐름
- 피검사물을 통과하는 전류는 자기장을 유도한다.

③ 가는 전선(Threading cable)
- 피검사물의 구멍이나 틈에 전선을 통과시키고 전기를 흘리면 피검사물에 자기장이 유도된다.

④ 코일
- 전류가 흐르는 코일 내에 피검사물을 두면 코일 축에 평행한 방향으로 자기장이 유도된다.

⑤ 유연한 전선
- 전류가 흐르는 전선을 피검사물에 감거나 가로지르게 놓아두면 자기장이 피검사물 내에 유도된다.

13. 유체기계 내의 유체가 외부로 누설되거나 외부 이물질의 유입을 방지하기 위해 사용되는 축봉장치의 종류 및 특징에 대하여 설명하시오.

◇ 래비린스 패킹(Labyrinth packing)
- 증기 교축작용을 이용하여 기체의 누설을 방지함
- 날카로운 스트립을 회전부와 고정부에 차례로 배열하여 증기누설 통로에 확대부와 협소부를 만든다.
- 증기는 협소부를 통과할 때 교축되고 확대부에서 압력이 감소하는 것이 반복되면서 누설 증기압력이 대기압과 같아지면서 누설을 방지한다,

◇ 탄소패킹(Carbon packing)
- ♦ 탄소재질은 축과 접촉하여도 마찰이 작고 열 발생도 적으며 고열에도 견딜 수 있다.
- ♦ 대용량 터빈에는 사용하지 않는다.

◇ 수밀봉 패킹(Water seal packing)
- ♦ 축에 설치된 날개를 수실내에서 회전하면 수실에 넣어둔 물이 원심력에 의해 빈틈을 밀봉하여 기밀을 유지하는 것이다.
- ♦ 수실내 날개가 회전할 때 많은 에너지가 소비되며, 열로 변해 물 증발함
- ♦ 수질이 나쁘면 불순물이 축을 손상시키므로 물처리를 철저히 해야 한다.

◇ 그랜드 씰 패킹(Gland seal packing)
- ♦ 여과기 펌프등의 축 봉으로 액의 누수량을 적게 하는 방법의 하나, 회전축이나 습동 축에 가장 많이 사용되고 있다.
- ♦ 축의 원주를 패킹 박스로 둘러쌓아 그 틈으로 패킹을 끼워 넣어 축 방향으로 압축, 패킹과 축을 밀착시키는 장치이다.

◇ 메카니칼 씰 패킹(Mechanical seal pcaking)
- ♦ 고압, 고온 하에서 고속도 회전을 하는 축 부분으로 유체의 누출을 방지하기 위한 장치이다.
- ♦ 축과 함께 회전하는 고속 부분을 완전히 밀착시켜 미끄럼 운동을 하게 되며, 기밀과 액밀을 유지하는 장치이다.
- ♦ 누설이 없거나 있어도 극히 적은양이다.
- ♦ 측면을 마모시키지 않는다.
- ♦ 접촉면이 작고 마모손실이 작다.
- ♦ 마모에 따라 자동조정이 되고, 수명이 길며 운전중 조절 필요가 없다.
- ♦ 고온, 고압, 고속 등의 조건으로 쓰인다.
- ♦ 유체의 혼합액, 부식성액, 윤활성이 없는 액 등에 쓰인다.

국가기술 자격검정 시험문제

기술사   제 121 회   제 2 교시 (시험시간: 100분)

2020년도	분야	안전관리	자격종목	기계안전기술사	성명	

※ 다음 문제 중 4문제를 선택하여 설명하시오. (각 문제당 25점)

1. 하인리히(H.W.Heinrich)의 사고발생 연쇄성 이론 5단계 및 사고예방 원리 5단계에 대하여 설명하시오.

   [127회 2교시 1번] [126회 1교시 1번] [121회 2교시 1번]

1) 사고발생 연쇄성 이론 5단계

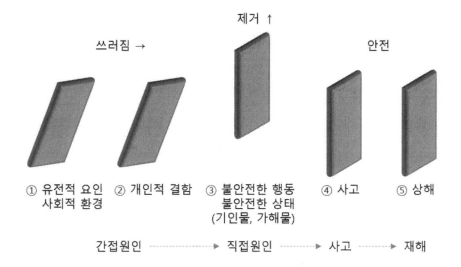

① 1단계 : 유전적 요인 및 사회적 환경
   ◆ 사고의 성격적 특성은 유전적으로 발생
   ◆ 환경적 요인이 성격에 악영향을 초래

② 2단계 : 개인적 결함
  ◆ 선천적인 요인과 함께 개인적, 후천적 요인은 불안전한 행동을 유발
  ◆ 인적결함은 불안전한 행동 및 불안전한 상태를 유발

③ 3단계 : 불안전한 상태 및 불안전한 행동
  ◆ 불안전한 상태
    - 사고발생의 직접적인 원인으로 작업장의 시설 및 환경불량
    - 안전장치의 결여, 기계설비의 결함, 부적당한 방호상태, 보호구 결함 등
  ◆ 불안전한 행동
    - 직접적으로 사고를 일으키는 원인으로 인간의 불안전한 행위
    - 안전장치의 기능제거, 기계, 기구의 잘못 사용, 보호구 미착용 등

④ 4단계 : 사고
  ◆ 불안전한 행동이나 상태가 선행되어 작업능률 저하
  ◆ 직접 또는 간접적으로 인명·재산 손실 초래

⑤ 5단계 : 재해
  ◆ 직접적으로 사고로부터 생기는 재해
  ◆ 사고의 최종결과로 인적, 물적 손실 초래

2) 사고예방 원리 5단계

① 1단계 : 조직(안전관리 조직)
  ◆ 경영자의 안전목표 설정
  ◆ 안전관리자의 선임
  ◆ 안전의 방침 및 계획수립
  ◆ 안전관리 조직을 통한 안전활동 전개

② 2단계 : 현상 파악(사실의 발견)
  ◆ 사고 및 활동기록 검토
  ◆ 작업분석, 점검, 검사
  ◆ 사고조사
  ◆ 각종 안전회의, 토의 및 근로자의 제안

③ 3단계 : 원인분석
  ◆ 사고의 원인, 사고기록 분석
  ◆ 인적, 물적, 환경적 조건분석 및 작업공정 분석
  ◆ 교육훈련 및 적정배치 분석
  ◆ 안전수칙 및 보호장비의 적부

④ 4단계 : 대책수립(시정책의 선정)
  ◆ 기술적 개선 및 교육훈련의 개선
  ◆ 인사조정 및 안전행정의 개선
  ◆ 규정, 수칙 등 제도의 개선
  ◆ 안전운동의 전개

⑤ 5단계 : 실시
  ◆ 목표설정
  ◆ 3E대책 실시
    - 기술적 원인 : 안전설계, 안전기준, 환경설비 개선, 점검
    - 교육적 원인 : 안전교육, 훈련실시, 안전지식 교육, 작업방법 교육
    - 관리적 원인 : 안전관리조직 정비, 적합한 기준설정 및 이해,
                  각종 규준 및 수칙의 준수, 적정 인원배치 및 지시,
                  동기부여
  ◆ 후속조치 (재평가 및 시정조치)

2. 타워크레인 관련된 내용을 설명하시오.
[121회 2교시 2번] [120회 1교시 12번] [120회 3교시 5번] [111회 1교시 6번]

1) 개정된(2019.12.26.) 타워크레인 설치·해체자격 취득 신규 및 보수 교육시간

◇ 신규교육
  ◆ 144시간 (유해·위험작업의 취업 제한에 관한 규칙)

◇ 보수교육
  ◆ 36시간

2) 산업안전보건법 시행규칙 제101조(기계 등을 대여받는 자의 조치) 타워크레인 대여받은 자의 조치내역

1. 타워크레인을 사용하는 작업 중에 타워크레인 장비 간 또는 타워크레인과 인접 구조물 간 충돌위험이 있으면 충돌방지장치를 설치하는 등 충돌방지를 위하여 필요한 조치를 할 것
2. 타워크레인 설치ㆍ해체 작업이 이루어지는 동안 작업과정 전반(全般)을 영상으로 기록하여 대여기간 동안 보관할 것

3) 타워크레인 특별안전보건교육 내용 5가지

30. 타워크레인을 설치 (상승작업을 포함한다)ㆍ 해체하는 작업	▪ 붕괴ㆍ추락 및 재해 방지에 관한 사항 ▪ 설치ㆍ해체 순서 및 안전작업방법에 관한 사항 ▪ 부재의 구조ㆍ재질 및 특성에 관한 사항 ▪ 신호방법 및 요령에 관한 사항 ▪ 이상 발생 시 응급조치에 관한 사항 ▪ 그 밖에 안전ㆍ보건관리에 필요한 사항

4) 타워크레인 설치작업 순서

- 작업시작 전 미팅 및 위험예지 활동
- 작업매뉴얼 숙지 및 작업절차 교육
- 개인보호구 착용 (안전대, 안전모, 안전화)
- 작업단계별 필수 점검ㆍ확인사항 점검
- 크레인 무너짐 떨어짐 재해 예방
- 안전한 설치, 해제, 상승 작업

3. 산업안전보건법령상 교육대상(근로자, 안전보건관리책임자, 안전보건관리
   담당자, 특수형태근로종사자)에 대한 안전보건 교육과정별 교육시간에
   대하여 설명하시오.

3-1 안전보건관리책임자, 안전보건관리담당자

교육대상	교육시간	
	신규교육	보수교육
안전보건관리책임자	6시간 이상	6시간 이상
안전관리자	34시간 이상	24시간 이상
보건관리자	34시간 이상	24시간 이상

3-2 근로자

교육과정	교육대상		교육시간
가. 정기교육	사무직 종사 근로자		매분기 3시간 이상
	사무직 종사 근로자 외의 근로자	판매업무에 직접 종사하는 근로자	매분기 3시간 이상
		판매업무에 직접 종사하는 근로자 외의 근로자	
	관리감독자의 지위에 있는 사람		연간 16시간 이상
나. 채용 시 교육	일용근로자		1시간 이상
	일용근로자를 제외한 근로자		8시간 이상

다. 작업내용 변경 시 교육	일용근로자	1시간 이상
	일용근로자를 제외한 근로자	2시간 이상
라. 특별교육	별표 5 제1호라목 각 호 (제40호는 제외한다)의 어느 하나에 해당하는 작업에 종사하는 일용근로자	2시간 이상
	별표 5 제1호라목제40호의 타워크레인 신호작업에 종사 하는 일용근로자	8시간 이상
	별표 5 제1호라목 각 호의 어느 하나에 해당하는 작업에 종사하는 일용근로자를 제외한 근로자	- 16시간 이상(최초 작업에 종사하기 전 4시간 이상 실 시하고 12시간은 3개월 이 내에서 분할하여 실시가능) - 단기간 작업 또는 간헐적 작업인 경우에는 2시간 이상
마. 건설업 기초 안전·보건교육	건설 일용근로자	4시간 이상

3-2 특수형태근로종사자

최초 노무제공시 교육	2시간 이상 - 단기간, 간헐적 작업은 1시간 이상 - 특별교육 실시한 경우 면제
특별교육	16시간 이상 -단기간, 간헐적 작업은 2시간 이상

4. 기계·설비 유지 작업 시 행하는 LOTO[Lock-Out & Tag-Out]와 관련된 내용을 쓰고 설명하시오.

1) Lock-Out & Tag-Out 정의

◇ LOTO(Lock-Out & Tag-Out)
  - 기계설비 등의 정비 청소 수리 등의 작업 시 타 작업자의 불시 기동으로 인한 사망사고를 근절하기 위한 목적
  - 기계설비 제어판 분전함 밸브 등에 잠금장치 및 표지판을 설치하는 조치

2) LOTO 시스템의 필요성

◇ LOTO 작업절차 준수
  - 사업장에서 기계, 설비, 청소, 수리 등의 작업 시 불시가동 등으로 인해 매년 40여명이 사망하고 있어 작업자의 안전을 확보하기 위해 필요

3) LOTO 실시절차

① 전원 차단 준비
  작업 전 관련 작업자에게 작업 내용을 공지
② 기계설비 운전 정지
  정해진 순서에 따라 해당 기계, 설비 운전 정지
③ 전원 차단 및 잔류 에너지 확인
  기계, 설비의 주전원을 확실하게 차단하고 잔류에너지 여부 확인
④ LOTO 설치
  전원부 등에 잠금장치 및 표지판 설치 후 담당작업자가 개별 열쇠보관
⑤ 작업 실시
  기계, 설비 정지 확인 후 정비, 청소, 수리 등 작업 실시
⑥ 점검 및 확인
  기계, 설비 주변 상태 및 관련 작업자 안전확인
⑦ LOTO 해제
  담당작업자가 직접 잠금장치 미 표지판 해제
⑧ 기계 설비 재가동
  종료 후 관련 작업자에 해당 내용 공지

4) LOTO 종류

- 전기 및 기동 스위치 잠금장치
- 게이트 밸브 잠금장치
- 케이블 잠금장치
- 패드락/하스프 잠금장치
- 잠금장치 스테이션
- 전기 플러그 잠금장치
- 작동금지 태그
- 기동스위치 잠금장치
- 유압/공압/스팀 등 에너지 통제

5. 연삭작업에 사용하는 연삭숫돌의 1) 재해유형, 2) 파괴원인, 3) 방호대책,
   4) 검사방법, 5) 표시법(예 : WA 54 Lm V-1호 D 205×16×19.05)에
   대하여 각각 설명하시오.
   [121회 2교시 5번] [120회 1교시 5번] [111회 2교시 5번]

1) 재해유형

- 숫돌의 파괴 및 파편의 비래 등에 의한 위험
- 회전하는 숫돌에 신체부위가 닿아 절단, 스침 등의 상해위험
- 공작물의 파편이나 칩의 비래에 의한 위험
- 회전하는 숫돌과 덮개 혹은 고정부 사이에 끼임재해위험

2) 파괴원인

- 숫돌의 회전속도가 너무 빠를 때
- 숫돌 자체에 균열이 있을 때
- 숫돌에 과대한 충격을 가할 때
- 숫돌의 측면을 사용하여 작업할 때
- 숫돌의 균형이나 베어링 마노에 의한 진동이 있을 때
- 숫돌 반경 방향의 온도 변화가 심할 때
- 플랜지가 현저히 작을 때
- 작업에 부적당한 숫돌을 사용할 때
- 숫돌의 치수가 부적당할 때

3) 방호대책

- 연삭숫돌 덮개
  연삭기는 연삭숫돌 덮개를 설치하여 숫돌의 파괴, 비산되어도 방호할 수 있어야
  하며 설치기준은 다음과 같음
      가. 연삭숫돌과 작업대의 간격은 1~3mm 정도일 것
      나. 연삭숫돌과 덮개의 간격은 3~10mm 정도일 것
      다. 표준노출각도는 적정할 것

◆ 칩비산방지장치
연마작업 시 칩의 비례에 의한 방호조치로 고정식 연삭기에 투명한 비산방지판을
설치함

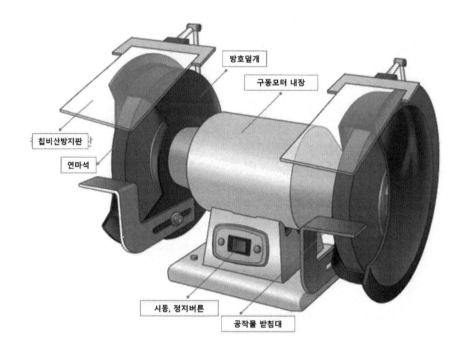

방호덮개
구동모터 내장
칩비산방지판
연마석
시동, 정지버튼
공작물 받침대

4) 검사방법

◇ 연삭숫돌은 기동전 외관검사 실시
  ◆ 숫돌의 갈라짐, 잔금, 이빠짐, 흠 등이 없을 것
  ◆ 숫돌이 지나치게 마모가 되어 있지 않을 것
◇ 숫돌을 목재해머로 가볍게 두들겨 소리로 이상유무 확인
  ◆ 깨끗한 소리 : 정상
  ◆ 둔탁한 소리 : 결함
◇ 연삭숫돌을 고정시키는 플랜지의 직경 및 접촉폭은 고정측과 이동측이 동일한 값
   을 가져야 하며 플랜지 직경은 연삭숫돌 직경이 1/3이상 되어야 함
◇ 볼트는 너무 세게 조이지 않도록 할 것
◇ 숫돌 부착, 교환 후 숫돌의 균형을 확인할 것

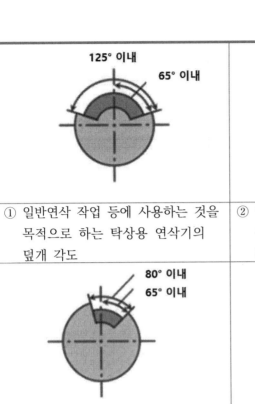	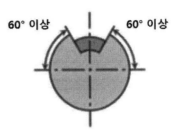
① 일반연삭 작업 등에 사용하는 것을 목적으로 하는 탁상용 연삭기의 덮개 각도	② 연삭숫돌의 상부를 사용하는 것을 목적으로 하는 탁상용 연삭기의 덮개 각도
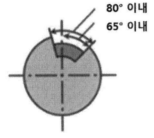	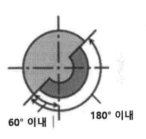
①및② 이외의 탁상용 연삭기, 기타 이와 유사한 연삭기의 덮개 각도	④ 원통연삭기, 센터리스연삭기, 공구 연삭기, 만능연삭기, 기타 이와 비슷한 연삭기의 덮개 각도
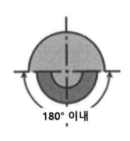	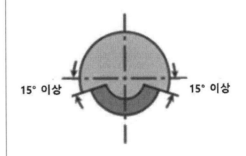
⑤ 휴대용 연삭기, 스윙연삭기, 슬라브 연삭기 기타 이와 비슷한 연삭기의 덮개 각도	⑥ 평면연삭기, 절단연삭기, 기타 이와 비슷한 연삭기의 덮개 각도

5) 표시법

◇ 연삭숫돌의 표시법은 일반적으로 다음 순서에 따름
  ✦ 연삭숫돌의 재료(입자)
  ✦ 입도
  ✦ 경도
  ✦ 조직
  ✦ 결합체
  ✦ 숫돌형상
  ✦ 숫돌 크기 치수(직경×두께×숫돌 축구멍 지름)

◇ 연삭숫돌의 표시법 WA 54 Lm V-1호 D 205×16×19.05

WA	54	L	m	V	1호	A	205×16×19.05
숫돌입자	입도	결합도	조직	결합체	모양	연삭면모양	크기

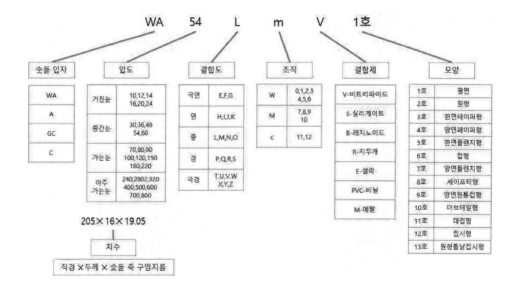

6. 펌프(Pump)의 1) 설계 순서를 나열하고, 2) 현장에서 원심 펌프의 임펠러(Impeller) 외경을 Cutting 하여 사용하는 원인, 3) 임펠러 지름이 다른 경우의 유량, 양정, 동력관계식, 4) 펌프의 상사법칙을 벗어난 과도한 임펠러 Cutting 시 발생될 수 있는 영향에 대하여 각각 설명하시오.

1) 설계 순서

① 축 제원의 견적
- 주어진 설계조건에 대응하여 기계의 유체적 성능 등을 만족하도록 회전차의 형상, 축경, 스펜(Span) 및 베어링의 형식 등을 정함
- 이때 불안정한 힘에 직접 영향을 주는 작동유체의 압력수준, 축동력 등의 운전조건을 포함하여 축강성을 충분히 크게 취할 수 있는 구조로 하는 것이 바람직함

② 단순지지 고유치 해석
- 축형상을 단계 ①에서 정한 형태대로 유한요소법 등에 의해 수치 해석하여 동적 특성을 검토하는 경우, 계산에 많은 시간이 걸리고 또 동적성능의 개선을 위한 방책을 세우기 어려움
- 따라서 고유 진동 수의 계산 및 안정성 평가를 효과적으로 수행하기 위한 준비로서 축계가 베어링 위치에서 단순지지된 경우에 대해 고유치해석을 해야 함

③ 베어링 형식 및 베어링 제원
- 회전수, 베어링 하중 등의 베어링 사용조건을 기본으로 베어링 형식을 선정함
- 예로 고속, 경하중인 전원베어링 등에서는 작동유체에 의한 불안정한 힘이 작용하지 않아도 불안정 진동 발생율이 높다고 예상되는 경우 먼저 다원호 베어링, 경사 패드베어링 등을 선정하여 놓을 수 있음
- 다음에 베어링하중 등의 사용조건에서 베어링의 직경, 폭, 틈새, 예압계수 등으로 베어링 유막계수를 정함

④ 불안정한 힘의 견적
- 중요한 불안정한 힘으로 생각되는 베어링과 시일, 회전차의 유체력에 대해 강성계수와 감쇠계수를 평가해야 함
- 더욱이 종래의 실제 기계에 대한 경험, 실적도 고려하여 종합적으로 불안정한 힘의 크기를 평가하는 것이 요망됨

⑤ 안정성 및 불평형 응답의 평가와 향상
- 안정성과 불평형 응답의 해석방법을 이용하여 예상되는 불안정한 힘에 대해

충분치 못한 때에는 베어링이나 시일의 폭, 틈새, 직경 등을 변경함으로써 안정성과 불평형 응답을 개선함

- ◆ 베어링이나 시일 제원의 변경만으로 만족한 결과를 얻을 수 없을 경우 단계 ①로 돌아가서 축강성을 증가시켜 계의 안정성을 높이거나, 고유 진동수를 높여 공진을 피하도록 함
- ◆ 만일 공진점에서 불평형 응답이 그다지 문제로 되지 않는 경우 정상 운전속도에서의 안정성에 초점을 맞추어 불안정한 힘의 영향을 중시하여 검토함
- ◆ 시일 회전차부의 불안정한 유체력이 큰 영향을 미치지 않는 경우 베어링의 유막력에 의해 발생하는 오일 휩(Oil Whip)에 대한 검토만으로 충분함

⑥ 실기 축제로서의 해석
- ◆ 앞의 단계에서 계의 안정성과 불평형 응답을 향상시켜 축과 베어링, 그리고 시일의 제원이 결정되면 회전축계로서 상세해석을 수행하여 최종적으로 문제가 없음을 확인함

2) 원심 펌프의 임펠러 외경을 Cutting 하여 사용하는 원인
◇ 임펠러 외경 절삭의 원인
- ◆ 임펠러 외경을 절삭하면 유량이 축소됨
- ◆ 유량이 축소되면 소요동력이 절감됨

3) 임펠러 지름이 다른 경우의 유량, 양정, 동력관계식

$$Q_2 = Q_1 (\frac{D_2}{D_1})^3 (\frac{N_2}{N_1})$$

$$H_2 = H_1 (\frac{D_2}{D_1})^2 (\frac{N_2}{N_1})^2$$

$$L_2 = L_1 (\frac{D_2}{D_1})^5 (\frac{N_2}{N_1})^3$$

4) 펌프의 상사법칙을 벗어난 과도한 임펠러 Cutting 시 발생될 수 있는 영향
◇ 과도한 임펠러 외경 절삭 시 미치는 영향
- ◆ 임펠러와 케이싱의 간격을 증가시켜 내부유동 재순환이 증가됨
- ◆ 이로 인해 헤드 손실이 야기됨
- ◆ 펌핑효율이 저하됨
- ◆ 케비테이션이 발생함

국가기술 자격검정 시험문제

기술사   제 121 회   제 3 교시 (시험시간: 100분)

2020년도	분야	안전관리	자격종목	기계안전기술사	성명	

※ 다음 문제 중 4문제를 선택하여 설명하시오. (각 문제당 25점)

1. 운반하역작업 시 사용하는 아래의 줄걸이 용구의 폐기기준을 설명하시오.

1) 체인(Chain)

◇ 체인(Chain)의 폐기기준
- 체인은 사양과 동일할 것
- 연결된 5개의 링크를 측정하여 연신율이 제조당시 길이의 5퍼센트 이하일 것 (습동면의 마모량을 포함)
- 링크 단면의 지름 감소가 해당 체인의 제조시보다 10퍼센트 이하일 것
- 균열이 없을 것
- 심한 부식이 없을 것
- 깨지거나 홈 모양의 결함이 없을 것
- 심한 변형 등이 없을 것

2) 링(Ring)

◇ 링(Ring)의 폐기기준
- 링은 변형 또는 균열이 있는 것은 줄걸이 용구로서 사용해서는 안되게 되어 있음 (변형이란 예를 들어 후크에서 입 부분이 벌어진 것, 원형 링에서는 타원형이 된 것 등 이것이 제조될 때의 형상에 비해서 육안으로 판정할 수 있는 정도로 닳아진 형상의 것)

3) 훅(Hook)

◇ 훅(Hook)의 폐기기준
- 훅 본체는 균열, 변형, 마모가 없고 국부마모는 원치수의 5퍼센트 이내일 것
- 훅 회전(구름베어링)은 원활하고 훅 나사부는 흔들림이 없을 것
- 훅 개구부의 증가가 없을 것
- 훅 블록 또는 달기기구에는 정격하중이 표기되어 있을 것
- 해지장치는 균열, 변형 등이 없을 것

4) 샤클(Shackle)

◇ 샤클(Shackle)의 폐기기준
- 점검은 매 6개월(해당년도 5, 11월)마다 실시함
- 점검 시 결함발견이 용이하도록 세척유로서 깨끗이 세척함
- 점검 방법은 외부점검(줄자, 캘리퍼스 등의 이용) 및 내부 점검(UP, MPI 점검) 등
- 사용연한은 10년을 원칙적으로 기준함
- 인장시험, 침투탐상, 자분탐상 및 방사선 검사 등 정밀 검사로서 폐기판단을 결정함

5) 와이어로프(Wire-Rope)
[124회 2교시 2번] [121회 3교시 1번] [111회 1교시 1번]

◇ 와이어로프(Wire-Rope)의 폐기기준
- 이음매가 있는 것
- 와이어로프의 한 꼬임(스트랜드, Strand)에서 끊어진 소선(필러, Pillar)의 수가 10퍼센트 이상(비자전로프의 경우 끊어진 소선의 수가 와이어로프 호칭지름의 6배 길이 이내에서 4개 이상이거나 호칭지름 30배 길이 이내에서 8개 이상)인 것
- 지름의 감소가 공칭지름의 7퍼센트를 초과하는 것
- 꼬인 것
- 심하게 변형되거나 부식된 것
- 열과 전기충격에 의해 손상된 것

2. 지게차(Fork Lift) 관련 재해예방을 위한 안전관리 사항에 대하여 설명하시오.

[123회 1교시 12번] [121회 3교시 2번] [120회 1교시 13번] [108회 1교시 5번]
[105회 2교시 1번]

지게차의(Forklift) 정의

◆ 차체 앞에 설치된 포크(Fork)를 사용하여 화물의 적재, 하역 및 운반작업에 사용하는 운반기계

◆ 적재, 하역, 운반작업이 포크(Fork)에 의해 이루어지므로 포크 리프트 트럭 (Fork Lift Truck) 또는 포크 리프트(Fork Lift)라고하며 지게차라는 명칭은 운반, 하역 등에 사용했던 "지게"에서 인용한 것

◆ 건설기계관리법에 의한 지게차 범위는 "공기압 타이어 식으로 들어올림 장치를 가진 것"으로 규정

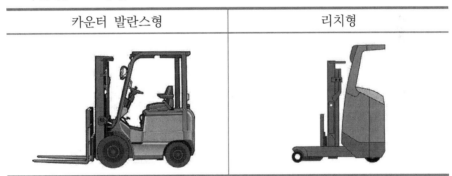

카운터 발란스형	리치형

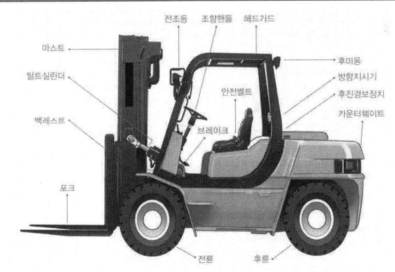

◇ 지게차 관련 용어

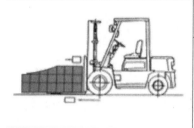	적재능력 LOAD CAPACITY
	마스트를 90도 로 세운 상태에서 정해진 하중 중심의 범위내에서 포크로 들어 올릴 수 있는 하물의 최대무게이다. 적재능력의 표시방법은 표준하중 몇 mm 에서 몇 KG으로 표시한다.
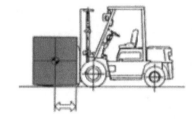	하중중심 LOAD CENTER
	포크의 수직면으로부터 하물의 무게중심까지의 거리를 말한다.
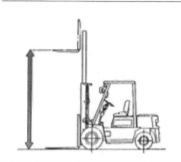	최대인상높이 MFH : MAXIMUM FORK HEIGHT
	마스트를 수직인 상태에서 최대로 이상시켰을 때 지면으로부터 포크의 윗면까지의 높이
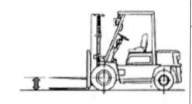	자유인상높이 FREE LIFT
	포크를 들어 올릴 때 내측마스트가 돌출되는 시점에 있어서 지면으로부터 포크 윗면 까지의 높이
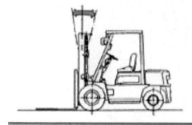	마스트경사각 TILTING ANGLE
	마스트 전체를 전방 또는 후방으로 경사시키는 각도. 통상 전경각이 후경각에 비해 작음

	전장 OVERALL LENGTH
	포크의 앞부분에서부터 지게차의 제일 끝부분 까지의 길이
	전고 OVERALL HEIGHT
	타이어의 공기압이 규정치인 상태에서 마스트를 수직으로 하고 포크를 지면에 내려 놓았을 때, 지면으로부터 마스트상단까지의 높이. 단, 이때 오버헤드가드 높이가 마스트보다 높을 때는 오버헤드가드 높이가 전고임
	전폭 OVERALL WIDTH
	지게차 차체 양쪽에 돌출된 액슬, 펜더, 포크 케리지, 타이어 등의 폭
	축간거리 WHEEL BASE
	지게차의 앞축(드라이브액슬)의 중심부로부터 뒤축(스티어링액슬)의 중심부 까지의 수평거리. 지게차의 안정도에 지장을 주지 않는 한도 내에서 최소로 설계된다.
	윤간거리 TREAD
	지게차의 양쪽바퀴의 중심사이의 거리 통상 전륜과 후륜의 윤간거리는 다르게 설계 된다.
	최저지상고 GROUND CLEARANCE
	지면으로부터 지게차의 가장낮은 부위 까지의 높이 (포크와 타이어는 제외)

	최소회전반경 MINIMUM TURNING RADIUS 무부하상태에서 지게차의 최저속도로 가능한 최소의 회전을 할때 지게차의 후단부가 그리는 원의 반경
	최소직각교차통로폭 MINIMUM INTERSECTING AISLE 지게차가 직각회전을 할 수 있는 최소통로의 폭
	직각적재통로폭 RIGHT ANGLE STACKING AISLE "최소적재통로폭"이란 하물을 적재한 지게차가 일정 각도로 회전하여 작업할 수 있는 직선 통로의 최소폭을 말하며, 그 각도가 90도일 때를 "직각적재통로폭"이라함
	장비중량 SERVICE WEIGHT 냉각수, 연료, 구리스 등이 포함된 상태에서의 지게차의 총중량
	포크인상속도 LIFTING SPEED 포크인상속도는 "부하시"와 "무부하시"의 2종류가 있다. 통상 mm/sec로 표시된다.
	포크하강속도 LOWERING SPEED 포크하강속도는 "부하시"와 "무부하시"의 2종류가 있다. 통상 mm/sec로 표시된다.
	등판능력 GRADEABILITY 지게차가 오를 수 있는 경사지의 최대각도로서 "%"와 "도"로 표시한다.

지게차의 특성

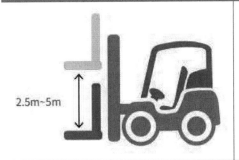

| 포크가 2.5m~5m 정도 상승 또는 하강할 수 있다 | 일반적으로 전륜 구동, 후륜 조향 방식이다. |

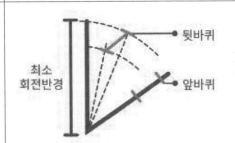

| 최고속도 : 15~20km/h 정도의 저속 주행용이다.
[※도로주행용의 경우 최고 42km/h 까지 주행가능] | 최소 회전반경 : 1,800~2,750mm 정도로 선회 반경이 작다. |

| 휠베이스가 짧아 좁은 장소에서 작업이 가능하다. | 하물이 차체의 앞부분에 적재되므로 차체의 뒷부분에 밸런스웨이트가 있어 차체 중량이 무겁다. |

지계차의 위험성

위험성	원인
화물의 낙하	▪ 불안전한 화물의 적재 ▪ 부적당한 작업장치(어태치먼트)의 선정 ▪ 미숙한 운전 조작 ▪ 급출발, 급정지 및 급선회
협착 및 출동	▪ 구조상 피할 수 없는 시야의 악조건 ▪ 후륜주행에 따른 후부의 선회 반경
차량의 전도	▪ 요철 바닥면의 미정비 ▪ 취급되는 화물에 비해서 소형의 차량 ▪ 화물의 과적재 ▪ 급선회

지계차의 방호장치 (법적)

장치명	기능	사진
전조등 및 후미등	야간작업 시 조명 확보와 지계차 위치 확인을 통해 안전한 적업이 되도록 설치하는 등화장치	
헤드가드	운전자 위쪽에서 적재물이 떨어져 운전자가 다치는 위험을 막기 위해 머리 위에 설치하는 덮개	
백레스트	지계차 마스트를 뒤로 기울일 때 화물이 마스트 방향으로 떨어지는 것을 방지하기 위한 짐받이 틀	
좌석안전띠	지계차가 넘어질 경우 근로자가 운전석으로부터 이탈되어 발생할 수 있는 재해를 예방하기 위한 안전벨트	

지게차의 방호장치 (권고)

산업안전보건법에서 강제하고 있지 않으나, 지게차에 기인한 안전사고를 예방하기 위해 설치 권고

- ◆ 후사경
  - 지게차 후진 시 후방에 위치한 근로자 또는 물체를 인지하기 위해 운전석 좌·우측면에 설치한다.
- ◆ 룸미러
  - 후사경(대형) 외에도 지게차 뒷면의 사각지역 해소를 위해 룸미러를 장착한다.
  - 바닥으로부터 포크의 위치를 운전자가 쉽게 알 수 있도록 마스트와 포크 후면에 경고표지를 부착한다.
- ◆ 지게차의 식별을 위한 형광테이프
  - 조명이 어두운 작업장에서 지게차의 위치와 움직임 등을 식별할 수 있도록 지게차의 테두리(좌우 및 후면)에 형광테이프를 부착한다.
- ◆ 경광등
  - 지게차의 운행 상태를 알릴 수 있도록 경광등을 설치한다.
  - 경광등이 작동하면서 스피커에서 경고음이 발생
- ◆ 지게차에 안전문
  - 운전자가 밖으로 튕겨나가는 것을 방지하고 소음, 기상의 악조건 등 작업 환경의 변화에도 작업이 가능하도록 안전문을 설치한다.
- ◆ 포크 받침대
  - 지게차를 수리하거나 점검할 때 포크의 갑작스러운 하강을 방지하기 위하여 받침대(안전블록 역할)를 설치한다.

대형후사경 및 룸미러

사이렌(음성경보장치)

경광등

후방센서

주행연동 안전벨트

레이저위치표시기(블루라이트)

레이저위치표시기(라인빔)

후방감지장치(카메라, 모니터)

지게차의 안정도

◇ 지게차의 전·후 및 좌·우 안정도를 유지하기 위하여 다음의 지게차의 주행·하역 작업 시 안정도 기준을 준수 (정격하중 10톤 이하인 경우)

안정도	지게차의 상태	
하역작업시의 전후안정도 : 4% 이내 (5톤이상 : 3.5%이내) (기준부하상태) ◆ A-B		위에서 본 모습
주행시의 전후안정도 : 18%이내 (기준무부하상태) ◆ A-B		
하역작업시의 좌우안정도 : 6%이내 (기준부하상태) ◆ X-Y		밑에서 본 모습
주행시의 좌우안정도 (15+1.1V) %이내 (V:구내최고속도 km/h) (기준무부하상태) ◆ X-Y		

안정도 = $\dfrac{h}{\ell} \times 100\%$

X-Y : 지게차의 좌우 안정도축

A-B : 지게차의 전후방향의 중심선

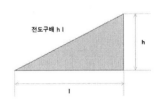

전도구배 h l

지게차의 안정조건

◇ 지게차 본체의 모멘트가 화물의 모멘트보다 커야 함

  ※ 지게차로 하물 인양 시 지게차 뒷바퀴가 들려서는 안 된다.

  　즉, 하물의 모멘트(M_1) ≦ 지게차의 모멘트(M_2)이어야 한다.

◇ 화물의 받침대에 가깝게(포크의 앞면에 가깝게) 물건을 적재함으로써 안정을 유지

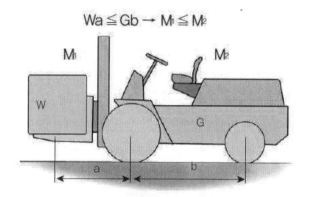

$$Wa ≦ Gb → M_1 ≦ M_2$$

- ◆ W : 포크중심에서의 하물의 중량 (kg)
- ◆ G : 지게차 중심에서의 지게차 중량 (kg)
- ◆ a : 앞바퀴에서 하물 중심까지의 최단거리 (cm)
- ◆ b : 앞바퀴에서 지게차 중심까지의 최단거리 (cm)
  - 하물의 모멘트 : $M_1 = W × a$
  - 지게차의 모멘트 : $M_2 = G × b$

지게차 운행경로의 폭

◇ 지게차 1대 : 최대폭(W1) + 60㎝이상

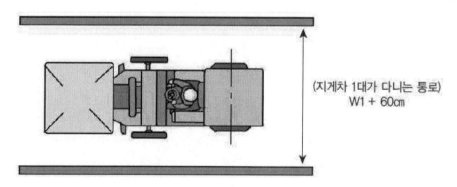

(지게차 1대가 다니는 통로)
W1 + 60㎝

◇ 지게차 2대 : 최대폭(W1+W2) + 90㎝이상

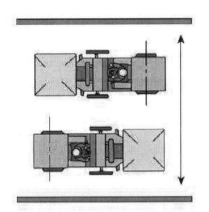

(지게차 2대가 다니는 통로)
W1 + W2 + 90cm

전경각과 후경각

- 전경각 : 마스트의 수직 위치에서 앞으로 기울인 경우의 최대 경사각
- 후경각: 마스트의 수직 위치에서 뒤로 기울인 경우의 최대 경사각

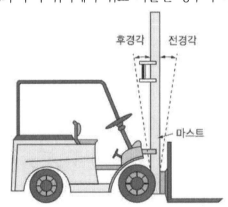

1) 정격하중 10톤 이하인 경우

종류	전경각(도)	후경각(도)
카운트밸런스형	5~6	10~12
리치형	3	5
사이드포크형	3~5	3

2) 정격하중 10톤 이상인 경우

전경각(도)	후경각(도)
3~6	10~12

3. 산업안전보건법령상 제조업 유해위험방지계획서 제출 대상(사업의 종류 및 규모, 기계기구 및 설비), 심사구분 및 결과 조치에 대하여 설명하시오.
[121회 3교시 3번] [111회 3교시 2번] [108회 4교시 3번]

산업안전보건법 시행령 제42조(유해위험방지계획서 제출 대상)

① 법 제42조제1항제1호에서 "대통령령으로 정하는 사업의 종류 및 규모에 해당하는 사업"이란 다음 각 호의 어느 하나에 해당하는 사업으로서 전기 계약용량이 300킬로와트 이상인 경우를 말한다.

   1. 금속가공제품 제조업; 기계 및 가구 제외
   2. 비금속 광물제품 제조업
   3. 기타 기계 및 장비 제조업
   4. 자동차 및 트레일러 제조업
   5. 식료품 제조업
   6. 고무제품 및 플라스틱제품 제조업
   7. 목재 및 나무제품 제조업
   8. 기타 제품 제조업
   9. 1차 금속 제조업
   10. 가구 제조업
   11. 화학물질 및 화학제품 제조업
   12. 반도체 제조업
   13. 전자부품 제조업

② 법 제42조제1항제2호에서 "대통령령으로 정하는 기계·기구 및 설비"란 다음 각 호의 어느 하나에 해당하는 기계·기구 및 설비를 말한다. 이 경우 다음 각 호에 해당하는 기계·기구 및 설비의 구체적인 범위는 고용노동부장관이 정하여 고시한다. 〈개정 2021. 11. 19.〉
   1. 금속이나 그 밖의 광물의 용해로
   2. 화학설비
   3. 건조설비
   4. 가스집합 용접장치
   5. 근로자의 건강에 상당한 장해를 일으킬 우려가 있는 물질로서 고용노동부령으로 정하는 물질의 밀폐·환기·배기를 위한 설비

시행규칙 제45조(심사 결과의 구분)

① 공단은 유해위험방지계획서의 심사 결과를 다음 각 호와 같이 구분·판정한다.
  1. 적정 : 근로자의 안전과 보건을 위하여 필요한 조치가 구체적으로 확보되었다고 인정되는 경우
  2. 조건부 적정 : 근로자의 안전과 보건을 확보하기 위하여 일부 개선이 필요하다고 인정되는 경우
  3. 부적정 : 건설물·기계·기구 및 설비 또는 건설공사가 심사기준에 위반되어 공사착공 시 중대한 위험이 발생할 우려가 있거나 해당 계획에 근본적 결함이 있다고 인정되는 경우
② 공단은 심사 결과 적정판정 또는 조건부 적정판정을 한 경우에는 별지 제20호서식의 유해위험방지계획서 심사 결과 통지서에 보완사항을 포함(조건부 적정판정을 한 경우만 해당한다)하여 해당 사업주에게 발급하고 지방고용노동관서의 장에게 보고해야 한다.
③ 공단은 심사 결과 부적정판정을 한 경우에는 지체 없이 별지 제21호서식의 유해위험방지계획서 심사 결과(부적정) 통지서에 그 이유를 기재하여 지방고용노동관서의 장에게 통보하고 사업장 소재지 특별자치시장·특별자치도지사·시장·군수·구청장(구청장은 자치구의 구청장을 말한다. 이하 같다)에게 그 사실을 통보해야 한다.
④ 제3항에 따른 통보를 받은 지방고용노동관서의 장은 사실 여부를 확인한 후 공사착공중지명령, 계획변경명령 등 필요한 조치를 해야 한다.
⑤ 사업주는 지방고용노동관서의 장으로부터 공사착공중지명령 또는 계획변경명령을 받은 경우에는 유해위험방지계획서를 보완하거나 변경하여 공단에 제출해야 한다.

시행규칙 제48조(확인 결과의 조치 등)

① 공단은 제46조 및 제47조에 따른 확인 결과 해당 사업장의 유해·위험의 방지상태가 적정하다고 판단되는 경우에는 5일 이내에 별지 제23호서식의 확인 결과 통지서를 사업주에게 발급해야 하며, 확인결과 경미한 유해·위험요인이 발견된 경우에는 일정한 기간을 정하여 개선하도록 권고하되, 해당 기간 내에 개선되지 않은 경우에는 기간 만료일부터 10일 이내에 별지 제24호서식의 확인결과 조치 요청서에 그 이유를 적은 서면을 첨부하여 지방고용노동관서의 장에게 보고해야 한다.

② 공단은 확인 결과 중대한 유해·위험요인이 있어 법 제43조제3항에 따라 시설 등의 개선, 사용중지 또는 작업중지 등의 조치가 필요하다고 인정되는 경우에는 지체 없이 별지 제24호서식의 확인결과 조치 요청서에 그 이유를 적은 서면을 첨부하여 지방고용노동관서의 장에게 보고해야 한다.

③ 제1항 또는 제2항에 따른 보고를 받은 지방고용노동관서의 장은 사실 여부를 확인한 후 필요한 조치를 해야 한다.

4. 산업안전보건법령상 안전검사 대상기계 등에 대하여 쓰고 규격 및 형식별 적용범위를 설명하시오.

[127회 1교시 2번] [126회 1교시 12번] [121회 3교시 4번] [114회 1교시 9번]
[111회 1교시 12번] [108회 3교시 2번] [105회 1교시 11번]

안전검사란?

유해하거나 위험한 기계·기구·설비로서 이를 사용하는 사업주는 안전검사대상 기계등의 안전에 관한 성능이 검사기준에 맞는지에 대하여 고용노동부장관이 실시하는 검사

산업안전보건법 시행령 제78조 (안전검사대상기계 등)

① 법 제93조 제1항 전단에서 "대통령령으로 정하는 것"이란 다음 각 호의 어느 하나에 해당하는 것을 말한다.

1. 프레스
2. 전단기
3. 크레인(정격 하중이 2톤 미만인 것은 제외한다)
4. 리프트
5. 압력용기
6. 곤돌라
7. 국소 배기장치(이동식은 제외한다)
8. 원심기(산업용만 해당한다)
9. 롤러기(밀폐형 구조는 제외한다)
10. 사출성형기[형 체결력(型 締結力) 294킬로뉴턴(KN) 미만은 제외한다]

11. 고소작업대(「자동차관리법」 제3조제3호 또는 제4호에 따른 화물자동차 또는 특수자동차에 탑재한 고소작업대로 한정한다)
12. 컨베이어
13. 산업용 로봇

② 법 제93조 제1항에 따른 안전검사대상기계 등의 세부적인 종류, 규격 및 형식은 고용노동부장관이 정하여 고시한다.

안전검사 대상

1. 프레스 및 전단기
   동력으로 구동되는 프레스 및 전단기로서 압력능력이 3톤 이상은 적용
   다만, 다음 각 목의 어느 하나에 해당하는 기계는 제외
   가. 열간 단조프레스, 단조용 해머, 목재 등의 접착을 위한 압착프레스, 톰슨 프레스(Tomson Press), 씨링기, 분말압축 성형기, 압출기 및 절곡기, 고무 및 모래 등의 가압성형기, 자동터릿펀칭프레스, 다목적 작업을 위한 가공기(Ironworker), 다이스포팅프레스, 교정용 프레스
   나. 스트로크가 6밀리미터 이하로서 위험한계 내에 신체의 일부가 들어갈 수 없는 구조의 프레스 및 전단기
   다. 원형 회전날에 의한 회전 전단기, 니블러, 코일 슬리터, 형강 및 봉강 전용의 전단기 및 노칭기

2. 크레인
   동력으로 구동되는 것으로서 정격하중이 2톤 이상은 적용. 다만, 다음 각 목의 어느 하나에 해당하는 경우는 제외
   가. 「건설기계관리법」의 적용을 받는 건설기계
   나. 달기구를 집게로 사용하여 와이어로프에 의해 권상·권하되지 않고 집게가 붐에 직접 부착된 차량(재활용 처리 크레인)
   다. 차량 견인 및 구난을 목적으로 제작된 차량

3. 리프트

적재하중이 0.5톤 이상인 리프트(이삿짐 운반용 리프트는 적재하중이 0.1톤 이상인 경우)는 적용. 다만, 자동차정비용 리프트, 운반구 운행거리가 3미터 이하인 산업용 리프트, 자동이송설비에 의하여 화물을 자동으로 반출입하는 자동화 설비의 일부로 사람이 접근할 우려가 없는 전용설비는 제외

4. 압력용기

가. 화학공정 유체취급용기 또는 그 밖의 공정에 사용하는 용기(공기 또는 질소 취급용기)로써 설계압력이 게이지 압력으로 0.2메가파스칼(2kgf/㎠)을 초과한 경우 다만, 다음 중 어느 하나에 해당하는 용기는 제외

   1) 용기의 길이 또는 압력에 상관없이 안지름, 폭, 높이, 또는 단면 대각선 길이가 150밀리미터(관(管)을 이용하는 경우 호칭지름 150A) 이하인 용기
   2) 원자력 용기
   3) 수냉식 관형 응축기(다만, 동체측에 냉각수가 흐르고 관측의 사용압력이 동체측의 사용압력보다 낮은 경우에 한함)
   4) 사용온도 섭씨 60도 이하의 물만을 취급하는 용기(다만, 대기압하에서 수용액의 인화점이 섭씨 85도 이상인 경우에는 물에 미량의 첨가제가 포함되어 있어도 됨)
   5) 판형(plate type) 열교환기
   6) 핀형(fin type) 공기냉각기
   7) 축압기(accumulator)
   8) 유압·수압·공압 실린더 및 오일 주입·배출기
   9) 사람을 수용하는 압력용기
   10) 차량용 탱크로리
   11) 배관 및 유량계측 또는 유량제어 등의 목적으로 사용되는 배관구성품
   12) 소음기 및 스트레이너(필터 포함)로서 다음의 어느 하나에 해당되는 것
       가) 플랜지 부착을 위한 용접부 이외의 용접이음매가 없는 것
       나) 동체의 바깥지름이 320밀리미터 이하이며 배관접속부 호칭지름이 동체 바깥지름의 2분의 1 이상인 것
   13) 기계·기구의 일부가 압력용기의 동체 또는 경판 등 압력을 받는 부분을 이루는 것
   14) 사용압력(단위:MPa)과 용기 내용적(단위:㎥)의 곱이 0.1 미만인 것으로서 다음의 어느 하나에 해당되는 것

가) 기계·기구의 구성품인 것

나) 펌프 또는 압축기 등 가압장치의 부속설비로서 밀봉, 윤활 또는 열교환을 목적으로 하는 것(다만, 취급유체가 해당 공정의 유체 또는 안전보건규칙 별표 1의 위험물질에 해당되지 않는 경우에 한함)

15) 제품을 담아 판매·공급하는 것을 목적으로 하는 운반용 용기

16) 공정용 직화식 튜브형 가열기

17) 산업용 이외에서 사용하는 밀폐형 팽창탱크

18) 안전검사 대상 기계·기구의 구성품인 것

19) 소형 공기압축기(압력용기 상부에 왕복동 압축장치를 고정·부착한 형태의 것)의 구성품인 것

20) 사용압력이 2kgf/㎠ 미만인 압력용기

나. 용기의 검사범위

1) 용접접속으로 외부배관과 연결된 경우 첫 번째 원주방향 용접이음까지

2) 나사접속으로 외부 배관과 연결된 경우 첫 번째 나사이음까지

3) 플랜지 접속으로 외부 배관과 연결된 경우 첫 번째 플랜지면까지

4) 부착물을 직접 내압부에 용접하는 경우 그 용접 이음부까지

5) 맨홀, 핸드홀 등의 압력을 받는 덮개판, 용접이음, 볼트·너트 및 개스킷을 포함

6. 곤돌라

동력으로 구동되는 곤돌라에 한정하여 적용 다만, 크레인에 설치된 곤돌라, 동력으로 엔진구동 방식을 사용하는 곤돌라, 지면에서 각도가 45° 이하로 설치된 곤돌라는 제외

7. 국소배기장치

디아니시딘과 그 염 등 유해물질(49종)에 따른 건강장해를 예방하기 위하여 설치한 국소배기장치에 한정하여 적용

다만, 최근 2년 동안 작업환경측정결과가 노출기준 50% 미만인 경우에는 적용 제외

8. 원심기

액체·고체 사이에서의 분리 또는 이 물질들 중 최소 2개를 분리하기 위한 목적으로 쓰이는 동력에 의해 작동되는 산업용 원심기는 적용 다만, 다음 각 목의 어느 하나에 해당하는 원심기는 제외

가. 회전체의 회전운동에너지가 750J 이하인 것

나. 최고 원주속도가 300m/s를 초과하는 원심기

다. 원자력에너지 제품 공정에만 사용되는 원심기

라. 자동조작설비로 연속공정과정에 사용되는 원심기

마. 화학설비에 해당되는 원심기

9. 화학설비 및 그 부속설비 〈삭제 2020.1.15〉

10. 건조설비 및 그 부속설비 〈삭제 2020.1.15.〉

11. 롤러기

롤러의 압력에 의하여 고무, 고무화합물 또는 합성수지를 소성변형 시키거나
연화시키는 롤러기로서 동력에 의하여 구동되는 롤러기는 적용
다만, 작업자가 접근할 수 없는 밀폐형 구조로 된 롤러기는 제외

12. 사출 성형기

플라스틱 또는 고무 등을 성형하는 사출성형기로서 동력에 의하여 구동되는
사출성형기는 적용 다만, 다음 각 목의 어느 하나에 해당하는 사출형성형기는
제외

가. 클램핑 장치를 인력으로 작동시키는 사출성형기

나. 반응형 사출성형기

다. 압축·이송형 사출성형기

라. 장화제조용 사출성형기

마. 형 체결력이 294kN 미만인 사출성형기

바. 블로우몰딩(Blow Molding) 머신

13. 고소작업대

동력에 의해 사람이 탑승한 작업대를 작업 위치로 이동시키는 것으로서 차량
탑재형 고소작업대(「자동차관리법」제3조에 따른 화물·특수자동차의 작업부에
고소장비를 탑재한 것)에 한정하여 적용. 다만, 다음 각 목의 어느 하나에 해당
하는 경우는 제외

가. 테일 리프트(tail lift)

나. 승강 높이 2미터 이하의 승강대

다. 항공기 지상 지원 장비

라. 「소방기본법」에 따른 소방장비

마. 농업용 고소작업차(「농업기계화촉진법」에 따른 검정 제품에 한함)

14. 컨베이어

재료·반제품·화물 등을 동력에 의하여 단속 또는 연속 운반하는 벨트·체인·롤러·트롤리·버킷·나사 컨베이어가 포함된 컨베이어 시스템 다만, 다음 각 목의 어느 하나에 해당하는 것 또는 구간은 제외

가. 구동부 전동기 정격출력의 합이 1.2kW 이하인 것

나. 컨베이어 시스템 내에서 벨트·체인·롤러·트롤리·버킷·나사 컨베이어의 총 이송거리 합이 10미터 이하인 것. 이 경우 마목부터 파목까지에 해당되는 구간은 이송거리에 포함하지 않는다.

다. 무빙워크 등 사람을 운송하는 것

라. 항공기 지상지원 장비(항공기에 화물을 탑재하는 이동식 컨베이어)

마. 식당의 식판운송용 등 일반대중이 사용하는 것 또는 구간

바. 항만법, 광산안전법 및 공항시설법의 적용을 받는 구역에서 사용하는 것 또는 구간

사. 컨베이어 시스템 내에서 벨트·체인·롤러·트롤리·버킷·나사 컨베이어가 아닌 구간

아. 밀폐 구조의 것으로 운전 중 가동부에 사람의 접근이 불가능한 것 또는 구간. 이 경우 컨베이어 시스템이 투입구와 배출구를 제외한 상·하·측면이 모두 격벽으로 둘러싸인 경우도 포함되며, 격벽에 점검문이 있는 경우 다음 중 어느 하나의 조치로 운전 중 사람의 접근이 불가능한 것을 포함한다.

  1) 점검문을 열면 컨베이어 시스템이 정지하는 경우

  2) 점검문을 열어도 내부에 철망, 감응형 방호장치 등이 설치되어 있는 경우

자. 산업용 로봇 셀 내에 설치된 것으로 사람의 접근이 불가능한 것 또는 구간 이 경우 산업용 로봇 셀은 방책, 감응형 방호장치 등으로 보호되는 경우에 한한다.

차. 최대 이송속도가 150mm/s 이하인 것으로 구동부 등 위험부위가 노출되지 않아 사람에게 위험을 미칠 우려가 없는 것 또는 구간

카. 도장공정 등 생산 품질 등을 위하여 사람의 출입이 금지되는 장소에 사용되는 것으로 감응형 방호장치 등이 설치되어 사람이 접근할 우려가 없는 것 또는 구간

타. 스태커(stacker) 또는 이와 유사한 구조인 것으로 동력에 의하여 스스로 이동이 가능한 이동식 컨베이어(mobile equipment) 시스템 또는 구간

파. 개별 자력추진 오버헤드 컨베이어(self propelled overhead conveyor) 시스템 또는 구간

※ 검사의 단위구간은 컨베이어 시스템 내에서 제어구간단위(제어반 설치 단위)로 구분한다. 다만, 필요한 경우 공정구간단위로 구분할 수 있다.

15. 산업용 로봇
3개 이상의 회전관절을 가지는 다관절 로봇이 포함된 산업용 로봇 셀에 적용
다만, 다음 각 목의 어느 하나에 해당하는 경우는 제외
가. 공구중심점(TCP)의 최대 속도가 250mm/s 이하인 로봇으로만 구성된 산업용 로봇 셀
나. 각 구동부 모터의 정격출력이 80W 이하인 로봇으로만 구성된 산업용 로봇 셀
다. 최대 동작영역(툴 장착면 또는 설치 플랜지 wrist plates 기준)이 로봇 중심 축으로부터 0.5m 이하인 로봇으로만 구성된 산업용 로봇 셀
라. 설비 내부에 설치되어 사람의 접근이 불가능한 셀 이 경우 설비는 밀폐되어 로봇과의 접촉이 불가능하며, 점검문 등에는 연동장치가 설치되어 있고 이를 개방할 경우 운전이 정지되는 경우에 한한다.
마. 재료 등의 투입구와 배출구를 제외한 상·하·측면이 모두 격벽으로 둘러싸인 셀 이 경우 투입구와 배출구에는 감응형 방호장치가 설치되고, 격벽에 점검문이 있더라도 점검문을 열면 정지하는 경우에 한한다.
바. 도장공정 등 생산 품질 등을 위하여 정상운전 중 사람의 출입이 금지되는 장소에 설치된 셀, 이 경우 출입문에는 연동장치 및 잠금장치가 설치되고, 출입문 이외의 개구부에는 감응형 방호장치 등이 설치되어 사람이 접근할 우려가 없는 경우에 한한다.
사. 로봇 주위 전 둘레에 높이 1.8m 이상의 방책이 설치된 것으로 방책의 출입 문을 열면 로봇이 정지되는 셀. 이 경우 출입문 이외의 개구부가 없고, 출입문 연동장치는 문을 닫아도 바로 재기동이 되지 않고 별도의 기동장치에 의해 재기동 되는 구조에 한한다.
아. 연속적으로 연결된 셀과 셀 사이에 인접한 셀로서, 셀 사이에는 방책, 감응형 방호장치 등이 설치되고, 셀 사이를 제외한 측면에 높이 1.8m 이상의 방책이 설치된 것으로 출입문을 열면 로봇이 정지되는 셀. 이 경우 방책이 설치된 구간에는 출입문 이외의 개구부가 없는 경우에 한정한다.

5. 양중기에서의 크레인 1) 방호장치, 2) 작업안전수칙, 3) 고용노동부 고시 (제2020-41호)에 의한 크레인 제작 및 안전기준의 안정도에 대하여 각각 설명하시오.

[121회 3교시 5번]

1) 크레인의 방호장치

◇ 과부하방지장치
  - 정격하중 1.1배(지브형은 1.05배) 권상 시 경보와 함께 권상동작이 정지되고, 횡행, 주행동작 및 과부하를 증가시키는 동작이 불가능하게 하는 장치
  - 전기식, 기계식, 전자식

◇ 권과방지장치
  - 훅, 버킷 등 달기구의 윗면이 드럼, 상부 도르래, 트롤리 프레임 등 권상장치의 아랫면과 접촉을 방지하기 위해 자동적으로 전동기용 동력을 차단하고 작동을 제동하는 장치
  - 권상장치와 훅 등이 접촉할 우려가 있는 경우에 그 간격이 0.25미터 이상(직동식 권과방지장치는 0.05미터 이상으로 함)이 되도록 조정하여야 함

◇ 비상정지장치
  - 해당 크레인을 비상정지 시키기 위한 것으로 비상정지스위치를 작동하는 경우 작동중인 동력이 차단되도록 하는 장치
  - 비상정지용 누름 버튼은 적색으로 머리 부분이 돌출되고 수동 복귀되는 형식 일 것

◇ 제동장치(브레이크)
  - 권상장치 및 기복장치에 화물 또는 지브의 강하를 제동하기 위한 장치
  - 천장주행크레인-전자식디스크 B/K, 전자 B/K, 유압상식 B/K, 와류 B/K

◇ 그 밖의 방호장치
  - 훅해지장치
  - 충돌방지장치
  - 레일정지기구(기계식, 전기식)
  - 안전밸브

2) 크레인의 작업안전수칙

① 사업주는 크레인을 사용하여 작업을 하는 경우 다음 각 호의 조치를 준수하고, 그 작업에 종사하는 관계 근로자가 그 조치를 준수하도록 하여야 함
- 인양할 하물을 바닥에서 끌어당기거나 밀어내는 작업을 하지 아니할 것
- 유류드럼이나 가스통 등 운반 도중에 떨어져 폭발하거나 누출될 가능성이 있는 위험물 용기는 보관함(또는 보관고)에 담아 안전하게 매달아 운반할 것
- 고정된 물체를 직접 분리, 제거하는 작업을 하지 아니할 것
- 미리 근로자의 출입을 통제하여 인양 중인 하물이 작업자의 머리 위로 통과하지 않도록 할 것
- 인양할 하물이 보이지 아니하는 경우에는 어떠한 동작도 하지 아니할 것

② 사업주는 조종석이 설치되지 아니한 크레인에 대하여 다음 각 호의 조치를 하여야 함
- 고용노동부장관이 고시하는 크레인의 제작기준과 안전기준에 맞는 무선원격제어기 또는 펜던트 스위치를 설치, 사용할 것
- 무선원격제어기 또는 펜던트 스위치를 취급하는 근로자에게는 작동요령 등 안전조작에 관한 사항을 충분히 주지시킬 것

③ 사업주는 타워 크레인을 사용하여 작업을 하는 경우 타워 크레인 마다 근로자의 조종 작업을 하는 사람 간에 신호업무를 담당하는 사람을 각각 두어야 함

3) 고용노동부 고시(제2020-41호)에 의한 크레인 제작 및 안전기준의 안정도

① 크레인은 다음의 경우 해당 크레인의 전도지점에서의 안정도 모멘트 값은 전도 모멘트 값 이상이어야 함
- 수직동하중의 0.3배에 해당하는 하중이 성격하중이 걸리는 방향과 반대 방향으로 걸렸을 경우
- 수직동하중의 1.6배(토목, 건축 등의 공사에 사용하는 크레인은 1.4배)에 해당하는 하중이 걸렸을 경우
- 수직동하중의 1.35배(토목, 건축 등의 공사에 사용하는 크레인은 1.4배)에 해당하는 하중, 수평동하중 및 작동시에 있어서의 풍하중을 조합한 하중이 걸렸을 경우

② 항목 ①에서의 안정도는 다음의 조건에서 계산하여야 함
 ◆ 안정도에 영향을 주는 중량은 크레인의 안정에 관한 가장 불리한 상태
 ◆ 바람은 크레인의 안정에 가장 불리한 방향에서 불어오는 것
③ 옥외에 설치하는 크레인의 안정도 계산에 있어서 하물을 싣지 않은 정지상태에서
 풍하중이 걸렸을 때 당해 크레인의 전도지점의 안정모멘트 값은 그 전도 지점
 에서 전도 모멘트 값 이상이어야 함
④ 항목 ③에서의 안정도는 다음의 조건에서 계산하여야 함
 ◆ 안정도에 영향을 주는 중량은 크레인의 안정에 관한 가장 불리한 상태
 ◆ 바람은 크레인의 안정에 가장 불리한 방향에서 불어오는 것
 ◆ 주행 크레인에 있어 크레인 정지 시 풍력 등 외력에 의한 이동을 방지할 수
   있는 고정장치를 구비할 것 (다만, 옥내에 설치되어 풍압을 직접 받지 않는
   크레인은 예외)

6. 용접작업 후 발생하는 1) 용접잔류응력 측정방법, 2) 잔류응력 완화법, 3) 변형교정법에 대하여 각각 설명하시오.

[127회 3교시 6번] [121회 3교시 6번]

◇ 모든 금속의 용접부에는 용접이 완료된 후에 잔류응력이 발생
◇ 잔류응력은 해당 구조물을 변형시키거나 주어진 응력에 견딜 수 없게 함
◇ 과도한 잔류응력이 용접부에 남아 쉽게 부식 피로현상이 발생
◇ 부식환경에 먼저 노출되어 용접부가 선택적으로 부식되는 위험이 있음

1) 용접잔류응력 측정방법

◇ 응력이완법
 ◆ 용접부를 절삭 또는 천공등 기계 가공에 의하여 응력을 해방하고, 이에 생기는
   탄성변형을 전기적 또는 기계적 변형도계를 써서 측정하는 방법

◇ 홀드릴에 의한 측정법
 ◆ 응력을 측정하고자 하는 제품 표면에 스트레인 게이지를 부착하고 일정 깊이로
   홀드릴 가공하여 이때 발생하는 스트레인을 측정하여 응력을 계산하는 방법

◇ 자기적 방법
  ◆ 잔류응력이 자성체에 미치는 영향을 이용하여 잔류응력을 측정하는 방법으로 용접에는 별로 이용되지 않는 방법

◇ X선 회절법
  ◆ 금속의 응력은 결정입자들의 극히 미세한 변형에 의하여 발생하므로 X선 회절법을 이용하여 원자 위치의 변위를 측정하여 작용된 응력을 알게 된다.

◇ 계장화 압입 시험법
  ◆ 재료에 가해지는 압입 하중에 따른 압입 깊이를 연속적으로 측정하여 압입 하중 변위의 곡선을 얻고 이곡선의 분석을 통해 재료의 기계적 특성을 평가하는 기법

2) 잔류응력 완화법

용접 작업시에 주의하여도 잔류응력을 완전히 없애는 것은 매우 곤란하며 잔류응력을 제거 또는 완화 해야할 때에는 용접 후의 인위적인 응력제거법을 사용해야 한다.

◇ 노내풀림법
  ◆ 응력제거 열처리법 중에서 가장 널리 이용되며 그 효과도 큼
  ◆ 제품 전체를 노 속에 넣고 적당한 온도에서 일정시간 유지한 후 노 속에서 서냉시키는 방법

◇ 국부풀림법
  ◆ 제품이 커서 노내에 넣을 수 없을 경우나 현장 용접된 것으로서 노내풀림법을 못할 경우에는 용접부 부근에 국부풀림법을 실시
  ◆ 용접부 부근에 일정한 온도 및 시간을 유지한 다음 서냉
  ◆ 국부풀림은 온도를 불균일하게 할 뿐만 아니라 이를 실시하면 잔류응력이 발생될 염려가 있으므로 주의 해야함

◇ 기계적응력완화법
  ◆ 잔류응력이 있는 제품에 하중을 주고, 용접부에 약간의 소성변형을 일으킨 다음 하중을 제거하는 방법

◇ 피닝(Peening)에 의한 방법
- 끝이 구면인 특수한 피닝 해머로 용접부를 연속적으로 타격을 주어 인장응력을 완화하는데 효과가 있으며 용착금속의 균열방지에도 이용됨

◇ 저온응력완화법
- 미국의 린데사에서 개발하여 린데법이라고도 불림
- 용접선 양측에 150mm 폭을 특수한 가열토치를 사용하여 정속도로 150℃~200℃ 정도의 저온으로 가열한 다음에 수중급랭 시켜 용접선 방향의 인장응력을 완화하는 방법

3) 변형 교정법

용접을 할 때 발생한 변형을 교정하는 것을 변형 교정이라 한다. 변형 교정에는 많은 시간과 비용이 필요하므로 변형이 발생을 최대한으로 억제할 수 있는 시공법을 취하는 것이 가장 바람직하다. 그러나 실제에 있어서 수축이나 변형과 동시에 잔류응력이 발생하기 때문에 잔류응력을 작게 하려고 하면 변형이 커지게 되고 반대로 변형을 억제하기 위하여 구속하면 잔류응력이 커진다.

따라서 양쪽을 동시에 해결하기는 매우 곤란하다. 일반적으로 구조물의 강도상 중요한 부재로 사용되는 두꺼운 판에 대해서는 잔류응력을 절게 할 수 있는 시공법을 채택하여야 하고, 얇은 판에서 경감시키는 방향으로 시공법을 채택할 수밖에는 없다, 이와 같이 하여 용접한 것이라도 제품이 된 다음 변형이 생기면 미관상 또는 강도상, 성능상 좋지 못하므로 변형을 교정하기 위하여 변형교정 작업을 하여야 한다.

변형교정 방법은 그 제품의 종류, 변형의 모양과 야에 의하여 여러 가지 방법이 사용되나 주로 다음과 같은 것들은 열거할 수 있다.

1. 얇은 판에 대한 점 수축법(점 가열법)
2. 형재에 대한 직선 수축법(선상 가열법)
3. 가열 후 해머질 하는 법
4. 후판에 대하여 가열 후 압력을 주어 수냉하는 법
5. 롤러에 의한 법
6. 피닝법
7. 절단에 의한 정형과 재 용접

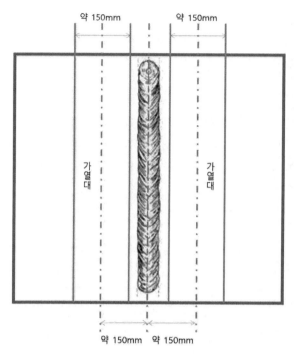

약 150mm 약 150mm

가열대 가열대

약 150mm 약 150mm

[저온응력 완화법]

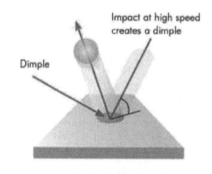

[쇼트피닝]

국가기술 자격검정 시험문제

기술사	제 121 회				제 4 교시	(시험시간: 100분)	
2020년도	분야	안전관리	자격종목	기계안전기술사	성명		

※ 다음 문제 중 4문제를 선택하여 설명하시오. (각 문제당 25점)

1. 화재의 위험을 감시하고 화재 발생 시 사업장 내 근로자의 대피를 유도하는 업무만을 담당하는 화재감시자를 배치하여야 하는 작업장소와 가연성물질이 있는 장소에서 화재위험작업을 하는 경우에 화재예방에 필요한 준수사항에 대하여 설명하시오.

◇ 사업주는 통풍이나 환기가 충분하지 않은 장소에서 화재위험작업을 하는 경우에는 통풍 또는 환기를 위하여 산소를 사용해서는 안 됨

◇ 사업주는 가연성물질이 있는 장소에서 화재위험작업을 하는 경우 화재예방에 필요한 다음 각 호의 사항을 준수해야 함
  ◆ 작업 준비 및 작업 절차 수립
  ◆ 작업장 내 위험물의 사용·보관 현황 파악
  ◆ 화기작업에 따른 인근 가연성물질에 대한 방호조치 및 소화기구 비치
  ◆ 용접불티 비산방지덮개, 용접방화포 등 불꽃, 불티 등 비산방지조치
  ◆ 인화성 액체의 증가 및 인화성 가스가 남아 있지 않도록 환기 등의 조치
  ◆ 작업 근로자에 대해 화재예방 및 피난교육 등 비상조치

◇ 사업주는 작업시작 전에 제2항 각 호의 사항을 확인하고 불꽃·불티 등의 비산을 방지하기 위한 조치 등 안전조치를 이행한 후 근로자에게 화재위험작업을 하도록 해야 함

◇ 사업주는 화재위험작업이 시작되는 시점부터 종료될 때까지 작업내용, 작업일시, 안전점검 및 조치에 관한 사항 등을 해당 작업장소에 서면으로 게시해야 함 (다만, 같은 장소에서 상시·반복적으로 화재위험작업을 하는 경우 생략할 수 있음)

2. 사출성형기 1) 가드의 종류 3가지, 2) 가동형가드의 Ⅰ형식(typeⅠ), Ⅱ형식 (typeⅡ), Ⅲ형식(type Ⅲ) 대하여 설명하시오.

◇ 사출성형기(Injection moulding machine)
열을 가하여 용융 상태의 열가소성 또는 열경화성 플라스틱, 고무 등의 재료를 노즐을 통해 두 개의 금형 사이에 주입하여 원하는 모양의 제품을 성형·생산하는 기계

1) 가드의 종류 3가지
① 고정식 가드(Fixed guard)
- 가드가 특정위치에 용접 등으로 영구적으로 고정되거나 고정 장치(스크류, 너트 등)로 부착된 구조로서, 공구를 사용하지 아니하고는 가드의 제거 또는 개방이 불가능한 구조의 카드를 말함
② 가동식 가드(Movable guard)
- 미닫이 또는 여닫이 형태로 중력이나 수동 조작 등으로 확실하게 잠길 수 있는 가드
- 사출성형기에 견고하고 고정되어 공구를 사용하지 않고 제거할 수 없는 가드
③ 연동식 가드(Interlocking guard)
- 기계의 위험한 부분이 가드로 방호되어 가드가 닫혀야만 작동될 수 있고 가드가 열리면 정지 명령이 주어지는 연동장치와 조합된 가드를 말함. (단, 가드를 닫는 것만으로 위험한 기계 기능이 스스로 가동되지는 않음)

2) 가동형 가드의 Ⅰ형식, Ⅱ형식, Ⅲ형식
① 사출성형기에 사용되는 Ⅰ형식(type I) 방호장치를 구비한 가동형 가드
- 한 개의 위치검출 스위치(position switch)가 부착된 가동형 연동장치로써 전원회로의 주 차단장치를 작동시킬 것
- 가드가 닫힌 경우 위치검출스위치는 작동되지 않으며 폐회로가 구성되어 사출성형기가 동작될 것
- 가드가 열리는 경우 위치검출스위치가 직접 작동되고, 전원회로가 개방되어 사출성형기가 정지될 것
- 위치검출스위치 제어회로 상에서 단일결함이 발생되는 경우 사출성형기의 작동이 정지될 것

②사출성형기에 사용되는 II형식(type II) 방호장치를 구비한 가동형 가드
- 두 개의 위치검출스위치(position switch)가 부착된 가동형 연동장치로써 전원회로의 주 차단장치를 작동시킬 것
- 첫 번째 위치검출스위치는 I형식 방호장치와 동일하게 작동되고, 가드가 닫힌 경우 두 번째 위치검출스위치의 접점이 닫히고 폐회로가 구성되어 사출성형기가 동작될 것
- 가드가 열린 경우 두 번째 위치검출스위치의 접점이 열리게 되고 사출성형기 작동이 정지될 것
- 두 개의 위치검출스위치 작동상태가 가드의 운동주기마다 각각 감시되어야 하며, 어떤 한 개의 스위치에서 결함이 감지된 경우에는 사출성형기의 작동이 정지될 것

③ 사출성형기에 사용되는 III형식(type III) 방호장치를 구비한 가동형 가드
- 서로 독립된 2개의 연동장치가 부착된 형태로서, 연동장치 중 하나는 II형식 방호장치와 동일하게 작동되고 나머지 연동장치는 위치검출스위치(position switch)를 사용하여 직접 또는 간접적으로 전원회로를 개폐할 것
- 가드가 닫힌 경우 위치검출스위치는 작동이 중지되고 폐회로가 구성되어, 전원 회로를 차단시키지 않을 것
- 가드가 열린 경우 위치검출스위치는 가드에 의해 직접 작동되며 2차 차단장치를 경유하여 전원회로를 차단시킬 것
- 두 개의 연동장치 작동상태를 가드의 운동 주기마다 감시하여, 한 개의 연동장치에서 결함이 감지된 경우에는 사출 성형기의 작동이 정지될 것

3. 산업안전보건법령상 도급에 따른 산업재해 예방조치에 대하여 설명하시오.

제64조 (도급에 따른 산업재해 예방조치)

① 도급인과 수급인을 구성원으로 하는 안전 및 보건에 관한 협의체의 구성 및 운영
- 도급인과 수급인을 구성원으로 하는 안전 및 보건에 관한 협의체의 구성 및 운영
- 작업장 순회점검
- 관계수급인이 근로자에게 하는 제29조 제1항부터 제3항까지의 규정에 따른 안전보건교육을 위한 장소 및 자료의 제공 등 지원

◆ 관계수급인이 근로자에게 하는 제29조 제3항에 따른 안전보건교육의 실시 확인
◆ 다음 각 목의 어느 하나의 경우에 대비한 정보체계 운영과 대피방법 등 훈련
  - 작업 장소에서 발파작업을 하는 경우
  - 작업 장소에서 화재·폭발, 토사·구축물 등의 붕괴 또는 지진 등이 발생한 경우
◆ 위생시설 등 고용노동부령으로 정하는 시설의 설치 등을 위하여 필요한 장소의 제공 또는 도급인이 설치한 위생시설 이용의 협조

② 제1항에 따른 도급인은 고용노동부령으로 정하는 바에 따라 자신의 근로자 및 관계수급인 근로자와 함께 정기적으로 또는 수시로 작업장의 안전 및 보건에 관한 점검을 하여야 함

③ 제1항에 따른 안전 및 보건에 관한 협의체 구성 및 운영, 작업장 순회점검, 안전보건교육 지원, 그 밖에 필요한 사항은 고용노동부령으로 정한다.

4. 재해 손실비(Accident Cost) 산정방식에 대하여 설명하시오.
[121회 4교시 4번] [124회 4교시 5번]

1) 하인리히(H. W. Heinrich) 방식

◆ 총 재해 비용= 직접비용 + 간접비용
  - 직접비용 : 피해자에게 지불되는 재해 비용
           → 유족급여, 장의비, 휴업급여, 요양급여)
  - 간접비용: 시간 손실, 기계설비 파손
           → 인적손실, 물적손실, 생산차질, 특수손실

◆ 직접비 : 간접비= 1:4
  - 간접비가 직접비의 4배 소요
  - 업종이 다른 사업장에 일률적용은 부적당

2) 시몬스(RH. Simonds) 방식

◆ 총 재해 비용 = 보험비용+ 비보험비용
- 보험비용 : 직접 보험비용+ 부대비용(산재보험료)
- 비보험비용 :
  A×휴업상해 건수(영구 부분 노동 불능) + B×통원상해 건수(일시 노동 불능)
  + C×구급 상해 건수(8시간 이내 치료) + D×무상해 사고 건수(제3자 작업 중지,
  임금손실, 재료·설비교체, 부상자 임금 지불 비용, 재해에 따른 특별 금여 등)
※ A, B, C, D는 상해 정도에 의한 평균 재해 비용
◆ 평균 재해 비용을 산출하기 어렵고 제도 등의 차이로 우리나라는 적용 곤란

3) 콤페스(Compes) 방식

◆ 총 재해 비용= 개별비용비+ 공용비용비
- 개별비용비(직접손실) : 작업중단, 수리비용, 사고조사
- 공용비용비 : 보험료, 안전보건팀 유지비, 기업 명예비, 안전감에 대한 추상적
  비용

4) 버드(Bird)방식

◆ 직접비 : 간접비= 1 : 5
◆ 직접비(보험료)
- 의료비
- 보상금
◆ 간접비(비보험손실비용)
- 건물손실비
- 기구및장비손실
- 제품및재료손실
- 조업중단, 지연으로인한손실
- 비보험손실
  1) 시간비
  2) 교육비
  3) 조사비
  4) 임대비 등

5. 가스용접에 사용되는 1) 아세틸렌 가스의 특성, 2) 용접·절단 작업 시
   위험요인 중 화염의 역화 및 역류 발생요인과 방지대책, 3) 아세틸렌
   발생기실 설치장소, 4) 발생기실의 구조에 대하여 각각 설명하시오.
   [127회 1교시 6번] [121회 4교시 5번] [105회 2교시 5번]

가스용접이란?

연소가스와 산소 혹은 공기와의 혼합 가스를 용접 토치에서 분사해, 고온의 화
염을 접합부에 조사하여 금속을 용해시켜 접합하는 용접법

◆ 과열온도의 조정이 비교적 용이하고 가열 영역이 광범위하게 미치기 때문에
  열전도율이 낮은 재료에 유효
◆ 가열 시간이 길기 때문에, 재질에 따라서는 열적인 손상이 발생하는 경우가 있
  음
◆ 연소가스의 종류에 의해 온도가 다르기 때문에, 용접재료에 적절한 연소가스
  가 필요함
◆ 연소가스에 의한 연소온도와 용도

가스의 종류	연소 온도	용도
산소·아세틸렌	3,200℃	철강·비철금속
일반산소·수소	2,500℃	얇은 판자 철강·저융점 금속 후판
산소·석탄 가스	1,500℃	저융점 금속
공기·석탄 가스	900℃	아연, 납

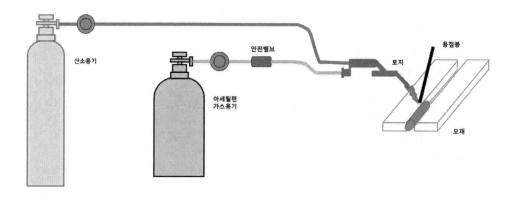

1) 아세틸렌 가스의 특성

◇ 용접, 용단에 가장 많이 사용되고 있음

◇ 탄화수소 중에서 가장 불안전한 가스
   ◆ 작은 압력(1.5기압)이나 충격에도 폭발할 정도로 위험성이 높음
     (폭발한계 : 2.5~80%)

◇ 아세틸렌 용기 관리
   ◆ 반드시 똑바로 세워서 보관 (용기 전도 시 아세톤이 아세틸렌 가스와 함께
     분출되어 위험)
   ◆ 화기 주변이나 온도가 높은 장소에 보관 금지 (용기 상부의 가용안전밸브 손상
     위험)

2) 용접·절단 작업 시 위험요인 중 화염의 역화 및 역류 발생요인과 방지대책

◇ 화염의 역화 및 역류 발생요인
   ◆ 아세틸렌 가스 압력 부족
   ◆ 팁에 이물질 부착, 팁의 과열, 팁의 접촉

◇ 화염의 역화 방지대책
   ◆ 팁을 깨끗이 함
   ◆ 산소 차단
   ◆ 아세틸렌 차단
   ◆ 안전기 및 발생기 차단(아세틸렌 발생기 사용 시)

◇ 화염의 역류 방지대책
   ◆ 아세틸렌 차단
   ◆ 팁을 물로 식힘
   ◆ 토치 기능 점검
   ◆ 발생기 기능 점검
   ◆ 안전기에 물을 넣어 다시 사용

3) 아세틸렌 발생기실 설치장소

◇ 사업주는 아세틸렌 용접장치의 아세틸렌 발생기를 설치하는 경우 전용 발생기실에 설치하여야 함
◇ 제1항에서 발생기실은 건물의 최상층에 위치해야 하며, 화기를 사용하는 설비로부터 3미터를 초과하는 장소에 설치하여야 함
◇ 제1항에서 발생기실을 옥외에 설치한 경우 그 개구부를 다른 건축물로부터 1.5미터 이상 떨어지도록 하여야 함

4) 발생기실의 구조

◇ 벽은 불연성 재료로 하고 철근 콘크리트 또는 그 밖에 이와 같은 수준이거나 그 이상의 강도를 가진 구조로 할 것
◇ 지붕과 천장에는 얇은 철판이나 가벼운 불연성 재료를 사용할 것
◇ 바닥면적의 16분의 1 이상의 단면적을 가진 배기통을 옥상으로 돌출시키고 그 개구부를 창이나 출입구로부터 1.5미터 이상 떨어지도록 할 것
◇ 출입구의 문은 불연성 재료로 하고 두께 1.5밀리미터 이상의 철판이나 그 밖에 그 이상의 강도를 가진 구조로 할 것
◇ 벽과 발생기 사이에는 발생기의 조정 또는 카바이드 공급 등의 작업을 방해하지 않도록 간격을 확보할 것

6. 두 금속재를 용융된 금속 매개를 이용하여 서로 접합시키는 용접작업에서 1) 용접 결함의 종류, 2) 용접시방절차서(WPS: Welding Procedure Specification)의 각 세부 기재사항, 3) P-NO. 및 F-NO.의 차이점, 4) 용접작업과 관련한 강구조물 용접시방서 (Structural Welding Code : AWS D 1.1)에서 규정한 위험요인과 예방대책을 설명하시오.

1) 용접 결함의 종류

◇ 치수상 결함
- ◆ 구부적으로 가열 후 급랭하면 용착 금속의 수축과 변형과 잔류 응력으로 인해 생기는 결함

◇ 구조상 결함

균열	용접 시 발생하는 응력으로 용착부 주조 조직이나 풀림 처리된 인성이 낮은 조직에서 생기는 균열. 이 균열의 발생원인은 가열과 냉각으로 열응력과 용접제 두께 차이와 용착금속에 침입한 수소로 인해 발생
기공	고온의 용착금속 내에 포함된 가스가 응고 시 생기는 일산화탄소의 수분, `수소 등이 대기 중으로 방출되지 못하고 내부에 남아서 생기는 결함
주상조직	용착금속이 냉각할 때 모재 가까운 부분에서 중심부로 향하여 결정이 성장하며 기둥 모양으로 응고된 것으로 가스 막이나 불순물의 개입으로 인해 강도가 저하되면서 생기는 결함
Undercut	대전류, 고속도에서 arc를 짧게 유지하기 곤란할 때 생기며, 용착부 금속이 충분히 차지 못하고 오목하게 파이는 현상
Overlap	용접전류 부족의 용입 불량으로 소전류, 저속도에서 용융 금속이 모재 표면에 융합되지 못하고 겹치는 현상
Crater	용접 Arc열로 용접부가 용해되면 용접봉에 용융금속이 이행되어 용착 되면서 용융지 중심에 생기는 구멍으로 인해 생기는 결함
Spatter	용접봉의 용융점이 모재 용융점보다 낮아 생기는 용입 불량으로 대전류, 고속도에서 생기는 튀김 현상 결함

◇ 성질상 결함
  ◆ 용접구조물은 사용 목적에 따라서 기계적, 물리적, 화학적 성질의 정해진 요구 조건이 있으며, 이것을 만족시키지 못할 때 생기는 결함

2) 용접시방절차서의 각 세부 기재사항

  ◆ 절차번호
  ◆ 절차 유형
  ◆ 소모재 크기, 유형 및 전체 체계
  ◆ 해당되는 경우 소모재 소성 요건
  ◆ 모재 등급 및 규격
  ◆ 두께 범위
  ◆ 플레이트 또는 파이프, 직경 범위
  ◆ 용접 위치
  ◆ 이음매 가용접, 전처리, 세척, 치수 등
  ◆ 백킹 스트립, 백 가우징 정보
  ◆ 예열 (최소 온도 및 방법)
  ◆ 필요한 경우 층간 온도 (기록된 최대 온도)
  ◆ 필요한 경우 용접 후 열처리 (시간 및 온도)
  ◆ 용접 기술 (위빙, 최대 용접폭 등)
  ◆ 충격시험이 필요하거나 용접재가 입열에 민감함 경우 Arc에너지 한도를 명시

3) P-NO. 및 F-NO.의 차이점

◇ P-NO
  ◆ 강의 화학 성분을 기준으로 용접성을 분류한 번호

◇ F-NO
  ◆ 용착의 어려움을 기준으로 분류한 번호

4) 용접작업과 관련한 강구조물 용접시방서에서 규정한 위험요인과 예방대책

◇ 위험요인
- ◆ 용접작업으로 인한 작업자의 호흡기질환 유발
- ◆ 가스용접 및 가스용기의 전도로 인한 폭발사고
- ◆ 밀링작업시 작업자의 신체조건에 맞지않는 작업
- ◆ 핸드 그라인더 사용 시 작업자의 손의 말림 및 절단 사고
- ◆ 탁상용드릴작업시 작업자의 손의 말림사고
- ◆ 이동통로 미확보로 인한 근로자의 안전한 통행의 어려움

◇ 개선대책
- ◆ 용접흄집진기 설치 및 작업환경측정실시
- ◆ 특수 건강검진 실시
- ◆ 가스운반구 구입 및 전도방지장치설치
- ◆ 작업발판을 활용한 삭업자의 신체에 맞는 작업환경개선
- ◆ 핸드그라인더의 방호덮개 설치
- ◆ 탁상용드릴기의 방호덮개 설치
- ◆ 이동통로 표시 및 구획

제120회 (2020년)
기계안전기술사

120회 기계안전기술사 출제 유형

교시	번호	세부항목
1	1	기계설비의 위험점
1	2	산업안전의 기본이론
1	3	산업안전의 기본이론
1	4	산업안전보건법
1	5	산업안전보건법
1	6	기계재료, 용접결함, 열처리
1	7	산업안전보건법
1	8	산업안전보건법
1	9	본질적 안전화
1	10	산업안전보건법
1	11	재료시험 및 응력해석
1	12	산업안전보건법
1	13	산업안전보건기준에 관한 규칙
2	1	안전관리체제 및 운영
2	2	산업안전보건기준에 관한 규칙
2	3	기계설비의 산업표준
2	4	위험기계기구 및 설비의 방호조치
2	5	기계재료, 용접결함, 열처리
2	6	기계재료, 용접결함, 열처리
3	1	산업안전보건법
3	2	산업안전보건기준에 관한 규칙
3	3	위험기계기구 및 설비의 방호조치
3	4	제조물 책임법
3	5	산업안전보건법
3	6	비파괴공학 및 시험검사
4	1	산업안전보건법
4	2	산업기계 설비 및 운반기계의 특징과 안전한 사용
4	3	기계재료, 용접결함, 열처리
4	4	재료시험 및 응력해석
4	5	산업안전보건법
4	6	산업안전보건법

120회 (2020년) 기계안전기술사

기술사   제 120 회   제 1 교시   (시험시간: 100분)

2020년도	분야	안전관리	자격종목	기계안전기술사	성명	

※ 다음 문제 중 10문제를 선택하여 설명하시오. (각 문제당 10점)

1. 사고체인(accident chain)의 5요소에 대하여 설명하시오.

① 함정(Trap)
- 기계요소의 운동에 의한 트랩점은 없는가?
- 손과 발등이 끌려 들어가는 트랩
- 닫힘운동이나 이송운동에 의하여 손과 발 등이 쉽게 트랩되는 곳

② 충격(Impact)
- 운동하는 기계요소들과 사람이 부딪혀 그 요소의 운동에너지에 의해 사고가 일어날 가능성은 없는가?
- 움직이는 물체가 사람에게 충돌
- 고정된 물체에 사람이 충돌
- 사람과 물체의 쌍방충돌

③ 접촉(Contact)
- 날카로운 물체, 연마체, 고온, 저온 또는 흐르는 전류에 사람이 접촉함으로써 상해를 입을 요소는 없는가?

④ 말림, 얽힘(Entanglement)
- 작업자의 신체 일부 및 장갑, 옷 등이 기계설비에 말려 들어갈 요소는 없는가?

⑤ 튀어나옴(Ejection)
- 기계요소나 피가공재가 튀어나올 요소는 없는가?

2. 안전관리 조직의 종류에 대하여 3가지를 들고 설명하시오.

안전보건관리를 효율적으로 추진하기 위해서는 반드시 체계적인 조직을 구축
하여야 하며, 조직의 유형은 사업장의 종류나 특성 및 규모에 따라 편성

조직의 형태

◇ 직계형, 라인형(Line) 조직

소규모 기업에 적합한 조직, 안전관리에 관한 계획에서부터 실시에 모든 안전
업무를 생산라인을 통하여 직선적으로 이루어지도록 편성된 조직

- ◆ 규모 : 소규모(100명 이하)
- ◆ 장점
  1) 안전에 관한 지시 및 명령계통이 철저함
  2) 안전대책의 실시가 신속
  3) 명령과 보고가 상하관계 뿐이므로 간단명료함
- ◆ 단점
  1) 안전에 대한 지식 및 기술축적이 어려움
  2) 안전에 대한 정보수집 및 신기술 개발이 미흡
  3) 라인에 과중한 책임을 지우기 쉬움

◇ 참모형, 스태프형(Staff) 조직

중소규모 사업장에 적합하며, 안전업무를 관장하는 참모(Staff)를 두고 관리
현장에 대한 기술지원을 담당하도록 편성된 조직.

- ◆ 규모 : 중규모(100명이상1,000명이하)
- ◆ 장점
  1) 사업장 특성에 맞는 전문적인 기술연구가 가능함
  2) 경영자에게 조언과 자문역할을 할 수 있다
  3) 안전 정보 수집이 빠르다

◆ 단점
1) 안전 지시나 명령이 작업자에게까지 신속, 정확하게 전달하지 못함
2) 생산부분은 안전에 대한 책임과 권한이 없음
3) 권한 다툼이나 조정 때문에 시간과 노력이 소모됨

구분	직계형 조직 (line system)	참모형 조직 (staff system)	직계-참모형 조직 (line-staff system)
형태			
특성	- 작업 지시가 신속 정확 - 중소기업에 적합	- 안전 전문가 활동 - 최신의 안전 정보 - 중규모 기업에 적합	- 안전 기능 습득과 지시 전달이 신속 정확 - 대기업에 적합

◇ 직계-참모형, 라인-스태프(Line-Staff) 조직
대규모 사업장에 적합, 라인형과 스태프형의 장점만 채택
안전업무 전담스태프가 생산라인의 각 계층에도 부서장을 통한 안전업무 수행

◆ 규모 : 대규모(1,000명 이상)

◆ 장점
1) 안전에 대한 기술 및 경험 축적이 용이
2) 사업장에는 독자적인 안전 개선책을 강구
3) 안전지시나 안전대책이 신속, 정확하게 전달

◆ 단점
명령 계통과 조언의 권고적 참여가 혼동되기 쉬움

3. 위험점으로부터 20cm 떨어진 위치에 방호울을 설치하고자 한다. 이때 방호울의 최대 구멍 크기가 얼마인지 계산하시오.

y는 x에 따른 개구부의 유효 높이로 가정
(단, x는 개구면에서 위험 영역의 접근점 까지의 최단 거리)

$y = 6 + 0.15x \ (x < 160mm)$

$y = 30mm \ (x \geq 160mm)$

따라서, 위험점으로부터 20cm 떨어진 위치에 방호울을 설치하기 위한 방호울의 최대 구멍 크기는

$y = 30mm \ (x \geq 160mm)$

즉, 30mm (3cm).

4. 산업안전보건법의 보호 대상인 특수형태근로종사자의 직종에 대하여 설명 하시오.
[120회 1교시 4번]

산업안전보건법 제77조(특수형태근로종사자에 대한 안전조치 및 보건조치 등)

◇ 특수형태근로종사자
　계약의 형식에 관계없이 근로자와 유사하게 노무를 제공하여 업무상의 재해로부터 보호할 필요가 있음에도 근로기준법 등이 적용되지 아니하는 사람

◇ 다음 각 호의 요건을 모두 충족하는 사람
　◆ 대통령령으로 정하는 직종에 종사할 것
　◆ 주로 하나의 사업에 노무를 상시적으로 제공하고 보수를 받아 생활할 것
　◆ 노무를 제공할 때 타인을 사용하지 아니할 것

◇ 특수형태근로종사자로부터 노무를 제공받는 자는 고용노동부령으로 정하는 바에 따라 안전 및 보건에 관한 교육을 실시하여야 함

♦ 교육시간

최초 노무제공시 교육	2시간 이상 - 단기간, 간헐적 작업은 1시간 이상 - 특별교육 실시한 경우 면제
특별교육	16시간 이상 -단기간, 간헐적 작업은 2시간 이상

♦ 교육내용
- 교통안전 및 운전안전에 관한 사항
- 보호구 착용에 대한 사항
- 기계, 기구의 위험성과 작업의 순서 및 동선에 관한 사항
- 작업 개시 전 점검에 관한 사항
- 정리정돈 및 청소에 관한 사항
- 사고 발생시 긴급 조치에 관한 사항
- 직무스트레스 예방 및 관리에 관한 사항
※ 특별교육(40종) 내용은 산업안전보건법 시행규칙 별표5 참조

◇ 특수형태근로종사자의 직종
♦ 보험설계사·우체국보험 모집원
♦ 건설기계 직접 운전사(27종)
♦ 학습지교사
♦ 골프장 캐디
♦ 택배기사
♦ 퀵서비스기사
♦ 대출모집인
♦ 신용카드회원 모집인
♦ 대리운전기사

5. KS 규격에 따라 연삭숫돌에 아래와 같이 표시되어 있다. ①, ②, ③, ④, ⑤에 대한 사항을 설명하시오.

[121회 2교시 5번] [120회 1교시 5번] [111회 2교시 5번]

1호	405	×	50	×	38.10
(형상)	(외경)		(두께)		(구멍지름)
A	24	P	4	B	3000(m/min)
①	②	③	④	⑤	(최고 사용 원주속도)

① 연삭숫돌의 재료
   ◆ 산화알루미늄 재질의 연삭 숫돌
② 입도(Grain Size)
   ◆ 입도 NO. 24 (숫돌 입자의 크기로 1인치 당 24개의 눈을 가짐)
③ 경도
   ◆ 연삭 입자를 고착시키는 접착력 P
④ 조직
   ◆ 연삭숫돌의 단위체적당 입자수가 4인 조직이 중에 해당됨
⑤ 결합체(Binder)
   ◆ 숫돌 입자와 결합시켜 숫돌을 만들 때 사용하는 베이클라이트(Bakelite) 또는
     열경화 수지를 말하며 절단용 숫돌로서 널리 사용

6. 줄걸이용 와이어로프의 연결고정방법 4가지만 설명하시오.

◇ 아이 스플라이스(Eye Splice) 가공법
   ◆ 와이어로프의 모든 스트랜드를 3회 이상 끼워 짠 후 각 스트랜드 소선의 절반을
     절단하고 남은 소선을 다시 2회 이상 끼워 짠 형식
   ◆ 아이(Eye) 부위에 심블(Thimble)을 넣는 경우에는 심블이 반드시 용접할 것

◇ 소켓(Socket) 가공법`
   ◆ 연결부에 금형 또는 소켓을 부착하여 용융금속을 주입하여 고착
   ◆ 와이어로프를 시이징(Seizing) 처리 후 소선을 완전히 풀어헤친 상태에서 용융
     금속을 주입
   ◆ 정확히 가공하면 이음효율이 100%

◇ 록(Lock) 가공법
  - 파이프형태의 슬립(Slip)에 와이어로프를 넣고 압착하여 고정
  - 로프의 절단하중과 거의 동등한 효율을 가지며 주로 슬링용(Sling) 로프에 많이 사용

◇ 클립(Clip) 체결 가공법
  - 클립체결은 일시적인 와이어로프 조인트가 필요할 때 사용
  - 클립 수량과 간격은 로프 직경의 6배 이상, 수량은 최소 4개 이상일 것

◇ 웨지(Wedge Socket) 소켓 가공법
  - 쐐기의 일종으로 쐐기에 로프를 감아 케이스에 밀어 넣어 결속하는 방법
  - 작업이 간편하고 현장에서 쉽게 적용할 수 있는 가공방법
  - 장력을 받는 로프의 방향이 직선이 되도록 유의

7. 컨베이어의 안전장치 종류를 설명하시오.

◇ 벨트 컨베이어
  - 역주행 방지장치
    - 경사부 역주행을 방지
  - 벨트 클리너, 풀리 스크레이퍼
    - 벨트, 풀리에 점착되기 쉬운 화물 제거
  - 점검구
    - 대형의 호퍼 및 슈트에 점검구 설치
  - 장력유지장치(Take-Up)
    - 벨트의 장력 유지할 수 있는 중력식 장력유지장치

◇ 트롤리 컨베이어
  - 과부하방지장치
    - 견인 트롤리 컨베이어의 경우 주 라인 및 분기 라인 견인력 초과방지를 위한 것
    - 제어반의 EOCR 등이 사용됨
  - 역주행방지장치
    - 경사부 역주행을 방지
  - 푸셔도그(Pusher Dog)
    - 화물을 이동시키기 위해 체인에 부착한 이(Tooth)

- ◆ 스토퍼
    - 레일 단락부에 트롤리 낙하를 방지하는 스토퍼
    - 분기장치, 합류장치 등

◇ 롤러 컨베이어
- ◆ 화물감지장치(센서 등)
    - 롤러가 분기 또는 상승하기 직전에 화물의 이송을 정지하는 장치

◇ 나사(스크류) 컨베이어
- ◆ 방호울
    - 화물의 공급구 및 배출구에 근로자가 스크류에 접촉될 위험이 없는 구조(밀폐형)로 하거나 방호울 등을 설치

◇ 버킷 컨베이어
- ◆ 점검문
    - 버킷 이동용 케이싱에 내부 청소가 용이한 구조
    - 불시에 개방되지 않도록 연동장치, 잠금장치 설치
- ◆ 밀폐구조의 케이싱
    - 유해한 화물을 운반하는 경우 버킷 컨베이어 케이싱은 밀폐구조일 것
- ◆ 역주행 방지장치
    - 경사부에서 동력이 차단될 중력에 의한 역주행되지 않도록 하기 위한 장치 (기계식 제동장치가 사용 되고 있음)

8. 위험기계·기구 안전인증 고시에 따른 기계식프레스의 '안전블럭' 설치 기준에 대하여 설명하시오.

- ◆ 상부금형 및 슬라이드 등의 무게를 지탱할 수 있는 강도를 가진 것
- ◆ 안전블럭 사용 중 슬라이드 등이 작동될 수 없도록 인터로크 기구를 가진 것
- ◆ 볼스터 각변의 길이가 1,500밀리미터 미만이거나, 다이 높이(Die Height)가 700밀리미터 미만인 경우에는 안전플러그 또는 키로크로 대체 사용할 수 있음
- ◆ 안전플러그는 각 조작위치 마다 비치해야 함
- ◆ 키로크는 주전동기의 통전을 차단할 수 있어야 함

9. 기계설비의 근원적 안전화를 위한 안전조건 5가지만 나열하고, 이에 대한 예를 하나씩 들어 설명하시오.

◇ 외관상 안전화
  - 회전부에 대한 방호 덮개 설치
  - 회전부에 대한 방호 덮개 안전색채

◇ 기능적 안전화
  - 전압 강하나 정전 시 오동작 방지
  - 정전보상장치(UPS)

◇ 구조의 안전화
  - 설계상 결함 방지(안전인증 서면시사 검토, 철구조물 구조검토 등)
  - 재료 결함 방지
  - 기공 결함 방지

◇ 작업의 안전화
  - 프레스 작업 시 적당한 수공구 사용
  - 롤러기에 급정지 장치 설치
  - 조작 장치는 조작이 쉽도록 설계

◇ 보수유지의 안전화
  - 보전용 통로와 작업장 확보
  - 고장 발견 및 보수 점검이 용이하도록 함

10. 롤러기의 회전속도에 따른 급정지장치 성능에 대하여 설명하시오.

◇ 급정지장치 정의
  - 롤러기의 전면에서 작업하고 있는 근로자의 신체 일부가 롤러 사이에 말려들어 가거나 말려들어갈 우려가 있는 경우에 근로자가 손, 무릎, 복부 등으로 급정지 조작부를 동작시켜 롤러기를 급정지시키는 장치를 말함

◇ 급정지장치 성능 요건
  ◆ 롤러기를 무부하에서 최대속도로 회전시킨 상태에서 앞면 롤러의 표면속도에
    따라 규정된 정지거리 내에서 당해 롤러를 정지시킬 수 있는 성능을 보유해야 함
  ◆ 롤러기 급정지장치의 정지거리
    - 앞면 롤러의 표면속도(m/min)
        가. 30 미만일 때 급정지 거리는 앞면 롤러 원주의 1/3
        나. 30 이상일 때 급정지 거리는 앞면 롤러 원주의 1/2.5
  ◆ 급정지장치는 법89조에 따라 자율안전확인 신고를 마친 제품이어야 함

11. 금속재료에 있어서 응력집중 현상과 경감대책에 대해서 설명하시오.

◇ 응력집중 현상(Stress Concentration)
  ◆ 단면이 일정한 봉에 인장하중이 작용할 때 단면에 인장응력이 균일하게 분포함
  ◆ 그러나 건설기계나 구조물 및 기타 기계에서 구조상 홈, 구멍, 돌기 등 단면의
    치수와 형상이 급격히 변하는 노치(Notch)부분이 있으면 응력은 그 단면에서
    균일하지 않음
  ◆ 이와 같이 단면의 급격한 변화에 의해 응력이 국부적으로 커지는 현상을 응력
    집중이라고 함

◇ 응력집중 경감대책
  ◆ 단차가 나게 설계된 부품의 경우 테이퍼가 지게 설계함
  ◆ 단차 부분에서 부드러운 곡률을 가지도록 설계를 수정함
  ◆ 실제 구조물 체결부위 체결수(볼트수, 리벳수)등을 증가시킴
  ◆ 형상의 개선은 원활한 연속 모양(노치의 제거)으로 함
  ◆ 응력집중부를 강화시킴
  ◆ 표면거칠기를 개선함
  ◆ 단면변화부에 보강재를 결합함

12. 타워크레인의 주요 안전장치 5가지만 설명하시오.

[121회 2교시 2번] [120회 1교시 12번] [120회 3교시 5번] [111회 1교시 6번]

명칭	주요기능
권과 방지장치	훅이 지면에 닿거나 권상 작업 시 트롤리 및 지브와의 충돌을 방지하는 장치로 권상드럼의 축에 리미트 스위치를 연결하여 과권상 및 과권하 시 자동으로 동력 차단
과부하 방지장치	지브길이에 따라 정격하중의 1.05배 이상 권상 시 권상 동작을 정지시키는 장치로 작동 시 경보가 울리며 임의로 조정할 수 없도록 봉인하거나 잠금
바람에 대한 안전장치	바람이 불 경우 역방향으로 작동되는 것을 방지하는 장치로 회전 기어 브레이크 주변에 부착된 리미트 스위치에 의해 제거
트롤리 내외측 제어장치 (T형)	트롤리윈치의 드럼에 같이 부착되어 있으며, 내부에는 캠 스위치와 포텐셔미터(트롤리 거리측정기)가 함께 있어, 트롤리 동작 시 충돌을 방지하는 장치로서 지브의 시작과 끝 지점에서 리미트 스위치에 의해 제어
속도제한장치	권상속도 단계별로 정해진 정격하중을 초과하여 타워그레인 운전 시 사고방지 및 권상시스템 (hoist-system)을 보호하는 장치
비상정지장치	동작 시 예기치 못한 상황이나 동작을 멈추어야 할 상황이 발생되었을 때 정지시키는 장치로서 모든 제어 회로를 차단시키는 구조
트롤리 정지장치 (T형)	트롤리 최소반경 또는 최대반경으로 동작 시 트롤리의 충격을 흡수하는 고무완중재로서 트롤리를 강제로 정지시키는 장치
훅 해지장치	와이어 로프 등 줄걸이가 훅에서 이탈되는 것을 방지하기 위한 장치
선회 제한 리미트 스위치	선회장치의 회전수를 검출하여 주어진 범위 내에서만 선회 가능하도록 하여 전원케이블을 보호하는 장치 ※ Slip Ring이 없는 경우에만 적용
충돌방지장치	타워크레인의 작업반경이 다른 크레인과 겹치는 구역 안에서 작업할 때 크레인 간의 충돌을 자동으로 방지하는 장치
기복제한장치 (L형)	지브가 설계한도를 초과하지 않도록 제한하기 위한 장치
모멘트 제한장치	하중을 인가 시 마스트나 지브에 걸리는 모멘트가 설계 최대 한계를 벗어나지 않도록 하기 위한 장치

13. 지게차 헤드가드(head guard)의 강도 및 상부틀의 각 개구의 폭 또는 길이를 설명하시오.

[105회 2교시 1번]

산업안전보건기준에 관한 규칙 제180조(헤드가드)

사업주는 다음 각 호에 따른 적합한 헤드가드(head guard)를 갖추지 아니한 지게차를 사용해서는 아니 된다. 다만, 화물의 낙하에 의하여 지게차의 운전자에게 위험을 미칠 우려가 없는 경우에는 그러하지 아니하다.

1. 강도는 지게차의 최대하중의 2배 값(4톤을 넘는 값에 대해서는 4톤으로 한다)의 등분포정하중(等分布靜荷重)에 견딜 수 있을 것
2. 상부틀의 각 개구의 폭 또는 길이가 16센티미터 미만일 것
3. 운전자가 앉아서 조작하거나 서서 조작하는 지게차의 헤드가드는 「산업표준화법」 제12조에 따른 한국산업표준에서 정하는 높이 기준 이상일 것

Head guard, overhead guard

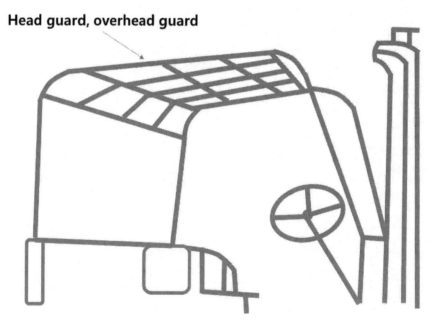

국가기술 자격검정 시험문제

기술사　　제 120 회　　　　　　　　제 2 교시　(시험시간: 100분)

| 2020년도 | 분야 | 안전관리 | 자격종목 | 기계안전기술사 | 성명 | |

※ 다음 문제 중 4문제를 선택하여 설명하시오. (각 문제당 25점)

1. **산업재해 예방 강화를 위해 회사의 대표이사에게 안전 및 보건에 관한 계획을 수립하여 이사회에 보고하고 승인받도록 하는 대상 및 포함되어야 할 내용에 대하여 설명하시오.**

산업안전보건법 제14조 (이사회 보고 및 승인 등)

① 「상법」 제170조에 따른 주식회사 중 대통령령으로 정하는 회사의 대표이사는 대통령령으로 정하는 바에 따라 매년 회사의 안전 및 보건에 관한 계획을 수립하여 이사회에 보고하고 승인을 받아야 한다.

② 제1항에 따른 대표이사는 제1항에 따른 안전 및 보건에 관한 계획을 성실하게 이행하여야 한다.

③ 제1항에 따른 안전 및 보건에 관한 계획에는 안전 및 보건에 관한 비용, 시설, 인원 등의 사항을 포함하여야 한다.

산업안전보건법 시행령 제13조 (이사회 보고·승인 대상 회사 등)

※ 대상 및 포함되어야 할 내용

① 법 제14조제1항에서 "대통령령으로 정하는 회사"란 다음 각 호의 어느 하나에 해당하는 회사를 말한다.

1. 상시근로자 500명 이상을 사용하는 회사
2. 「건설산업기본법」 제23조에 따라 평가하여 공시된 시공능력(같은 법 시행령 별표 1의 종합공사를 시공하는 업종의 건설업종란 제3호에 따른 토목건축공사업에 대한 평가 및 공시로 한정한다)의 순위 상위 1천위 이내의 건설회사

② 법 제14조제1항에 따른 회사의 대표이사(「상법」 제408조의2제1항 후단에 따라 대표이사를 두지 못하는 회사의 경우에는 같은 법 제408조의5에 따른 대표집행임원을 말한다)는 회사의 정관에서 정하는 바에 따라 다음 각 호의 내용을 포함한 회사의 안전 및 보건에 관한 계획을 수립해야 한다.

1. 안전 및 보건에 관한 경영방침
2. 안전·보건관리 조직의 구성·인원 및 역할
3. 안전·보건 관련 예산 및 시설 현황
4. 안전 및 보건에 관한 전년도 활동실적 및 다음 연도 활동계획

2. 산업안전보건기준에 관한 규칙에서 정하고 있는 고소작업대의 안전조치 사항, 작업 시작 전 점검사항 및 방호장치의 종류에 대하여 설명하시오.

◇ 고소작업대의 안전조치 사항

◆ 작업대를 와이어로프 또는 체인으로 올리거나 내릴 경우에는 와이어로프 또는 체인이 끊어져 작업대가 떨어지지 아니하는 구조여야 함

◆ 와이어로프 또는 체인의 안전율은 5 이상일 것

◆ 작업대를 유압에 의해 올리거나 내릴 경우에는 작업대를 일정한 위치에 유지할 수 있는 장치를 갖추고 압력의 이상저하를 방지할 수 있는 구조일 것

◆ 권과방지장치를 갖추거나 압력의 이상상승을 방지할 수 있는 구조일 것

◆ 붐의 최대 지면정사각을 초과 운전하여 전도되지 않도록 할 것

◆ 작업대에 정격하중(안전률 5 이상)을 표시할 것

◆ 작업대에 끼임, 충돌 등 재해를 예방하기 위한 가드 또는 과상승방지장치를 설치할 것

◆ 조작반의 스위치는 눈으로 확인할 수 있도록 명칭 및 방향 표시를 유지할 것

◇ 작업 시작 전 점검사항

- 비상정지장치 및 비상하강 방지장치 기능의 이상 유무

- 과부하 방지장치의 작동 유무 (와이어로프 또는 체인구동방식의 경우)

- 아웃트리거 또는 바퀴의 이상 유무

- 작업면의 기울기 또는 요철 유무

- 활선작업용 장치의 경우 홈, 균열, 파손 등 그 밖의 손상 유무

◇ 방호장치의 종류

- 붐 각도센서

- 과부하방지장치(로드셀)

- 붐과 아웃트리거 연동 인터록 장치

- 아웃트리거 전도방지장치

- 턴테이블 위치감지 센서

- 비상펌프 및 비상정지장치

- 모니터

- 메인 콘트롤러

- 수평 확인 장치(수준기)

- 낙하방지밸브(오버센터 밸브 및 체크밸브)

- 작업대 수평조절장치

- 기복제한장치

- 아웃트리거 인출길이 감지장치

- AML(Automatic Moment Limiter) 기능

3. 프레스의 방호장치에서 양수조작식 방호장치와 양수기동식 방호장치의 차이점과 각각의 방호장치에 대한 안전거리 계산식을 설명하시오.

◇ 양수조작식 방호장치와 양수기동식 방호장치의 차이점

양수조작식 방호장치	양수기동식 방호장치
2개의 누름 단추에서 손을 떼면 프레스의 급정지기구가 작동하여 손이 금형에 도달하기 전에 슬라이드를 정지하는 방식으로 안전 1행정 운전 방식이 있는 마찰식 클러치에 부착함	슬라이딩 핀 클러치 프레스용의 전자, 스프링 당김형 양수기동식 방호장치는 기계적 일행정, 일정지 기구를 구비하고 있는 확동식 클러치 프레스에 부착함

◇ 양수조작식 방호장치와 양수기동식 방호장치의 안전거리 계산법

◆ 양수조작식 방호장치

D : 안전거리 (mm)

1.6 : 프레스 작업자 손의 기준 속도로 초속 $1.6m$ 를 의미

TL : 방호장치
TS : 프레스 각각의 고유 성능치
$(TL + TS)$: 누름 버튼으로부터 손을 떼었을 때부터 슬라이드가 정지할 때까지의 시간(최대 정지 시간 : ms)

$D = 1.6(TL + TS)$

◆ 양수기동식 방호장치

Dm : 안전거리 (확동식 클러치의 경우 : mm)

TM : (1/클러치 맞물림 개소수 + 1/2) × 60,000/매분 스트로크수 $(s.p.m)$
TM : 양손으로 누름버튼을 눌렀을 때부터 슬라이드가 하사점에 도달하기 까지의 소요 최대 시간(단위 : ms)

$Dm = 1.6\, Tm$

4. 근로자가 작업이나 통행으로 인하여 전기기계, 기구 또는 전로 등의 충전
부분에 접촉하거나 접근함으로써, 감전위험이 있는 충전부분에 대해 감전을
방지하기 위하여 방호하는 방법 4가지를 설명하시오.

◇ 노출 충전부의 방호
  ◆ 전기기기의 노출된 충전부에 직접 접촉하거나 비충전 부분의 누전 등으로 인해
    충전된 부위를 접촉할 때 발생하는 감전사고를 방지하기 위해서는 충전부를
    방호하거나 격리시켜야 함

◇ 보호절연
  ◆ 실험장소 또는 기기 자체를 절연시켜 통전경로를 차단하는 것으로, 장소의
    절연은 실험자가 접촉할 수 있는 모든 도전성 금속을 절연물로 덮고 바닥 또한
    절연처리하는 것이며, 기기의 절연은 이중절연구조의 기기를 사용하는 것

◇ 보호접지
  ◆ 절연불량으로 누전된 전기기기에 사람이 접촉되면 감전사고가 일어나게 되며,
    이 경우에 금속제 외함을 접지시켜 누설전류를 접지선을 통하여 대지로 흘려
    주게 되면 기기 외함에 나타나는 대지전압을 감소시켜 감전사고를 막을 수 있음

◇ 누전차단기 설치
  ◆ 누전으로 인한 감전사고를 방지하기 위하여 감도전류 30[mA] 이하, 동작시간이
    0.03[초] 이하인 누전차단기를 설치함

◇ 이중절연구조의 전동기계·기구 사용
  ◆ 감전의 우려가 높은 장소에서 사용하거나 접지가 곤란한 전기기기는 가급적
    절연을 이중으로 실시한 이중절연기기(명판에 回 표시)를 사용함

5. 볼트 체결 시 풀림방지 방법 4가지를 설명하시오.

  ① 토크렌치 등을 사용하여 규정된 힘을 가함
  ② 적합한 풀림방지장치를 선택함
  ③ 나사 주변에서 발생하는 진동, 충격 등을 감소시켜 나사의 체결력을 유지시킴
  ④ 체결된 나사부위의 온도변화를 감소시켜 수축, 팽창을 작게하여 체결력을
    강화함

6. 축의 설계에 있어서 고려해야할 사항 5가지를 쓰고 설명하시오.

① 강도
- 정하중, 반복하중, 충격하중 등의 하중 종류에 따라 재료와 형상 치수가 바뀜
- 충격하중은 정하중의 2배를 고려하여 설계
- 반복하중은 교번하중 등 다양한 조건이 있으므로 상황에 따라 설계에 반영되어야 함

② 변형
- 비틀림 변형
  - 축에 비틀림이 발생할 시 기계적 불균형이 발생
- 휨변형
  - 휨이 어느 한도 이상 발생 시 베어링 압력불균형발생
  - 베어링틈새 불균형 발생
  - 기어물림 불균형 발생

③ 진동
- 굽힘, 비틀림에 의해 진동이 발생
- 위험속도 또는 공진에 의해 축의 파괴, 파곤이 가능함
- 진동에 의한 운전의 안전성 상실에 대한 고려가 필요함

④ 열응력 및 열팽창
- 제트엔진, 증기터빈의 경우 고온상태에서 운전이 이루어짐
- 열팽창에 의한 기계적 불균형이 발생할 수 있음
  - 축이 구속되어 있을 경우 열팽창에 의한 열응력이 발생
- 베어링 하중이 불량해지고 기어는 물림이 불량해짐

⑤ 부식
- 선박의 프로펠러 샤프트, 수차의 축, 펌프의 설계 시 부식발생을 고려해야 함
- 액체 중 항상 접촉하거나 전기적, 화학적인 영향으로 부식이 발생함

⑥ 침식
- 타격적 접촉이 발생하는 부위에 주로 발생
- 수중 Cavitation에 의한 점침식 발생

국가기술 자격검정 시험문제

2020년도	분야	안전관리	자격종목	기계안전기술사	성명	

※ 다음 문제 중 4문제를 선택하여 설명하시오. (각 문제당 25점)

1. **안전보건관리총괄책임자 지정 대상 사업장을 구분하고, 해당 직무 및 도급에 따른 산업 재해 예방조치 사항에 대하여 설명하시오.**

산업안전보건법 시행령 제52조 (안전보건총괄책임자 지정 대상사업)

◇ 안전보건관리총괄책임자 지정 대상 사업장
  ◆ 상시근로자 수 50명 이상(선박 및 보트 건조업, 1차 금속 제조업, 토사석광업)
  ◆ 상시근로자 수 100명 이상(그 외 사업장)
  ◆ 관계 수급인의 공사 금액을 포함한 총 공사 금액이 20억원 이상의 건설업

산업안전보건법 시행령 제53조(안전보건총괄책임자의 직무 등)

① 안전보건총괄책임자의 직무는 다음 각 호와 같다.
  1. 법 제36조에 따른 위험성평가의 실시에 관한 사항
  2. 법 제51조 및 제54조에 따른 작업의 중지
  3. 법 제64조에 따른 도급 시 산업재해 예방조치
  4. 법 제72조제1항에 따른 산업안전보건관리비의 관계수급인 간의 사용에 관한 협의·조정 및 그 집행의 감독
  5. 안전인증대상기계등과 자율안전확인대상기계등의 사용 여부 확인

② 안전보건총괄책임자에 대한 지원에 관하여는 제14조제2항을 준용한다. 이 경우 "안전보건관리책임자"는 "안전보건총괄책임자"로, "법 제15조제1항"은 "제1항" 으로 본다.

③ 사업주는 안전보건총괄책임자를 선임했을 때에는 그 선임 사실 및 제1항 각 호의 직무의 수행내용을 증명할 수 있는 서류를 갖추어 두어야 한다.

산업안전보건법 제64조 (도급에 따른 산업재해 예방조치)

① 도급인은 관계수급인 근로자가 도급인의 사업장에서 작업을 하는 경우 다음 각 호의 사항을 이행하여야 한다. 〈개정 2021. 5. 18.〉
  1. 도급인과 수급인을 구성원으로 하는 안전 및 보건에 관한 협의체의 구성 및 운영
  2. 작업장 순회점검
  3. 관계수급인이 근로자에게 하는 제29조제1항부터 제3항까지의 규정에 따른 안전보건교육을 위한 장소 및 자료의 제공 등 지원
  4. 관계수급인이 근로자에게 하는 제29조제3항에 따른 안전보건교육의 실시 확인
  5. 다음 각 목의 어느 하나의 경우에 대비한 경보체계 운영과 대피방법 등 훈련
    가. 작업 장소에서 발파작업을 하는 경우
    나. 작업 장소에서 화재·폭발, 토사·구축물 등의 붕괴 또는 지진 등이 발생한 경우
  6. 위생시설 등 고용노동부령으로 정하는 시설의 설치 등을 위하여 필요한 장소의 제공 또는 도급인이 설치한 위생시설 이용의 협조
  7. 같은 장소에서 이루어지는 도급인과 관계수급인 등의 작업에 있어서 관계수급인 등의 작업시기·내용, 안전조치 및 보건조치 등의 확인
  8. 제7호에 따른 확인 결과 관계수급인 등의 작업 혼재로 인하여 화재·폭발 등 대통령령으로 정하는 위험이 발생할 우려가 있는 경우 관계수급인 등의 작업 시기·내용 등의 조정

② 제1항에 따른 도급인은 고용노동부령으로 정하는 바에 따라 자신의 근로자 및 관계수급인 근로자와 함께 정기적으로 또는 수시로 작업장의 안전 및 보건에 관한 점검을 하여야 한다.

③ 제1항에 따른 안전 및 보건에 관한 협의체 구성 및 운영, 작업장 순회점검, 안전보건교육 지원, 그 밖에 필요한 사항은 고용노동부령으로 정한다.

2. 산업안전보건기준에 관한 규칙에서 정하는 가설통로의 구조와 사다리식 통로의 구조에 대하여 설명하시오.

제23조(가설통로의 구조)
사업주는 가설통로를 설치하는 경우 다음 각 호의 사항을 준수하여야 한다.

1. 견고한 구조로 할 것
2. 경사는 30도 이하로 할 것. 다만, 계단을 설치하거나 높이 2미터 미만의 가설통로로서 튼튼한 손잡이를 설치한 경우에는 그러하지 아니하다.
3. 경사가 15도를 초과하는 경우에는 미끄러지지 아니하는 구조로 할 것
4. 추락할 위험이 있는 장소에는 안전난간을 설치할 것. 다만, 작업상 부득이한 경우에는 필요한 부분만 임시로 해체할 수 있다.
5. 수직갱에 가설된 통로의 길이가 15미터 이상인 경우에는 10미터 이내마다 계단참을 설치할 것
6. 건설공사에 사용하는 높이 8미터 이상인 비계다리에는 7미터 이내마다 계단참을 설치할 것

제24조(사다리식 통로 등의 구조)
① 사업주는 사다리식 통로 등을 설치하는 경우 다음 각 호의 사항을 준수하여야 한다.

1. 견고한 구조로 할 것
2. 심한 손상·부식 등이 없는 재료를 사용할 것
3. 발판의 간격은 일정하게 할 것
4. 발판과 벽과의 사이는 15센티미터 이상의 간격을 유지할 것
5. 폭은 30센티미터 이상으로 할 것
6. 사다리가 넘어지거나 미끄러지는 것을 방지하기 위한 조치를 할 것
7. 사다리의 상단은 걸쳐놓은 지점으로부터 60센티미터 이상 올라가도록 할 것
8. 사다리식 통로의 길이가 10미터 이상인 경우에는 5미터 이내마다 계단참을 설치할 것
9. 사다리식 통로의 기울기는 75도 이하로 할 것. 다만, 고정식 사다리식 통로의 기울기는 90도 이하로 하고, 그 높이가 7미터 이상인 경우에는 바닥으로부터 높이가 2.5미터 되는 지점부터 등받이울을 설치할 것

10. 접이식 사다리 기둥은 사용 시 접혀지거나 펼쳐지지 않도록 철물 등을 사용하여 견고하게 조치할 것

② 잠함(潛函) 내 사다리식 통로와 건조·수리 중인 선박의 구명줄이 설치된 사다리식 통로(건조·수리작업을 위하여 임시로 설치한 사다리식 통로는 제외한다)에 대해서는 제1항제5호부터 제10호까지의 규정을 적용하지 아니한다.

3. 보일러 취급 시 이상현상인 ①포밍(foaming) ②플라이밍(priming) ③캐리오버(carry over) ④수격작용(water hammer) ⑤역화(back fire) 등에 대하여 설명하시오.

[120회 3교시 3번] [114회 2교시 2번] [111회 4교시 1번]

1) 포밍 (foaming, 물거품)

◇ 보일러 수 속에 유지류, 용해 고형물, 부유물 등의 농도가 높아지면 드럼 수면에 안정한 거품이 발생하고 또한 거품이 증가하여 드럼의 기실에 전체로 확대되는 현상. 증기에 수분이 혼입하여 캐리오버하게 됨

◇ 포밍의 발생 원인
   ◆ 화학적 현상으로서 보일러수의 농도가 높을수록 잘 발생
   ◆ 가성소다, 유지분 등의 함유 비율이 많을 경우
   ◆ 보일러수 내에 고형부유물이 클로이드형으로 존재하는 경우
   ◆ 보일러수의 농도가 같더라도 증기부의 단위용적당 증발량이 많은 경우

◇ 포밍 방지
   ◆ 나트륨, 칼륨, 칼슘, 마그네슘 및 유기물 현탁고형물의 농도를 일정량 이하로 관리한다.
   ◆ 거품을 파괴할 수 있는 염화나트륨을 이용한다.

2) 플라이밍(priming, 비수현상)

◇ 보일러수면에서 증발이 격심하여 기포가 비산해서 수적(물방울)이 증기부에 심하게 튀어오르고, 비산되는 수적으로 수위도 불안전해지는 현상

◇ 프라이밍 발생 원인
  ◆ 포밍과 마찬가지로 보일러의 농도가 높은 경우
  ◆ 보일러의 수위가 높아진 경우
  ◆ 송기시 증기밸브를 급개함으로써 이에따르는 증기의 배출이 급격히 증가한 경우
  ◆ 과부하 사용

3) 캐리오버(carry over)

◇ 보일러수가 미세한 수분이나 거품 상태로 다량 발생하여 증기와 더불어 보일러 밖으로 송출되는 현상
◇ 보일러 속의 수면으로부터 격렬하게 증발하는 증기와 동반하여 보일러 수가 물보라처럼 비상하여, 가는 입자의 물방울로 되어 다량이 날아 나오며 증기와 함께 보일러 밖으로 송출되는 현상

◇ 캐리오버에 의한 장애
  ◆ 증기의 건도가 나빠져 증기시스템의 증기밸브시트, 터빈 날개 등에 석출물이 부착되어 운전이 불량해 짐
  ◆ 보일러 동체 수위의 상하진동이 심해 정확한 수위제어가 어려움
  ◆ 증기건도가 저하되어 제품 품질을 저하시키고 과열기를 팽창 파열 됨
  ◆ 열사용설비이 고형물 부착에 의한 효율감소가 발생

◇ 캐리오버 발생 원인
  ◆ 증발 수면적이 불충분
  ◆ 증기실이 좁든지, 보일러 수면이 높을 때
  ◆ 증기 정비 밸브를 급히 열거나 부하가 돌연 증가했을 때
  ◆ 압력의 급강하가 일어나 격렬한 자기증발을 일으켰을 때
  ◆ 유지류가 많을 때

◇ 방지대책
   ◆ 급격한 운전을 피한다.
   ◆ 보일러 수위를 일정하게 유지한다.
   ◆ 증기드럼에 기수분리장치가 설치한다.
   ◆ 보일러 운전압력을 당초 설계조건대로 유지한다.
   ◆ 부하를 급격하게 발생하는 등의 운전은 지양한다.
   ◆ 보일러수의 혼탁농도를 일정 이하로 유지한다.

4) 수격작용(Water Hammering)의 현상과 원인, 방지대책

◇ 관로에서 유속이 급격하게 변화되면 관내 압력이 상승 또는 강하
◇ 펌프의 송수관에서 정전으로 동력이 갑자기 단절되고 펌프가 급히 가동할 때 또는 밸브를 급히 닫거나 열 때 수충격(Water Hammering)이 발생
◇ 펌프계에서 발생하는 수충격현상 중에서 가장 큰 문제가 되는 것은 동력을 급히 차단할 때 일어나는 것

◇ 수충격 현상
   1. Water Pump 상승압에 의하여Pump, Valve, 관로들이 파손
   2. 압력 강하에 의하여 관로가 쭈그러든다.
   3. Pump 및 전동기의 역전에 대한 고려를 하지 않았을 때, 역전과속의 사고를 일으킬 수 있다.
   4. 압력 강하에 의하여 관내의 물이 분리되어 공동부(Void)가 생길 수 있다. 수주분리 현상이 발생하며 이 공동부에 다시 물이 찰 때 비정상적으로 높은 충격압이 일어나 관을 파손한다.

◇ 수충격 현상의 경감법
   1. 펌프에 Fly Wheel을 붙인다.
      Fly Wheel은 회전속도가 갑자기 느려지는 것을 막고, 급격한 압력강하를 완화시킨다.
   2. Surge Tank
      펌프의 급정지후 압력이 강하할 때 Surge Tank를 설치하고 물을 관로에 보급해 주는 방법이다.

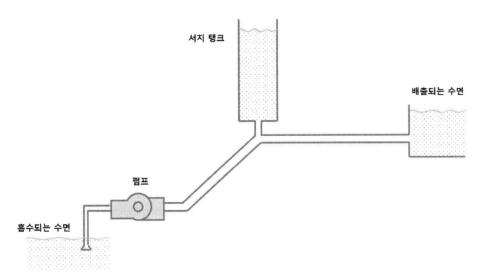

3. 관내의 유속을 느리게 함

　관로의 경을 크게하여 관내 유속을 느리게 한다. 이로인해 관로내에서 수주의
관성력이 작아지므로 압력 강하도 작아진다.

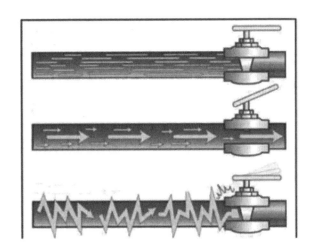

5) 역화 (Back Fire)

불꽃이 토치 안 쪽으로 밀려들어가면서 뻥뻥 거리며서, 불꽃이 꺼졌다가 다시
나타나는 현상불이 들어가는 것이라서 단어 Fire가 사용된다

6) 블로우다운(blow-down)

◇ 블로우다운 정의
  * 보일러수의 주기적인 배출과 보충을 통해 보일러수 내의 불순물 농도를 적정 범위 이내로 조정하는 것
  * 보일러수의 수질을 개선해주지 않으면 부식이나 스케일 캐리오버 등 여러가지 문제들을 일으킬 수 있음

◇ 블로우 다운의 조절대상
  * 염소이온 농도
  * 보일러 관수의 pH
  * 부착 또는 침전된 고형물질

7) 보일러 안전사고

◇ 보일러 안전사고의 발생
  * 보일러 동체 파열
  * 보일러 연소실 내 미연소가스 체류로 인한 가스폭발
  * 보일러가스 유입에 따른 중독사고

◇ 산업용 보일러의 안전장치 종류
  * 안전밸브
  * 압력제한 장치(압력차단 SW)
  * 과열방지 스위치
    - 설정온도(최고사용 압력하의 포화온도 + 10도)에서 전원을 차단하는 방식
  * 저수위 차단장치
  * 연소 안전장치(프로텍트 릴레이 기능)
  * 연료공급 안정장치(가스버너 적용)
    - 가스압력 부족시 안전차단(가스압 하한 SW)
    - 가스공급 압력초과시 안전차단(가스압 상한 SW)
  * 가스누설안전장치
  * 미연소 가스 배출 안전장치

◇ 보일러의 방호장치

　　◆ 보일러에는 최고사용압력 이하에서 작동하는 압력방출장치 및 압력제한스위치
　　　(온도제한 스위치)를 설치하여야 함

　　◆ 다만, 압력방출장치가 2개 이상 설치된 경우 최고사용 압력 이하에서 1개가
　　　작동되고, 다른 압력방출장치는 최고사용압력 1.03배 이하에서 작동되도록 부
　　　착해야 함

　　◆ 압력방출장치는 법에 따른 안전인증을 받은 제품이어야 함

4. '제조물 책임법'에 따르면 "제조물"이란 제조되거나 가공된 동산(다른
　　동산이나 부동산의 일부를 구성하는 경우를 포함한다.)을 말한다. 제조물
　　책임법에서 규정하고 있는 결함에 대하여 설명하시오.
　　[126회 1교시 10번] [123회 2교시 3번] [120회 3교시 4번] [117회 2교시 6번]

◇ "제조상의 결함"이라 함은 제조업자의 제조물에 대한 제조·가공상의 주의의무의
　이행여부에 불구하고 제조물이 원래 의도한 설계와 다르게 제조·가공됨으로써
　안전하지 못하게 된 경우를 말한다.
　　예) 제조 과정에 이물질이 혼입된 식품, 자동차에 부속품이 빠져있는 경우.

◇ "설계상의 결함"이라 함은 제조업자가 합리적인 대체설계를 채용하였더라면 피해나
　위험을 줄이거나 피할 수 있었음에도 대체설계를 채용하지 아니하여 당해 제조물이
　안전하지 못하게 된 경우를 말한다.
　　예) 녹즙기에 어린이들의 손가락이 잘려 나간 경우처럼 설계 자체에서 안전성이
　　　　결여됨

◇ "표시상의 결함"이라 함은 제조업자가 합리적인 설명·지시·경고 기타의 표시를
　하였더라면 당해 제조물에 의하여 발생될 수 있는 피해나 위험을 줄이거나 피할
　수 있었음에도 이를 하지 아니한 경우를 말한다.
　　예) 취급 설명서나 경고 사항 등의 부적절성이나 미비 등 표시 불량에 의한 결함.

5. 타워크레인 작업과 관련하여 아래사항을 설명하시오.

[121회 2교시 2번] [120회 1교시 12번] [120회 3교시 5번] [111회 1교시 6번]

가. 자립고(自立高) 이상의 높이로 설치하는 경우의 지지 방법

산업안전보건기준에 관한 규칙 제142조(타워크레인의지지)

① 사업주는 타워크레인을 자립고(自立高) 이상의 높이로 설치하는 경우 건축물
   등의 벽체에 지지하도록 하여야 한다. 다만, 지지할 벽체가 없는 등 부득이한
   경우에는 와이어로프에 의하여 지지할 수 있다. 〈개정 2013. 3. 21.〉

② 사업주는 타워크레인을 벽체에 지지하는 경우 다음 각 호의 사항을 준수하여야
   한다. 〈개정 2019. 1. 31., 2019. 12. 26.〉

  1. 「산업안전보건법 시행규칙」 제110조제1항제2호에 따른 서면심사에 관한 서류
     (「건설기계관리법」 제18조에 따른 형식승인서류를 포함한다) 또는 제조사의
     설치작업설명서 등에 따라 설치할 것

  2. 제1호의 서면심사 서류 등이 없거나 명확하지 아니한 경우에는 「국가기술
     자격법」에 따른 건축구조 · 건설기계 · 기계안전 · 건설안전기술사 또는 건설
     안전분야 산업안전지도사의 확인을 받아 설치하거나 기종별 · 모델별 공인된
     표준방법으로 설치할 것

  3. 콘크리트구조물에 고정시키는 경우에는 매립이나 관통 또는 이와 같은 수준
     이상의 방법으로 충분히 지지되도록 할 것

  4. 건축 중인 시설물에 지지하는 경우에는 그 시설물의 구조적 안정성에 영향이
     없도록 할 것

③ 사업주는 타워크레인을 와이어로프로 지지하는 경우 다음 각 호의 사항을
   준수하여야 한다. 〈개정 2013. 3. 21., 2019. 10. 15.〉

  1. 제2항제1호 또는 제2호의 조치를 취할 것

  2. 와이어로프를 고정하기 위한 전용 지지프레임을 사용할 것

  3. 와이어로프 설치각도는 수평면에서 60도 이내로 하되, 지지점은 4개소 이상
     으로 하고, 같은 각도로 설치할 것

  4. 와이어로프와 그 고정부위는 충분한 강도와 장력을 갖도록 설치하고, 와이어
     로프를 클립 · 샤클(shackle, 연결고리) 등의 고정기구를 사용하여 견고하게
     고정시켜 풀리지 아니하도록 하며, 사용 중에는 충분한 강도와 장력을 유지
     하도록 할 것

  5. 와이어로프가 가공전선(架空電線)에 근접하지 않도록 할 것

나. 작업계획서 작성 시 포함되어야 할 사항

산업안전보건기준에 관한 규칙 [별표 4] 〈개정 2021. 5. 28.〉

작업명	작업계획서 내용
1. 타워크레인을 설치 · 조립 · 해체하는 작업	가. 타워크레인의 종류 및 형식 나. 설치 · 조립 및 해체순서 다. 작업도구 · 장비 · 가설설비(假設設備) 및 방호설비 라. 작업인원의 구성 및 작업근로자의 역할 범위 마. 제142조에 따른 지지 방법

6. 비파괴검사 중 액체침투탐상검사(LPT : Liquid Penetrant Testing) 방법 5단계를 설명하시오.
[105회 2교시 2번] [114회 1교시 5번] [117회 2교시 2번] [120회 3교시 6번] [121회 1교시 12번]

① 전처리 : 시험체 표면을 깨끗하게 세척
② 침투 : 시험체 표면에 액체의 침투제가 모세관현상에 의해 결함 내부로 침투
③ 세척 : 시험체 표면부의 침투액을 세척
④ 현상 : 작은 크기의 현상제(백색분말)을 시험편 표면에 칠하여 현상 처리
⑤ 판독 : 현상제를 칠하면 작은 분말 사이에 아주 좁은 틈이 생기고 모세관 현상에 의해 결함 내부에 잔류한 침투액이 다시 빨려 나오면서 결함 부위가 검출

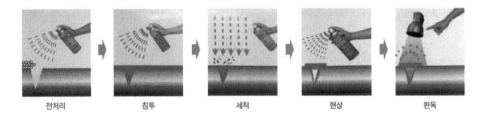

전처리　　　　침투　　　　세척　　　　현상　　　　판독

국가기술 자격검정 시험문제

2020년도	분야	안전관리	자격종목	기계안전기술사	성명	

※ 다음 문제 중 4문제를 선택하여 설명하시오. (각 문제당 25점)

1. 안전보건관리 강화를 위한 원청의 책임 확대 및 위험의 외주화 방지를 위한 유해·위험작업 도급 제한 등 개정된 산업안전보건법과 관련하여 아래 사항을 설명하시오.

1) 도급금지 대상작업

산업안전보건법 제58조(유해한 작업의 도급금지)
 ① 사업주는 근로자의 안전 및 보건에 유해하거나 위험한 작업으로서 다음 각 호의 어느 하나에 해당하는 작업을 도급하여 자신의 사업장에서 수급인의 근로자가 그 작업을 하도록 해서는 아니 된다.
  1. 도금작업
  2. 수은, 납 또는 카드뮴을 제련, 주입, 가공 및 가열하는 작업
  3. 제118조제1항에 따른 허가대상물질을 제조하거나 사용하는 작업

2) 도급승인 대상작업

산업안전보건법 제59조(도급승인 대상 작업)

 법 제59조제1항 전단에서 "급성 독성, 피부 부식성 등이 있는 물질의 취급 등 대통령령으로 정하는 작업"이란 다음 각 호의 어느 하나에 해당하는 작업을 말한다.

1. 중량비율 1퍼센트 이상의 황산, 불화수소, 질산 또는 염화수소를 취급하는 설비를 개조·분해·해체·철거하는 작업 또는 해당 설비의 내부에서 이루어지는 작업. 다만, 도급인이 해당 화학물질을 모두 제거한 후 증명자료를 첨부하여 고용노동부 장관에게 신고한 경우는 제외한다.

2. 그 밖에 「산업재해보상보험법」 제8조제1항에 따른 산업재해보상보험 및 예방심의위원회(이하 "산업재해보상보험및예방심의 위원회"라 한다)의 심의를 거쳐 고용노동부장관이 정하는 작업

3) 도급승인 신청 시 제출 서류

산업안전보건법 시행규칙 제75조 (도급승인 등의 절차·방법 및 기준 등)

기계법 제58조제2항제2호에 따른 승인, 같은 조 제5항 또는 제6항에 따른 연장승인 또는 변경승인을 받으려는 자는 별지 제31호서식의 도급승인 신청서, 별지 제32호서식의 연장신청서 및 별지 제33호서식의 변경신청서에 다음 각 호의 서류를 첨부하여 관할 지방고용노동관서의 장에게 제출하여야 한다.

1. 도급대상 작업의 공정 관련 서류 일체(기계·설비의 종류 및 운전조건, 유해·위험물질의 종류·사용량, 유해·위험요인의 발생 실태 및 종사 근로자 수 등에 관한 사항을 포함하여야 한다)

2. 도급작업 안전보건관리계획서(안전작업절차, 도급 시 안전·보건관리 및 도급 작업에 대한 안전·보건시설 등에 관한 사항을 포함하여야 한다)

3. 제74조에 따른 안전 및 보건에 관한 평가 결과(법 제58조제6항에 따른 변경 승인은 해당되지 않는다)

4) 안전 및 보건에 관한 평가항목

산업안전보건법 시행규칙 별표 12 안전 및 보건에 관한 평가의 내용
(제74조제2항, 제78조제4항)

◇ 종합평가
1. 작업조건 및 작업방법에 대한 평가
2. 유해·위험요인에 대한 측정 및 분석
   가. 기계·기구 또는 그 밖의 설비에 의한 위험성
   나. 폭발성·물반응성·자기반응성·자기발열성 물질, 자연발화성 액체·고체 및 인화성 액체 등에 의한 위험성
   다. 전기·열 또는 그 밖의 에너지에 의한 위험성
   라. 추락, 붕괴, 낙하, 비래 등으로 인한 위험성
   마. 그 밖에 기계·기구·설비·장치·구축물·시설물·원재료 및 공정 등에 의한 위험성
   바. 영 제88조에 따른 허가 대상 유해물질, 고용노동부령으로 정하는 관리 대상 유해물질 및 온도·습도·환기·소음·진동·분진, 유해광선 등의 유해성 또는 위험성
3. 보호구, 안전·보건장비 및 작업환경 개선시설의 적정성
4. 유해물질의 사용·보관·저장, 물질안전보건자료의 작성, 근로자 교육 및 경고표시 부착의 적정성
   가. 화학물질 안전보건 정보의 제공
   나. 수급인 안전보건교육 지원에 관한 사항
   다. 화학물질 경고표시 부착에 관한 사항 등
5. 수급인의 안전보건관리 능력의 적정성
   가. 안전보건관리체제(안전·보건관리자, 안전보건관리담당자, 관리감독자 선임 관계 등)
   나. 건강검진 현황(신규자는 배치전건강진단 실시여부 확인 등)
   다. 특별안전보건교육 실시 여부 등
6. 그 밖에 작업환경 및 근로자 건강 유지·증진 등 보건관리의 개선을 위하여 필요한 사항

◇ 안전평가
종합평가 항목 중 제1호의 사항, 제2호 중 가목부터 마목까지의 사항 및 제3호 중 안전 관련 사항, 제5호의 사항

◇ 보건평가
종합평가 항목 중 제1호의 사항, 제2호 중 바목의 사항, 제3호 중 보건 관련 사항, 제4호, 제5호 및 제6호의 사항

2. 작업장에서 동력을 사용하여 사람이나 화물을 운반하는 것을 목적으로 하는 리프트의 종류, 재해 발생유형 및 방호조치의 종류별 작동원리에 대해서 설명하시오.

◇ 리프트의 종류
  ◆ 1개 구조의 리프트
  ◆ 2개 구조의 리프트
  ◆ 쌍정식 리프트
  ◆ 롱 리프트
  ◆ 와이어식 타워(콘크리트 타설에 사용)

◇ 리프트 재해발생 유형
  ◆ 운반구 과상승으로 인한 운반구 낙하
  ◆ 마스트 수평지지대(Wall tie) 선해체로 인한 붕괴

◇ 리프트 재해발생 방호조치
  ◆ 운반구 과상승으로 인한 운반구 낙하
    - 마스트의 연결 상태를 확인 후 작업 실시
    - 설치, 해체 작업 시 작업지휘자가 운반구의 과상승 여부를 확인할 수 있는 장소에서 작업을 지휘하여 과상승 방지
    - 긴급상황 시 전원을 차단할 수 있도록 비상정지장치 기능이 있는 펜던트 스위치 사용
  ◆ 마스트 수평지지대(Wall tie) 선해체로 인한 붕괴
    - 수평지지대 설치 간격 준수하여 순차적으로 해체(제조사 매뉴얼에서 제시하는 기준 준수)

3. 공작기계로 절삭가공 시 발생되는 칩의 종류 4가지를 설명하고, 구성인선 (built-up edge, 構成刃先)에 대해서 설명하시오.

[120회 4교시 3번] [105회 1교시 10번]

3-1 절삭가공 시 발생되는 칩의 종류 4가지

◇ 칩?
공작기계에서 공작물을 공구로 가공할 때 공작물에서 분리되어 생겨나는 부스러기

◇ 칩의 생성에 영향을 미치는 요인
① 공작물의 재질 (연질/경질)
② 절삭속도
③ 절삭깊이
④ 공구의 형상
   ※ 특히, 공구의 상면경사각[5]-공구의 전면과 절삭방향 수직면 사이각
⑤ 칩의 변형전 두께(공작물 표면부터 공구의 날까지)
⑥ 칩과 공구의 경사면간의 마찰의 영향-적절한 절삭유 투입함.

◇ 칩의 종류

1) 유동형 칩(Flow Type Chip) [지향]
   연한 재질을 고속으로 절삭할 때 나타나는 칩 형태로 칩이 유동하는 것처럼
   연속적으로 생성됨
   - 연성 재료를 고속 절삭 할 때 용이하게 생김

   ◆ 유동형 칩의 특징
   ① 깨끗한 가공면 -절삭저항의 변동이 거의 없기 때문에 가공면이 깨끗
   ② 전단소성변형에 의한 칩의 미끄럼 발생 간격이 매우 좁음
   ③ 칩이 공작물로부터 분리되지 않음
   ④ 공구 경사면에서의 마모가 심함

---

5) 상면경사각(上面傾斜角; back rake angle)
   절인의 임의점(일반적으로 선단)을 지나는 bite 저면 및 가공물의 축선에 직각인 평면에서
   측정한 경사각

종류	특징	그림
유동형 칩	▪ 절삭 속도가 클 때 ▪ 절삭 깊이가 작을 때 ▪ 절삭제 공급이 많을 때 ▪ 공구경사면 유동 ▪ 절삭저항, 절삭온도 변화 일정 ▪ 진동이 적고 가공상태 양호	
전단형 칩	▪ 연성소재 저속 절삭 ▪ 절삭각이 클 때 ▪ 절삭깊이가 깊을 때 ▪ 전단변형 주기적 ▪ 소성변형 시 절삭저항 변화로 가공진동 원인으로 가공상태 불량	
열단형 칩	▪ 경작형 칩이라고도 함 ▪ 점성이 큰 재료의 저속 절삭 시 발생 ▪ 공구인선 하방 균열과 파단이 반복 ▪ 절삭저항 변동이 큼 ▪ 표면 가공상태 불량	
균열형 칩	▪ 취성재료 저속 절삭 ▪ 절삭각이 적을 때 ▪ 날 절입 순간 규ㄸ열 ▪ 절삭저항 급격 변화 ▪ 소성변형 없이 균열 ▪ 소재 표면까지 균열되어 가공면 불량	

2) 전단형 칩(Shear Type Chip)
   비교적 단단한 재질을 약간 느린 절삭속도로 절삭할 때 나타내는 칩 형태로
   일정한 간격을 두고 두께가 고르지 않는 칩들이 분리된 상태로 생성됨.

3) 열단형 칩(Tear Type Chip)
   매우 연한 재질을 절삭할 때 나타내는 칩 형태
   - 공구가 진행함에 따라 진행선의 아래쪽 방향으로 찢어짐(Tear)이 일어나
     마무리면에 뜯어낸 자리가 남은 칩 형태

4) 균열형 칩(Crack Type Chip)
   백주철과 같이 취성이 큰 재질을 절삭할 때 나타나는 칩형태.
   - 절삭력을 가해도 거의 변형을 하지 않다가 임계압력 이상될 때 순간적으로
     균열이 발생되면서 생성됨

◆ 균열형 칩의 특징
   ① 절삭저항의 변동이 매우 심하다.- 공구 진행에 따라 단속적으로 절삭진행
   ② 균열파괴에 의해 절삭면이 얼어지므로 깨끗한 마무리면을 얻을 수 없다.
   ③ 균열형 칩은 공구경사면을 미끄러지는 마찰력이 적음 - 공구 경사면 마모 적음
   ④ 공구선단에서 심한 마모가 발생 (비교 : 유동형 칩에서는 공구 경사면 마모 큼)

구성인선(BUE : Built-Up Edge)

절삭공구에 의하여 절삭작업을 할 때, 칩과 공구면 사이에 높은 압력과 큰 마찰
저항 및 절삭열에 의하여 Chip의 일부가 바이트인선(공구인선)에 융착하여,
단단하게 굳은 퇴적물이 되어 절삭날과 같은 작용을 하면서 절삭이 계속되는
경우가 생긴다. 이러한 현상을 구성인선(Built-up edge)이라고 한다.

◆ 절삭공구의 날 끝(dege, 인선)에 공작물의 미분이 압착 또는 용착된 것
   (온도가 높아 눌러 붙은 것)
◆ 절삭 과정에서 칩의 일부가 가공경화되어 공구의 날 끝에 용착된 것
   (날 끝에 붙어 절삭날의 역할을 하게되어 원하는 절삭이 이루어지지 않음)

◇ 구성인선의 생성주기
  ◆ 발생→성장→최대성장→균열→탈락
    - 균열이 발생할 때 공구의 인선이 같이 떨어져 나갈 수 있음
    - 0.01초~0.1초 시간에 주기가 반복됨

◇ 구성인선의 영향
  ◆ 치수정밀도, 표면거칠기가 나빠져서 도면과 같은 형상, 치수의 제품을 얻을 수 없게 됨 (불량품이 발생)
  ◆ 구성인선은 경도가 커서 가공면을 거칠게하고 공구의 마모를 크게하여 수명을 짧게한다.

◇ 구성인선의 원인과 대책

원인	대책
▪ 적절한 가공공정을 갖추지 않은 경우 ▪ 경사각을 작게 했을 때 ▪ 절삭 깊이가 깊을 때 ▪ 절삭 속도가 낮을 때 ▪ 절삭 공구의 날 끝 온도가 높을 때 ▪ 알루미늄, 황동, 스테인리스강, 연강 등의 연한 재료를 절삭할 때	▪ 공구의 경사각을 크게 한다. ▪ 절삭 속도를 크게 한다. - 임계속도(120~150m/min) 이상으로 절삭 - 임계속도 이상에서는 구성인성이 거의 발생하지 않음 ▪ 절삭 깊이를 작게 한다. ▪ 이송속도를 작게 한다. ▪ 윤활성, 냉각성이 좋은 절삭유를 사용한다. ▪ 칩의 배출이 용이하고, 절삭표면의 온도가 낮아져서 바이트 표면에 달라붙는 양이 적어지게 됨

4. 금속의 경도시험 방법 4가지에 대해 설명하시오.

[123회 3교시 4번] [120회 4교시 4번]

◇ 브리넬경도 (Brinell hardness)
+ 현장에서 간이로 경도를 측정하기 위해 가장 널리 사용
+ 일정한 지름의 강철볼(10mm, 5mm)을 일정한 하중(3,000 kg, 1,000kg, 750kg, 500kg)으로 시험표면에 압입한 후에 이 때 생긴 오목자국의 표면적으로 하중을 나눈 값
+ 강구의 압자를 일정한 시험하중으로 시편에 압연시켜 시험하는 시험기로 열처리, 주물, 주강, 특수강 제품 금속소재 및 비철금속, 합금소재, 플라스틱, 합성수지 등의 경도시험에 편리한 측정기

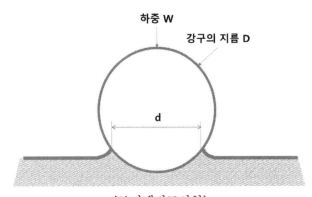

[브리넬경도시험]

◇ 로크웰 경도(Rockwell hardness)
+ 시험편의 표면에 1.5875(1/6inch)인 강구압자나 꼭지각이 120도인 원뿔형의 다이아몬드 압자를 사용하여 경도를 측정
+ 하중을 제거한 후 오목한 자국의 깊이가 지시계에 나타나서 경도를 나타냄
+ 열처리, 합금강, 공구강, 금현강 등 연질 및 경질재료의 금속에 폭넓게 사용되며 작동이 간편하고 고정도를 유지하는 시험기로서 신속한 시험을 할 수 있는 시험기
+ 측정시간이 짧으며, 시험의 숙련도가 요구되지 않고, 측정 자동화가 쉬움
+ 압입하는 압자의 종류, 사용하는 힘에 따라 여러 종류로 나뉨
+ 이것을 스케일이라 하고 경도에 사용되는 스케일은A,B,C,D,E,F,G,H,K,N,T 로 나뉨

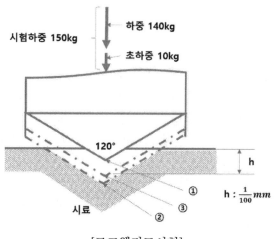

[로크웰경도시험]

◇ 비커스 경도(Vickers hardness)
- 꼭지각이 136도인 다이아몬드 제4각축의 압자를 1~120kg의 하중으로 시험표면에 압입한 후에 이 때 생긴 오목자국의 대각선을 측정하여 경도 측정
- 작은 하중을 사용하기 때문에 압흔은 현미경의 도움 없이는 육안으로 관측이 힘듦
- 얇은 소재 그리고 보석과 같이 흠집을 많이 내서는 안되는 재료, 도금 층, 탈탄 층과 같은 표면층 측정에 사용됨
- 현미경으로 수백 배로 확대해서 압흔을 측정하므로, 측정자의 조그만 오차가 경도값에 큰 영향을 주기에 측정자의 숙련이 요구됨

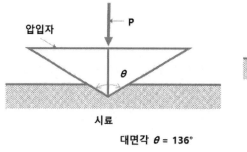

제1조작
하중을 가해 압자를 밀어 넣는다.

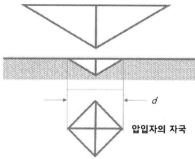

제 2조작

④ 쇼어 경도 (Shore hardness)
- 작은 강구나 다이아몬드를 붙인 소형의 추(2.5kg)를 일정 높이에서 시험표면에 낙하시켜서, 튀어 오르는 높이에 의하여 경도를 측정
- 시험기가 작고 중량이 가벼워서 휴대하기가 용이함
- 시험편에 아주 적은 흔적이 생기기 때문에 완성제품을 직접 시험할 수 있음
- 시험편이 비교적 적고 얇은 것도 측정이 가능함
- 쇼어 경도 시험기는 비교적 탄성률에 큰 차이가 없는 재료를 시험할 때에는 경도치의 신뢰성이 크지만, 고무와 같이 탄성률의 차이가 큰 재료에서는 부적합함
- 예를 들면 경질고무는 강철보다 큰 쇼어 경도값이 나타나는 모순이 생길 수 있으나 탄성률과 쇼어 경도값이 비례되는 것만은 아님
- 예를 들어 탄소강에서 C%에 따라 경도는 상당히 큰 차이가 있는 반면에 탄성률은 대체로 변화가 없음

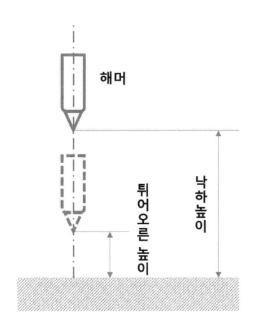

5. 산업용 로봇(이하 "로봇"이라 한다)의 작동범위에서 해당 로봇에 대하여 교시(敎示) 등의 작업을 하는 경우에 있어서 해당 로봇의 예기치 못한 작동 또는 오(誤)조작에 의한 위험을 방지하기 위한 조치를 3가지로 설명하시오.

① 산업용 로봇의 안전작업지침
  ◆ 로봇의 조작방법 및 순서
  ◆ 작업 중의 메니퓰레이터의 속도
  ◆ 2명 이상의 근로자에게 작업을 시킬 경우의 신호방법
  ◆ 이상을 발견한 경우의 조치
  ◆ 이상을 발견하여 로봇의 운전을 정지시킨 후 이를 재가동 시킬 경우의 조치
  ◆ 그 밖에 로봇의 예기치 못한 동작 또는 오조작에 의한 위험을 방지하기 위하여 필요한 조치

② 교시 등의 작업 시 안전조치
  ◆ 지침을 정하고 지침에 따라 작업
  ◆ 근로자 또는 감시자는 위험 발견 시 운전 정지를 위한 조치
  ◆ 기동 스위치에 작업 중 표시, 시건 등 임의조작 금지 조치

③ 수리 등(교시 제외) 작업 시 안전조치
  ◆ 해당 작업을 하고 있는 동안 기동 스위치 잠금 열쇠 별도 관리
  ◆ 로봇의 기동스위치에 작업 중이란 내용의 표지판 부착
  ◆ 작업 종사자가 아닌 사람이 해당 기동 스위치를 조작할 수 없도록 조치

④ 운전 중의 안전조치
  ◆ 근로자가 부딪힐 위험이 있는 경우 안전매트 및 높이 1.8미터 이상의 울타리(방책) 설치
  ◆ 로봇의 위험성을 고려하여 높이로 인한 위험성이 없는 경우에는 높이를 그 이하로 조절 가능

6. 사업장 위험성평가 실시와 관련하여 '사업장 위험성평가 지침'에 따른 위험성평가 절차에 대해서 설명하시오.

[127회 1교시 13번] [126회 1교시 9번] [124회 1교시 12번] [124회 2교시 5번]
[123회 2교시 5번] [121회 1교시 11번] [120회 4교시 6번] [117회 4교시 3번]
[108회 4교시 6번] [105회 4교시 6번]

위험성평가는 사업주 또는 안전보건관리책임자가 중심이 되어 수행
- 1단계 : 사전준비를 통해 평가대상을 확정하고 실무에 필요한 자료를 입수
- 2단계 : 다양한 방법을 통해 유해,위험요인을 파악
- 3단계 : 파악된 유해,위험요인에 대한 위험성을 추정
  ※ 상시근로자 수 20명 미만 사업장(총 공사금액 20억 미만의 건설공사)의 경우 위험성 추정을 생략할 수 있음
- 4단계 : 유해,위험요인별로 추정한 위험성의 크기가 허용 가능한 범위 인지 여부 판단
- 5단계 : 허용할 수 없는 위험성의 경우 감소대책을 세워야 하며 감소대책은 실행가능하고 합리적인 대책인지를 검토, 감소대책은 우선순위를 정해 실행하고 실행 후에는 허용할 수 있는 범위 이내이어야 함.

◇ 사전준비

위험성평가 실시규정 작성, 평가대상 선정, 평가에 필요한 각종 자료 수집
1. 작업표준, 작업절차 등에 관한 정보
2. 기계·기구, 설비 등의 사양서, 물질안전보건자료(MSDS) 등의 유해·위험요인에 관한 정보
3. 기계·기구, 설비 등의 공정 흐름과 작업 주변의 환경에 관한 정보
4. 같은 장소에서 사업의 일부 또는 전부를 도급을 주어 행하는 작업이 있는 경우 혼재 작업의 위험성 및 작업 상황 등에 관한 정보
5. 재해사례, 재해통계 등에 관한 정보
6. 작업환경 측정 결과, 근로자 건강진단 결과에 관한 정보
7. 그 밖에 위험성평가에 참고가 되는 자료 등

◇ 유해·위험요인 파악

- 유해·위험을 일으키는 잠재적 가능성이 있는 요인을 찾아내는 과정
- 사용 방법

1. 사업장 순회점검에 의한 방법 (특별한 사정이 없는 한 포함)
2. 청취조사에 의한 방법
3. 안전보건 자료에 의한 방법
4. 안전보건 체크리스트에 의한 방법
5. 그 밖에 사업장의 특성에 적합한 방법

◇ 위험성 추정

◆ 유해·위험요인이 부상 또는 질병으로 이어질 수 있는 가능성 및 중대성의 크기를
  추정하여 위험성의 크기를 산출
  1. 가능성과 중대성을 행렬을 이용하여 조합하는 방법
  2. 가능성과 중대성을 곱하는 방법
  3. 가능성과 중대성을 더하는 방법
  4. 그 밖에 사업장의 특성에 적합한 방법

◆ 위험성 추정시 주의사항
  1. 예상되는 부상 또는 질병의 대상자 및 내용을 명확하게 예측할 것
  2. 최악의 상황에서 가장 큰 부상 또는 질병의 중대성을 추정할 것

  3. 부상 또는 질병의 중대성은 부상이나 질병 등의 종류에 관계없이 공통의
    척도를 사용하는 것이 바람직하며, 기본적으로 부상 또는 질병에 의한 요양
    기간 또는 근로손실 일수 등을 척도로 사용할 것
  4. 유해성이 입증되어 있지 않은 경우에도 일정한 근거가 있는 경우에는 그
    근거를 기초로 하여 유해성이 존재하는 것으로 추정할 것
  5. 기계·기구, 설비, 작업 등의 특성과 부상 또는 질병의 유형을 고려할 것

◇ 위험성 결정

◆ 유해·위험요인별 위험성추정 결과와 사업장 설정한 허용가능한 위험성의 기준을
  비교하여 추정된 위험성의 크기가 허용가능한지 여부를 판단
◆ 유해·위험요인별 위험성 추정 결과와 사업장 자체적으로 설정한 허용 가능한
  위험성 기준을 비교하여 해당 유해·위험요인별 위험성의 크기가 허용 가능한지
  여부를 판단
◆ 허용 가능한 위험성의 기준은 위험성 결정을 하기 전에 사업장 자체적으로
  설정해 두어야 함

◇ 위험성 감소대책 수립 및 실행

- ◆ 위험성 결정 결과 허용 불가능한 위험성을 합리적으로 실천 가능한 범위에서 가능한 한 낮은 수준으로 감소시키기 위한 대책을 수립하고 실행
- ◆ 위험성의 크기, 영향을 받는 근로자 수 및 다음 각 호의 순서를 고려하여 위험성 감소를 위한 대책을 수립하여 실행
  1. 위험한 작업의 폐지·변경, 유해·위험물질 대체 등의 조치 또는 설계나 계획 단계에서 위험성을 제거 또는 저감하는 조치
  2. 연동장치, 환기장치 설치 등의 공학적 대책
  3. 사업장 작업절차서 정비 등의 관리적 대책
  4. 개인용 보호구의 사용
- ◆ 사업주는 위험성 감소대책을 실행한 후 해당 공정 또는 작업의 위험성의 크기가 사전에 자체 설정한 허용 가능한 위험성의 범위인지를 확인
- ◆ 위험성이 자체 설정한 허용 가능한 위험성 수준으로 내려오지 않는 경우에는 허용 가능한 위험성 수준이 될 때까지 추가의 감소대책을 수립·실행
- ◆ 중대재해, 중대산업사고 또는 심각한 질병이 발생할 우려가 있는 위험성으로서 위험성 감소대책의 실행에 많은 시간이 필요한 경우에는 즉시 잠정적인 조치를 강구
- ◆ 위험성평가를 종료한 후 남아 있는 유해·위험요인에 대해서는 게시, 주지 등의 방법으로 근로자에게 알려야 함

◇ 기록 및 보존

- ◆ 사업장에서 위험성평가 활동을 수행한 근거와 그 결과를 문서로 작성하여 보관
- ◆ 기록의 보존연한은 실시 시기별 위험성평가를 완료한 날로부터 기산하여 3년간 보존
- ◆ 기록내용
  1. 위험성평가를 위해 사전조사 한 안전보건정보
  2. 그 밖에 사업장에서 필요하다고 정한 사항

제117회 (2019년)
기계안전기술사

117회 기계안전기술사 출제 유형

교시	번호	세부항목
1	1	산업안전의 기본이론
1	2	기타 전기, 화공 안전에 관한 기본사항
1	3	기계설계 및 기계제작
1	4	기타 전기, 화공 안전에 관한 기본사항
1	5	기계설비의 위험점
1	6	산업안전의 기본이론
1	7	비파괴공학 및 시험검사
1	8	기계재료, 용접결함, 열처리
1	9	산업안전보건법
1	10	인간공학 및 행동과학
1	11	위험기계기구 및 설비의 방호조치
1	12	위험기계기구 및 설비의 방호조치
1	13	위험기계기구 및 설비의 방호조치
2	1	산업기계 설비 및 운반기계의 특징과 안전한 사용
2	2	비파괴공학 및 시험검사
2	3	기계재료, 용접결함, 열처리
2	4	위험기계기구 및 설비의 방호조치
2	5	기계·설비결함의 진단 및 평가
2	6	제조물 책임법
3	1	보호구 및 안전표지 등
3	2	기타 전기, 화공 안전에 관한 기본사항
3	3	재료시험 및 응력해석
3	4	정역학, 유체역학 및 재료역학
3	5	산업기계 설비 및 운반기계의 특징과 안전한 사용
3	6	기타 전기, 화공 안전에 관한 기본사항
4	1	신뢰성공학
4	2	기타 전기, 화공 안전에 관한 기본사항
4	3	산업안전보건법
4	4	위험기계기구 및 설비의 방호조치
4	5	산업안전보건법
4	6	기계재료, 용접결함, 열처리

117회 (2019년) 기계안전기술사

2019년도	분야	안전관리	자격종목	기계안전기술사	성명	

※ 다음 문제 중 10문제를 선택하여 설명하시오. (각 문제당 10점)

1. 설비보존 조직의 형태를 4가지로 분류하여 설명하시오.

구분	조직의 형태
① 집중보전	조직상과 배치상에 보전원이 집중된 형
② 지역보전	조직상에 집중되고 배치상에 지역에 분산한 형
③ 부문보전	조직상과 배치상에 부문에 분산된 형
④ 절충보전	위 보전체제를 조합한 형

2. 전기·기계기구에 의한 감전 위험을 방지하기 위하여 누전차단기를 설치해야 하는 대상을 설명하시오.

◇ 금속제 외함을 가지는 사용전압이 50V를 초과하는 저압의 기계기구로서 사람이 쉽게 접촉할 우려가 있는 곳에 시설하는 것에 전기를 공급하는 전로
   (다만, 다음의 어느 하나에 해당하는 경우에는 적용하지 않음)
   ◆ 기계기구를 발전소, 변전소, 개폐소 또는 이에 준하는 곳에 시설하는 경우
   ◆ 기계기구를 건조한 곳에 시설하는 경우
   ◆ 대지전압이 150V 이하인 기계기구를 물기가 있는 곳 이외에 시설하는 경우

- 「전기용품 및 생활용품 안전관리법」의 적용을 받는 이중절연구조의 기계기구를 시설하는 경우
- 그 전로의 전원측에 절연변압기(2차 전압이 300V 이하인 경우에 한함)를 시설하고 또한 그 절연변압기의 부하측의 전로에 접지하지 아니한 경우
- 기계기구가 고무, 합성수지 기타 절연물로 피복된 경우
- 기계기구가 유도전동기의 2차측 전로에 접속되는 것일 경우
- 기계기구가 KEC 131의 8(절연할 수 없는 부분)에 규정하는 것일 경우
- 기계기구 내에 「전기용품 및 생활용품 안전관리법」의 적용을 받는 누전차단기를 설치하고 또한 기계기구의 전원 연결선이 손상을 받을 우려가 없도록 시설하는 경우

◇ 주택의 인입구 등 이 규정에서 누전차단기 설치를 요구하는 전로

◇ 특고압전로, 고압전로 또는 저압전로와 변압기에 의하여 결합되는 사용전압 400V 초과의 저압전로 또는 발전기에서 공급하는 사용전압 400V 초과의 저압 전로(발전소 및 변전소와 이에 준하는 곳에 있는 부분의 전로 제외)

◇ 다음의 전로에는 전기용품안전기준인 "K60947-2의 부속서 P"의 적용을 받는 자동복구 기능을 갖는 누전차단기를 시설할 수 있음
- 독립된 무인 통신중계소, 기지국
- 관련법령에 의해 일반인의 출입을 금지 또는 제한하는 곳
- 옥외의 장소에 무인으로 운전하는 통신중계기 또는 단위기기 전용회로
  (단, 일반인이 특정한 목적을 위해 지체하는 장소로서 버스정류장, 횡단보도 등에는 시설할 수 없음)

◇ 저압용 비상용 조명장치, 비상용 승강기, 유동등, 철도용 신호장치, 비접지 저압 전로, 332.5의 6에 의한 전로, 기타 그 정지가 공공의 안전 확보에 지장을 줄 우려가 있는 기계기구에 전기를 공급하는 전로의 경우, 그 전로에서 지락이 생겼을 때에 이를 기술원 감시소에 경보하는 장치를 설치한 때에는 제 1에서 규정하는 장치를 시설하지 않을 수 있음

◇ IEC 표준을 도입한 누전차단기를 저압전로에 사용하는 경우 일반인이 접촉할 우려가 있는 장소(세대 내 분전반 및 이와 유사한 장소)에는 주택용 누전차단기를 시설하여야 함

3. 유해물질 발생원으로부터 발생하는 오염물질을 대기로 배출하기 위한 국소배기(장치)의 설치 계통을 순서대로 쓰시오.

① 후드의 형식 선정
  ◆ 작업형태 및 공정, 비산 방향 등을 고려해 형식, 모양, 배기 방향, 설치 위치 등 결정

② 제어속도 결정
  ◆ 유해물질 비산거리, 방향을 고려해 제어속도 결정
  ◆ 제어속도는 주변 공기의 흐름이나 열 등에 많은 영향을 받음
  ◆ 국소배기장치의 제어풍속은 모든 후드를 개방한 경우의 제어풍속을 말함
  ◆ 포위식 후드에서는 당해 후드면에서의 풍속, 외부식 후드는 당해 후드에 의해 거리의 발생원 위치에서의 풍속을 말함

③ 필요송풍량 계산
  ◆ 후드 개구부 면적과 제어속도 등으로 필요 송풍량 산출

④ 반송속도 결정
  ◆ 후드로 흡입한 오염물질을 덕트 내에 퇴적시키지 않고 이송하기 위한 기류의 최고 속도
  ◆ 유해물질 종류 등을 고려해 반송속도 결정

⑤ 덕트의 직경 산출
  ◆ 필요 송풍량과 반송 속도로 덕트 직경 산출

⑥ 후드의 크기 결정
  ◆ 외부식 후드의 경우 후드 개구면적이 덕트 단면적보다 5배 이상 되어야 하고 후드 전면에서 덕트까지의 길이는 덕트의 직경보다 3배 이상 되어야 효과적
  ◆ 후드 크기는 작업형태, 오염물질 특성, 작업공간 크기 고려

⑦ 덕트의 배치, 위치 결정
  ◆ 덕트 배치도 작성
  ◆ 덕트 길이, 연결 부위, 곡관의 수, 형태 등 고려해 덕트 배치와 설치장소 선정

⑧ 공기정화장치 선정
  ◆ 유해물질에 적절한 공기정화장치 선정 후 압력손실 계산

⑨ 국소배기장치 계통도 작성
  ◆ 후드, 덕트, 공기정화장치, 송풍기, 배기 덕트 등의 설계 길이를 결정
  ◆ 이를 통해 배치도 작성

⑩ 총 압력손실 계산
  ◆ 후드 정압, 덕트, 공기정화장치 등의 총 압력손실의 합계를 산출

⑪ 송풍기 선정
  ◆ 총 필요 환기량 및 총 압력 손실을 기초로 송풍기의 풍량, 풍압, 소요 동력

4. 화재 시 소화방법 4가지를 쓰시오.

종류	소화 원리
냉각소화	가연성 물질을 발화점 이하로 온도 냉각
질식소화	산소농도를 21%에서 15% 이하로 감소
억제소화 (부촉매, 화학적)	연쇄 반응을 억제
제거소화	가연성 물질을 제거시켜 소화
피복소화	가연물 주위를 공기와 차단
희석소화	수용성인 인화성액체 화재 시 물을 방사하여 가연물의 연소농도 희석

5. 기계설비에서 발생하는 위험점 6가지를 예를 들어 설명하시오.

[117회 1교시 5번] [111회 4교시 4번]

구분	내역	그림
협착점	▪ 왕복 운동을 하는 동작부분과 움직임이 없는 고정부분 사이에서 형성되는 위험점 ▪ 사업장의 기계 설비에서 많이 볼 수 있음 예) 인쇄기, 프레스, 절단기, 성형기, 펀칭기	
끼임점	▪ 고정 부분과 회전하는 동작 부분이 함께 만드는 위험점 예) 연삭숫돌과 작업받침대, 교반기의 날개와 하우스, 반복왕복 운동을 하는 기계부분	
절단점	▪ 회전하는 운동 부분 자체 ▪ 운동하는 기계의 돌출부에서 초래되는 위험점 예) 밀링의 커터, 둥근톱의 톱날, 벨트의 이음새	
물림점	▪ 서로 반대방향으로 맞물려 회전하는 2개의 회전체에 물려 들어가는 위험점이 만들어지는 것 ◆ 예) 롤러와 기어	
접선 물림점	▪ 회전하는 부분의 접선방향으로 물려 들어갈 위험이 만들어지는 위험점 ◆ 예) 풀리와 브이벨트 사이, 피니언과 랙의 사이, 체인과 스프로킷 휠의 사이	
회전 말림점	▪ 회전하는 물체에 작업복, 머리카락 등이 말려 드는 위험이 존재하는 점 ◆ 예) 회전하는 축, 커플링, 회전하는 공구	

6. 재해발생 형태를 3가지로 분류하여 그림으로 그리고 설명하시오.

재해발생 형태	내용
집중형	사고 원인이 독립적으로 재해 발생 장소에 일시적으로 집중되는 형태
연쇄형	사고 원인이 되는 요소가 연쇄적으로 반응하는 것
혼합형	연쇄형과 단순 자극형의 복합적인 발생 유형 재해에 해당됨

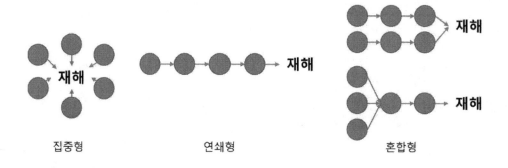

집중형   연쇄형   혼합형

7. 금속의 인장 시험을 통하여 나타나는 응력-변형률 선도를 도시(圖示)하고 다음을 설명하시오.

가) 탄성한도   나) 상·하항복점   다) 극한강도   라) 파괴응력

[114회 1교시 3번] [117회 1교시 7번] [124회 3교시 2번]

가) 탄성한도
 ◆ 재료가 탄성을 잃어버리는 최대한의 응력 (그림②)

나) 상,하항복점
 ◆ 영구변형이 명확하게 나타나기 시작하는 점 (그림③,④)
 ◆ 소성변형-항복점 이상의 응력을 받는 재료가 영구변형을 일으키는 과정

다) 극한강도
- 최대하중을 받는 구간(최대응력) (그림⑤)

라) 파괴응력
- 극한강도를 넘어서 결국 파단되는 구간 (그림⑥)

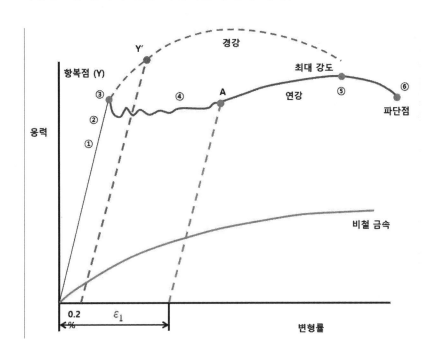

8. 금속의 열처리 방법 중 풀림(annealing)의 정의와 목적에 대하여 설명하시오.

◇ 풀림 (Annealing, 어닐링)
- 재질을 연하게 하고, 결정을 조절
- 인장강도, 항복점, 연신율 등이 낮은 탄소강에 적당한 강도와 인성을 갖게하기 위하여 일정시간 가열하여 재속 또는 석회 속에서 서서히 냉각시켜 재질을 연하게 하고, 결정을 조절

9. 다음에 대하여 설명하시오.

[124회 1교시 6번] [117회 1교시 9번]

가) 산업안전보건법의 목적

산업 안전 및 보건에 관한 기준을 확립하고 그 책임의 소재를 명확하게 하여 산업재해를 예방하고 쾌적한 작업환경을 조성함으로써 노무를 제공하는 사람의 안전 및 보건을 유지·증진함을 목적으로 한다.

나) 산업재해

노무를 제공하는 사람이 업무에 관계되는 건설물·설비·원재료·가스·증기·분진 등에 의하거나 작업 또는 그 밖의 업무로 인하여 사망 또는 부상하거나 질병에 걸리는 것을 말한다.

다) 중대재해

산업재해 중 사망 등 재해 정도가 심하거나 다수의 재해자가 발생한 경우로서 고용노동부령으로 정하는 재해를 말한다.

10. 동작경제의 3원칙에 대하여 설명하시오.

동작의 효율성에 관한 지침 중 Barnes의 동작 경제 원칙이 대표적
Barnes는 피로를 줄이고 동작의 효율을 높이기 위한 22가지 지침을 제시
신체사용에 관한 원칙 9개, 작업장 배치에 관한 원칙 8개, 공구 및 설비 디자인에 관한 원칙 5개로 구성

◇ 신체사용에 관한 원칙
- 두 손의 동작은 같이 시작하고 같이 끝나도록 한다.
- 휴식 시간을 제외하고는 양손이 같이 쉬지 않도록 한다.
- 두 팔의 동작은 서로 반대 방향으로 대칭적으로 움직인다.
- 가능한 한 관성을 이용하여 작업을 하되, 작업자가 관성을 억제하여야 하는 경우에는 발생되는 관성을 최소한도로 줄인다.
- 손의 동작은 완만하게 연속적인 동작이 되도록 하며, 방향이 갑자기 크게 바뀌는 모양의 직선 동작은 피하도록 한다.

- 평상시 사용하던 근육을 사용하는 자연스러운 동작은 제한되거나 통제된 동작보다 더 신속하고 용이하며 정확하다.
- 가능하다면 쉽고도 자연스러운 리듬이 생기도록 동작을 배치한다.
- 눈의 초점을 모아야 작업을 할 수 있는 경우는 가능하면 없애고, 불가피한 경우에는 눈의 초점이 모아지는 두 지점간의 거리를 짧게한다.
- 손과 신체 동작은 작업을 원만하게 처리할 수 있는 범위 내에서 가장 낮은 동작 등급을 사용하도록 한다.

◇ 작업장의 배치에 관한 원칙
- 모든 공구나 재료는 자기 위치에 있도록 한다
- 공구, 재료 및 제어장치는 사용 위치에 가까이 두도록 한다.
- 중력 이송원리를 이용하여 부품을 제품 사용 위치에 가까이 보낼 수 있도록 한다.
- 가능하다면 낙하식 운반 방법을 사용한다.
- 공구나 재료는 작업동작이 원활하게 수행되도록 위치를 정해준다.
- 작업자가 잘 보면서 작업할 수 있도록 적절한 조명을 한다.
- 작업자가 작업중에 자세를 변경할 수 있도록, 즉 앉거나 서는 것을 임의로 할 수 있도록 작업대와 의자 높이가 조정되도록 한다.
- 작업자가 좋은 자세를 취할 수 있도록 의자는 높이뿐만 아니라 디자인도 좋아야 한다.

◇ 공구 및 설비 디자인에 관한 원칙
- 치구나 족동 장치를 효과적으로 사용할 수 있는 작업에서는 이러한 장치를 활용하여 양손이 다른 일을 할 수 있도록 한다.
- 공구의 기능을 결합하여 사용하도록 한다.
- 공구와 자재는 사용하기 쉽도록 가능한 한 미리 위치를 잡아 준다.
- 각 손가락이 서로 다른 작업을 할 때는 작업량을 각 손가락의 능력에 맞게 분배한다.
- 레버, 핸들, 제어 장치는 작업자가 몸의 자세를 크게 바꾸지 않더라도 조작하기 쉽게 배열한다.

11. 보일러 안전장치의 종류 중 3가지에 대하여 각각 설명하시오.

① 원통보일러
- ◆ 노통이나 연관 또는 노통과 연관이 함께 설치된 구조로 되어 있음
- ◆ 구조가 간단하고 용이함
- ◆ 반면 보유량이 많아 증기 발생시간이 길며 파열 시 피해가 큼
  - 수직형 보일러
  - 노통 보일러
  - 연관 보일러
  - 노통 연관 보일러

② 수관보일러
- ◆ 전열 면이 다수의 수관으로 되어 있음
- ◆ 수관 내에서 증발 할 수 있도록 되어 있음
- ◆ 고압 대용량이 가능하여 대부분의 화력발전에 사용됨
  - 자연순환식 수관보일러
  - 강제순환식 수관보일러
  - 관류보일러

③ 특수보일러
- ◆ 가스터빈의 폐가스를 열원으로 사용하는 폐열 보일러
- ◆ 연료로 나무껍질 등을 사용하는 특수 원료 보일러
  - 온방용 보일러
  - 특수보일러

12. 펌프에서 서징(Surging)현상의 발생조건 및 방지대책을 설명하시오.

◇ 서징현상의 발생조건
- 다음의 조건이 동시에 갖추어 졌을 때 발생함
  (하기 조건 중 어느 하나만 만족되지 않아도 서징현상은 발생하지 않음)
  - 펌프의 H-Q 곡선이 오른쪽 상향 구배 특성을 가질 때
  - 펌프의 토출관로가 길고, 배관 중간에 수조 또는 기체 상태인 부분(공기가 괴어있는 부분)이 존재할 때
  - 수조 또는 기체 상태가 있는 부분의 하류측 밸브에서 토출량을 조절할 때
  - 운전점이 오른쪽 하향 구배 특성 범위 이하에서 운전할 때

◇ 서징현상의 방지대책
- 펌프의 H-Q 곡선이 오른쪽 하향 구배 특성을 가진 펌프를 채용함
- 회전차나 안내깃의 형상 치수를 바꾸어 그 특성을 변화시킴
- 바이패스관을 사용하여 운전점이 펌프 H-Q 곡선이 오른쪽 하향 구배 특성 범위에 있도록 함(유량이 Q2 이상 구간에서 운전)
- 배관 중간에 수조 또는 기체 상태인 부분이 존재하지 않도록 배관함
- 유량조절밸브를 펌프 토출측 직후에 위치시킴
- 불필요한 공기탱크나 잔류공기를 제어하고, 관로의 단면적, 유속, 저항 등을 바꿈

13. 기계설비 방호장치인 고정형가드(guards)의 구비조건에 대하여 설명하시오.
[117회 1교시 13번]

- 확실한 방호기능을 갖고 있을 것
- 운전 중 위험구역에 접근을 막을 것
- 운전자에게 불쾌, 불편을 주지말 것
- 작업 및 기계설비에 적합할 것
- 기계설비의 급유 검사 조정 및 수신을 방해하지 말 것
- 쉽게 효력을 잃지 않을 것
- 자동적으로 최소한의 노력으로 작동할 것

국가기술 자격검정 시험문제

기술사		제 117 회		제 2 교시 (시험시간: 100분)		
2019년도	분야	안전관리	자격종목	기계안전기술사	성명	

※ 다음 문제 중 4문제를 선택하여 설명하시오. (각 문제당 25점)

1. 컨베이어에 의한 위험예방을 위하여 사업주가 취해야할 안전장치와 조치에 대하여 설명하시오.

◇ 컨베이어 사업주가 취해야 할 안전장치
- ◆ 컨베이어의 가동부분과 정지 부분 또는 다른 물체와의 사이에 위험을 미칠 우려가 있는 틈새가 없어야 함
- ◆ 컨베이어에 설치한 보도 및 운전실 상면은 수평이어야 함
- ◆ 보도 폭은 60㎝ 이상으로 하고 난간대는 바닥면으로부터 90㎝이상으로 하며 중간대를 설치하여야 함 (다만, 당해 보도에 인접한 건설물의 기둥에 접하는 부분에 대하여는 그 폭을 40㎝ 이상으로 할 수 있음)
- ◆ 경사로 계단 등의 대신에 사다리를 사용하여서는 안됨 (다만, 작업의 성질상 어쩔 수 없는 경우에는 다음 각목에서 정하는 바에 따라 사다리를 사용할 수 있음)
  - 사다리의 발판은 25㎝이상 35㎝이하의 간격으로서 동일한 간격으로 설치해야 함
  - 사다리의 앞쪽에 장애물이 있는 경우는 사다리의 발판과 당해 장애물과의 사이 간격은 60㎝이상으로 함 (다만, 장애물이 일부분일 경우는 발판과의 사이 간격은 40㎝이상으로 할 수 있음)
  - 사다리 뒤쪽에 장애물이 있을 경우는 발판과 해당 장애물과의 사이 간격은 20㎝ 이상으로 함
  - 사다리의 경사각이 70° 이상이고 수직높이가 5m 이상인 경우는 해당 사다리 수직 높이가 2.5m를 초과하는 부분에는 방호울 등을 설치함
  - 사다리의 길이가 10m 이상인 때에는 5m마다 계단참을 설치함

- 제어장치 조작실의 위치가 지상 또는 외부 상면으로부터 높이 1.5m를 초과하는 위치에 설치하는 것은 계단, 고정사다리 등을 설치함
- 운전실 및 그 보도의 상면은 발이 걸려 넘어지거나 미끄러지는 등의 위험이 없어야 함
- 근로자가 작업 중 접촉할 우려가 있는 건설물 및 컨베이어의 날카로운 모서리, 돌기물 등은 이것을 제거하거나 방호하는 등 위험방지를 위한 조치를 강구해야 함
- 근로자가 컨베이어를 횡단하는 곳에서 90㎝ 높이의 난간대 및 중간대가 있는 건널다리를 설치함
- 통로에는 통로가 있는 것을 명시하고 위험한 곳을 방호하는 것 등에 의해 안전하도록 하여야 함
- 컨베이어 피트, 바닥 등에 개구부가 있는 경우는 피트, 바닥 등의 개구부에 덮개 또는 난간을 설치함
- 작업장 바닥 또는 통로의 위를 지나고 있는 컨베이어는 화물의 낙하를 방지하기 위한 설비를 설치함
- 컨베이어에는 운전이 정지되는 등 이상이 발생되어 있는 다른 컨베이어에로의 화물공급을 정지시키는 연동 회로를 설치함
- 폭발의 위험이 있는 가연성의 분진 등을 운반하는 컨베이어 또는 폭발의 위험이 있는 장소에 사용되는 컨베이어의 전기기계, 기구는 방폭 구조이어야 함
- 컨베이어에는 연속한 비상정지 스위치를 설치하거나 적절한 장소에 비상정지 스위치를 설치함
- 컨베이어에는 기동을 예고하는 경보장치를 설치함
- 보도, 난간, 계단, 사다리 등은 컨베이어의 가동 개시 전에 설치함
- 컨베이어의 설치장소에는 그 취급 설명서 등을 구비하여야 함

◇ 컨베이어 사업주가 취해야 할 안전조치
- 원동기 및 풀리 기능의 이상 유무 확인
- 이탈 등의 방지장치 기능의 이상 유무 확인
- 비상정지장치 기능의 이상 유무 확인
- 원동기, 회전축, 기어 및 풀리 등의 덮개 또는 울 등의 이상 유무 확인

2. 용접부의 비파괴 검사방법 중 액체침투탐상검사의 작업단계와 장단점을 설명하시오.

[105회 2교시 2번] [114회 1교시 5번] [117회 2교시 2번] [120회 3교시 6번]
[121회 1교시 12번]

◇ 액체침투탐상검사의 작업단계
① 전처리
시험체 표면을 깨끗하게 세척
② 침투
시험체 표면에 액체의 침투제가 모세관현상에 의해 결함 내부로 침투
③ 세척
시험체 표면부의 침투액을 세척
④ 현상
작은 크기의 현상제(백색분말)을 시험편 표면에 칠하여 현상 처리
⑤ 판독
현상제를 칠하면 작은 분말 사이에 아주 좁은 틈이 생기고 모세관 현상에 의해 결함 내부에 잔류한 침투액이 다시 빨려 나오면서 결함 부위가 검출

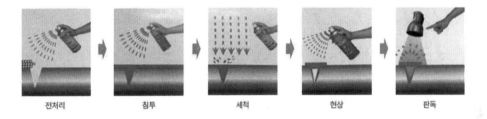

전처리   침투   세척   현상   판독

◇ 액체침투탐상검사의 장점

◆ 금속, 비금속에 관계없이 거의 모든 재료에 적용할 수 있음
◆ 1회의 탐상조작으로 시험체 전체를 탐상할 수도 있고, 결함의 방향에 관계없이 결함을 검출할 수 있음
◆ 액체의 탐상제를 사용하기 때문에 형상이 복잡한 시험체라도 세밀한 부분의 결함도 탐상할 수 있음
◆ 결함이 확대되어 지각하기 쉬운 색상, 밝기로 지시 모양이 나타나므로 높은 확률로 결함을 검출할 수 있고, 결함 폭의 확대율이 높기때문에 아주 미세한 결함도 쉽게 검출할 수 있음

- 어둡거나 밝아도 탐상할 수 있는 검사 방법이 있으며, 검사 환경에 따라 검사 방법을 선택할 수 있음
- 전기 및 수도 등의 설비를 필요로 하지 않는 휴대성이 좋은 검사 방법도 있음
- 검사가 비교적 간단하여 교육 및 훈련을 받으면 비교적 숙련이 쉬움

◇ 액체침투탐상검사의 단점

- 표면이 열려 있어도 그 곳에 침투액의 침투를 방해하는 물, 기름 등의 액체나 금속, 비금속 개재물 등의 이물질로 채워져 있으면 결함을 검출할 수 없음. (즉, 표면이 열려 있지 않으면 검출이 불가능 함)
- 표면이 거친 시험체나 다공성 재료는 충분한 배경이 얻어지지 않으며, 또한 적절한 탐상기술이 아직 정립되지 않아서 검사가 곤란함
- 결함의 깊이와 결함의 내부 형상을 알 수 없음. 검출된 결함지시 모양으로부터 알 수 있는 것은 결함 유무와 결함의 위치 및 표면에 나타난 결함의 개략적인 모양뿐임
- 손으로 하는 작업이 많아 검사원의 기량에 따라 검사결과가 크게 좌우되기 쉬움
- 유지류, 유기용제 등 가연성의 탐상제를 사용하므로, 보관 및 작업할 때에는 화기에 주의하고 환기에도 신경을 써야 함
- 주변 환경, 특히 온도의 영향을 많이 받음
- 밀집되어 있는 결함이나 매우 근접해 있는 결함을 분리하여 별도의 결함지시 모양으로 나타내는 것은 일반적으로 곤란함

3. 용접결함 중 언더컷과 오버랩의 발생원인과 방지대책에 대하여 설명하시오.

◇ 언더컷의 발생원인과 방지대책
- 발생원인
  - 용접 전류가 높거나 아크 길이가 길 때
  - 운봉 속도가 너무 빠를 때
- 방지대책
  - 전류를 적절히 조절하고 아크 길이를 짧게 유지
  - 운봉 속도를 조절

◇ 오버랩의 발생원인과 방지대책
  ◆ 발생원인
    - 용접 전류가 약할 때
    - 용접 속도가 너무 느릴 때
    - 운봉 및 봉의 유지 각도가 불량일 때
    - 용접봉 선택이 불량일 때
  ◆ 방지대책
    - 적정 전류 선택
    - 수평 필릿의 경우 봉의 각도를 적절히 선택
    - 적정 용접봉 선택

4. 유압회로 중 미터인회로(meter in circuit)와 미터아웃회로(meter out circuit)에 대하여 설명하시오.

◇ 미터인회로(Meter in Circuit)
  ◆ 유압회로에 있어서, 속도 제어의 기본 회로의 일종
  ◆ 실린더로 유입하는 유량을 직접 제어함

◇ 미터아웃회로(Meter out Circuit)
  ◆ 유압회로에 있어서, 속도 제어의 기본 회로의 일종
  ◆ 실린더로부터 유출하는 유량을 직접 제어

5. 설비진단기법 중 오일분석법에 대하여 설명하시오.

◇ 오일분석법(페로그래피법)
  ◆ 윤활유 속에 함유된 소모분의 양과 형태를 분석함으로써 윤활부의 윤활상태를 진단하는 방법
  ◆ 원리는 강한 자력에 의해 윤활유 속에 소모분을 분리하여 마모입자를 분석하는 것
    - 정량페로그래피
    - 분석페로그래피

6. 제조물책임법에서 규정하고 있는 결함 3가지에 대하여 설명하시오.

[126회 1교시 10번] [123회 2교시 3번] [120회 3교시 4번] [117회 2교시 6번]

◇ "제조상의 결함"이라 함은 제조업자의 제조물에 대한 제조·가공상의 주의의무의 이행여부에 불구하고 제조물이 원래 의도한 설계와 다르게 제조·가공됨으로써 안전하지 못하게 된 경우를 말한다.

　예) 제조 과정에 이물질이 혼입된 식품, 자동차에 부속품이 빠져있는 경우.

◇ "설계상의 결함"이라 함은 제조업자가 합리적인 대체설계를 채용하였더라면 피해나 위험을 줄이거나 피할 수 있었음에도 대체설계를 채용하지 아니하여 당해 제조물이 안전하지 못하게 된 경우를 말한다.

　예) 녹즙기에 어린이들의 손가락이 잘려 나간 경우처럼 설계 자체에서 안전성이 결여됨

◇ "표시상의 결함"이라 함은 제조업자가 합리적인 설명·지시·경고 기타의 표시를 하였더라면 당해 제조물에 의하여 발생될 수 있는 피해나 위험을 줄이거나 피할 수 있었음에도 이를 하지 아니한 경우를 말한다.

　예) 취급 설명서나 경고 사항 등의 부적절성이나 미비 등 표시 불량에 의한 결함.

국가기술 자격검정 시험문제

기술사	제 117 회			제 3 교시 (시험시간: 100분)		
2019년도	분야	안전관리	자격 종목	기계안전기술사	성 명	

※ 다음 문제 중 4문제를 선택하여 설명하시오. (각 문제당 25점)

1. 안전인증대상 보호구 중 안전화를 등급별로 사용장소에 따라 구분하여 설명하시오.
[117회 2교시 1번] [111회 1교시 8번]

등 급	사용장소
중작업용	광업, 건설업 및 철광업 등에서 원료취급, 가공, 강재취급 및 강재 운반, 건설업 등에서 중량물 운반작업, 가공대상물의 중량이 큰 물체를 취급하는 작업장으로서 날카로운 물체에 의해 찔릴 우려가 있는 장소
보통 작업용	기계공업, 금속가공업, 운반, 건축업 등 공구 가공품을 손으로 취급하는 작업 및 차량 사업장, 기계 등을 운전 조작하는 일반작업장으로서 날카로운 물체에 의해 찔릴우려가 있는 장소
경작업용	금속 선별, 전기제품 조립, 화학제품 선별, 반응장치 운전, 식품 가공업 등 비교적 경량의 물체를 취급하는 작업장으로서 날카로운 물체에 의해 찔릴 우려가 있는 장소

2. 공정안전도면 중 PFD(Process Flow Diagram), P&ID(Process & Instrument Diagram)의 용도와 표시사항 중심으로 설명하시오.

◇ PFD 용도
- ◆ 화학 공정을 포함하는 신규 프로젝트의 공정 검토용
- ◆ 화학 공정을 포함하는 확장 변경 프로젝트의 공정 검토용
- ◆ 프로젝트 관계자와 공정에 대한 기초 협의 이후 견적 작업을 시작할 때
- ◆ 공정안전보고서 해당 사업장의 경우 인허가 대비용
- ◆ 장외영향평가 해당 사업장의 경우 인허가 대비용
- ◆ 통합환경관리계획서 등의 인허가 요구 조건 충족용
- ◆ 공정 장비 배치도, 건축 레이아웃 등의 확보할 부지가 중요한 이슈인 경우
- ◆ 공정에 필요한 유틸리티의 종류와 연결점을 확인해야 할 경우

◇ PFD 표시사항
- ◆ 공정처리 순서 및 흐름의 방향
- ◆ 주요 동력기계, 장치 및 설비류의 배열
- ◆ 기본 제어논리
- ◆ 기본 설계를 바탕으로 한 온도, 압력, 물질수지 및 열수지 등
- ◆ 압력 용기, 저장 탱크 등 주요 용기류의 간단한 사양
- ◆ 열 교환기, 가열로 등의 간단한 사양
- ◆ 펌프, 압축기 등 주요 동력 기계의 간단한 사양
- ◆ 회분식 공정인 경우에는 작업 순서 및 작업시간

◇ P&ID 용도
- ◆ 화학 공정을 포함하는 신규 프로젝트의 공정 검토용
- ◆ 화학 공정을 포함하는 확장 변경 프로젝트의 공정 검토용
- ◆ 프로젝트 관계자와 공정에 대한 기초 협의 이후 견적 작업을 시작할 때
- ◆ 공정안전보고서 해당 사업장의 경우 인허가 대비용
- ◆ 장외영향평가 해당 사업장의 경우 인허가 대비용
- ◆ 통합환경관리계획서 등의 인허가 요구 조건 충족용
- ◆ 공정 장비 배치도, 건축 레이아웃 등의 확보할 부지가 중요한 이슈인 경우

- 공정에서 제어해야 할 변수 확인 및 해당 계기 적절성 검토 후 자동화 프로그래밍의 수준을 검토할 경우
- HAZOP과 같은 정성적 위험성 평가를 통해 공정 안전을 개선해야 할 경우
- 공장 운영, 장비 정비, 작업자 교육 등의 SOP와 매뉴얼을 작성할 경우
- 공정에 필요한 유틸리티의 연결점을 확인해야 할 경우

◇ P&ID 표시사항
- 공정배관계장도에 사용되는 부호 및 범례도
- 장치 및 기계, 배관, 계장 등 고유번호 부여 체계
- 약어 약자 등의 정의
- 기타 특수 요구사항

3. 허용응력에 영향을 미치는 여러 인자에 대하여 설명하시오.

◇ 허용응력에 영향을 미치는 여러 인자
- 인장강도
- 항복강도

◇ 인장강도(Tensile Strength)
- 응력-변형률 선도에서 최대 응력
- 재료가 견딜 수 있는 최대 응력

◇ 항복강도 (Yield Strength)
- 탄성변형이 일어나는 한계 응력
- 대부분의 산업 현장에서는 0.2% 소성변형까지는 과다한 영구변형이 아니라고 간주하기 때문에 이 정도의 변형을 발생시킬 수 있는 응력을 '0.2% 오프셋' 항복응력이라고 부르게 됨

4. 소성가공에 이용되는 성질과 소성변형 방법에 따른 주요 소성가공법 3가지를 설명하시오.

[123회 1교시 9번] [117회 3교시 4번] [117회 4교시 2번]

4-1 소성변형의 정의

재료에 외력을 가하면 재료 내부에는 변형이 생기며, 외력이 어느 정도 이상 크게 되면, 외력을 제거하여도 원상으로 복귀되지 않고 변형이 남게 되는데 이러한 변형을 '소성변형'이라고 함

4-2 소성가공의 종류

* 압연가공 (Rolling)
  - 금속 재료를 회전하는 롤러 사이에 통과시켜 성형하는 방법
* 인발가공 (Drawing)
  - 다이의 구멍을 통하여 재료를 축방향으로 당겨 바깥지름을 감소시키는 가공법
* 압출가공 (Extrusion)
  - 금속을 실린더 모양의 컨테이너에 넣고 한쪽에 램(Ram)에 압력을 가하여 밀어내어 가공하는 방법
* 프레스 가공 (Pressing)
  - 판재를 펀치와 다이 사이에서 압축하여 성형하는 방법
  - 전단 가공, 굽힘, 압축, 딥 드로잉(Deep Drawing) 등으로 분류함
* 단조가공 (Forging)
  - 잉고트(Ingot)의 소재를 단조 기계나 해머로 두들겨서 성형하는 가공법
* 전조 (Roll Forming)
  - 압연과 비슷하며 전조 공구를 이용하여 나사나 기어 등을 성형하는 가공법

5. 지게차의 재해예방활동과 관련하여 다음 사항을 설명하시오.

[123회 1교시 12번] [121회 3교시 2번] [120회 1교시 13번] [108회 1교시 5번]
[105회 2교시 1번]

가) 지게차 작업 시 발생되는 주요 위험성(3가지)과 그 위험요인

◇ 지게차 작업 시 주요 위험성 3가지
- 지게차 및 화물에 작업자 끼임
- 지게차와 차량 사이에 작업자 끼임
- 지게차 후진 시 작업자 끼임

◇ 지게차 작업 시 주요 위험요인
- 마스트와 프레임 사이에 끼임
- 헤드가드와 바닥 사이에 끼임
- 지게차와 작업자가 부딪힘

나) 작업계획서 작성 시기

◇ 지게차 작업계획서 작성 시기
- 일상작업은 최초 작업개시 전에 작성
- 작업장 내 구조가 변화되었을 때 작성
- 작업방법이 변경되었을 때 작성
- 작업장소 또는 화물의 상태가 변경되었을 때 작성
- 지게차 운전자가 변경되었을 때 작성

6. 통풍이나 환기가 충분하지 않고 가연물이 있는 건축물 내부나 설비내부에서 화재위험 작업을 하는 경우 화재예방을 위하여 준수하여야 할 사항에 대하여 5가지를 설명하시오.

안전보건기준에 관한 규칙 제241조(화재위험작업 시의 준수사항)

① 사업주는 통풍이나 환기가 충분하지 않은 장소에서 화재위험작업을 하는 경우에는 통풍 또는 환기를 위하여 산소를 사용해서는 아니 된다.

② 사업주는 가연성물질이 있는 장소에서 화재위험작업을 하는 경우에는 화재 예방에 필요한 다음 각 호의 사항을 준수하여야 한다.
  1. 작업 준비 및 작업 절차 수립
  2. 작업장 내 위험물의 사용·보관 현황 파악
  3. 화기작업에 따른 인근 가연성물질에 대한 방호조치 및 소화기구 비치
  4. 용접불티 비산방지덮개, 용접방화포 등 불꽃, 불티 등 비산방지조치
  5. 인화성 액체의 증기 및 인화성 가스가 남아 있지 않도록 환기 등의 조치
  6. 작업근로자에 대한 화재예방 및 피난교육 등 비상조치

③ 사업주는 작업시작 전에 제2항 각 호의 사항을 확인하고 불꽃·불티 등의 비산을 방지하기 위한 조치 등 안전조치를 이행한 후 근로자에게 화재위험 작업을 하도록 해야 한다.

④ 사업주는 화재위험작업이 시작되는 시점부터 종료 될 때까지 작업내용, 작업 일시, 안전점검 및 조치에 관한 사항 등을 해당 작업장소에 서면으로 게시 해야 한다. 다만, 같은 장소에서 상시·반복적으로 화재위험작업을 하는 경우에는 생략할 수 있다.

국가기술 자격검정 시험문제

기술사   제 117 회   제 4 교시 (시험시간: 100분)

2019년도	분야	안전관리	자격 종목	기계안전기술사	성명	

※ 다음 문제 중 4문제를 선택하여 설명하시오. (각 문제당 25점)

1. 기계설비에 있어서 신뢰도의 정의와 신뢰도 함수에 대하여 설명하시오.

◇ 기계설비에 있어서 신뢰도의 정의
- 어느 장치나 기계가 주어진 조건으로 규정의 기간 중에 고장을 일으키지 않고, 요구된 기능을 완수할 수 있는 성질
- 어느 설비가 계획한 기간 중에 고장 나지 않고 가동하면 제품은 만족할 수 있는 상태가 되므로 그 설비는 신뢰성의 높은 설비라고 할 수 있음

◇ 신뢰도 함수(Reliability Function, Survival Function)
- 주어진 t 시점 이전까지 고장 나지 않을 확률

T : 제품의 수명 또는 고장 시간($Life\,time, Failure\,time$)

$F(t)$: 수명의 누적 분포함수,
         t 이내에 고장이 날 확률을 나타냄
         불신뢰도 함수라고도 함 ($F(t) = \Pr[T \le t]$)

$$R(t) = \Pr[T > t] = 1 - \int_0^1 f(x)dx = 1 - F(t)$$

2. 승강기시설안전관리법에서 규정하는 승강기 검사의 종류 4가지에 대하여 설명하시오. (2019년 1월 기준)

승강기시설안전관리법 제32조(승강기의 안전검사)

◇ "설치검사"란 법 제28조제1항에 따라 승강기의 제조·수입업자가 승강기의 설치를 끝낸 경우에 받는 검사를 말한다.

◇ "안전검사"란 법 제32조제1항 각 호의 정기검사, 수시검사 및 정밀안전검사를 말한다.

  1. 정기검사: 설치검사 후 정기적으로 하는 검사. 이 경우 검사주기는 2년이하로 하되, 다음 각 목의 사항을 고려하여 행정안전부령으로 정하는 바에 따라 승강기별로 검사주기를 다르게 할 수 있다.
     가. 승강기의 종류 및 사용 연수
     나. 제48조제1항에 따른 중대한 사고 또는 중대한 고장의 발생 여부
     다. 그 밖에 행정안전부령으로 정하는 사항

  2. 수시검사: 다음 각 목의 어느 하나에 해당하는 경우에 하는 검사
     가. 승강기의 종류, 제어방식, 정격속도, 정격용량 또는 왕복운행거리를 변경한 경우(변경된 승강기에 대한 검사의 기준이 완화되는 경우 등 행정안전부령으로 정하는 경우는 제외한다)
     나. 승강기의 제어반(制御盤) 또는 구동기(驅動機)를 교체한 경우
     다. 승강기에 사고가 발생하여 수리한 경우(제3호나목의 경우는 제외한다)
     라. 관리주체가 요청하는 경우

  3. 정밀안전검사: 다음 각 목의 어느 하나에 해당하는 경우에 하는 검사. 이 경우 다목에 해당할 때에는 정밀안전검사를 받고, 그 후 3년마다 정기적으로 정밀안전검사를 받아야 한다.

3. 위험성평가에 관련하여 다음 사항을 설명하시오.

[127회 1교시 13번] [126회 1교시 9번] [124회 1교시 12번] [124회 2교시 5번]
[123회 2교시 5번] [121회 1교시 11번] [120회 4교시 6번] [117회 4교시 3번]
[108회 4교시 6번] [105회 4교시 6번]

1) 위험성평가 실시규정에 포함시켜야 할 사항

사업주는 위험성평가를 효과적으로 실시하기 위하여 최초 위험성평가 시 다음
각 호의 사항이 포함된 위험성평가 실시규정을 작성하고, 지속적으로 관리하여야
한다.
   1. 평가의 목적 및 방법
   2. 평가담당자 및 책임자의 역할
   3. 평가시기 및 절차
   4. 주지방법 및 유의사항
   5. 결과의 기록·보존

2) 수시평가 대상

해당하는 계획이 있는 경우에는 해당 계획의 실행을 착수하기 전에 실시
   1. 사업장 건설물의 설치·이전·변경 또는 해체
   2. 기계·기구, 설비, 원재료 등의 신규 도입 또는 변경
   3. 건설물, 기계·기구, 설비 등의 정비 또는 보수(주기적·반복적 작업으로서
      정기평가를 실시한 경우에는 제외)
   4. 작업방법 또는 작업절차의 신규 도입 또는 변경
   5. 중대산업사고 또는 산업재해(휴업 이상의 요양을 요하는 경우에 한정한다)
      발생 (재해발생 작업을 대상으로 작업을 재개하기 전에 실시)
   6. 그 밖에 사업주가 필요하다고 판단한 경우

- ◆ 상기의 어느 하나에 해당하는 계획이 있는 경우에는 그 계획을 대상으로 해당
  계획의 실행을 착수하기 전에 실시하여야 한다.
- ◆ 다만, '제5호 중대산업사고 또는 산업재해'에 해당하는 재해가 발생한 경우에는
  재해발생 작업을 대상으로 작업을 재개하기 전에 실시하여야 한다.

3) 유해위험요인 파악 방법

유해·위험요인을 파악할 때 업종, 규모 등 사업장 실정에 따라 아래의 방법 중 적합한 방법을 사용하되, 사업장 순회점검에 의한 방법은 원칙적으로 반드시 채택할 필요가 있다.

> 사업주는 유해·위험요인을 파악할 때 업종, 규모 등 사업장 실정에 따라 다음 각 호의 방법 중 어느 하나 이상의 방법을 사용하여야 한다. 이 경우 특별한 사정이 없으면 제1호에 의한 방법을 포함하여야 한다.
> 1. 사업장 순회점검에 의한 방법
> 2. 청취조사에 의한 방법
> 3. 안전보건 자료에 의한 방법
> 4. 안전보건 체크리스트에 의한 방법
> 5. 그 밖에 사업장의 특성에 적합한 방법

(가) 사업장 순회점검에 의한 방법
- 사업장 위험성평가 수행자(안전보건관리책임자, 안전·보건관리자, 관리감독자, 안전보건관리담당자, 대상공정의 작업자 등)가 정기적으로 사업장을 순회 점검하여 기계·기구 및 설비나 작업의 유해·위험요인을 파악하는 방법이다.
- 사업장 점검 시 사전준비
  - 사업장에서 발생한 재해(아차사고)와 질병의 기록
  - 이전에 실시한 점검 사항의 기록
  - 유해·위험작업이나 설비의 특이한 사항
- 점검 시 유의사항
  - 점검자는 사업장 작업에 정통할 것
  - 측정이 필요한 경우 계측기 등을 준비할 것
  - 교대 작업인 경우 점검 시간대를 조정할 것
  - 점검이후 필요할 때마다 점검자 회의를 개최할 것

(나) 청취조사에 의한 방법
- 사업장 위험성평가 수행자가 현장의 근로자와 면담을 통해 직접 경험한 기계·기구 및 설비나 작업의 유해·위험요인을 파악하는 방법이다.
- 청취조사의 실시준비
  - 청취 대상을 누구로 할 것인지 사전에 선정

- 현재의 작업에 어느 정도 정통한 사람
- 안전보건에 관한 교육을 받는 사람
- 유해·위험요인에 대해 판단이 가능한 사람
- 현장 책임자가 바람직함
- ◆ 청취조사 실시 상의 유의사항
  - 청취조사는 계획에 따라 실시하되, 조사표를 사용
  - 조사내용은 작업자의 경험에 기초
  - 특정한 사람으로 한정하지 말 것
  - 청취조사 과정에서 개인정보 및 조사내용은 비밀로 보호

(다) 안전보건 자료에 의한 방법
- ◆ 사업장에서 발생한 재해 조사보고서, 작업환경측정 및 건강진단 자료, 유해·위험한 상태나 행동에 따른 아차사고 등의 정보를 참고하여 유해·위험요인을 파악하는 방법이다.
- ◆ 안전보건자료의 종류
  - 산업안전보건위원회 등의 회의록 또는 기록
  - 발생한 사고나 질병의 보고서
  - 작업환경측정이나 건강진단의 실시 결과
  - 위험예지훈련 등 안전보건 활동 기록 등
- ◆ 안전보건자료에 의한 방법에 따라 실시 시 유의사항
  - 사고가 발생했을 때에 수행하고 있던 작업을 대상으로 할 것
  - 작업환경측정 결과 노출기준을 상회하는 작업을 대상으로 할 것
  - 건강진단에서는 유소견자가 행하고 있는 작업을 채택할 것

(라) 안전보건 체크리스트에 의한 방법
- ◆ 사업장에서 이루어지는 작업에 대하여 안전보건 체크리스트를 작성하여 그 중에서 유해·위험요인을 파악하는 방법이다.
- ◆ 안전보건 체크리스트의 작성
  - 현재 수행하는 작업 중에서 특히 사고나 질병이 발생할 우려가 있는 부분을 선정
  - 선정한 작업에 대하여 단계별로 유해·위험요인을 기재

(마) 위 방법 외에 사업장에 적합한 다른 방법을 사용할 수 있다.

4. 프레스 및 전단기의 방호대책에 있어서 no-hand in die방식과 hand in die방식에 대하여 설명하시오.

no-hand in die
- ◆ 방호울이 부착된 프레스
- ◆ 안전금형을 부착한 프레스
- ◆ 전용프레스의 도입(작업자의 손을 금형사이에 넣을 필요가 없는 프레스)
- ◆ 자동프레스의 도입(자동송급, 배출장치를 부착한 프레스)

hand in die
- ◆ 프레스기의 종류, 압입능력, 매분 행정수, 행정길이, 작업방법에 상응하는 방호장치를 설치함
  - 가드식 방호장치
  - 손쳐내기식 방호장치
  - 수인식 방호장치
- ◆ 정지성능에 상응하는 방호장치를 설치함
  - 양수조작식 방호장치
  - 감응식 방호장치

5. 산업안전보건법령에서 정하는 유해·위험방지계획서 제출 대상 사업장을 쓰시오.

[121회 3교시 3번] [117회 4교시 5번] [111회 3교시 2번] [108회 4교시 3번]

◇ 대상 설비(5종)를 설치, 이전, 변경 시
- ◆ 용해로(금속 또는 비금속 광물)
  - 용량 3톤 이상의 용해로를 신설, 이전, 변경하는 경우
- ◆ 화학설비
  - 기준량 이상을 취급하는 특수화학설비를 설치, 이전, 변경하는 경우
- ◆ 건조설비
  - 열원 기준으로 연료의 최대소비량이 시간당 50킬로그램 이상이거나 최대소비전력이 50킬로와트 이상인 다음의 설비를 설치, 이전, 변경하는 경우
    - 가. 건조물에 포함된 유기화학물질을 건조하는 경우

나. 도료 파막제의 도표코딩 등 표면을 건조하여 인화성 물질의 증기가 발생하는 경우

　　다. 건조를 통한 가연성 분말로 인해 분진이 발생하는 설비

　　라. 가스집합용접장치 : 고정식의 가스집합장치로부터 용접 토치까지의 일관 설비로서 인화성 가스 집합량이 1000킬로그램 이상이 설비를 설치, 이전, 변경하는 경우

- ◆ 허가, 관리대상 유해물질 및 분진작업 관련설비
  - 안전검사 대상물질 49종으로부터 나오는 가스, 증기 또는 분진의 발산원을 밀폐, 제거하기 위해 설치하는 국소배기장치(이동식 제외), 밀폐설비 및 전체 환기장치를 설치, 이전, 변경하는 경우(국소배기장치 및 전체환기장치는 배풍량이 60㎥/분 이상)
  - 안전검사 대상물질 49종 이외 허가대상 또는 관리대상 물질로부터 나오는 가스, 증기 또는 분진의 발산원을 밀폐, 제거하기 위해 설치하거나 분진작업을 하는 장소에 설치하는 국소 배기장치(이동식 제외), 밀폐설비 및 전체 환기장치를 설치, 이전, 변경하는 경우(국소배기장치 및 전체환기장치는 배풍량이 150㎥/분 이상)

◇ 대상 업종(13개 업종) 사업장의 신설, 이전, 변경 시
- ◆ 대상업종[한국표준산업분류에 의한 13개 업종]에 대해 전기계약용량이 300kW 이상인 다음의 업종으로 건설물, 기계, 기구 및 설비 등 일체를 설치, 이전, 변경하는 경우

6. 열처리에 있어서 경도불량이 나타나는 현상 3가지에 대하여 설명하시오.

① 불충분한 경도
- 담금질 온도가 너무 낮음
- 담금질 온도가 너무 높음
- 과열 온도 설정

② 탈단
- 강철을 가열하거나 따뜻하게 유지할 때 주변 대기의 영향으로 인해 표면층의 탄소 전체 또는 일부가 소실되는 현상 및 반응

③ EDM으로 인한 균열
- 금형 제조에서 EDM(전기 펄스 및 와이어 절단)이 점점 더 널리 사용되지만, EDM의 광범위한 적용으로 인해 EDM으로 인한 결함도 그에 따라 증가함
- EDM은 방전에 의해 생성된 고온의 도움으로 다이 표면을 용융시키는 처리 방법이기 때문에 가공된 표면 상에 EDM의 백색 개질 층이 형성되고 약 800MPa의 인장 응력이 발생됨
- 변형 또는 균열과 같은 결함이 종종 다이의 EDM 공정에 나타남

④ 인성의 부족
- 담금질 온도가 너무 높음
- 유지 시간이 너무 김
- 입자 조 대화를 유발하거나 담금질 취성 영역을 피하는 방식으로 담금질이 수행되지 않기 때문

제114회 (2018년)
기계안전기술사

114회 기계안전기술사 출제 유형

교시	번호	세부항목
1	1	기계·설비결함의 진단 및 평가
1	2	재료시험 및 응력해석
1	3	재료시험 및 응력해석
1	4	재료시험 및 응력해석
1	5	비파괴공학 및 시험검사
1	6	산업안전보건기준에 관한 규칙
1	7	본질적 안전화
1	8	산업기계 설비 및 운반기계의 특징과 안전한 사용
1	9	산업안전보건법
1	10	기타 전기, 화공 안전에 관한 기본사항
1	11	기계재료, 용접결함, 열처리
1	12	정역학, 유체역학 및 재료역학
1	13	기타 전기, 화공 안전에 관한 기본사항
2	1	산업기계 설비 및 운반기계의 특징과 안전한 사용
2	2	위험기계기구 및 설비의 방호조치
2	3	기계·설비결함의 진단 및 평가
2	4	산업안전보건법
2	5	산업안전보건기준에 관한 규칙
2	6	산업용 로봇, 유공압 시스템 및 공장자동화
3	1	기계설비의 위험점
3	2	위험기계기구 및 설비의 방호조치
3	3	기계·설비결함의 진단 및 평가
3	4	산업기계 설비 및 운반기계의 특징과 안전한 사용
3	5	기계재료, 용접결함, 열처리
3	6	위험기계기구 및 설비의 방호조치
4	1	산업안전보건기준에 관한 규칙
4	2	산업안전보건법
4	3	기타 전기, 화공 안전에 관한 기본사항
4	4	산업안전보건법
4	5	산업안전보건법
4	6	보호구 및 안전표지 등

114회 (2018년) 기계안전기술사

기술사   제 114 회   제 1 교시 (시험시간: 100분)

2018년도	분야	안전관리	자격종목	기계안전기술사	성명	

※ 다음 문제 중 10문제를 선택하여 설명하시오. (각 문제당 10점)

1. 고장모드와 영향분석법[FMEA(Failure Modes and Effects Analysis)]의 정의와 장·단점에 대하여 설명하시오.

◇ 정의

 FMEA는 서브시스템 위험 분석을 위하여 일반적으로 사용되는 전형적인 정성적, 귀납적 분석법으로 시스템에 영향을 미치는 모든 요소의 고장을 형태별로 분석하여 그 영향을 검토하는 것이다.

◇ 수행 절차

순서	주요내용
1단계 대상 시스템의 분석	① 기기, 시스템의 구성 및 기능을 파악 ② FMEA실시를 위한기본 방침의 결정 ③ 기능 BLOCK과 신뢰성 BLOCK의 작성
2단계 고장 형태와 그 영향의 해석	① 고장 형태의 예측과 설정 ② 고장 원인의 산정 ③ 상위 항목의 고장 영향의 검토 ④ 고장 검지법의 검토 ⑤ 고장에 대한 보상법이나 대응법 ⑥ FMEA 워크시트에 기입 ⑦ 고장 등급의 평가
3단계 치명도 해석과 개선책의 검토	① 치명도 해석 ② 해석 결과의 정리와 설계 개선으로 제언

◇ 적용 가능한 예
　① 개로 또는 개발 고장
　② 폐로 또는 폐쇄고장
　③ 가동고장
　④ 정지고장
　⑤ 운전계속의 고장
　⑥ 오작동 고장

2. 소성변형의 정의와 소성가공의 종류 3가지만 설명하시오.
[123회 1교시 9번] [117회 3교시 4번] [117회 4교시 2번]

2-1 소성변형의 정의

재료에 외력을 가하면 재료 내부에는 변형이 생기며, 외력이 어느 정도 이상 크게 되면, 외력을 제거하여도 원상으로 복귀되지 않고 변형이 남게 되는데 이러한 변형을 '소성변형'이라고 함

2-2 소성가공의 종류

- ◆ 압연가공 (Rolling)
  - 금속 재료를 회전하는 롤러 사이에 통과시켜 성형하는 방법
- ◆ 인발가공 (Drawing)
  - 다이의 구멍을 통하여 재료를 축방향으로 당겨 바깥지름을 감소시키는 가공법
- ◆ 압출가공 (Extrusion)
  - 금속을 실린더 모양의 컨테이너에 넣고 한쪽에 램(Ram)에 압력을 가하여 밀어내어 가공하는 방법
- ◆ 프레스 가공 (Pressing)
  - 판재를 펀치와 다이 사이에서 압축하여 성형하는 방법
  - 전단 가공, 굽힘, 압축, 딥 드로잉(Deep Drawing) 등으로 분류함
- ◆ 단조가공 (Forging)
  - 잉고트(Ingot)의 소재를 단조 기계나 해머로 두들겨서 성형하는 가공법
- ◆ 전조 (Roll Forming)
  - 압연과 비슷하며 전조 공구를 이용하여 나사나 기어 등을 성형하는 가공법

3. 기계설비 설계 시 안전율 설정의 기본이 되는 응력-변형률 선도를 그림으로 도식하고 각 단계를 설명하시오.

[114회 1교시 3번] [117회 1교시 7번] [124회 3교시 2번]

◇ 응력-변형률 선도

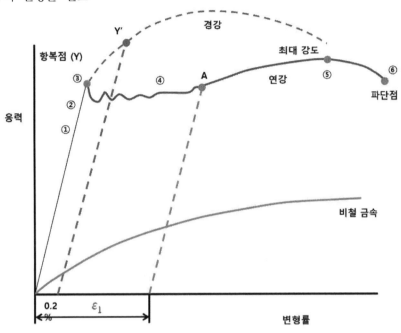

◇ 응력-변형률 선도 각 단계

① 비례한도 : 비례한도 이내에서는 응력을 제거하면 원상태로 돌아간다
② 탄성한도 : 재료가 탄성을 잃어버리는 최대한의 응력
③ 상부항복점 : 영구변형이 명확하게 나타나기 시작하는 점
④ 하부항복점 : 소성변형-항복점 이상의 응력을 받는 재료가 영구변형을 일으
　　　　　　　키는 과정
⑤ 극한강도(인장강도) : 최대하중을 받는 구간(최대응력)
⑥ 파괴강도(파단점) : 극한강도를 넘어서 결국 파단 되는 구간

4. 최근 고소작업대의 붐대 고정용 볼트 파단에 따른 중대재해가 다발하고 있다. 이와 관련하여 볼트의 피로파괴 해석의 기본이 되는 S-N 곡선을 그림으로 도식하고 피로한도의 정의에 대하여 설명하시오.

[124회 1교시 3번] [123회 1교시 2번] [114회 1교시 4번] [108회 2교시 4번]
[105회 3교시 5번] [102회 1교시 13번]

세부내용 [108회 2교시 4번] 참조

S-N 곡선

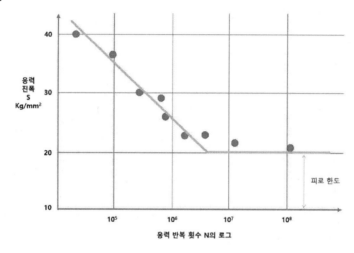

피로파괴의 정의

기계나 구조물 중에서 피스톤이나 커넥팅 로드와 같이 인장과 압축을 되풀이 해서 받는 부분이 있는데, 이러한 경우 그 응력이 인장(압축) 강도 보다 훨씬 작더라도, 이것을 오랜 시간에 걸쳐서 연속적으로 되풀이 하여 작용시키면, 파괴되는데 이 같은 현상을 피로파괴라 함

◇ 피로한도

- 피로한도 : 아무리 반복하여도 피로파괴가 일어나지 않는 응력의 한도
- 기계를 구성하는 금속재료가 반복적으로 굽힘하중을 받으면 허용하중보다 작은 하중에서도 파괴됨
- 피로에 의한 파괴 시, 연성재료도 취성재료처럼 거의 변형없이 파괴, 균열의 점진적 발생부와 급격파괴부를 뚜렷이 구별 가능함

5. 석유화학공장에서 배관부의 결함을 확인하기 위하여 시행하는 비파괴검사 방법의 종류에 대하여 5가지만 설명하시오.

[105회 2교시 2번] [114회 1교시 5번] [117회 2교시 2번] [120회 3교시 6번]
[121회 1교시 12번]

1) 침투탐상법(PT : Penetration Test)
  피검체 표면에 노출되어 있는 결함에 침투되었던 염료가 표면으로 새어나오면서
  표면의 주변색깔과 선명히 대비되어 표면에 노출되어 있는 결함을 쉽게 찾아내는
  검사법

◇ 침투탐상 시험단계

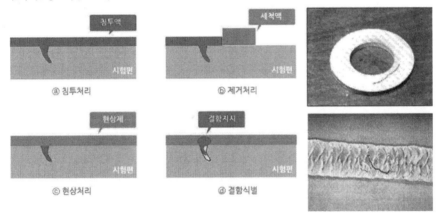

ⓐ 침투처리　　　ⓑ 제거처리

ⓒ 현상처리　　　ⓓ 결함식별

　피검사체세척→ⓐ침투처리(침투액도포)→ⓑ제거처리(침투액세척)→ⓒ현상처리
(현상액도포)→ⓓ결함식별→후처리

◇ 장점
  ◆ 시험대상물은 금속뿐만 아니라 모든 물체에 적용됨
  ◆ 비자성 금속에 대하여도 식별 가능
  ◆ 시험 장비가 매우 간편하고 이동성이 좋음
  ◆ 장비 가격이 매우 저렴

◇ 단점
  ◆ 표면에 노출되어있지 않은 결함은 검출할 수 없음
  ◆ 시험대상물 표면의 검사 준비가 까다로움
  ◆ 시험 후 시험대상물의 표면을 청소해야 함
  ◆ 대상물의 표면이 거친 경우에 검사판독이 어려움

2) 자분탐상시험(MT : Magnetic Particle Test)

강자성체의 표면을 검사하는데 주로 사용되는 것으로 전자석 장비를 사용하여
강자성체의 표면에 자분을 뿌렸을 때 누설 자속을 이용하여 결함 검출 방법

탐상모식도

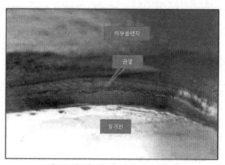
자분탐상시험 결과 사진

◇ 장점
- 시험속도가 매우 빠름
- 시험비용이 저렴
- 표면결함 검출능력 우수
- 시험장비가 간편하며 이동성이 좋음

◇ 단점
- 시험대상물이 강자성체로 한정
- 두꺼운 페인트 등이 코팅된 경우 자분탐상시험을 위해 페인트를 제거해야 함
- 피검체를 탈자작업을해서 자성을 제거해야 함

3) 방사선투과시험(RT : Radiographic Test)

방사선은 물체를 투과하는 성질을 가지고 있으며, 투과하는 정도는 시험체의
두께 및 밀도에 따라 달라진다. 투과된 방사선량의 차이에 따라 필름의 감광
정도가 달라지게 되므로 시험체 내부에 존재하는 결함의 종류, 위치, 크기 등을
판정한다.

◇ 장점
- 육안으로 파악할 수 없는 내부결함들을 검사할 수 있음
- 현상된 필름을 적절히 보관하면 영구적으로 검사기록 보존할 수 있음

◇ 단점
- 방사선을 사용하므로 인체에 유해함
- 방사선 피폭량에 대한 관리와 교육이 필요
- 방사선 투과시험장비 가격이 비쌈
- 별도의 판독기가 필요함
- 피검체 양쪽면 모두 접근과 작업수행이 가능해야 함

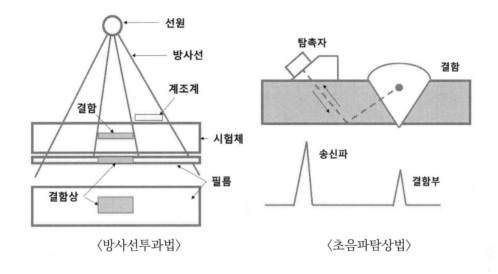

〈방사선투과법〉   〈초음파탐상법〉

4) 초음파탐상시험(UT : Ultrasonic Test)
   탐촉자에서 전기신호 변환하여 만들어진 초음파를 시험체 내부로 전달하여 내부에 존재하는 결함부로부터 반사한 신호를 검출하는 방법

◇ 장점
- 시험체에 대한 3차원적인 검사를 수행할 수 있음
- 결함의 위치와 길이를 알 수 있고, 표면으로부터의 깊이도 측정 가능
- 방사선투과시험과는 달리 한 쪽 접촉면을 통하여 시험체의 내부 검사 가능
- 검사장비가 경량이고 배터리타입으로 현장적용이 용이

◇ 단점
- ◆ 시험체 표면을 평평하게 기계가공 또는 연삭가공해야 함
- ◆ 많은 훈련과 높은 기량이 필요
  (검사자의 능력에 따라 해석이 다를 수 있음)

5) 와전류탐상시험(ECT : Eddy Current Test)
   와전류가 검사체 표면 근방의 균열 등의 불연속에 의하여 변화하는 것을 관찰함
   으로써 검사체에 존재하는 결함을 찾아내는 방법

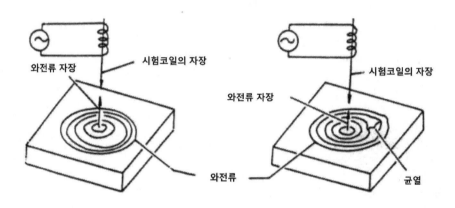

◇ 장점
- ◆ 시험장비의 자동화 가능
- ◆ 대상물과 접촉하지 않고 검사를 수행할 수 있으며, 접촉 매질도 필요하지 않음
- ◆ 다른 시험방법에 비하여 시험속도가 빠름
- ◆ 검사체가 도체이면 모두 검사 가능
- ◆ 자성체, 비자성체 모두 적용 가능

◇ 단점
- ◆ 와전류탐상시험에 사용되는 대비시험편은 매우 정밀하게 만들어야 함
- ◆ 시험 목적에 적합한 대비 시험편을 구비해야 함
- ◆ 시험체 표면에 먼지 등으로 오염되면 와전류에 큰 영향을 미치게 되므로 오염
  물을 필히 제거하여야 함

6. 산업안전보건기준에 관한 규칙 제163조에서 정하고 있는 양중기의 와이어 로프 등 달기구의 안전계수 구하는 식을 설명하시오.
[127회 2교시 2번] [114회 1교시 6번] [111회 4교시 2번]

◇ 안전계수 : 하중의 종류에 따라 결정되는 기초강도와 허용응력과의 비
◇ 안전율은 응력계산 및 재료의 불균질 등에 대한 부정확을 보충하고 각 부품의
  불충분한 안전율과 더불어 경제적 치수 결정에 중요함

제163조(와이어로프 등 달기구의 안전계수)

① 사업주는 양중기의 와이어로프 등 달기구의 안전계수(달기구 절단하중의
   값을 그 달기구에 걸리는 하중의 최대값으로 나눈 값을 말한다)가 다음 각
   호의 구분에 따른 기준에 맞지 아니한 경우에는 이를 사용해서는 아니 된다.
   1. 근로자가 탑승하는 운반구를 지지하는 달기와이어로프 또는 달기체인의
      경우 : 10 이상
   2. 화물의 하중을 직접 지지하는 달기와이어로프 또는 달기체인의 경우 :
      5 이상
   3. 훅, 샤클, 클램프, 리프팅 빔의 경우: 3 이상
   4. 그 밖의 경우: 4 이상
② 사업주는 달기구의 경우 최대허용하중 등의 표식이 견고하게 붙어 있는
   것을 사용하여야 한다.

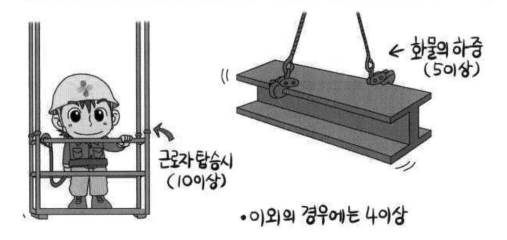

7. 페일 세이프(Fail Safe)와 풀 푸루프(Fool Proof)의 정의를 설명하시오.
[121회 1교시 2번] [114회 1교시 7번] [105회 2교시 3번]

◇ Fool Proof
  ◆ 바보(fool)와 같이 되는 경우를 방지(proof)한다는 의미로서, 사용자가 실수를 하더라도 사용자나 시스템에 피해가 발생하지 않도록 하는 설계 개념
  ◆ 예를 들어 전원 플러그를 사용하여야 하는 경우에 극성이 다르게 삽입되는 것을 방지하기 위하여 플러그의 모양을 극성이 올바른 경우에만 삽입될 수 있도록 설계하는 경우이다.
  ◆ 특히 초보자나 미숙련자가 사용법을 잘 모르고 제품을 사용하더라도 사고가 나지 않도록 하는데 적절한 설계 개념이다.
    - Affordance (행동 유도성 원칙)
    - Mental Model (좋은 개념모형의 원칙)
    - Mapping (대응의 원칙)
    - Visibility (가시성의 원칙)
    - Feedback (피드백의 원칙)
    - Consistency (일관성의 원칙)
    - Constraints (사용상 제약 원칙)

◇ Fail Safe
  고장이나 오류가 발생하는 경우(fail)에도 안전한 상태(safe)를 유지하는 방식
  ◆ Redundant system (중복 시스템 설계, 병렬체계 방식)
    - 비행기 엔진을 2개 이상 장착하여 1개 엔진이 고장 나더라도 다른 엔진을 이용하여 당분간 운항한 뒤 착륙할 수 있도록 하는 병렬체계 방식
  ◆ Standby system (대기 시스템 설계, 대기체계 방식)
    - 평소에는 작동하지 않다가 주 장치에 고장이 나면 작동하는 방식
      예) 병원 수술실이나 엘리베이터의 자가 발전기
  ◆ Error recovery (에러 복구)
    - 오류가 발생하여도 이를 쉽게 복구할 수 있게 하는 방식
      예) 컴퓨터 바탕화면의 휴지통
  ◆ 고장이 발생하면 시스템이 작동을 멈추는 방식
      예) 과전압이 흐르면 전기가 차단되는 차단기, 넘어지면 작동이 되지 않는 전기히터 등

◇ Fail Safe 기능적인 측면 3단계
  ◆ fail passive : 부품이 고장나면 통상 기계는 정지하는 방향으로 이동
  ◆ fail active : 부품이 고장나면 기계는 경보를 울리며, 짧은 시간 동안 운전 가능
  ◆ fail operational : 부품의 고장이 있어도 기계는 추후 보수가 있을 때까지
                       병렬계통, 대기여분계통 등으로 안전한 기능을 유지

8. 지계차의 넘어짐을 방지하기 위하여 하역작업 시의 전·후 안정도를
   4% 이하로 제한하고 있는데, 안정도를 계산하는 식과 지계차 운행경로의
   수평거리가 10m인 경우 수직높이는 얼마 이하로 하여야 하는지를 설명
   하시오.
   [123회 1교시 12번] [121회 3교시 2번] [120회 1교시 13번] [108회 1교시 5번]
   [105회 2교시 1번]

   세부내용 [121회 3교시 2번] 참조

◇ 지계차 안정도 계산식
  ◆ 하역작업 시 지계차 전, 후 안정도
    - 4% 이내 (5톤 이상은 3.5% 이내)
  ◆ 하역작업 시 지계차 좌, 우 안정도
    - 6% 이내
  ◆ 주행 시 지계차 전, 후 안정도
    - 18% 이내
  ◆ 주행 시 지계차 좌, 우 안정도
    - (15+1.1V)% 이내, 최대 40%
       V : 최고속도(km/h)

◇ 지계차 운행경로 수평거리 10m 경우 수직높이
  ◆ 안정도 = (수직높이 / 수평거리) * 100
  ◆ 4% 이하 = (수직높이 / 10m) * 100
  ◆ 수직높이 = 0.4m

9. 산업안전보건법령 상 "안전검사 대상 유해·위험기계기구" 중 "안전인증대상 기계·기구"에 해당되지 않는 6종을 설명하시오.

[127회 1교시 2번] [126회 1교시 12번] [121회 3교시 4번] [114회 1교시 9번]
[111회 1교시 12번] [108회 3교시 2번] [105회 1교시 11번]

[121회 3교시 4번] 참조

안전검사 대상 기계	안전인증대상 기계·기구
1. 프레스 2. 전단기 3. 크레인(정격 하중이 2톤 미만인 것은 제외한다) 4. 리프트 5. 압력용기 6. 곤돌라 7. 국소 배기장치(이동식은 제외) 8. 원심기(산업용만 해당한다) 9. 화학설비 및 그 부속설비 [삭제] 10. 건조설비 및 그 부속설비 [삭제] 11. 롤러기(밀폐형 구조는 제외) 12. 사출성형기 13. 고소작업대 14. 컨베이어 15. 산업용 로봇	가. 프레스 나. 전단기(전단기) 및 절곡기(절곡기) 다. 크레인 라. 리프트 마. 압력용기 바. 롤러기 사. 사출성형기(사출성형기) 아. 고소(고소) 작업대 자. 곤돌라
산업안전보건법 시행령 제78조	산업안전보건법 시행령 제74조

"안전검사 대상 유해·위험기계기구" 중 "안전인증대상 기계·기구"에 해당되지 않는 6종은 ①국소배기장치, ②원심기, ③화학설비 및 그부속설비, ④건조설비 및 그 부속설비, ⑤컨베이어, ⑥산업용로봇 이다.

※ 유해위험기계기구 종합정보시스템, 안전인증(KCS 마크) 심사종류 및 내용
- ◆ 예비심사 : 7일
- ◆ 서면심사 : 15일(외국에서 제조한 경우는 30일)
- ◆ 기술능력 및 생산체계 심사 : 30일(외국에서 제조한 경우는 45일)
- ◆ 제품심사 :
  가. 개별 제품심사 : 15일
  나. 형식별 제품심사 : 30일(영 제74조 제1항 제2호 사목의 방호장치와 같은 항 제3호 가목부터 아목까지의 보호구는 60일

10. 배관 내에서 발생되는 수격(Water Hammering)현상과 원심펌프에서 발생되는 Air Binding 현상에 대하여 설명하시오.

◇ 수격현상(Water Hammering)
- ◆ 배관 내 유동의 급격한 변화에 의하여 배관, 배관지지대 및 기기 등에 큰 동하중이 유발되는 것

◇ 에어바인딩 현상(Air Binding)
- ◆ 펌프보다 수원이 낮을 경우 케이싱 내부에 물이 없으면 펌프를 작동하더라도 실제로 물이 나오지 않는 현상

11. 강(Steel)의 5대 원소와 각 원소가 강에 미치는 영향에 대하여 설명하시오.
[121회 1교시 9번] [114회 1교시 11번] [108회 1교시 3번]

◇ 철의 5대 원소
탄소(C), 규소(Si), 망간(Mn), 인(P), 황(S)

◇ 철의 5대 원소가 미치는 영향

① 탄소(C)
- ◆ 탄소는 철의 성질을 결정하는 중요한 역할을 함
- ◆ 강도를 높이는 데 가장 효과적인 원소

② 규소(Si)
- ◆ 규소는 선철과 탈산제에서 잔류된 것

- 항복점, 인장강도가 규소량에 따라 증가하게 됨
- 강력한 탈산제로써 4.5%까지 첨가하면 강도가 향상되지만, 2% 이상 첨가 시 인성이 저하되고 소성가공성을 해치기도 함
- 뜨임 시 연화 저항성을 증대시키는 효과가 있음

③ 망간(Mn)
- 망간은 보통 0.35~1.0%가 함유되어 있음
- 그 중 일부는 철 속에 고용되어 일부는 철 중에 함유된 황과 결합하여 비금속 재개물인 유망간석(MnS)를 형성하는데 길게 연신됨
- 망간은 철의 내산성과 내산화성을 저해함
- 그러나 펄라이트라 미세해지고 페라이트를 고용 강화시킴으로써 항복강도를 향상시킴
- 담금질 시 경화 깊이를 증가시키지만, 다량 함유 시 담금질 균열이나 변형을 유발시킴
- 철에 점성을 부여하므로, 1.0~1.5%의 망간이 첨가된 철을 강인강이라고 부름
- 특히 1.3% 탄소와 13% 망간이 함유된 오스테나이트 철을 헤드필드강이라고 부름

④ 인(P)
- 인은 철 중에 균일하게 분포되어 있음
- 보통 인화철(Fe3P)의 해로운 화합물을 형성함
- 인화철은 극히 취약하고 편석되어 있어서 풀림 처리를 해도 균질화되지 않고, 단조, 압연 등 가공 시 길게 늘어남
- 내후성 향상, 피삭성을 개선시킴
- 충격저항을 저하시키고 뜨임 취성을 촉진해 일반적으로 철에 해로운 원소로 취급되고 있음

⑤ 황(S)
- 황은 보통 망간, 아연, 티타늄, 몰리브덴 등과 결합하여 철의 피삭성을 개선시킴
- 망간과 결합하여 유망간석(MnS)을 형성함
- 철 중에 망간의 양이 충분하지 못할 경우 철과 결합하여 FeS를 형성함
- FeS는 매우 취약하고 용융점이 낮기 때문에 열간 및 냉간 가공 시 균열을 일으킴
- 균열을 일으키는 FeS 형성을 피하기 위해 망간과 황의 비를 5:1로 함

12. 다음 그림과 같이 중량물을 달아 올릴 때 줄걸이용 와이어로프 한 줄에 걸리는 장력(W1)을 구하고 줄걸이용 와이어로프의 보관방법에 대하여 설명하시오.

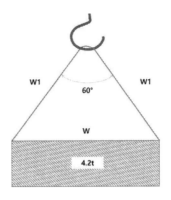

◇ 줄걸이용 와이어로프 한 줄에 걸리는 장력
 ◆ 4200/2/cos(60/2) = 2424.87kN

◇ 줄걸이용 와이어로프의 보관방법
 ◆ 사용하중이 명시된 것을 사용
 ◆ 각진 양중물은 보호대를 설치
 ◆ 물, 기름에 젖지 않도록 하고 지정장소에 보관
 ◆ 벨트 슬링을 서로 걸어 당기기를 금지
 ◆ 웹 벨트 폐기 기준
  - 벨트 전체 폭에 걸쳐서 보풀이 일고 손상이 있거나 이음매가 있는 경우
  - 폭의 10% 또는 두께의 20%에 상당하는 잘린 흠-긁힌 흠 등이 있는 것
  - 몸체부는 봉제선의 풀어진 길이가 벨트의 폭보다 큰 경우
  - 봉제부와 고리부는 봉제실이 절단되거나 벨트 박리가 조금이라도 인지되는 경우
  - 사용기간이 3년을 초과한 경우
 ◆ 라운드 벨트 폐기 기준
  - 고리부, 본체부의 표피가 파손되어 선이 노출된 경우
  - 벨트의 접합부 또는 연결부 실밥이 풀려서 심선이 노출된 경우
  - 심부가 부분적으로 뭉쳐서 두께의 불균일이 감지될 경우
  - 사용기간이 2년을 초과한 경우

- 색상에 따른 안전강도의 기준은 다음과 같음

색상	보라	녹색	노랑	회색	빨강	고동	파랑	주황
안전강도	1톤	2톤	3톤	4톤	5톤	6톤	8톤	10톤

13. 겨울철 물배관이 동파되는 이유와 동파방지방법 및 동결심도에 대하여 설명하시오.

◇ 동파의 원인
- 영하의 날씨가 지속 될 때
- 겨울철 수돗물을 장기간 사용하지 않을 때

◇ 동파 방지 방법
- 수도관의 물빼기
  - 수도관 내에 물이 없으면 얼지 않음
  - 기온이 영하로 내려가거나 수도를 오랜 기간 쓰지 않는다면 꼭 수도관의 물을 빼야 함
- 물이 얼지 않도록 수도관을 보온하기
  - 노출 부분을 보온 재료나 수건 등으로 보호하여 효과를 볼 수 있음
  - 수도 미터기 주변
    - 가. 수건이나 보온 재료 등을 미터기 박스 안에 넣어 미터기 주변의 수도관을 보온
    - 나. 젖지 않도록 비닐봉지 등에 싸서 넣음
  - 급탕기 주변
    - 가. 급수관이 노출된 부분을 수건 등으로 감싸서 보온
  - 건물 내부
    - 가. 실내 문을 열어서 실내 전체에 따뜻한 바람이 통하도록 함
    - 나. 수도꼭지나 급수관에 수건 등을 감싸 보온
- 수도관 내의 물이 흐르도록 하기
  - 수도관 내의 물이 계속 흐르면 물이 잘 얼지 않음

◇ 동결심도
- 겨울철 외기 온도에 따라 땅에 동결작용이 발생하는 깊이
- 흙속 물의 이동과 관계가 있기 때문에 모래 또는 자갈 같이 입자가 큰 흙에서는 일어나지 않고 실트와 같은 비교적 입자가 작은 토사에서 쉽게 일어남

국가기술 자격검정 시험문제

기술사	제 114 회			제 2 교시 (시험시간: 100분)		
2018년도	분야	안전관리	자격종목	기계안전기술사	성명	

※ 다음 문제 중 4문제를 선택하여 설명하시오. (각 문제당 25점)

1. 양중기에 사용되는 과부하방지장치 중 "전기식 과부하방지장치"와 "기계식 과부하방지장치"의 작동원리를 설명하고 건설용 리프트에 전기식 과부하 방지장치를 설치하지 못하게 하는 이유를 설명하시오.

   [114회 2교시 1번] [105회 1교시 9번]

방호장치 안전인증 고시 [고용노동부고시 제2021-22호]
【별표 2】양중기 과부하방지장치 성능기준(제6조 관련)

종 류	원 리	적 용
전자식 (J-1)	스트레인 게이지를 이용한 전자감응방식으로 과부하상태 감지	크레인, 곤돌라, 리프트, 승강기
전기식 (J-2)	권상모터의 부하변동에 따른 전류변화를 감지하여 과부하상태 감지	호이스트, 크레인
기계식 (J-3)	전기전자방식이 아닌 기계·기구학적인 방법에 의하여 과부하 상태를 감지	크레인, 곤돌라, 리프트, 승강기

건설용 리프트에 전기식 과부하방지장치를 설치하지 못하게 하는 이유

◇ 정지 상태에서는 과부하 상태를 감지하지 못하기 때문에 층간 적재 가능한 승강기, 리프트, 곤돌라에 사용 불가함

2. 보일러의 장애 중 발생증기 이상으로 나타나는 현상 3가지와 보일러의 방호장치에 대하여 설명하시오.

[120회 4교시 1번] [114회 2교시 2번] [111회 4교시 1번]

세부내용 [120회 4교시 1번] 참조

2-1 발생증기 이상으로 나타나는 현상

◇ 포밍 (foaming, 물거품)
- 보일러 수 속에 유지류, 용해 고형물, 부유물 등의 농도가 높아지면 드럼 수면에 안정한 거품이 발생하고 또한 거품이 증가하여 드럼의 기실에 전체로 확대되는 현상. 증기에 수분이 혼입하여 캐리오버하게 됨

◇ 플라이밍(priming, 비수현상)
- 보일러수면에서 증발이 격심하여 기포가 비산해서 수적(물방울)이 증기부에 심하게 튀어오르고, 비산되는 수적으로 수위도 불안전해지는 현상

◇ 캐리오버(carry over)
- 보일러수가 미세한 수분이나 거품 상태로 다량 발생하여 증기와 더불어 보일러 밖으로 송출되는 현상
- 보일러 속의 수면으로부터 격렬하게 증발하는 증기와 동반하여 보일러 수가 물보라처럼 비상하여, 가는 입자의 물방울로 되어 다량이 날아 나오며 증기와 함께 보일러 밖으로 송출되는 현상

2-2 보일러의 방호장치

- 보일러에는 최고사용압력 이하에서 작동하는 압력방출장치 및 압력제한스위치(온도제한 스위치)를 설치하여야 함
- 다만, 압력방출장치가 2개 이상 설치된 경우 최고사용 압력 이하에서 1개가 작동되고, 다른 압력방출장치는 최고사용압력 1.03배 이하에서 작동되도록 부착해야 함
- 압력방출장치는 법에 따른 안전인증을 받은 제품이어야 함

3. 오스테나이트계 스테인리스강에서 발생되는 입계부식의 현상과 방지대책에 대하여 설명하시오.

◇ 입계부식의 현상
- 오스테나이트계 스테인리스강을 500~800℃로 가열시키면 결정입계에 탄화물($Cr_{23}C_6$)가 생성하고 인접부분의 Cr량은 감소하여 Cr결핍증이 형성됨
- 이러한 상태를 만드는 것을 예민화처리라고 함
- 이렇게 처리된 강을 산성용액 중에 침지하면 Cr결핍증이 현저히 부식되어 떨어져 나감
- 크롬의 농도가 감소되면 내식성이 저하되기 때문에 스테인리스 스틸 고유의 특성인 금속의 전성, 연성을 상실하여 재료가 파단될 수 있음

◇ 입계부식의 방지대책
- 용접 후 고온 용체화 처리를 함
- 용접 접합부를 500~800℃로 가열 후 수냉시키면, 크롬탄화물이 재용해되어 고용체로 됨
- 탄소화 결합하는 합금원소를 첨가해 크롬탄화물이 형성되지 못하게 함
- 347형과 321형에 Nb와 Ti를 첨가하는데, 이것을 안정화조건이라고 함
- 탄소 함량을 0.03wt% 이하로 낮추어 상당한 양의 크롬탄화물이 생성되는 것을 방지할 수 있음

4. 방호장치 안전인증 고시에서 전량식 안전밸브와 양정식 안전밸브의 구분 기준과 아래 [보기]의 안전밸브 형식표시의 ( )안에 내용에 대하여 설명하시오.

4-1 전량식 안전밸브와 양정식 안전밸브의 구분기준

◇ 전량식 안전밸브
디스크가 열렸을 대 목부의 면적보다 상당히 큰 시트유로면적이 형성되는 안전 밸브

◇ 양정식 안전밸브
  안전밸브의 양정이 시트지름의 100분의 2.5 이상 100분의 25 미만으로 디스크가
  열렸을 때 시트유로면적이 작은(목부면적의 1.05배 미만) 안전밸브를 말함

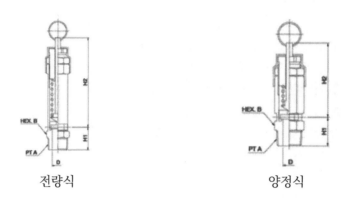

전량식   양정식

4-2 안전밸브 형식표시

[보기]

SF Ⅱ 1 - B

( )   ( )   ( )   ( )   ( )

구분	형식표시	비고
S	요구성능	S : 증기 G : 가스
F	유량제한 기구	F : 전량식 L : 양정식
Ⅱ	호칭입구 크기구분	Ⅰ ~ Ⅴ
1	호칭압력 구분	1, 3, 5, 10, 21, 22
B	B	평형형

5. 최근 사업장에서 질소가스 유입에 따른 산소결핍으로 발생한 사망사고의 원인이 밀폐공간 작업 프로그램이 준수되지 않은 것으로 보도되고 있다. 밀폐공간에서 근로자가 작업을 하는 경우 사업자가 수립하는 밀폐공간 작업 프로그램에 대하여 설명하시오.
[126회 3교시 3번] [124회 1교시 7번] [114회 2교시 5번]

제618조(정의)

1. "밀폐공간"이란 산소결핍, 유해가스로 인한 질식·화재·폭발 등의 위험이 있는 장소로서 별표 18에서 정한 장소를 말한다.
2. "유해가스"란 탄산가스·일산화탄소·황화수소 등의 기체로서 인체에 유해한 영향을 미치는 물질을 말한다.
3. "적정공기"란 산소농도의 범위가 18퍼센트 이상 23.5퍼센트 미만, 탄산가스의 농도가 1.5퍼센트 미만, 일산화탄소의 농도가 30피피엠 미만, 황화수소의 농도가 10피피엠 미만인 수준의 공기를 말한다.
4. "산소결핍"이란 공기 중의 산소농도가 18퍼센트 미만인 상태를 말한다.
5. "산소결핍증"이란 산소가 결핍된 공기를 들이마심으로써 생기는 증상을 말한다.

제619조 (밀폐공간 작업 프로그램의 수립·시행)

① 사업주는 밀폐공간에서 근로자에게 작업을 하도록 하는 경우 다음 각 호의 내용이 포함된 밀폐공간 작업 프로그램을 수립하여 시행하여야 한다.
 1. 사업장 내 밀폐공간의 위치 파악 및 관리 방안
 2. 밀폐공간 내 질식·중독 등을 일으킬 수 있는 유해·위험 요인의 파악 및 관리 방안
 3. 제2항에 따라 밀폐공간 작업 시 사전 확인이 필요한 사항에 대한 확인 절차
 4. 안전보건교육 및 훈련
 5. 그 밖에 밀폐공간 작업 근로자의 건강장해 예방에 관한 사항

② 사업주는 근로자가 밀폐공간에서 작업을 시작하기 전에 다음 각 호의 사항을 확인하여 근로자가 안전한 상태에서 작업하도록 하여야 한다.
 1. 작업 일시, 기간, 장소 및 내용 등 작업 정보
 2. 관리감독자, 근로자, 감시인 등 작업자 정보
 3. 산소 및 유해가스 농도의 측정결과 및 후속조치 사항
 4. 작업 중 불활성가스 또는 유해가스의 누출·유입·발생 가능성 검토 및 후속 조치 사항

5. 작업 시 착용하여야 할 보호구의 종류

6. 비상연락체계

③ 사업주는 밀폐공간에서의 작업이 종료될 때까지 제2항 각 호의 내용을 해당 작업장 출입구에 게시하여야 한다.

제619조의2(산소 및 유해가스 농도의 측정)

① 사업주는 밀폐공간에서 근로자에게 작업을 하도록 하는 경우 작업을 시작 (작업을 일시 중단하였다가 다시 시작하는 경우를 포함한다)하기 전 다음 각 호의 어느 하나에 해당하는 자로 하여금 해당 밀폐공간의 산소 및 유해가스 농도를 측정하여 적정공기가 유지되고 있는지를 평가하도록 해야 한다.

1. 관리감독자

2. 법 제17조제1항에 따른 안전관리자 또는 법 제18조제1항에 따른 보건관리자

3. 법 제21조에 따른 안전관리전문기관 또는 보건관리전문기관

4. 법 제74조에 따른 건설재해예방전문지도기관

5. 법 제125조제3항에 따른 작업환경측정기관

6. 「한국산업안전보건공단법」에 따른 한국산업안전보건공단이 정하는 산소 및 유해가스 농도의 측정·평가에 관한 교육을 이수한 사람

② 사업주는 제1항에 따라 산소 및 유해가스 농도를 측정한 결과 적정공기가 유지 되고 있지 아니하다고 평가된 경우에는 작업장을 환기시키거나, 근로자에게 공기호흡기 또는 송기마스크를 지급하여 착용하도록 하는 등 근로자의 건강 장해 예방을 위하여 필요한 조치를 하여야 한다.

제620조(환기 등)

① 사업주는 근로자가 밀폐공간에서 작업을 하는 경우에 작업을 시작하기 전과 작업 중에 해당 작업장을 적정공기 상태가 유지되도록 환기하여야 한다. 다만, 폭발이나 산화 등의 위험으로 인하여 환기할 수 없거나 작업의 성질상 환기 하기가 매우 곤란한 경우에는 근로자에게 공기호흡기 또는 송기마스크를 지급 하여 착용하도록 하고 환기하지 아니할 수 있다.

② 근로자는 제1항 단서에 따라 지급된 보호구를 착용하여야 한다.

제621조(인원의 점검)

사업주는 근로자가 밀폐공간에서 작업을 하는 경우에 그 장소에 근로자를 입장시킬 때와 퇴장시킬 때마다 인원을 점검하여야 한다.

제622조(출입의 금지)

① 사업주는 사업장 내 밀폐공간을 사전에 파악하여 밀폐공간에는 관계 근로자가 아닌 사람의 출입을 금지하고, 별지 제4호서식에 따른 출입금지 표지를 밀폐공간 근처의 보기 쉬운 장소에 게시하여야 한다.
② 근로자는 제1항에 따라 출입이 금지된 장소에 사업주의 허락 없이 출입해서는 아니 된다.

제623조(감시인의 배치 등)

① 사업주는 근로자가 밀폐공간에서 작업을하는 동안 작업상황을 감시할 수 있는 감시인을 지정하여 밀폐공간 외부에 배치하여야 한다.
② 제1항에 따른 감시인은 밀폐공간에 종사하는 근로자에게 이상이 있을 경우에 구조요청 등 필요한 조치를 한 후 이를 즉시 관리감독자에게 알려야 한다.
③ 사업주는 근로자가 밀폐공간에서 작업을 하는 동안 그 작업장과 외부의 감시인 간에 항상 연락을 취할 수 있는 설비를 설치하여야 한다.

제624조(안전대 등)

① 사업주는 밀폐공간에서 작업하는 근로자가 산소결핍이나 유해가스로 인하여 추락할 우려가 있는 경우에는 해당 근로자에게 안전대나 구명밧줄, 공기호흡기 또는 송기마스크를 지급하여 착용하도록 하여야 한다.
② 사업주는 제1항에 따라 안전대나 구명밧줄을 착용하도록 하는 경우에 이를 안전하게 착용할 수 있는 설비 등을 설치하여야 한다.
③ 근로자는 제1항에 따라 지급된 보호구를 착용하여야 한다.

제625조(대피용 기구의 비치)

사업주는 근로자가 밀폐공간에서 작업을 하는 경우에 공기호흡기 또는 송기마스크, 사다리 및 섬유로프 등 비상시에 근로자를 피난시키거나 구출하기 위하여 필요한 기구를 갖추어 두어야 한다.

6. 스마트공장의 주요 구성설비인 산업용 로봇에서 발생하는 재해예방조치 중 해당 로봇에 대하여 교시(敎示)등의 작업을 하는 경우 해당 로봇의 예기치 못한 작동 또는 오(誤)조작에 의한 위험을 방지하기 위한 조치에 대하여 설명하시오.

◇ 산업용 로봇의 위험 요인
   * 작업영역이 커 작업자가 로봇의 작업영역에 들어가 있는 경우가 많으며 운동의 형태를 예상하기 힘들어 충돌할 위험이 크다.
   * 교시나 보수 시 불의의 작동 또는 순서를 무시하고 초기화에 의한 충돌 위험이 있다.
   * 로봇이 동작 중 주변기기의 이상이나 작업을 기다리며 정지하고 있을 때 고장으로 오인하여 위험구역 내로 진입하여 위험을 초래할 수 있다.

◇ 작업 시작 전 점검 사항
   로봇의 작동범위 내에서 그 로봇에 관하여 교시 등의 작업을 할 때에는 작업 시작 전 점검을 실시해야 한다.
   * 외부전선의 피복 또는 외장의 손상 유무
   * 매니퓰레이터 작동의 이상 유무
   * 제동장치 및 비상정지 장치의 기능

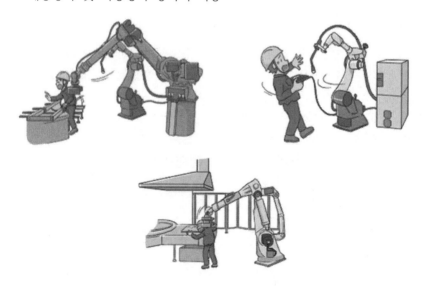

기술사　　제 114 회　　　　　　　　제 3 교시　(시험시간: 100분)

2018년도	분야	안전관리	자격 종목	기계안전기술사	성명	

※ 다음 문제 중 4문제를 선택하여 설명하시오. (각 문제당 25점)

1. 기계설비 방호장치의 6가지 분류를 설명하시오.

① 격리형 방호장치
- 재해방지를 위한 차단벽, 망, 울타리 등 안전방책 설치

② 위치 제한형 방호장치
- 위험점에 접근하지 못하도록 구동 S/W, 비상 S/W 등을 작업자와 안전거리를 확보

③ 접근 거부형 방호장치
- 접근 시 위험구역으로부터 강제로 밀어내며 위험 예방

④ 접근 반응형 방호장치
- INTERLOCK 연동
- 브레이크를 작동시키고 모터 전원 차단시켜 위험 예방

⑤ 포집형 방호장치
- 위험장소가 아닌 위험원에 대한 방호장치
- 연삭숫돌이 파괴되어 비상될 때 회전 방향으로 튀어오는 비산 물질이 덮개를 치면서 덮개에 따라 움직이면서 파괴된 연삭숫돌의 파석을 포집하는 장치

⑥ 감지형 방호장치
- 이상 온도, 이상 압력, 과부하 등 한계치를 초과하는 경우 이를 감지하여 설비 중지

2. 랙&피니언식 건설용리프트의 방호장치 5가지(경보장치와 리미트스위치는 제외)와 가설식 곤돌라의 방호장치 5가지를 기술하고 3상 전원차단장치와 작업대 수평조절장치의 역할에 대해 설명하시오.

1) 랙&피니언식 건설용리프트의 방호장치 5가지

◇ 상·하부 정지장치(Upper & Lower Limit Switch)
- ◆ 적재함이 마스트의 최상부 또는 최하부에 도달했을 때 자동으로 정지되게 하는 장치
- ◆ 마스트에 부착된 캠에 의해서 스위치가 작동
- ◆ 캠의 부착 위치는 현장여건에 맞게 조절 가능

◇ 과상승 방지장치(Over-Running Limit Switch)
- ◆ Upper Limit Switch가 작동하지 않을 경우 2차적으로 작동
- ◆ 과상승으로 인한 운반구의 이탈을 방지하는 장치

◇ 3상전원 차단 스위치(Three-Phase On/Off Switch)
- ◆ 모두 작동하지 않을 경우 최종적으로 3상 입력전원을 완전차단하는 장치
- ◆ 감속기, 모터, 브레이크, 적재함 등의 손상을 방지

◇ 비상정지스위치(Emergency Stop Switch)
- ◆ 운행도중 어떤 위험 상황이 발생할 경우 운전자가 리프트의 운행을 정지시키는 장치

◇ 출입문 연동장치(Door Interlocking Switch)
- ◆ 문이 열려진 상태에서는 기계가 작동되지 않도록 한 장치

◇ 과부하 방지장치(Over Load Device)
- ◆ 운반구에 정격하중을 초과 적재하여 운행할 경우 경고음을 발하면서 리프트 운행을 정지시키는 장치

◇ 낙하방지장치(Over Speed Brake System)
- ◆ 원심력을 이용한 Brake System의 일종으로 운행중에 기계적 혹은 전기적 이상으로 운반구가 자유낙하 시 정격속도의 1.3배이상에서 자동적으로 전원을 차단하고 1.4배 이내에서 운반구를 정지시켜주는 장치

◇ 안전고리(Safety Hook)
   ◆ Limit Switch의 고장으로 적재함이 과상승하여, 피니언기어가 마스트의 랙 (Rack)을 이탈하더라도 운반구를 마스트에서 이탈하지 않도록 한 안전장치
◇ 완충 스프링(Buffer Spring)
   ◆ 안전장치의 이상으로 운반국가 멈추지 않고 계속 하강할 경우, 바닥과의 충격을 완화시켜주는 장치
◇ 방호울 연동장치
   ◆ 승강로 바닥면 주위에 높이 1.8m의 방호울을 설치
   ◆ 운반구의 물건 반입구 방호울은 출입문 형태
   ◆ 운반구가 상승해 있을 경우 외부에서 문을 열지 못하도록 하고, 열린 경우에는 리프트의 작동이 정지되도록 하는 장치

2) 가설식 곤돌라의 방호장치 5가지

◇ 상한 권과 방지 리밋 스위치
   리밋 스위치가 승강 프레임 상단에 부착된 것으로서 작업의 리밋 스위치가 로프 최상단에 부착된 멈춤판에 프레임 레버가 닿으면 자동적으로 전원이 차단되어 작업대가 정지하도록 한 것이다.

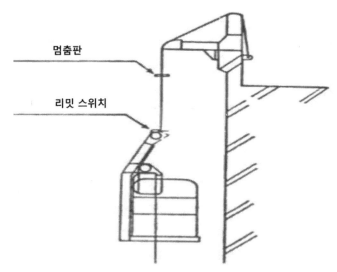

〈그림. 상한 권과방지 리밋 스위치 작동 요령〉

◇ 하한 권과 방지 리밋 스위치

작업대 하부에 부착된 것으로서 리밋 스위치의 레버에 체인으로 둥근 모양의
추를 매달고 이 추의 중간에 권상로프가 통과하도록 되어 있다. 추가 하부 최단
지상에 도달하면 리밋 스위치가 작동하여 자동적으로 전원이 차단되어 작업대를
정지시킨다.

◇ 조속기와 비상 정지 장치

기계 부분의 고장 등에 의하여 곤도라 작업대의 하강 속도가 허용 하강 속도를
초과할 경우 조속기는 제1의 동작으로 스위치를 개방하여 전동기 회로를 차단
하고 전자 브레이크를 작동시켜 작업의 하강을 정지시킨다. 그러나 작업대가
정지하지 않을 경우에는 제2의 동작으로 비상 정지 장치가 작동하여 가이드
레일을 붙잡아 작업대를 정지시킨다.

◇ 구명줄(Life line)

곤도라 작업대가 제한 하강 속도를 초과할 경우에 작업대의 하강을 정지시킬 수
있는 안전장치이다. 일반적으로 건물의 상부에 와이어로프 또는 섬유 로프를
매달아 곤도라 작업대의 연결 고리에 연결시키고 작업대가 상승할 때는 개방되고
비상시에는 연결 고리가 로프를 붙잡아 작업대의 하강을 정지시키도록 한 것이다.

◇ 블록 스토퍼(Block stopper)

붙잡음 이송 방식의 승강장치를 가진 곤도라는 동일한 원리를 이용한 소형 붙잡음
장치를 설치하여 곤도라 작업대가 허용 하강 속도를 초과할 때 승강와이어 로프를
붙잡아 작업대의 하강을 정지시키는 데 사용되고 있다.

3) 재해예방대책

◇ 양중기의 방호장치 설치

양중기(곤도라)에 과부하방지장치, 급정지장치등 방호장치 설치 철저

◇ 양중기의 제작기준 및 안전기준 준수

양중기는 제작회사, 기계제원, 설계 및 제작 사양서, 안전장치 사양서 등이 구비된
제작기준, 안전기준에 적합한 것을 사용

◇ 사용전 안전점검 철저

양중기(곤도라)는 사용하기 전에 곤도라의 윈치체인 등에 하여 안전점검 실시
철저

◇ 견고한 완강기 전용안전(안전그네)의 사용

근로자의 추락재해시 근로자를 안전하게 지지할 수 있는 견고한 완강기 전용
안전(안전그네) 사용

4) 3상 전원차단장치의 역할

- ◆ 상, 하한 정지장치가 작동되지 않을 경우 사용됨
- ◆ 전원 차단, 운전 정지의 역할

5) 작업대 수평조절장치의 역할

- ◆ 곤돌라 운행 시 운반구의 기울어짐을 센서가 감지하여 수행됨
- ◆ 경사진 쪽의 구동모터를 일시 정지시키고, 수평이 자동 회복된 후 좌, 우 구동 모터가 동시에 작동되어 항시 수평상태로 운행토록 하는 역할

3. 현장에서 기존에 사용하던 펌프의 임펠러(Impeller)의 바깥지름을 Cutting 하여 사용 하는 것과 관련하여 아래 사항에 대하여 설명하시오.

1) 임펠러의 바깥지름을 Cutting하여 사용하는 이유

◇ 임펠러 외경 절삭의 원인

- ◆ 임펠러 외경을 절삭하면 유량이 축소됨
- ◆ 유량이 축소되면 소요동력이 절감됨

2) 임펠러의 바깥지름을 Cutting하여 임펠러의 지름이 달라진 경우 유량, 양정, 동력의 관계식

$$Q_2 = Q_1 (\frac{D_2}{D_1})^3 (\frac{N_2}{N_1})$$
$$H_2 = H_1 (\frac{D_2}{D_1})^2 (\frac{N_2}{N_1})^2$$
$$L_2 = L_1 (\frac{D_2}{D_1})^5 (\frac{N_2}{N_1})^3$$

3) 과도하게 임펠러의 바깥지름을 Cutting할 경우 발생될 수 있는 악영향

◇ 과도한 임펠러 외경 절삭 시 미치는 영향
  ◆ 임펠러와 케이싱의 간격을 증가시켜 내부유동 재순환이 증가됨
  ◆ 이로 인해 헤드 손실이 야기됨
  ◆ 펌핑효율이 저하됨
  ◆ 케비테이션이 발생함

4. 벨트컨베이어의 1) 작업시작 전 점검항목 2) 벨트컨베이어 설비의 설계 순서 3) 위험 기계·기구 자율안전확인 고시에 따른 벨트컨베이어 안전장치 4) 벨트컨베이어 퇴적 및 침적물 청소작업 시 안전조치에 대하여 설명하시오.

1) 벨트컨베이어 작업시작 전 점검항목

◇ 감속기의 적정 유량
  ◆ 감속기는 윤활유를 치지 않고 발송되는 경우가 많으므로 시동 전에 반드시 급유량이 정상적인 수준에 있는가를 확인 점검함

◇ 전동용 체인의 이완
  ◆ 체인 전동의 경우 벨트와 같은 장력이 필요치 않으므로 적당한 이완을 줄 필요가 있음
  ◆ 만약 체인이 지나치게 팽팽하면 작동부가 필요 이상의 하중을 받아 마모를 촉진시키며 반대로 너무 느슨하고 특히 중심거리가 길 때는 체인이 춤을 추므로 수명을 짧게 함

◇ 베어링의 점검
  ◆ 각 벨트 풀리의 베어링은 청정한지 확인
  ◆ 적정한 윤활유로 윤활되어 있는지 확인
  ◆ 음향에 의한 점검을 실시함

◇ 롤러의 점검
- ◆ 회전하지 않는 롤러, 불쾌한 소리를 내는 롤러는 곧 교환함
- ◆ 롤러의 본체와 로럴대의 간극이 표준 보다 좁은 것 또는 일부가 접촉되어 있는 것은 그 원인을 규명하고 제거함
- ◆ 롤러가 이탈되어 있으면 사행의 원인이 되는 동시에 하물이 흘러 떨어지기 쉽고, 아래 벨트에 올라타 테일 풀리에서 물리는 원인이 되므로 그 원인을 조사하여 조정함
- ◆ 조심롤러는 사행하던 벨트가 중심으로 되돌아 오면 곧 복원되어야 하며 가이드 롤러는 특히 지반이 좋지 않은 컨베이어, 현수컨베이어 같은 것에는 유리하나 컨베이어가 안정되고 사행이 없으면 최소한도로 하는 일이 중요함

2) 벨트컨베이어 설비의 설계 순서

① 벨트의 폭은 하물의 종류 및 운반량에 적합하도록 충분한 것으로 하되 필요한 경우에는 하물을 벨트의 중앙에 실리기 위한 장치를 할 것

② 운전 정지, 불규칙적인 하물의 적재 등에 의하여 하물이 탈락하거나 미끌어 떨어질 염려가 있는 벨트컨베이어(하물이 분립물일 때는 경사컨베이어에 한함)에 의한 위험을 방지하기 위한 조치를 강구할 것

③ 벨트컨베이어의 경사부에 있어서 하물의 전 적재량이 500kg이하이고 1개의 중량이 30kg을 넘지않는 경우에는 역전방지장치를 설치하지 않을 수도 있음

④ 벨트 또는 풀리에 부착하기 쉬운 하물을 운반하는 벨트컨베이어에는 벨트클 리너, 풀리 스크래퍼 등을 설치할 것

3) 벨트컨베이어 안전장치

◇ 경사부 역주행 방지장치
- ◆ 화물 전체 적재량 500kg 이하
- ◆ 1개 단위 화물 중량 30kg 이하는 예외

◇ 벨트, 풀리에 점착되기 쉬운 화물의 경우 벨트클리너, 풀리 스크래퍼 설치

◇ 대형 호퍼 및 슈트에 점검구 설치

◇ 중력식 장력유지장치에 울 및 추 낙하방지장치 설치

| 벨트 스크래퍼 | 대형 호퍼 점검구 | 장력유지장치 울 |

4) 벨트컨베이어 퇴적 및 침적물 청소작업 시 안전조치

◇ 퇴적 및 침적물 청소 시는 벨트 컨베이어를 정지
◇ 중앙운전실과 연락하고, 현장 스위치키는 작업자가 휴대하며 '작업 중', '청소 중'의 꼬리표를 부착
◇ 퇴적 및 침적물이 최소화 되도록 스크레이퍼의 상태를 점검하고 간격 조정
◇ 벨트의 손상, 마모, 사행유무, 로울러의 파손 및 비회전, 테이크업의 작동상태, 비상정지 장치 운반물의 적재 적정성 등을 점검하고 항상 정상을 유지토록 관리
◇ 슈트 내의 침적물을 제거, 청소 시는 일시에 쏟아지는 퇴적물에 의거 압착, 질식 등에 의한 재해가 발생하지 않도록 침적물의 1차 제거작업 등은 지렛대나 파이프 등 수공구를 이용하고 슈트 투입 지양
◇ 청소 완료 후 시멘트 벨트 컨베이어 가공 시는 사전점검 및 경보 후 가동
◇ 청소작업 시는 안전모, 안전화, 방진마스크 등 개인 보호구 착용

5. 볼트·너트의 풀림 발생 원인과 풀림 방지 장치의 종류에 대하여 설명하시오.

◇ 볼트(BOLT) : 원통 표면의 바깥쪽에 형성된 나사산
◇ 너트(NUT) : 원통 표면의 안쪽에 형성된 나사산
◇ 나사(SCREW) : 나사산을 가진 원통이나 원뿔 전체
◇ 풀림(UNSCREWING) : 체결된 나사가 진동이나 충격, 운동, 하중의 변화 등이 반복될 때 의도하지 않는 상태에서 나사가 풀리는 것
◇ 풀림방지" : 체결된 나사가 의도하지 않는 풀림이 발생하지 않도록 하는 것
◇ 자립조건(Self sustenance) : 체결된 나사에 힘을 제거하더라도 풀리지 않는 조건

풀림 발생 원인

- 너트의 길이가 짧아 접촉 압력이 작을 경우
- 주변의 진동, 충격을 받아 순간적으로 접촉 압력이 감소되는 경우
- 나사접합부에서 미끄럼이 반복되어 미동마멸이 생기는 경우
- 주변 온도의 변화로 인해 나사가 수축, 팽창되어 나사 이음이 약해지는 경우

풀림 방지장치의 종류

◇ 록너트(Lock nut)
  볼트와 너트에 일정한 하중을 주어서 자립 조건을 주도록 한 것으로서 2개의 너트를 사용하여 서로 졸라매어 너트 사이를 서로 미는 상태로 하면 외부 진동에도 항상 하중이 작용되고 있는 상태를 유지한다.
  나사로서의 하중은 바깥쪽 너트가 받으므로 바깥쪽 너트를 더 두껍게하고 너트 사이 상호 미는 역할을 하는 안쪽 너트를 로크너트라 한다.

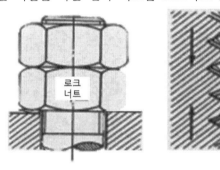

[로크너트]

◇ 자동 죔 너트 (Self locking nut)
  자동 죔 너트는 갈라진 부분이 안쪽으로 휘어져서 볼트를 압축하여 너트가 풀어지지 않게 한다.

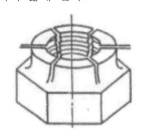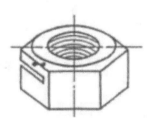

◇ 세트스크류(Set screw)

볼트와 너트를 체결한 후 작은 나사 세트스크류를 사용하여 너트가 풀어지지
않게 한다.

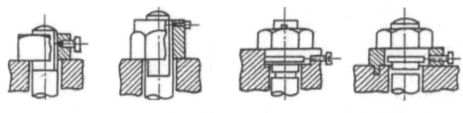

[세트스크류]

◇ 와셔(Washer)

볼트와 너트를 체결할 때 스프링와셔(Spring washer), 고무와셔, 혀붙이와셔,
톱니붙이와셔 등 특수 와셔를 사용하여 너트가 풀어지지 않게 한다.

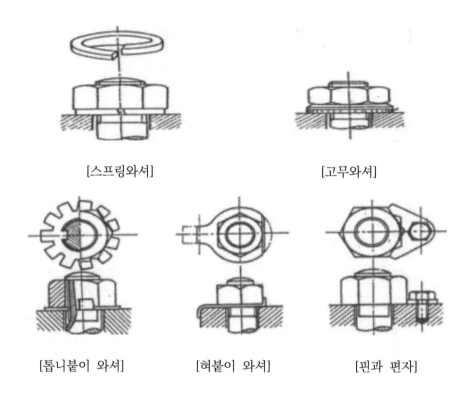

[스프링와셔]   [고무와셔]

[톱니붙이 와셔]   [혀붙이 와셔]   [핀과 편자]

◇ 핀(Pin)

볼트와 너트를 체결할 때 핀(Spilt pin), 평행핀(Parallel pin), 테이퍼핀(Taper pin)등을 사용하여 너트가 풀어지지 않게 한다.

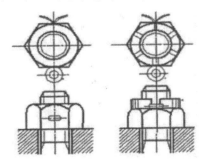

[분할핀]

◇ 나일론너트

나일론너트는 너트 내부에 나일론(Nylon)을 넣어 수나사가 나일론을 파고들어 변형시킴으로서 풀림을 방지한다.

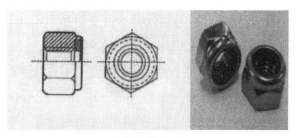

[나일론너트]

◇ 기타방법

- ◆ 너트에 풀림 방지를 위한 수지, 본드 등의 도포
- ◆ 너트에 용접
- ◆ 너트에 코킹
- ◆ 강선으로 주위 너트를 서로 연결하여 고정
- ◆ 플라스틱 소재의 볼트 끝 부분을 벌어지게 한 것
- ◆ 풀릴 가능성이 있는 방향과 반대 방향의 너트를 사용
  (자동차 바퀴, 선풍기 날개 체결용 나사)

풀림방지 조치 및 장치관리

◇ 풀림방지 조치

* 볼트, 너트를 체결할 때에는 토크 렌치 등을 사용하여 규정된 힘을 가하여 풀림을 방지한다.
* 기계 설비에 볼트, 너트를 체결할 때는 적합한 풀림방지장치를 선택하여 풀림을 방지한다.
* 나사 주변에서 발생하는 진동, 충격 등을 감소시켜 나사의 체결을 유지시킨다.
* 체결된 나사 부위의 온도 변화를 감소시켜 수축, 팽창을 작게하여 체결력을 강화한다.

◇ 풀림방지장치 관리

* 기계 설비에 체결한 볼트, 너트의 유지 관리와 별도 보관하는 볼트, 너트, 와셔, 분할핀 등에 대한 사전 관리를 한다.
* 정기 또는 수시 점검을 통하여 기계 설비에 체결된 볼트, 너트의 풀림 상태를 확인하고 재체결하는 등 원상태 유지를 위해 사후관리를 한다.
* 나사에 체결된 풀림 방지장치의 부식, 파손, 망실 등을 확인한다.
* 볼트, 너트를 체결할 때에는 가능한 볼트 머리를 아래쪽으로 위치하도록 하여 풀림을 육안으로 확인할 수 있도록 한다.

6. 프레스의 방호장치 중 양수조작식 방호장치에 대하여 아래 사항을 설명
하시오.

1) 양수조작식 방호장치의 안전확보 개념 및 구조

양수조작 방호장치는 2개의 누름버튼을 위험점으로부터 안전거리 이상을 격리시켜
설치하고 양손으로 동시에 조작하지 않으면 슬라이드가 작동되지 않는 구조여야
하며 SPM(stroke per minute : 매분 행정수)이 120 이상의 프레스

2) 적용조건 및 설치위치
   (단, 확동식 프레스와 급정지성능이 있는 프레스로 구분하여 설명)

◇ 설치방법

- ◆ 누름 버튼 조작 또는 조작레버는 매립형으로 제작되어야 하며, 반드시 두 손을
  사용하여 작동하도록 하여야 한다.

- ◆ 누름버튼 상호간의 내측 거리는 300mm 이상으로 하여야 한다.
  - → 300mm 미만일 경우에는 작업자의 부주의나 태만으로 인해 한 손으로 조작할
    위험성이 있기 때문

◇ 특징

- ◆ 프레스의 방호장치 중 가장 널리 쓰이고 원천적으로 방호할 수 있는 장치이다.

- ◆ 급정지 기구가 부착된 마찰식 클러치 프레스에 적합하다. (단, 양수기동식은 급
  정지 기구가 없는 확동식 클러치 프레스에 적합)

- ◆ 클러치, 브레이크의 기계적인 고장으로 인한 이상 행정에는 효과가 없다.

- ◆ 급정지성능이 약화되지 않는 한 위험구역으로부터 작업자를 완전히 보호한다.

- ◆ 굽힘가공 등 2차 가공에 적합하며 급정지기능이 양호하면 작업능률이 좋아진다.

국가기술 자격검정 시험문제

기술사	제 114 회			제 4 교시 (시험시간: 100분)		
2018년도	분야	안전관리	자격종목	기계안전기술사	성명	

※ 다음 문제 중 4문제를 선택하여 설명하시오. (각 문제당 25점)

1. 최근 타워크레인의 설치·조립·해체작업 중 중대재해가 연이어 발생하고 있는데, 그 원인 중 하나가 작업계획서를 준수하지 않는다는 것이다. 산업안전보건기준에 관한 규칙 제38조 "사전조사 및 작업계획서의 작성 등"에서 정하고 있는 작업계획서 작성 대상작업 13가지를 제시하고 타워크레인을 설치·조립·해체하는 작업의 작업계획서 내용 5가지를 설명하시오.
   [127회 2교시 1번] [124회 4교시 2번][121회 2교시 2번] [120회 1교시 12번]
   [120회 3교시 5번] [111회 1교시 6번]

1-1 작업계획서 작성 대상작업 13가지

산업안전보건기준에 관한 규칙 제38조(사전조사 및 작업계획서의 작성 등)

① 사업주는 다음 각 호의 작업을 하는 경우 근로자의 위험을 방지하기 위하여 별표 4에 따라 해당 작업, 작업장의 지형·지반 및 지층 상태 등에 대한 사전조사를 하고 그 결과를 기록·보존하여야 하며, 조사결과를 고려하여 별표 4의 구분에 따른 사항을 포함한 작업계획서를 작성하고 그 계획에 따라 작업을 하도록 하여야 한다.

1. 타워크레인을 설치·조립·해체하는 작업
2. 차량계 하역운반기계등을 사용하는 작업(화물자동차를 사용하는 도로상의 주행작업은 제외한다. 이하 같다)
3. 차량계 건설기계를 사용하는 작업
4. 화학설비와 그 부속설비를 사용하는 작업

5. 제318조에 따른 전기작업(해당 전압이 50볼트를 넘거나 전기에너지가 250 볼트암페어를 넘는 경우로 한정한다)

6. 굴착면의 높이가 2미터 이상이 되는 지반의 굴착작업(이하 "굴착작업"이라 한다)

7. 터널굴착작업

8. 교량(상부구조가 금속 또는 콘크리트로 구성되는 교량으로서 그 높이가 5미터 이상이거나 교량의 최대 지간 길이가 30미터 이상인 교량으로 한정한다)의 설치·해체 또는 변경 작업

9. 채석작업

10. 건물 등의 해체작업

11. 중량물의 취급작업

12. 궤도나 그 밖의 관련 설비의 보수·점검작업

13. 열차의 교환·연결 또는 분리 작업(이하 "입환작업"이라 한다)

1-2 크레인을 설치·조립·해체하는 작업의 작업계획서 내용 5가지

산업안전보건기준에 관한 규칙 [별표 4] 〈개정 2021. 5. 28.〉

작업명	작업계획서 내용
1. 타워크레인을 설치·조립·해체하는 작업	가. 타워크레인의 종류 및 형식 나. 설치·조립 및 해체순서 다. 작업도구·장비·가설설비(假設設備) 및 방호설비 라. 작업인원의 구성 및 작업근로자의 역할 범위 마. 제142조에 따른 지지 방법

2. 고용노동부 안전검사 고시 중 크레인의 검사기준에서 정하고 있는 크레인의
   전동기 절연저항 측정에 대하여 다음 사항을 설명하시오.

1) 크레인 전동기의 절연저항 기준 값
   ◆ 절연저항 기준 [MΩ] : [사용전압(V) / 1000 + 출력(kW)]

2) 크레인 절연저항 측정위치
   (절연저항 측정기의 적색선 접속위치 및 흑색선 접속위치)
   ◆ 전동기 터미널 박스에서 실시하여야 함
   ◆ 터미널 박스 내의 전선과 전동기 리드선의 분리가 곤란한 경우 시동반의 전자
     접촉기 후단에서 측정하여도 무방함

3) 절연저항 측정기가 아닌 멀티테스터의 저항모드로 측정한 저항 값을 절연저항
   값으로 판단하면 안되는 이유

   ◆ 저항을 측정할 때는 회로에서 분리하여 저항 단독으로 연결해야 함
   ◆ 회로에서 연결된 상태로 저항에 전압이 걸려 전류가 흐르고 있을 때, 멀티미터의
     프로브를 연결하면 멀티미터의 전압인가와 외부 회로 전압인가가 중복되어
     정확한 측정이 불가능함
   ◆ 회로에 연결된 저항은 전원이 없어 동작하지 않더라도 다른 부품이 저항치
     (다른 저항과 병렬 동작)를 갖기 때문에 회로에 연결된 상태로 저항을 측정하면
     정확하지 않음

3. 펌프에서 발생되는 이상 현상인 공동현상(Cavitation)과 관련하여 아래
   사항에 대하여 설명하시오.

1) "공동현상(Cavitation)"의 정의
   ◆ 펌프의 흡입양정이 높거나 유속의 급변, 와류의 발생 등에 의해서 배관 내의
     유체 압력이 포화증기압 이하로 내려갈 때 국부적으로 비등현상이 일어나서
     기포가 발생되는 현상을 공동현상이라고 한다.
   ◆ 이는 펌프의 회전차 입구에서 발생되는데, 생성된 기포가 액체(유체)의 흐름을
     따라 이동하여 고압부(토출측 입구)에서 붕괴되기 때문이다.
   ◆ 발생원인
     ① 펌프의 흡입측 수두가 클 경우
     ② 펌프의 마찰손실이 클 경우
     ③ 펌프의 흡입관경이 너무 작을 경우
     ④ 이송하는 유체가 고온인 경우
     ⑤ 펌프의 흡입압력이 유체의 포화증기압보다 낮은 경우
     ⑥ 임펠러 속도가 지나치게 클 경우

2) 공동현상(Cavitation)에 따른 영향
   ◆ 펌프의 성능이 급격히 저하되고, 소음, 진동이 발생하며, 심한 경우에는 양수
     불능이 되기도 한다.

3) 공동현상(Cavitation)의 방지대책
   ◆ 수조를 펌프보다 높게 설치한다.
   ◆ 흡입배관의 마찰손실수두를 작게 한다.
     - 흡입배관의 굴곡, 관경, 재질, 부속류, 배관 상태 등은 마찰손실이 경감되는
       방향으로 시공한다.
   ◆ 펌프의 비속도를 줄인다.
   ◆ 펌프의 토출량이 많을 경우는 양흡입 펌프로 설치한다.
   ◆ 흡입배관의 관경을 크게 한다.
   ◆ 펌프 설계 시 NPSHav ≥ NPSHre × 1.3 이 되도록 설계한다.
     - 특히 소방펌프의 NPSHre 계산 시 유량은 정격 토출량의 150%를 적용하여
       비속도를 계산한다.

4. 산업안전보건법 제49조의2에서 정하고 있는 공정안전보고서의 제출목적과 현장에서의 공정안전관리를 위한 12대 실천과제 주요내용을 설명하시오.

[127회 4교시 6번] [124회 1교시 11번] [114회 4교시 4번]

4-1 공정안전관리(PSM) 도의 정의

산업안전보건법에서 정하는 유해·위험물질을 제조·취급·저장하는 설비를 보유한 사업장은 그 설비로부터의 위험물질 누출 및 화재·폭발 등으로 인한 '중대산업 사고'를 예방하기 위하여 공정안전보고서를 작성·제출하여 심사·확인을 받도록 한 법정 제도

◆ 관련 근거 : 산업안전보건법 제49조의2(공정안전보고서의 제출 등) 3
   - 공정안전보고서의 내용을 변경하여야 할 사유가 발생하는 경우에는 지체없이 보완
   - 고용노동부장관은 공정안전보고서의 이행상태를 정기적으로 평가
   - 공정안전보고서의 보완상태가 불량한 사업장은 공정안전보고서 재제출
◆ 미제출 시 : 1,000만원 이하의 과태료
◆ 제출 주체 : 공정안전보고서 제출 대상 사업장의 사업주
◆ 제출 시기 : 착공일 30일 전
   - 유해·위험물질 제조 ·취급 ·저장설비의 설치 · 이전 시
   - 주요 구조부분의 변경 시
◆ 제출 서류
   - 공정안전보고서 심사신청서 (고용노동부 고시 제2017-62호 별지 1호 서식)
   - 공정안전보고서 2부

4-2 공정안전보고서의 제출목적

위험물질의 누출, 화재, 폭발 등으로 인하여 사업장 내 근로자에게 즉시 피해를 주거나 사업장 인근 지역에 피해를 줄 수 있는 사고(중대산업사고)를 예방하기 위함

4-3 공정안전관리를 위한 12대 실천과제 주요내용

실천과제	세부추진사항
공정안전자료의 주기적인 보완 및 체계적 관리	▪ 공정안전자료 보완 및 관리규정 제정 ▪ 공정안전자료 관리시스템 구축 및 주기적 보완 (원본관리) ▪ 보완내용 공지 및 공정안전자료 제·개정목록 작성
공정위험성평가 체제 구축 및 사후관리	▪ 공정위험성평가 종합계획 수립·시행 ▪ 사업장 자체적인 위험성평가체제 구축 ▪ 주기적인 위험성평가 실시 및 평가결과 사후관리
안전운전절차 보완 및 준수	▪ 안전운전절차서의 제·개정 절차 표준화 ▪ 안전운전절차서의 주기적인 보완 ▪ 안전운전절차 준수여부를 자체적으로 확인하기 위한 체제 구축
설비별 위험 등급에 따른 효율적인 관리	▪ 설비 종류별 윙머등급 분류체계 수립 및 절차서 유지·관리 ▪ 설비점검 마스터 작성, 종합계획수립 후 검사 등 실시, 설비이력 관리 ▪ 장치·설비의 유지보수 시스템 구축 (전산화)
작업허가절차 준수	▪ 주기적인 안전작업절차 개선·보완 ▪ 안전작업허가절차(발급·승인·입회) 준수여부 확인 ▪ 안전작업허가서 내용 이행여부 수시점검
협력업체 선정시 안전관리 수준 반영	▪ 객관적인 평가체제 구축 ▪ 협력업체 선정시 안전보건분야 실적 반영 ▪ 상주 및 비상주 협력업체에 대한 주기적인 평가 및 등급 관리
근로자(임직원)에 대한 실질적인 PSM 교육	▪ 연간 교육계획의 수립 및 실행 ▪ PSM 12개 구성요소 별 교육교재 작성 ▪ 계층별 PSM 교육 및 성과측정

실천과제	세부추진사항
유해·위험설비의 가동(시운전)전 안전점검	▪ 유해·위험설비에 대한 설비별 가동전 점검표 작성 및 주기적인 보완 ▪ 가동 전 점검실시 점검결과에 따라 시운전 여부 판단 ▪ 유해·위험요인 제거후 가동
설비 등 변경시 변경관리절차 준수	▪ 변경의 범위(변경 판정기준)를 명확하게 설정·적용 ▪ 변경사유 발생시 변경관리 절차 준수 ▪ 변경관리위원회의 실질적인 활동 및 권한부여
객관적인 자체 검사 실시 및 사후조치	▪ 정기적인 자체감사 계획 수립·실시 ▪ 자체감사 점검표(Check-list)의 주기적 보완 ▪ 자체감사팀 구성 및 권한부여
정확한 사고원인 규명 및 재발 방지	▪ 아차사고(공정사고)를 포함하여 사고원인조사 수행 ▪ 동종업체 사고사례 분석·활용 ▪ 자사 및 타사 사고사례 데이터베이스 구축
비상대응 시나리오 작성 및 주기적인 훈련	▪ 최악의 상태를 가정한 비상대응 시나리오 작성 ▪ 종합적이고 입체적인 피해 최소화 전략 수립 ▪ 주기적인 자체비상훈련 및 외부 합동비상훈련

5. 산업안전보건법 시행령 제10조에서 정하고 있는 관리감독자의 업무 내용 7가지에 대하여 설명하시오.

시행령 제15조(관리감독자의 업무 등)

① 법 제16조제1항에서 "대통령령으로 정하는 업무"란 다음 각 호의 업무를 말한다. 〈개정 2021. 11. 19.〉

1. 사업장 내 법 제16조제1항에 따른 관리감독자(이하 "관리감독자"라 한다)가 지휘·감독하는 작업(이하 이 조에서 "해당작업"이라 한다)과 관련된 기계·기구 또는 설비의 안전·보건 점검 및 이상 유무의 확인

2. 관리감독자에게 소속된 근로자의 작업복·보호구 및 방호장치의 점검과 그 착용·사용에 관한 교육·지도

3. 해당작업에서 발생한 산업재해에 관한 보고 및 이에 대한 응급조치

4. 해당작업의 작업장 정리·정돈 및 통로 확보에 대한 확인·감독

5. 사업장의 다음 각 목의 어느 하나에 해당하는 사람의 지도·조언에 대한 협조
   가. 법 제17조제1항에 따른 안전관리자(이하 "안전관리자"라 한다) 또는 같은 조 제5항에 따라 안전관리자의 업무를 같은 항에 따른 안전관리전문기관(이하 "안전관리전문기관"이라 한다)에 위탁한 사업장의 경우에는 그 안전관리 전문기관의 해당 사업장 담당자
   나. 법 제18조제1항에 따른 보건관리자(이하 "보건관리자"라 한다) 또는 같은 조 제5항에 따라 보건관리자의 업무를 같은 항에 따른 보건관리전문기관(이하 "보건관리전문기관"이라 한다)에 위탁한 사업장의 경우에는 그 보건관리 전문기관의 해당 사업장 담당자
   다. 법 제19조제1항에 따른 안전보건관리담당자(이하 "안전보건관리담당자"라 한다) 또는 같은 조 제4항에 따라 안전보건관리담당자의 업무를 안전관리 전문기관 또는 보건관리전문기관에 위탁한 사업장의 경우에는 그 안전관리 전문기관 또는 보건관리전문기관의 해당 사업장 담당자
   라. 법 제22조제1항에 따른 산업보건의(이하 "산업보건의"라 한다)

6. 법 제36조에 따라 실시되는 위험성평가에 관한 다음 각 목의 업무
   가. 유해·위험요인의 파악에 대한 참여
   나. 개선조치의 시행에 대한 참여

7. 그 밖에 해당작업의 안전 및 보건에 관한 사항으로서 고용노동부령으로 정하는 사항

6. 산업안전보건기준에 관한 규칙 제32조 "보호구의 지급 등"에서 정하고 있는 보호구를 지급하여야 하는 10가지 작업과 그 작업 조건에 맞는 보호구를 설명하시오.

[123회 4교시 4번] [114회 4교시 6번]

제32조(보호구의 지급 등)

① 사업주는 다음 각 호의 어느 하나에 해당하는 작업을 하는 근로자에 대해서는 다음 각 호의 구분에 따라 그 작업조건에 맞는 보호구를 작업하는 근로자 수 이상으로 지급하고 착용하도록 하여야 한다.

1. 물체가 떨어지거나 날아올 위험 또는 근로자가 추락할 위험이 있는 작업 : 안전모
2. 높이 또는 깊이 2미터 이상의 추락할 위험이 있는 장소에서 하는 작업 : 안전대(安全帶)
3. 물체의 낙하·충격, 물체에의 끼임, 감전 또는 정전기의 대전(帶電)에 의한 위험이 있는 작업 : 안전화
4. 물체가 흩날릴 위험이 있는 작업 : 보안경
5. 용접 시 불꽃이나 물체가 흩날릴 위험이 있는 작업 : 보안면
6. 감전의 위험이 있는 작업: 절연용 보호구
7. 고열에 의한 화상 등의 위험이 있는 작업 : 방열복
8. 선창 등에서 분진(粉塵)이 심하게 발생하는 하역작업 : 방진마스크
9. 섭씨 영하 18도 이하인 급냉동어창에서 하는 하역작업 : 방한모·방한복·방한화·방한장갑
10. 물건을 운반하거나 수거·배달하기 위하여 「자동차관리법」 제3조제1항제5호에 따른 이륜자동차(이하 "이륜자동차"라 한다)를 운행하는 작업: 「도로교통법 시행규칙」 제32조제1항 각 호의 기준에 적합한 승차용 안전모

제111회 (2017년)
기계안전기술사

111회 기계안전기술사 출제 유형

교시	번호	세부항목
1	1	산업안전보건기준에 관한 규칙
1	2	기계재료, 용접결함, 열처리
1	3	기계·설비결함의 진단 및 평가
1	4	위험기계기구 및 설비의 방호조치
1	5	기계재료, 용접결함, 열처리
1	6	산업안전보건기준에 관한 규칙
1	7	산업안전보건법
1	8	보호구 및 안전표지 등
1	9	기계재료, 용접결함, 열처리
1	10	안전교육 및 지도
1	11	산업기계 설비 및 운반기계의 특징과 안전한 사용
1	12	산업안전보건법
1	13	기타 전기, 화공 안전에 관한 기본사항
2	1	산업기계 설비 및 운반기계의 특징과 안전한 사용
2	2	산업안전보건법
2	3	위험기계기구 및 설비의 방호조치
2	4	산업안전보건법
2	5	위험기계기구 및 설비의 방호조치
2	6	산업안전보건법
3	1	산업기계 설비 및 운반기계의 특징과 안전한 사용
3	2	산업안전보건법
3	3	산업안전의 기본이론
3	4	기타 전기, 화공 안전에 관한 기본사항
3	5	기계재료, 용접결함, 열처리
3	6	기타 전기, 화공 안전에 관한 기본사항
4	1	위험기계기구 및 설비의 방호조치
4	2	재료시험 및 응력해석
4	3	기타 전기, 화공 안전에 관한 기본사항
4	4	기계설비의 위험점
4	5	산업안전의 기본이론
4	6	기계재료, 용접결함, 열처리

111회 (2017년) 기계안전기술사

기술사 제 111 회 제 1 교시 (시험시간: 100분)

2017년도	분야	안전관리	자격 종목	기계안전기술사	성명	

※ 다음 문제 중 10문제를 선택하여 설명하시오. (각 문제당 10점)

1. 체인슬링과 체인호이스트에 조립된 체인의 신장과 지름감소에 대한 폐기 기준을 설명하시오.

[124회 2교시 2번] [121회 3교시 1번] [111회 1교시 1번]

◇ 크레인 등에 사용하는 와이어로프 폐기기준
- 이음매가 있는 것
- 와이어로프의 한 꼬임에서 끊어진 소선의 수가 10% 이상인 것
- 지름의 감소가 공칭 지름의 7%를 초과한 것
- 꼬이거나 심하게 변형 또는 부식된 것
- 열 및 전기 충격에 의해 손상된 것

◇ 달기체인 폐기기준
- 달기체인이 제조된 때 길이의 5%를 초과한 것
- 링의 단면 지름의 감소가 제조된 때의 해당 링 지름의 10%를 초과한 것
- 균열이 있거나 심하게 변형된 것

2. 미끄럼베어링에서 베어링계수와 마찰계수의 관계에 대하여 그림을 그려 설명하시오.

[123회 1교시 8번] [114회 4교시 2번][105회 2교시 6번]

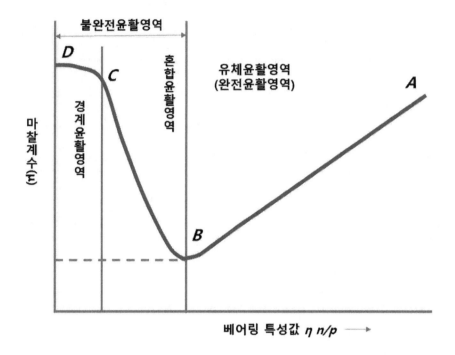

◆ $\eta N/p$ 를 파라미터로 한 실제의 실험결과에 의하면 μ의 값은 그림과 같이 나타남

◆ 그림에서 경계선 오른쪽의 유체마찰의 영역에서는 μ의 값은 $\eta N/p$의 값에 비례하며 완만하게 증가하나, 경계선 왼쪽의 영역에서는 유막이 얇아져서 유체 윤활이 이루어지지 않고 경계마찰이 되며, 이 영역에서는 베어링 계수의 값이 조금만 작아져도 급격하게 마찰계수가 증가함

◆ 따라서 양호한 윤활상태를 얻으려면 베어링 계수 $\eta N/p$의 값을 어느 한도 이하로 낮게 잡아서는 안 됨

3. 벨트전동에서 발생되는 크리핑(Creeping) 현상과 플래핑(Flapping) 현상을
   설명하시오.

◇ 크리핑(creeping)
   벨트가 풀리를 따라 회전하는 동안 벨트에 작용하는 인장력이 달라져 변형량도
   변화하게 된다. 이완측에 가까운 부분에서 인장력의 감소로 변형량이 줄어들기
   때문에 벨트가 풀리위를 기어가는 현상이 발생한다. 이 현상은 긴장측과 이완측
   사이의 장력차가 클수록 비례하여 증대한다. 이것은 벨트 미끄러짐(belt slip)과
   구분된다.

◇ 플래핑(flapping)
   축 중심간 거리가 긴 경우 고속으로 벨트전동을 하면 벨트가 파닥파닥 소리를
   내며 파도치는 현상이 발생하는 현상이다.

4. 프레스의 방호장치 5가지 중 확동식 클러치가 부착된 프레스에 부적합한
   방호장치의 종류를 쓰고, 부적합한 이유를 설명하시오.

◇ 프레스의 방호장치 : 가이드식, 손쳐내기식, 수인식, 양수조작식, 광전자식

◇ 이 중 확동식 클러치가 부착된 프레스에 부적합한 방호장치는 양수조작식,
   광전자식이다.

양수조작식	▪ 정상적인 사용에서는 완전한 방호 가능 ▪ 행정수가 빠른 기계에도 사용이 가능	▪ 행정수가 느린 프레스에는 사용이 부적합 ▪ 기계적 고장에 의한 슬라이드 낙하에는 효과가 없음
광전자식	▪ 시계를 차단하지 않아 작업이 용이 ▪ 연속 운전작업에 사용 가능	▪ 급정지가 불가능한 클러치의 프레스에는 부적합 ▪ 기계적 고장에 의한 슬라이드 낙하에는 효과가 없음

5. 다음 각 번호에 대한 와이어로프 기호를 설명하시오.

6	×	Fi(24)	×	IWRC	B종	20 mm
①		②		③	④	⑤

[124회] 2교시 2번] [111회 1교시 5번]

와이어로프의 구성은 중심에 '심'이 있고 한가닥 한가닥 '소선'이 있고, 이 소선을 꼬아 '스트랜드'를 구성하고 그 스트랜드를 꼬아 '와이어로프'를 완성한다.

① Rope의 구성 (Strand수)
   6은 스트랜드의 개수를 나타낸다.
② 형태기호 (S. W. Fi. Ws)
   fi는 (와어로프의 구성형태를나타냄) filler형 스트랜드 외측선과 내측선의 사이 사이 필러소선이 충진된 모양의 구성이다. 24는 소선의 개수이다.
③ Standard 구성 (소선수)
   IWRC (independent wire rope core)의 약자로 일반적으로는 '철심'이라 부른다.
④ 종별(소선의 인장강도)
   B종 이라는 것은 소선 인장력에 따라 같은 구성의 와이어 일지라도 종류가 나누어진다. E 〈 G 〈 A 〈 B 〈 C 〈 특C 등으로 나눈다.
⑤ Rope Diameter
   20mm는(로프외경) 와이어로프의 지름이다.

6. 타워크레인 사용 중 악천후 및 강풍 시 작업중지 조건을 설명하시오.
[121회 2교시 2번] [120회 1교시 12번] [120회 3교시 5번] [111회 1교시 6번]

악천후 시 작업 금지 기준
- 폭풍, 폭우, 폭설 등 악천후로 인하여 위험이 예상되는 때에는 작업을 중지한다. 특히 강풍시에는 높은 곳에 있는 부재나 공구류가 날아가지 않도록 조치하며, 다음과 같은 경우 타워크레인 작업을 중지한다.
- 풍속 : 15m/sec 초과인 경우

강풍 시 작업중지 조건

풍속 (m/sec)	종별	작업범위
0~7	안전작업범위	전작업 실시
7~10	주의경보	외부용접, 도장작업 중지
10~14	경고경보	건립작업 중지
14이상	위험경고	고소작업자는 즉시 하강 안전대피

※ 순간풍속 10m/s 초과시 설치·수리·점검 또는 해체 작업 중지

◇ 악천후 및 강풍 시 작업 중지

산업안전보건기준에 관한 규칙

① 사업주는 비·눈·바람 또는 그 밖의 기상상태의 불안정으로 인하여 근로자가 위험해질 우려가 있는 경우 작업을 중지하여야 한다. 다만, 태풍 등으로 위험이 예상되거나 발생되어 긴급 복구작업을 필요로 하는 경우에는 그러하지 아니하다.

② 사업주는 순간풍속이 초당 10미터를 초과하는 경우 타워크레인의 설치·수리·점검 또는 해체 작업을 중지하여야 하며, 순간풍속이 초당 15미터를 초과하는 경우에는 타워크레인의 운전작업을 중지하여야 한다. 〈개정 2017. 3. 3.〉

7. 산업안전보건법 시행규칙에서 정하는 명령진단 대상사업장을 쓰시오.

산업안전보건법 시행규칙 제126조(대상 사업장의 종류)
① 법 제49조제1항에서 "고용노동부령으로 정하는 사업장"이란 다음 각 호의 어느 하나에 해당하는 사업장을 말한다. 다만, 법 제49조제1항에 따른 안전진단명령을 하는 경우에는 영 별표 1 제1호 각 목의 어느 하나에 해당하는 사업장은 그 대상에서 제외한다. 〈개정 2010. 7. 12., 2013. 8. 6.〉

1. 중대재해(사업주가 안전·보건조치의무를 이행하지 아니하여 발생한 중대 재해만 해당한다) 발생 사업장. 다만, 그 사업장의 연간 산업재해율이 같은 업종의 규모별 평균 산업재해율을 2년간 초과하지 아니한 사업장은 제외한다.

2. 법 제50조제2항에 따라 안전보건개선계획 수립·시행명령을 받은 사업장

3. 추락·폭발·붕괴 등 재해발생 위험이 현저히 높은 사업장으로서 지방고용 노동관서의 장이 안전·보건진단이 필요하다고 인정하는 사업장

② 제1항에 따른 안전·보건진단의 명령은 별지 제28호서식에 따른다.

8. 안전인증대상 보호구 중 안전화에 대한 등급 및 사용장소를 설명하시오.
[117회 2교시 1번] [111회 1교시 8번]

등 급	사용장소
중작업용	광업, 건설업 및 철광업 등에서 원료취급, 가공, 강재취급 및 강재 운반, 건설업 등에서 중량물 운반작업, 가공대상물의 중량이 큰 물체를 취급하는 작업장으로서 날카로운 물체에 의해 찔릴 우려가 있는 장소
보통 작업용	기계공업, 금속가공업, 운반, 건축업 등 공구 가공품을 손으로 취급하는 작업 및 차량 사업장, 기계 등을 운전 조작하는 일반작업장으로서 날카로운 물체에 의해 찔릴우려가 있는 장소
경작업용	금속 선별, 전기제품 조립, 화학제품 선별, 반응장치 운전, 식품 가공업 등 비교적 경량의 물체를 취급하는 작업장으로서 날카로운 물체에 의해 찔릴 우려가 있는 장소

9. 다음의 각 번호에 대한 용접기호를 설명하시오.

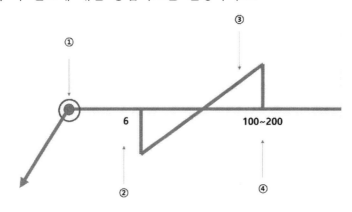

① : 전 둘레
② : 자세(6파이프 45도)
③ : 지그재그 양쪽
④ : 100-200 지그재그 용접길이

10. 산업안전보건법 시행규칙에서 규정하고 있는 사업장 안전보건 교육과정
    5가지와 과정별 교육시간을 쓰시오.

산업안전보건법 시행규칙 [별표 4]

교육과정	교육대상		교육시간
가. 정기교육	사무직 종사 근로자		매분기 3시간 이상
	사무직 종사 근로자 외의 근로자	판매업무에 직접 종사하는 근로자	매분기 3시간 이상
		판매업무에 직접 종사하는 근로자 외의 근로자	
	관리감독자의 지위에 있는 사람		연간 16시간 이상

나. 채용 시 교육	일용근로자	1시간 이상
	일용근로자를 제외한 근로자	8시간 이상
다. 작업내용 변경 시 교육	일용근로자	1시간 이상
	일용근로자를 제외한 근로자	2시간 이상
라. 특별교육	별표 5 제1호라목 각 호 (제40호는 제외한다)의 어느 하나에 해당하는 작업에 종사하는 일용근로자	2시간 이상
	별표 5 제1호라목제40호의 타워크레인 신호작업에 종사 하는 일용근로자	8시간 이상
	별표 5 제1호라목 각 호의 어느 하나에 해당하는 작업에 종사하는 일용근로자를 제외한 근로자	- 16시간 이상(최초 작업에 종사하기 전 4시간 이상 실 시하고 12시간은 3개월 이 내에서 분할하여 실시가능) - 단기간 작업 또는 간헐적 작업인 경우에는 2시간 이상
마. 건설업 기초 안전·보건교육	건설 일용근로자	4시간 이상

11. 이삿짐 운반용 리프트의 전도 및 화물의 낙하 방지를 위해 사업주가 취해야 할 조치를 설명하시오.

산업안전보건기준에 관한 규칙 제158조(이삿짐 운반용 리프트 전도의 방지)
 사업주는 이삿짐 운반용 리프트를 사용하는 작업을 하는 경우 이삿짐 운반용 리프트의 전도를 방지하기 위하여 다음 각 호를 준수하여야 한다.
  1. 아웃트리거가 정해진 작동위치 또는 최대전개위치에 있지 않는 경우(아웃트리거 발이 닿지 않는 경우를 포함한다)에는 사다리 붐 조립체를 펼친 상태에서 화물 운반작업을 하지 않을 것
  2. 사다리 붐 조립체를 펼친 상태에서 이삿짐 운반용 리프트를 이동시키지 않을 것
  3. 지반의 부동침하 방지 조치를 할 것

◇ 화물의 낙하 방지

사업주는 이삿짐 운반용 리프트 운반구로부터 화물이 빠지거나 떨어지지 않도록 다음 각 호의 낙하방지 조치를 하여야 한다.

1. 화물을 적재시 하중이 한쪽으로 치우치지 않도록 할 것
2. 적재화물이 떨어질 우려가 있는 경우에는 화물에 로프를 거는 등 낙하 방지 조치를 할 것

12. 산업안전보건법 시행령에서 안전검사를 받아야 하는 유해·위험기계를 모두 쓰시오. (단, 현재 검사를 받아야 하는 유해·위험기계에 한함)

[127회 1교시 2번] [126회 1교시 12번] [121회 3교시 4번] [114회 1교시 9번]
[111회 1교시 12번] [108회 3교시 2번] [105회 1교시 11번]

[121회 3교시 4번] 참조

산업안전보건법 시행령 제78조(안전검사대상기계등)

① 법 제93조제1항 전단에서 "대통령령으로 정하는 것"이란 다음 각 호의 어느 하나에 해당하는 것을 말한다.

1. 프레스
2. 전단기
3. 크레인(정격 하중이 2톤 미만인 것은 제외한다)
4. 리프트
5. 압력용기
6. 곤돌라
7. 국소 배기장치(이동식은 제외한다)
8. 원심기(산업용만 해당한다)
9. 롤러기(밀폐형 구조는 제외한다)
10. 사출성형기[형 체결력(型 締結力) 294킬로뉴턴(KN) 미만은 제외한다]
11. 고소작업대(「자동차관리법」 제3조제3호 또는 제4호에 따른 화물자동차 또는 특수자동차에 탑재한 고소작업대로 한정한다)
12. 컨베이어
13. 산업용 로봇

② 법 제93조제1항에 따른 안전검사대상기계등의 세부적인 종류, 규격 및 형식은 고용노동부장관이 정하여 고시한다.

13. 에스컬레이터 또는 무빙워크의 출입구 근처에 부착하여야 할 주의표시
    내용 4가지를 쓰시오.

승강기 안전운행 및 관리에 관한 운영규정 [행정안전부고시 제2022-19호]

제14조(승강기의 안전이용 안내)
② 관리주체는 다음 각 호의 내용이 포함된 표지 또는 명판을 승강장문 또는
   승강장 주위에 부착해야 한다. 이 경우 화면 또는 음성 안내 방식으로 대신
   할 수 있다.

1. 화재 등 비상시 승강기 탑승금지 및 피난계단 이용 안내
2. 엘리베이터의 종류(소방구조용 엘리베이터 및 피난용 엘리베이터만 해당된다)
3. 손 끼임 주의
4. 승강장문 충돌 주의

국가기술 자격검정 시험문제

기술사		제 111 회			제 2 교시 (시험시간: 100분)		
2017년도	분야	안전관리	자격종목	기계안전기술사	성명	

※ 다음 문제 중 4문제를 선택하여 설명하시오. (각 문제당 25점)

1. 지게차 작업에서 검토하여야 하는 다음 사항에 대하여 설명하시오.
[123회 1교시 12번] [121회 3교시 2번] [120회 1교시 13번] [108회 1교시 5번]
[105회 2교시 1번]

(1) 최소 선회반경
"최소회전반경"이란 수평면에 놓인 건설기계가 선회할 때 바퀴 또는 기동륜의 중심이 그리는 원형 궤적 가운데 가장 큰 반지름을 가지는 궤적의 반지름을 말한다.

(2) 최소 회전반경
무부하 상태에서 지게차의 최저속도로 가능한 최소의 회전을 할 때 지게차의 후단부가 그리는 원의 반경
  ◆ 최소 회전반경 : 1,800~2,750mm 정도로 선회 반경이 작다.

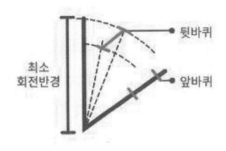
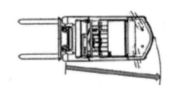

(3) 최소 직각 통로 폭

최소 적재 통로폭이란 하물을 적재한 지게차가 일정각도로 회전하여 작업할 수 있는 직선 통로의 최소폭을 말하며, 그 각도가 90도일 때를 직각 적재 통로폭 이라한다.

최소직각교차 통로폭

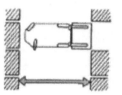

직각적재 통로폭

(4) 최소 적재 통로 폭

◇ 최소 직각적재 통로폭 계산 방법

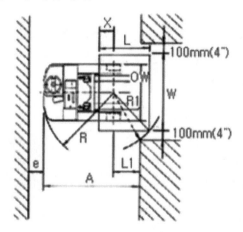

◆ 파레트 사이즈 : W(폭) × L(길이)

A : 최소직각 적재 통로폭

e : 원활한 작업을 위한 간격 (200~300mm)

R : 차량의 최소 회전반경

R1 : 파레트의 최소 회전반경

X : 리치스프로크 - 오버행 (FRONT)

OW : 차량의 전폭

◆ 최소직각 적재 통로폭의 계산
  - 공식 I

$$R1 = \sqrt{(L-X)^2 + (\frac{W}{2})^2}$$

$$L1 = \sqrt{(R1)^2 - (\frac{W}{2} + 100)^2}$$

  $A - R + L1$
  - 공식 III 약식 계산법
  $A = R + (L - X)$
  파렛트와 랙사이의 간격(100mm)을 없애는 것으로 간주
  파렛트와 통로안에서 회전할 수 있다.
  (L1-L-X)
  * 추천 최소직각 적재폭 = A+e

※ 포크의 간격은 그림과 같이 적재상태 파렛트 폭의 이상 이하 정도 간격을 유지
  한다.

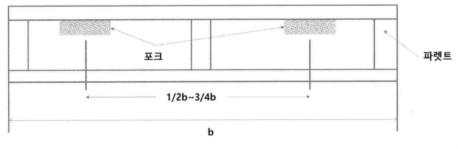

〈포크 간격〉

2. 사업장에서 근로자가 출입을 하여서는 아니되는 출입의 금지조건 10가지만 설명하시오.

제20조 (출입의 금지 등)

사업주는 다음 각 호의 작업 또는 장소에 울타리를 설치하는 등 관계 근로자가 아닌 사람의 출입을 금지하여야 한다. 다만, 제2호 및 제7호의 장소에서 수리 또는 점검 등을 위하여 그 암(arm) 등의 움직임에 의한 하중을 충분히 견딜 수 있는 안전지지대 또는 안전블록 등을 사용하도록 한 경우에는 그러하지 아니하다.

1. 추락에 의하여 근로자에게 위험을 미칠 우려가 있는 장소

2. 유압(流壓), 체인 또는 로프 등에 의하여 지탱되어 있는 기계·기구의 덤프, 램(ram), 리프트, 포크(fork) 및 암 등이 갑자기 작동함으로써 근로자에게 위험을 미칠 우려가 있는 장소

3. 케이블 크레인을 사용하여 작업을 하는 경우에는 권상용(卷上用) 와이어로프 또는 횡행용(橫行用) 와이어로프가 통하고 있는 도르래 또는 그 부착부의 파손에 의하여 위험을 발생시킬 우려가 있는 그 와이어로프의 내각측(內角側)에 속하는 장소

4. 인양전자석(引揚電磁石) 부착 크레인을 사용하여 작업을 하는 경우에는 달아 올려진 화물의 아래쪽 장소

5. 인양전자석 부착 이동식 크레인을 사용하여 작업을 하는 경우에는 달아 올려진 화물의 아래쪽 장소

6. 리프트를 사용하여 작업을 하는 다음 각 목의 장소
   가. 리프트 운반구가 오르내리다가 근로자에게 위험을 미칠 우려가 있는 장소
   나. 리프트의 권상용 와이어로프 내각측에 그 와이어로프가 통하고 있는 도르래 또는 그 부착부가 떨어져 나감으로써 근로자에게 위험을 미칠 우려가 있는 장소

7. 지게차·구내운반차·화물자동차 등의 차량계 하역운반기계 및 고소(高所) 작업대(이하 "차량계 하역운반기계등"이라 한다)의 포크·버킷(bucket)·암 또는 이들에 의하여 지탱되어 있는 화물의 밑에 있는 장소. 다만, 구조상 갑작스러운 하강을 방지하는 장치가 있는 것은 제외한다.

8. 운전 중인 항타기(杭打機) 또는 항발기(杭拔機)의 권상용 와이어로프 등의 부착 부분의 파손에 의하여 와이어로프가 벗겨지거나 드럼(drum), 도르래 뭉치 등이 떨어져 근로자에게 위험을 미칠 우려가 있는 장소

9. 화재 또는 폭발의 위험이 있는 장소

10. 낙반(落磐) 등의 위험이 있는 다음 각 목의 장소

가. 부석의 낙하에 의하여 근로자에게 위험을 미칠 우려가 있는 장소

나. 터널 지보공(支保工)의 보강작업 또는 보수작업을 하고 있는 장소로서 낙반 또는 낙석 등에 의하여 근로자에게 위험을 미칠 우려가 있는 장소

11. 토석(土石)이 떨어져 근로자에게 위험을 미칠 우려가 있는 채석작업을 하는 굴착작업장의 아래 장소

12. 암석 채취를 위한 굴착작업, 채석에서 암석을 분할가공하거나 운반하는 작업, 그 밖에 이러한 작업에 수반(隨伴)한 작업(이하 "채석작업"이라 한다)을 하는 경우에는 운전 중인 굴착기계·분할기계·적재기계 또는 운반기계 (이하 "굴착기계등"이라 한다)에 접촉함으로써 근로자에게 위험을 미칠 우려가 있는 장소

13. 해체작업을 하는 장소

14. 하역작업을 하는 경우에는 쌓아놓은 화물이 무너지거나 화물이 떨어져 근로 자에게 위험을 미칠 우려가 있는 장소

15. 다음 각 목의 항만하역작업 장소
가. 해치커버[(해치보드(hatch board) 및 해치빔(hatch beam)을 포함한다)]의 개폐·설치 또는 해체작업을 하고 있어 해치 보드 또는 해치빔 등이 떨어져 근로자에게 위험을 미칠 우려가 있는 장소

나. 양화장치(揚貨裝置) 붐(boom)이 넘어짐으로써 근로자에게 위험을 미칠 우려가 있는 장소

다. 양화장치, 데릭(derrick), 크레인, 이동식 크레인(이하 "양화장치등"이라 한다) 에 매달린 화물이 떨어져 근로자에게 위험을 미칠 우려가 있는 장소

16. 벌목, 목재의 집하 또는 운반 등의 작업을 하는 경우에는 벌목한 목재 등이 아래 방향으로 굴러 떨어지는 등의 위험이 발생할 우려가 있는 장소

17. 양화장치 등을 사용하여 화물의 적하[부두 위의 화물에 훅(hook)을 걸어 선(船) 내에 적재하기까지의 작업을 말한다] 또는 양하(선 내의 화물을 부두 위에 내려 놓고 훅을 풀기까지의 작업을 말한다)를 하는 경우에는 통행하는 근로자에게 화물이 떨어지거나 충돌할 우려가 있는 장소

3. 프레스 재해예방 및 생산성 향상을 위하여 설치하는 재료의 송급 및 배출 자동화 장치의 종류와 기능을 설명하시오.

(1) 운전 정지 및 전원 차단
◇ 이물질 제거, 정비·수리 시 프레스 운전을 정지하고 전원을 차단한다
◇ 프레스 행정 전환스위치 및 안전장치의 열쇠는 프레스작업 책임자가 보관 및 관리하도록 한다

(2) 소재 송급 · 배출 자동화
◇ 프레스 작업의 안전을 확보하려면 프레스에 안전장치를 부착해 위험 구역 접근을 막고 위험구역 안으로 못 들어오게 신체를 강제 배척하는 방법이 있으나 근원적인 안전화 방안은 송급 및 배출의 자동화이다.
◇ 근로자가 직접 소재를 공급하거나 꺼내지 않도록 언코일러(uncoiler), 레벨러 (leveller), 피더(feeder) 등을 설치한다.
  ◆ 언코일러 (uncoiler)
    - 코일 모양으로 감은 강판, 선재를 외주에서 푸는 장치
    - 회전하는 심봉에 코일을 끼워 외주의 한 부분을 꺼내어 코일체를 회전시키면서 잡아당겨 되감는다. 페이 오프 릴이라고도 한다.
  ◆ 레벨러 (leveller)
    - 소재 이송을 담당
  ◆ 피더 (feeder)
    - 소재의 휨 정도에 따라 소재의 평탄도를 유지

(3) 전용 수공구 사용
◇ 끼임 재해를 예방하기 위해서는 작업자의 손 등 신체의 일부가 금형 사이로 들어가지 않도록 하는 것이 최선의 방법이다. 이를 위해 소재 의 공급 및 배출을 자동화하는 것이 최선의 방법이나 이것이 불가능할 경우 전용의 수공구를 적절히 사용하는 것도 하나의 방법이다.
    ① 누름봉 또는 갈고리류
    ② 핀셋류
    ③ 플라이어류
    ④ 진공컵류
    ⑤ 자석공구류

4. 고소작업대와 관련하여 다음의 내용에 대하여 설명하시오.

◇ 고소작업대(MEWP : Mobile Elevated Work Platform)

작업대(Work Platform), 연장 구조물(Boom 등), 차대(Chassis)로 구성되며 동력에 의해 사람이 탑승한 작업대를 작업 위치로 이동시키는 건설기계·장비를 말하며, 자동차(트럭) 위에 붐을 설치하고 그 끝에 작업대가 설치된 형태이며 시저형, 굴절형, 유압식 등 작업여건에 따라 다양한 형태로 사용되고 있다.

위험기계·기구 안전인증 고시 [고용노동부고시 제2020-41호]

(1) 무게 중심에 의한 분류
가. A 그룹: 적재화물 무게중심의 수직 투영이 항상 전복선(tipping line) 안에 있는 고소작업대
나. B 그룹: 적재화물 무게중심의 수직 투영이 전복선(tipping line) 밖에 있을 수 있는 고소작업대

(2) 주행 장치에 따른 분류
가. 제1종: 적재위치(stowed position)에서만 주행할 수 있는 고소작업대
나. 제2종: 차대의 제어위치에서 조작하여 작업대를 상승한 상태로 주주행할 수 있는 고소작업대
다. 제3종: 작업대의 제어위치에서 조작하여 작업대를 상승한 상태로 주행할 수 있는 고소작업대

(3) 주요 구조부
가. 작업대
나. 연장구조물(지브)
다. 차대
라. 구동장치 및 유·공압계통
마. 제어반

5. 연삭기의 주요 위험 요인을 열거하고 기술적 대책과 관리적 대책으로 구분하여 설명하시오.

[121회 2교시 5번] [120회 1교시 5번] [111회 2교시 5번]

5-1 연삭기의 위험요인
- ◆ 숫돌의 파괴, 파편의 비래 등에 의한 위험
- ◆ 회전하는 숫돌에 신체부위가 닿아 절단, 스침 등에 의한 위험
- ◆ 공작물의 파편이나 칩의 비래에 의한 위험
- ◆ 회전하는 숫돌과 덮개 또는 고정부 사이에 끼임 위험
- ◆ 연삭된 유해물질의 흡입 위험

기술적 안전대책
1) 방호덮개의 부착
   ① 숫돌이 파괴될 경우 근로자를 보호하기 위하여 숫돌직경이 5㎝ 이상인 경우에는 덮개를 설치할 것
2) 칩 비산 방지판 설치
   ① 작업 시 칩 비산에 의한 재해를 예방하기 위하여 적정 강도의 투명한 비산 방지판을 설치할 것
3) 작업대
   ① 작업대는 숫돌의 중심보다 높을 것
   ② 작업대와 숫돌과의 간격은 3㎜ 이내일 것
   ③ 작업대는 견고하게 고정할 것
4) 콘센트와 플러그의 접지 및 접속상태, 누전차단기 설치 확인
5) 플랜지는 수평을 잡아서 바르게 설치
6) 국소박이 장치를 설치할 것
7) 탁상용 연삭기는 작업받침대(3mm이내)와 조정편(3~10mm)을 설치할 것

관리적 안전대책
◇ 연삭기 작업 안전수칙
1) 연삭작업 전 적어도 1분 이상, 숫돌 교체 후 3분 이상 시운전하여 이상여부를 확인할 것
2) 연삭숫돌에 충격을 주지 말 것
3) 가공물은 급격한 충격을 피하고 점진적으로 접촉시킬 것
4) 측면 사용을 목적으로 하는 연삭기 이외에는 측면을 사용하지 말 것

5) 사용전에 연삭숫돌을 점검하여 균열이 있는 것은 사용하지 말 것
6) 숫돌교체 시 숫돌을 끼우기 전에 가벼운 해머 등으로 가볍게 두들겨 균열의 유무를 확인 할 것
7) 연삭숫돌의 최고사용 원주속도를 초과하여 사용하지 말 것
8) 연삭기 작업은 숫돌 작업면의 정면에 서지말고 측면에서 작업할 것
9) 개인보호구 착용을 철저히 할 것
10) 소음이나 진동이 심할 경우 즉시 점검할 것

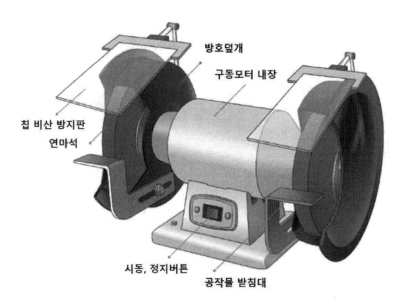

탁상용 연삭기의 구조

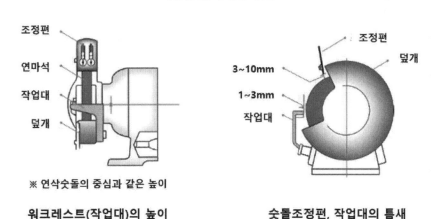

※ 연삭숫돌의 중심과 같은 높이

워크레스트(작업대)의 높이   **숫돌조정편, 작업대의 틈새**

6. 산업안전보건법 시행규칙에서 규정하고 있는 안전검사 면제조건 10가지만 쓰시오.

◇ 제125조(안전검사의 면제)
법 제93조제2항에서 "고용노동부령으로 정하는 경우"란 다음 각 호의 어느 하나에 해당하는 경우를 말한다.

1. 「건설기계관리법」 제13조제1항제1호·제2호 및 제4호에 따른 검사를 받은 경우(안전검사 주기에 해당하는 시기의 검사로 한정한다)

2. 「고압가스 안전관리법」 제17조제2항에 따른 검사를 받은 경우

3. 「광산안전법」 제9조에 따른 검사 중 광업시설의 설치·변경공사 완료 후 일정한 기간이 지날 때마다 받는 검사를 받은 경우

4. 「선박안전법」 제8조부터 제12조까지의 규정에 따른 검사를 받은 경우

5. 「에너지이용 합리화법」 제39조제4항에 따른 검사를 받은 경우

6. 「원자력안전법」 제22조제1항에 따른 검사를 받은 경우

7. 「위험물안전관리법」 제18조에 따른 정기점검 또는 정기검사를 받은 경우

8. 「전기사업법」 제65조에 따른 검사를 받은 경우

9. 「항만법」 제26조제1항제3호에 따른 검사를 받은 경우

10. 「화재예방, 소방시설 설치·유지 및 안전관리에 관한 법률」 제25조제1항에 따른 자체점검 등을 받은 경우

11. 「화학물질관리법」 제24조제3항 본문에 따른 정기검사를 받은 경우

국가기술 자격검정 시험문제

기술사   제 111 회   제 3 교시   (시험시간: 100분)

2017년도	분야	안전관리	자격종목	기계안전기술사	성명	

※ 다음 문제 중 4문제를 선택하여 설명하시오. (각 문제당 25점)

1. **차량탑재형 고소작업대 작업 시 발생 가능한 주요 유해·위험요인 및 주요 재해 발생 형태별 안전대책을 설명하시오.**

   차량탑재형 고소작업대는 건물 외벽 공사, 간판 설치 보수 공사, 전선 보수 작업 등에서 사용된다. 추락, 끼임, 넘어짐, 감전, 맞음 등의 사고 유형의 위험이 있다.

◇ 추락
   안전 난간 미설치, 허용 작업반경(정격하중) 초과, 아웃 트리거 미설치, 안전장치 임의 해제 등으로 발생한다.

   ◆ 이를 해결하기 위해서는
   1) 작업대 안전 난간 파손 및 탈락은 없는지 확인 & 작업 중 안전 난간 임의 해체 금지
   2) 허용 작업반경 초과 금지
   3) 조종자 시야 확보 후 작업대 위치 조정
   4) 작업대 고정볼트 체결 상태 및 붐 인출 와이어로프/체인 마모상태 등 장비 정기 점검 실시
   5) 유도자 배치하여 다른 장비와의 충돌 방지
   6) 안전대 및 안전모 등 보호구 착용 철저

◇ 넘어짐
  1) 아웃 트리거를 최대 확장하지 않을 경우
  2) 안전장치를 무효화하여 허용 작업반경이나 허용 적정 하중 초과
  3) 연약지반이나 경사지에 고소작업대 설치
  4) 작업높이 등을 사전에 확인하지 않을 경우& 장비 사양이 충족되지 못해 무리한 작업을 수행하는 경우
  5) 작업대 설치 환경 주변의 구조물 등을 사전점검하지 않을 경우 &아웃 트리거를 확장하지 못하거나 작업반경이 제한된 경우
  6) 고소작업대 주변에 차량 통행 등 충돌 위험이 있는 경우

 ◆ 이를 해결하기 위해서는
  1) 작업 장소 지반상태 확인 및 아웃 트리거 최대 확장·수평 설치
  2) 허용 작업반경 및 정격하중 초과 금지
  3) 안전장치 임의해제 금지
  4) 안전대 부착 설비 설치 및 안전모 등 보호구 착용 철저

대상별 조치사항
 ◆ 관리자
   - 작업계획서 작성 및 확인
   - 작업 장소 지반상태 확인
   - 작업구역 구획 및 통제, 유도자 배치 확인

 ◆ 조종자
   - 작업 시작 전 안전장치, 안전 난간 확인
   - 안전대 및 안전모 등 보호구 착용
   - 유도자 신호 없이 운전 금지

 ◆ 탑승자
   - 고소작업 시 안전대 및 안전모 착용
   - 탑승 인원 제한 및 과적 금지
   - 고압선, 주변 구조물 접근 방지 등으로 안전사고를 방지

2. 제조업 유해·위험방지계획서 제출대상 업종 및 대상설비를 쓰고, 제출대상 업종의 유해·위험방지계획서에 포함시켜야 할 제출서류 목록을 쓰시오.

[121회 3교시 3번] [117회 4교시 5번] [111회 3교시 2번] [108회 4교시 3번]

제조업 유해·위험방지계획서 제출대상

전기 계약 용량이 300kw 이상인 13개의 업종으로 건설물, 기계, 기구 등 일체를 설치, 이전, 변경하는 경우와 모든 업종의 사업장에서 고용노동부령으로 정하는 5개의 설비를 설치, 이전, 변경하는 경우

◇ 13개의 업종

  1) 금속가공 제품 제조업

  2) 비금속 광물제품 제조업

  3) 기타 기계 및 장비 제조업

  4) 자동차 및 트레일러 제조업

  5) 식료품 제조업

  6) 목재 및 나무제품 제조업

  7) 기타 제품 제조업

  8) 2차 금속 제조업

  9) 화학물질 및 화학제품 제조업

  10) 반도체 제조업

  11) 가구 제조업

  12) 전자부품 제조업

  13) 고무제품 및 플라스틱 제조업

◇ 5개의 설비

  1) 용해로

  2) 화학설비

  3) 건조설비

  4) 가스집합용접장치

  5) 허가 및 관리 대상 유해화학물질, 분진작업 관련설비

제출서류
  1) 건축물 각 층의 평면도
  2) 기계설비의 개요를 나타내는 서류
  3) 기계설비의 배치 도면
  4) 원재료 및 제품의 취급
  5) 제조 등의 작업 방법의 개요
  6) 그 밖의 도면과 서류

3. 사고를 발생시키는 불안전한 상태와 근로자의 불안전한 행동에 대한 각각의 사례를 7가지 쓰고 설명하시오.

불안전한 상태

  불안전한 상태 는 작업을 수행하려고 할 때의 모든 외적조건에 잠재적 위험성을 가지고 있는 상태를 말한다. 예를 들면 부적합한 환경조건(고온·습도, 유해성 가스, 분진의 존재, 현저한 소음) 또 설비, 장치, 기계에 결함이 있고, 또 작업 용구, 보조구, 방호설비에 결함이 있는 등에 의해 재해발생의 우려가 많은 상태를 말한다.

◇ 재해원인 요소분류에서는 불안전상태 분류
  ① 물적 자체의 결함
  ② 방호조치의 결함
  ③ 물건의 두는 방법, 작업개소의 결함
  ④ 보호구, 복장 등의 결함
  ⑤ 작업환경의 결함
  ⑥ 부외적, 자연적 불안전상태
  ⑦ 작업방법의 결함
  ⑧ 기타 및 불안전상태가 아닌 것

불안전한 행동

  불안전한 행동은 사고를 초래하게 된 근로자 자신의 행동에 대한 불안전한 요소를 말한다(노동부 재해원인의 분류에서) 이러한 불안전한 행동은 재해를 일으키는 직접적인 요인인 인적요인을 말한다.

◇ 재해원인 요소분류에 있어서 불안전한 행동의 분류
　① 위험한 장소 접근
　② 안전장치의 기능 제거
　③ 복장, 보호구의 잘못 사용
　④ 기계·기구의 잘못 사용
　⑤ 운전중인 기계장치의 손질
　⑥ 불안전한 속도 조작
　⑦ 위험물 취급 부주의
　⑧ 불안전한 상태 방치
　⑨ 불안전한 자세 동작
　⑩ 감독 및 연락 불충분
　⑪ 기타

4. 승강기시설안전관리법 시행규칙에서 규정하고 있는 승강기의 중대한 사고와 중대한 고장을 설명하시오. (단, 중대한 고장의 경우 엘리베이터와 에스컬레이터로 구분할 것)

승강기 안전관리법 시행령 제37조(중대한 사고 및 중대한 고장)

① 법 제48조제1항제1호에서 "사람이 죽거나 다치는 등 대통령령으로 정하는 중대한 사고"란 다음 각 호의 어느 하나에 해당하는 사고를 말한다.
　1. 사망자가 발생한 사고
　2. 사고 발생일부터 7일 이내에 실시된 의사의 최초 진단 결과 1주 이상의 입원 치료가 필요한 부상자가 발생한 사고
　3. 사고 발생일부터 7일 이내에 실시된 의사의 최초 진단 결과 3주 이상의 치료가 필요한 부상자가 발생한 사고
② 법 제48조제1항제2호에서 "출입문이 열린 상태에서 승강기가 운행되는 경우 등 대통령령으로 정하는 중대한 고장"이란 다음 각 호의 구분에 따른 고장을 말한다. 〈개정 2022. 2. 3.〉
　1. 엘리베이터 및 휠체어리프트: 다음 각 목의 경우에 해당하는 고장
　　가. 출입문이 열린 상태로 움직인 경우
　　나. 출입문이 이탈되거나 파손되어 운행되지 않는 경우
　　다. 최상층 또는 최하층을 지나 계속 움직인 경우

라. 운행하려는 층으로 운행되지 않은 고장으로서 이용자가 운반구에 갇히게 된 경우(정전 또는 천재지변으로 인해 발생한 경우는 제외한다)

마. 운행 중 정지된 고장으로서 이용자가 운반구에 갇히게 된 경우(정전 또는 천재지변으로 인해 발생한 경우는 제외한다)

바. 운반구 또는 균형추(균형추)에 부착된 매다는 장치 또는 보상수단(각각 그 부속품을 포함한다) 등이 이탈되거나 추락된 경우

2. 에스컬레이터: 다음 각 목의 경우에 해당하는 고장

가. 손잡이 속도와 디딤판 속도의 차이가 행정안전부장관이 고시하는 기준을 초과하는 경우

나. 하강 운행 과정에서 행정안전부장관이 고시하는 기준을 초과하는 과속이 발생한 경우

다. 상승 운행 과정에서 디딤판이 하강 방향으로 역행하는 경우

라. 과속 또는 역행을 방지하는 장치가 정상적으로 작동하지 않은 경우

마. 디딤판이 이탈되거나 파손되어 운행되지 않은 경우

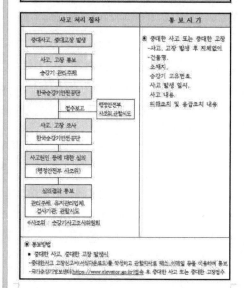

5. 용접 작업 시 발생되는 유해인자를 물리적 인자와 화학적 인자로 나누고 유해 인자별 신체에 나타나는 현상을 설명하시오.

물리적인자
- 고열 (안전보건 기준에 관한 규칙 제7장 규정에 의한 고열)
- 이상기압
- 전리 및 비전리 방사선
- 진동
- 소음 (8시간 시간가중평균 80dB 이상)
- 전자기장 등

◇ 신체에 나타나는 영향
- 레이노씨 증후군
  진동공구를 사용하는 근로자의 손가락에 흔히 발생되는 증상으로 손가락에 있는 말초혈관 운동의 장애로 인하여 혈액순환이 저해되어 손가락이 창백해지고 동통을 느끼게 된다. 한랭 환경에서 악화된다. 진동공구의 사용법, 진동수, 진폭, 노출시간, 개인의 감수성 등이 관계된다.

화학적인자
가스, 증기, 미스트, 분진, 흄 등으로 흡입했을 때나 피부에 접촉했을 때 체내로 흡수되어 독성을 나타내는 물질
- 가스 : 상온에서 가스상으로 존재하는 물질 (CO, SOX, H_2S, CH_4, H_2, N_2, He, Ne, HCN 등)
- 증기 : 상온에서 액체로 존재하는 물질에서 발생하는 가스상 물질, 유기화합물, 솔벤트 휘발성 또는 가연성 액체 등
- 미스트 : 작은 방울 형태로 비산하는 물질 오일미스트, 도금조에서 발생하는 미스트
- 분진 : 기계적인 분쇄, 마찰이나 연마, 연삭 등에 의해 발생하는 입자상 물질
- 흄 : 고열에 의해 고체상에서 증기가 발생하여 공기 중에서 빠르게 산화한 후 응축하여 생기는 미세한 고체 입자

◇ 용접흄에 의한 건강장해

금속	건강장해	허용농도 TWA (mg/m³)	비고
알루미늄 (Al)	폐섬유화, 만성기관지염	5	뇌손상에 대한 증거는 불충분
안티몬 (Sb)	폐자극, 심장손상, 구토, 경련설사	0.5	피부흡수
비소 (As)	피부염, 구토, 두통, 피부 및 폐암	0.2	발암성물질, 용접공의 폭로는 예외적임
베릴륨 (Be)	피부염, 화학성폐염, 심장, 간장, 췌장 손상, 폐암	0.002	발암성물질, 호흡보호구 및 배기시설 필수
붕소 (B)	눈, 기도자극	5.0	
카드뮴 (Cd)	하기도자극, 폐부종, 폐암, 전립선암, 빈혈, 신장손상, 심장손상	0.05	고독성, 변이원성
크롬 (Cr)	피부, 호흡기 알러지, 폐 자극, 코, 폐암	0.5	
구리 (Cu)	금속열, 비중격천공	0.2	
철 (Fe)	양성 철폐증	5.0	
납 (Pb)	수면장애, 두통, 신경, 뇌손상, 고혈압	0.05	
리튬 (Li)	눈, 피부, 점막자극	0.025	
마그네슘 (Mg)	금속열, 폐 자극	10.0	
망간 (Mn)	만성뇌, 신경장애	1.0	
니켈 (Ni)	피부, 호흡기 알러지, 만성 뇌손상	0.1	발암성물질, 변이원성
수은 (Hg)	폐렴, 기관지염, 만성뇌손상	0.1 (ceiling)	

6. 크레인, 리프트, 프레스, 사출성형기 등 안전인증 대상 제품심사 시 적용하는 전기적 시험 4가지에 대하여 설명하시오.

안전인증 심사 시 적용되는 전기적 시험

◇ 접지연속성 시험
 ◆ 외함 접지단자(PE)와 보호본딩회로 일부의 적절한 지점에서 실시하며 10암페어 이상의 전류를 인가하였을때 최대전압강하의 값이 표에 제시한 값을 초과하지 않아야 한다.

시험대상 전선의 최소 유효단면적 (mm²)	최고 전압강하 (V)
1.0	3.3
1.5	2.6
2.5	1.9
4.0	1.4
6.0 이상	1.0

◇ 절연저항 시험
 ◆ 전원선과 보호본딩회로 사이에 직류전압 500볼트를 인가하여 측정한 절연 저항값은 1메가옴 이상이어야 한다.
 ◆ 부스바, 컬렉터선, 컬렉터봉 설비 또는 슬립링 조립품 등과 같은 전기장비 일부의 최소 절연저항값은 보다 낮을 수 있으나 최소 50킬로옴 이상이어야 한다.

◇ 내전압 시험
 ◆ 안전 초저전압 또는 그 이하에서 작동되도록 설계된 선로를 제외한 모든 회로의 도체와 보호본딩회로 사이에 최소 1초 이상의 시험전압을 인가하였을때 견딜 수 있어야 한다.
 ◆ 시험전압을 견딜 수 없는 정격을 가진 부품은 시험중에 차단시켜야 하며이 경우 사용되는 전압은 다음과 같다.
  ㉠ 장비의 정격전압의 2배와 1000볼트 중 큰 전압
  ㉡ 50/60 헤르쯔의 주파수
  ㉢ 최소 500볼트암페어 정격의 변압기에서 공급

◇ 잔류전압 시험
- 전원이 차단된 이후에도 60볼트 이상의 잔류전압이 있는 노출 충전부는 전원 차단 후 5초 이내에 장비 기능에 영향을 미치지 않는 범위에서 60볼트 이하가 되도록 방전되어야 한다.
- 다음의 경우는 예외로 한다.
  - ㉠ 충전전하가 $60\mu C$ 이하인 경우
  - ㉡ 장비 기능상 급속한 방전이 어려운 경우 외함이 개방하기 전에 일정시간 대기할 수 있도록 주의표시를 하는 경우

국가기술 자격검정 시험문제

기술사	제 111 회			제 4 교시 (시험시간: 100분)		
2017년도	분야	안전관리	자격종목	기계안전기술사	성명	

※ 다음 문제 중 4문제를 선택하여 설명하시오. (각 문제당 25점)

1. 보일러 운전 중 발생되는 대표적인 장해 6가지를 설명하시오.
[120회 4교시 1번] [114회 2교시 2번] [111회 4교시 1번]

세부내용 [120회 4교시 1번] 참조

1) 포밍 (foaming, 물거품)

◇ 보일러 수 속에 유지류, 용해 고형물, 부유물 등의 농도가 높아지면 드럼 수면에 안정한 거품이 발생하고 또한 거품이 증가하여 드럼의 기실에 전체로 확대되는 현상. 증기에 수분이 혼입하여 캐리오버하게 됨

2) 플라이밍(priming, 비수현상)

◇ 보일러수면에서 증발이 격심하여 기포가 비산해서 수적(물방울)이 증기부에 심하게 튀어오르고, 비산되는 수적으로 수위도 불안전해지는 현상

3) 캐리오버(carry over)

◇ 보일러수가 미세한 수분이나 거품 상태로 다량 발생하여 증기와 더불어 보일러 밖으로 송출되는 현상
◇ 보일러 속의 수면으로부터 격렬하게 증발하는 증기와 동반하여 보일러 수가 물보라처럼 비상하여, 가는 입자의 물방울로 되어 다량이 날아 나오며 증기와 함께 보일러 밖으로 송출되는 현상

4) 수격작용(Water Hammering)의 현상과 원인, 방지대책

◇ 관로에서 유속이 급격하게 변화되면 관내 압력이 상승 또는 강하
◇ 펌프의 송수관에서 정전으로 동력이 갑자기 단절되고 펌프가 급히 가동할 때 또는 밸브를 급히 닫거나 열 때 수충격(Water Hammering)이 발생
◇ 펌프계에서 발생하는 수충격현상 중에서 가장 큰 문제가 되는 것은 동력을 급히 차단할 때 일어나는 것

5) 역화 (Back Fire)

불꽃이 토치 안 쪽으로 밀려들어가면서 뻥뻥 거리며서, 불꽃이 꺼졌다가 다시 나타나는 현상불이 들어가는 것이라서 단어 Fire가 사용된다

6) 블로우다운(blow-down)

◇ 블로우다운 정의
  ◆ 보일러수의 주기적인 배출과 보충을 통해 보일러수 내의 불순물 농도를 적정치 이내로 조정하는 것
  ◆ 보일러수의 수질을 개선해주지 않으면 부식이나 스케일 캐리오버등 여러가지 문제들을 일으킬 수 있음

2. 기계나 구조물 설계 관련 다음 용어에 대하여 설명하시오.

(1) 안전설계

설계시점에서 제품의 제작, 건설, 운전, 보전에 대한 안전성을 평가하여 예상되는 위험성을 확보하는 대응책을 강구하는 설계를 말한다. 안전에 최소한에 대응책을 정한 것이며, 안전설계는 그 보다 광범위한 시점에서 확실하게 시행되어야 한다. 특히 화학 플랜트에서는 많은 종류와 수의 화학제품을 취급하며 화재, 폭발, 중독 등 위험성이 매우 크다. 따라서, 화학플랜트 설계에 있어서는
  (1) 위험성의 평가.
  (2) 위험방지대책의 검토.
  (3) 대책효과의 평가.

(4) 방지대책의 결정.

(5) 잠재위험성의 보호대책의 검토, 결정. 등을 충분히 고려하여야 한다.

(2) 사용응력과 허용응력

◇ 사용응력

구조물이나 기계부품에 실제 작용시키고 있는 응력, 실제 장시간 또는 운전
상태에서 각 부재에 작용하는 응력

◇ 허용응력

기계나 구조물의 각 부재가 오랜 기간 동안 변형과 파손 없이 견디기 위해
부재의 작용하는 응력을 어느 수준 이하로 해야 하는데 이 한계를 허용응력
이라 한다.

- 허용응력은 안전율로 정하며, 안전율은 기준강도로 정한다.
- 허용응력은 재료를 사용하는데 허용할 수 있는 최대 응력이다.
- 허용응력은 탄성한도 이내이어야 하며, 영구변형을 일으키지 않아야 한다.
- 허용응력은 부재의 형태, 사용 상태, 사용온도, 부식 등에 영향을 받는다.
- 허용응력은 제작방법, 제작 정도 등의 영향을 받는다.

(3) 안전계수(Safety Factor)

- 기준강도로 부터 고장이나 파손 없이 안전하게 사용할 수 있도록 정한 기준
  강도와 허용응력의 비율

$$안전계수(S) = 기준강도 / 허용응력$$

- 응력 계산의 불확실성, 재료의 불균질 등에 부정확성을 보충하고 경제적 치수를
  결정하는 데 사용
- 안전율을 크게 잡으면 안전성은 증가하나 경제성이 떨어지고, 부재의 중량이
  무거워지며, 공사가 곤란해짐
- 최적 설계를 위해서는 안전성이 보장되는 한 작게 잡아야 함
- 안전율 결정 요소 : 부재의 재질, 하중의 성질, 응력 계산의 불확실성, 공작
  방법, 정밀도, 부품 형상, 사용 환경

(4) 허용응력과 안전계수와의 관계

극한강도(인장강도) 〉 항복점 〉 탄성한도 〉 허용응력 〉 사용응력

3. 에어로졸(Aerosol)의 일종인 분진(Dust), 흄(Fume), 미스트(Mist)에 대하여 다음 사항을 설명하시오.

(1) 용어의 정의

* 분진 : 대부분 콜로이드(colloid) 보다는 크고, 공기나 다른 가스에 의해 단시간 동안 부유할 수 있는 고체입자
* 흄 : 금속이 용해되어 액상물질로 되고 이것이 가스상 물질로 기화된 후 다시 응축되어 발생하는 고체 미립자
* 미스트 : 분산되어 있는 액체 입자로서 통상 현미경적 크기에서 육안으로 볼 수 있는 크기까지를 포함

(2) 생성과정

* 분진 : 분진은 대부분 드릴링, 치즐링, 쏘잉, 그라인딩 등 연마 과정에서 생성
* 흄 : 금속 산화물과 같이 가스상 물질이 승화, 증류 및 화학 반응 과정에서 응출될 때 주로 생성
* 미스트 : 증기의 응축 또는 화학반응에 의해 생성

(3) 형상

분진과 흄은 고체, 미스트는 액체

(4) 입자의 크기

* 분진 : 10㎛ 미만
* 흄 : 0.03-0.3 ㎛
* 미스트 : 0.5-3.0 ㎛

4. 기계에 잠재된 위험원의 종류 6가지에 대하여 사례를 들어 설명하시오.

[117회 1교시 5번] [111회 4교시 4번]

구분	내역	그림
협착점	▪ 왕복 운동을 하는 동작부분과 움직임이 없는 고정부분 사이에서 형성되는 위험점 ▪ 사업장의 기계 설비에서 많이 볼 수 있음 예) 인쇄기, 프레스, 절단기, 성형기, 펀칭기	
끼임점	▪ 고정 부분과 회전하는 동작 부분이 함께 만드는 위험점 예) 연삭숫돌과 작업받침대, 교반기의 날개와 하우스, 반복왕복 운동을 하는 기계부분	
절단점	▪ 회전하는 운동 부분 자체 ▪ 운동하는 기계의 돌출부에서 초래되는 위험점 예) 밀링의 커터, 둥근톱의 톱날, 벨트의 이음새	
물림점	▪ 서로 반대방향으로 맞물려 회전하는 2개의 회전체에 물려 들어가는 위험점이 만들어지는 것 　◆ 예) 롤러와 기어	
접선 물림점	▪ 회전하는 부분의 접선방향으로 물려 들어갈 위험이 만들어지는 위험점 　◆ 예) 풀리와 브이벨트 사이, 피니언과 랙의 사이, 체인과 스프로킷 휠의 사이	
회전 말림점	▪ 회전하는 물체에 작업복, 머리카락 등이 말려 드는 위험이 존재하는 점 　◆ 예) 회전하는 축, 커플링, 회전하는 공구	

5. 재해예방의 4원칙을 설명하시오.

[111회 4교시 5번]

재해예방의 4원칙은 재해의 유형이나 경중에 관계없이 모든 예방대책을 강구하기에 앞서 고려되어야 할 안전관리상의 근본이 되는 지주라 할 수 있으며 본 원칙에 의해 5단계 예방대책에 따라 재해예방대책이 강구되는 것

가. 예방가능의 원칙
- 발생되는 재해의 원인중 천재를 제외한 모든 인재는 예방이 가능하다는 원칙
- 따라서 대책으로서 중요한 것은 사고 발생 후의 조치보다도 사고의 발생을 미연에 방지하는 것

나. 손실우연의 법칙
- 재해의 양상은 손실로서 나타나며 손실은 경제적 손실과 인적손실이라고 볼 수 있음
- 이와 같은 재해손실은 사고발생 조건에 따라서 매우 다르게 나타나며 그 결과는 우연성이 게재된다고 볼 수 있음
- 사고의 결과 손실의 유무 또는 대소는 사고 당시의 조건에 따라 우연적으로 발생

다. 원인연계의 원칙
- 재해가 발생하는 경우 "손실과 사고"와의 관계는 우연적이지만 "사고와 원인"과의 관계는 필연적이라는 것
- 따라서 사고와 원인과의 관계는 과학적으로 해명할 수 있고 사고는 필연적인 원인이 있어서 생긴다는 것

라. 대책 선정의 원칙
- 재해예방 대책은 기술적 대책, 교육적 대책, 규제적 대책이 모두 적용되어야 효과를 거둘 수 있으며 이들 중 어느 하나라도 제외된다면 완전한 효과를 거둘 수 없음
- 이들을 안전대책의 3E라 하며 일반적으로 재해방지의 3기둥이라고 함

6. 고장력볼트(High Tension Bolt)에 대한 다음 사항을 설명하시오.

(1) 정의

- 일반적으로 철골구조 부재(部材)의 마찰접합에 사용
- 마찰접합이란, 철골부재의 접합부분에 이 볼트를 사용하고 토크렌치 또는 임팩트렌치를 사용하여 단단히 죄어, 그 마찰력에 의해 접합하는 방법으로, 1938년 이후 미국에서 연구가 추진
- 한국에서도 많은 철골구조에 사용되고 있으며, 리베팅에 비해 토크렌치로 죄는 것이 소음이 적고, 또한 리베팅이나 용접에 의한 화재의 위험성도 없으며, 불량 부분의 수정이 쉽다는 등의 이점이 있다. 종류로는 제1종에서 제3종까지 있고, 인장강도는 80~130kg/mm^{2}까지 있다.

(2) 특징
- 고장력볼트의 특징은 접합부 강도가 크고 강한 조임으로, 너트 풀림이 없으며, 응력 집중이 적고 반복 응력이 강함
- 시공이 간편하고, 공기를 단축할 수 있음
- 하지만, 볼트 접촉면 관리와 나사 마무리 정도가 어려우며, 조이기 검사가 필요함
- 가격이 고가이고, 체결을 위해서는 숙련공이 필요한 단점이 있음

(3) 산업용기계 또는 설비 10개 종류에 대한 체결부위

- 화학기계설비(압력용기), 펌프류, 냉동기, 압축기, 송풍기 하역운반설비, 파쇄기, 선별기, 선박 등 철골 구조체의 마찰 접합부분에 체결

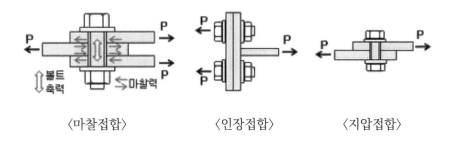

〈마찰접합〉   〈인장접합〉   〈지압접합〉

접합방식	원리
마찰접합	부재의 마찰력으로 bolt 축과 직각방향의 응력을 전달하는 전단형 접합방식
인장접합	Bolt의 인장내력으로 bolt 축방향으로 응력을 전달하는 인장형 접합방식
지압접합	Bolt의 전단력과 bolt 구멍의 지압내력에 의해 응력을 전달하는 접합방식

제108회 (2016년)
기계안전기술사

108회 기계안전기술사 출제 유형

교시	번호	세부항목
1	1	산업기계 설비 및 운반기계의 특징과 안전한 사용
1	2	산업기계 설비 및 운반기계의 특징과 안전한 사용
1	3	기타 전기, 화공 안전에 관한 기본사항
1	4	기계재료, 용접결함, 열처리
1	5	산업기계 설비 및 운반기계의 특징과 안전한 사용
1	6	산업기계 설비 및 운반기계의 특징과 안전한 사용
1	7	기타 전기, 화공 안전에 관한 기본사항
1	8	산업기계 설비 및 운반기계의 특징과 안전한 사용
1	9	기계재료, 용접결함, 열처리
1	10	재료시험 및 응력해석
1	11	재료시험 및 응력해석
1	12	기계재료, 용접결함, 열처리
1	13	기계재료, 용접결함, 열처리
2	1	기타 전기, 화공 안전에 관한 기본사항
2	2	기계재료, 용접결함, 열처리
2	3	기타 전기, 화공 안전에 관한 기본사항
2	4	재료시험 및 응력해석
2	5	기계재료, 용접결함, 열처리
2	6	정역학, 유체역학 및 재료역학
3	1	기타 전기, 화공 안전에 관한 기본사항
3	2	산업안전보건법
3	3	기계재료, 용접결함, 열처리
3	4	기계재료, 용접결함, 열처리
3	5	정역학, 유체역학 및 재료역학
3	6	기계재료, 용접결함, 열처리
4	1	산업기계 설비 및 운반기계의 특징과 안전한 사용
4	2	산업기계 설비 및 운반기계의 특징과 안전한 사용
4	3	비파괴공학 및 시험검사
4	4	기계재료, 용접결함, 열처리
4	5	기계재료, 용접결함, 열처리
4	6	기계·설비의 위험성 평가

108회 (2016년) 기계안전기술사

기술사   제 108 회   제 1 교시 (시험시간: 100분)

2016년도	분야	안전관리	자격종목	기계안전기술사	성명	

※ 다음 문제 중 10문제를 선택하여 설명하시오. (각 문제당 10점)

1. 양정 220m, 회전수 2,900rpm, 비속도(Specific Speed)가 176인 4단 원심펌프의 유량(m^3/min)을 구하고, 에어바인딩(Air Binding) 현상에 대하여 설명하시오.

1-1 유량 계산

◇ 양정 220m, 회전수 2,900rpm, 비속도 (Specific Speed)가 176인 4단 원심펌프의 유량(m^3/min)

$$N_s = \frac{N\sqrt{Q}}{(\frac{H}{n})^{\frac{3}{4}}}$$

$$Q = \frac{N_s^2}{N^2}(\frac{H}{n})^{\frac{3}{2}} = \frac{176^2}{2900^2}(\frac{220}{4})^{\frac{3}{2}} = 1.5\,[m^3/\text{min}]$$

1-2 에어바인딩(Air Binding) 현상

◆ 원심펌프를 처음 운전할 때, 공기의 밀도는 물의 밀도보다 작기 때문에, 펌프 속의 공기로 인해 수두가 감소해 펌핑이 정지되는 현상
  - 수두 : 펌프가 물을 끌어 올릴 수 있는 높이
◆ 이를 방지하기 위해서는, 배출 시작전에 액을 채워 공기를 제거시켜야 하며, 자동유출 펌프를 사용하여 해결

2. 화학설비공장의 공정용 스팀을 생산하는 보일러를 신규로 설치할 경우 가동 전 점검 사항에 대하여 설명하시오.

◇ 가동 전 점검 사항

- 설계명세서 및 적용코드에 의한 압력시험 수행확인
- 설치완성 검사한 후 무부하 상태에서 버너 점화 상태 점검 및 조절
- 공기예열기, 댐퍼 및 수트블로어(Soot blower)의 운전 및 작동시험
- 제작자의 온도상승지침에 따라 내화벽돌의 건조 확인
- 스팀배관의 세정 상태 확인
- 최초의 운전시 공급되는 물은 수처리된 물이 공급되는지 확인
- 액면계의 위치와 감시 등의 확인
- 보조기기들은 형식 및 시방서에 따라 시운전 및 점검
- 안전밸브의 작동시험 및 설정치 확인
- 필요시 제작자의 기술자 입회하에 설치 및 가동전 점검

3. 강(Steel)의 5대 원소와 각각의 함유원소가 금속에 미치는 영향을 설명하시오.
[121회 1교시 9번] [114회 1교시 11번] [108회 1교시 3번]

강(Steel)의 5대 기본원소

- 강은 5가지 원소를 기본으로 원소를 추가함으로써 원하는 성질을 얻어낸다.
- 탄소강의 5대 기본원소는 탄소(C), 규소(Si), 망간(Mn), 인(P), 황(S)이고, 첨가량에 따라 고유의 특성을 나타냄
- 철광석에 포함된 기본 원소를 정련/제련 시 완벽히 제거할 수 없어 기본적으로 존재하는 원소로 S(0.05%까지), Mn(1.0%까지), P(0.05%까지), Si(0.3%까지), C (괄호)의 함량만큼 보통 존재함.

강(Steel)의 5대 기본원소와 영향

◇ 탄소(C)

① 강의 강도를 높이는데 가장 효과적이며 중요한 원소로, 오스테나이트에 고용
되어 담금질 시 마르텐사이트 조직을 형성시킨다.

② 탄소량 증가에 따라 담금질 경도를 향상시키지만 담금질시 변향 가능성을 크게
만든다. 철, 크롬, 몰리브덴, 바나듐 등의 원소와 화합하여 탄화물을 형성,
강도와 경도를 향상시킨다.

◇ 망간(Mn)

① 강중에는 보통 0.35~1.0%가 함유되어 있다. 그중 일부는 강속에 고용되어
일부는 강중에 함유된 황과 결합하여 비금속개재물인 MnS를 형성하는데
이 MnS는 연성이 있어서 소성가공시 가공방향으로 길게 연신된다.

② 그러나 MnS의 형성으로 강속에 있는 황성분이 감소하면서 결정립이 취약해
지고 저융점화합물인 FeS의 형성을 억제시킨다.

◇ 황(S)

① 보통 망간, 아연, 티타늄, 몰리브덴 등과 결합하여 강의 피삭성을 개선시키며
망간과 결합하여 MnS 개재물을 형성한다.

② 강중에 망간의 양이 충분하지 못할 경우 철과 결합하여 FeS를 형성한다.

◇ 인(P)

① 강중에 균일하게 분포되어 있으면 별 문제가 되지 않지만 보통 Fe3P의 해로운
화합물을 형성한다. 이 Fe3P는 극히 취약하고 편석되어 있어서 풀림처리를
해도 균질화되지 않고 단조, 압연 등 가공시 길게 늘어난다.

② 충격저항을 저하시키고 뜨임취성을 촉진하며 쾌삭강에서는 피삭성을 개선시키
지만 일반적으로 강에 해로운 원소로 취급된다.

◇ 규소(Si)

① 선철과 탈산제에서 잔류된 것으로 SiO2와 같은 화합물을 형성하지 않는 한
페라이트 속에 고용되므로 강의 기계적 성질에 큰 영향을 미치지 않는다. 또한
강력한 탈산제로써 4.5%까지 첨가하면 강도가 향상되지만 2%이상 첨가시는
인성이 저하되고 소성가공성을 해치기 때문에 첨가량에 한계가 있다.

② 뜨임시 연화 저항성을 증대시키는 효과도 있다.

4. 화학설비산업의 펌프 및 배관 플랜지 이음부의 밀봉장치에 사용되는 가스켓
   선정기준과 액체 위험물 취급시 발생할 수 있는 유동대전 현상에 대하여
   설명하시오.

4-1 선정기준

유체의 누설 또는 외부로부터 이물질의 침입을 방지하기 위해 사용되는 기구를
고정부분 또는 운동부분의 구별이 없이 실(Seal)이라고 총칭하고 있으나, 고정
부분을 가스켓(Gasket), 운동부분을 패킹(Packing)이라고 한다.
   ◆ 가스켓은 폐쇄기구 둘레의 누수를 방지
   ◆ 유체가 대기로 누수되는 것을 방지
   ◆ 가스켓을 설치할 때는 플랜지 면에 가해지는 압력에 균일하게 도달하고 견디기
     위해 표면을 깨끗하게 청결한 상태에서 설치해야 함

◇ 선정기준
   1. 상대 측면보다 연질로 할 것
   2. 유체 압력 및 체결력에 따라 손상되지 않는 강인성을 가질 것
   3. 접합면에 균일한 압력이 분포되도록 탄성, 유연성을 가질 것
   4. 유체가 침투되지 않도록 치밀도를 가질 것
   5. 사용액에 대하여 부식하지 않을 것
   6. 접합면에 접착하지 않고 분리가 용이할 것

4-2 유동대전 현상
   물, 기름 등의 액체를 파이프 등으로 흘릴 때 이것에 정전기가 발생되는 현상을
   말한다. 액체의 이동속도가 빠를수록 정전기의 발생에 큰 영향을 미친다.

◇ 가스켓의 종류

1) Sheet Gasket

석면을 압축해서 만든 gasket. 일반적으로 사용되고 가격이 저렴하나 작업자 건강 및 환경 문제로 선택을 지양하고 있는 추세이며 고무가스켓, 합성 섬유 가스켓, 흑연에 스테인레스 스틸 시트를 삽입한 Sheet가 대체품으로 고려된다.

2) Sprial wound Gasket

배관 용도로 사용되는 가스켓. 외부에 금속 가이드와 고정링이 있고 리테이닝 링이 볼트 체결에 따른 과압이 되지 않도록 스톱퍼 역할을 한다. 강성이 우수해서 높은 온도, 압력에 사용된다.

3) 고무가스켓(Synthetic rubbers gasket)

가장 범용으로 널리 사용되는 재질. 플랙시블하며 물과 공기를 사용하는 과정에 적용할 수 있다. 최대 사용온도는 250도 화씨, 최대 PT값은 15,000

4) 섬유 가스켓 (Fiber gasket)

오일 사용하는 공정에 사용함. 최대 사용온도는 250 도 화씨이며 최대 PT값은 40,000

5) 테프론 가스켓 (Teflon gasket)

화학적 성분이 있는 공정에서 사용하는 가스켓. 최대 사용온도는 500도 화씨이며 최대 PT값은 150,000

6) 석면 가스켓 (Asbestos gasket)

모든 유체에 적용가능하고 고무가스켓과 더불어 가장 많이 사용되는 가스켓의 하나. 고온 처리 유체 공정에서 사용되며 최대 사용온도는 750 도 화씨이며 최대 PT값은 250,000

7) 카본스틸 가스켓 (Carbon steel gasket)

고압력 사용 유체에 사용하는 가스켓. 최대 사용 온도는 750도 화씨 최대 PT값은 1,600,000

8) 스테인리스스틸 가스켓 (Stainless steel gasket)

높은 압력과 부식성 유체용 가스켓. 최대 사용 온도는 1,200 도 화씨, 최대 PT값은 3,000,000

9) 스파이럴운드 가스켓

나선형 타입의 가스켓. 내부의 Metal 소재에 따라 사용온도와 유체가 다름. Metal 소재는 Stainless steel과 Carbon steel을 사용한다. 구조는 크게 outer ring과 inner ring으로 구분되며 metal 재질에 따라 사용 범위가 결정되며, 니켈, 티타늄, 그래파이트 등 다양한 Metal 재질의 적용이 가능하다.

5. 산업안전보건기준에 관한 규칙상에서 지게차의 헤드가드(head guard)를
   설치시 준수사항에 대하여 설명하시오.
   [123회 1교시 12번] [121회 3교시 2번] [120회 1교시 13번] [108회 1교시 5번]
   [105회 2교시 1번]

산업안전보건기준에 관한 규칙 제180조(헤드가드)

사업주는 다음 각 호에 따른 적합한 헤드가드(head guard)를 갖추지 아니한
지게차를 사용해서는 아니 된다. 다만, 화물의 낙하에 의하여 지게차의 운전자
에게 위험을 미칠 우려가 없는 경우에는 그러하지 아니하다.
   1. 강도는 지게차의 최대하중의 2배 값(4톤을 넘는 값에 대해서는 4톤으로 한
      다)의 등분포정하중(等分布靜荷重)에 견딜 수 있을 것
   2. 상부틀의 각 개구의 폭 또는 길이가 16센티미터 미만일 것
   3. 운전자가 앉아서 조작하거나 서서 조작하는 지게차의 헤드가드는 「산업표준
      화법」 제12조에 따른 한국산업표준에서 정하는 높이 기준 이상일 것

Head guard, overhead guard

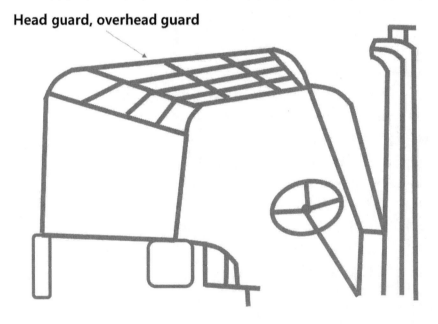

지게차 등 운전석 윗쪽에서 물체의 낙하에 의한 위해(危害)를 방지하기 위해
머리 위에 설치한 덮개를 말한다. 설치되는 장소에 따라서 낙하가 예상되는
물체에 대해 충분한 강도를 보유하는 것이 필요하다.

◇ 차량계 건설기계

노천굴착 작업, 채석을 위한 굴착작업, 터널 등의 건설작업 등을 실시하는 경우이며, 차량계 건설기계를 사용하는데 따라 암석 등의 낙하를 초래할 우려가 있는 경우에는 차량계 건설기계(불도저, 트랙터 셔블, 흑니 적재기, 파워 셔블에 한한다)에 견고한 헤드 가드를 부착할 필요가 필요한 것이 안전규칙(제217조)에 규정되어있다. 헤드 가드로는 지주(支柱)식 헤드 가드, 캐빈(cabin)식 헤드 가드, 갱내 흑니 적재기 헤드 가드가 있다.

◇ 지게차

지게차를 사용해서 짐을 높이 쌓아올리는 경우, 짐이 낙하해서 운전자가 위해(危害)를 입을 우려가 있기 때문에 운전석 상부에 보호덮개가 필요하다. 이것을 헤드 가드라고 한다. 헤드 가드는 만약 운전자 머리 위에 짐이 낙하해도 안전하도록 견고하여야 하며, 또 운전자의 운전조작 등의 작업에도 지장이 없는 구조로 하여야 한다. 헤드 가드의 치수는 헤드 가드의 상부 틀 각 개구의 폭 또는 길이는 $16cm$ 미만으로 하고, 운전자가 앉아서 조작하는 방식의 지게차에 있어서는 운전자 좌석의 윗면으로부터 헤드 가드의 상부 틀 아래 면까지의 높이는 $95cm$ 이상으로 하는 것. 또 운전자가 서서 조작하는 방식의 지게차(스트래들형 지게차)에 있어서는 운전석 바닥면으로부터 헤드 가드의 상부 틀 아래면까지의 높이는 $1.8m$ 이상으로 하도록 규정되어 있다.

또 헤드 가드의 강도는 지게차 최대하중 2배의 값(그 값이 4톤을 초과하는 것에 있어서는 4톤)의 등분포 하중에 견디는 것으로 규정되어있다. 지게차는 1개월마다 1회, 1년 이내마다 1회 자체검사를 실시하도록 되어있으며 이 대상이 되는 헤드 가드의 이상유무 점검이 의무화되어 있다.

6. 레버풀러(lever puller) 또는 체인블록(chain block)을 사용하는 경우의 준수사항에 대하여 설명하시오.

레버풀러(lever puller) 또는 체인블록(chain block)을 사용하는 경우 다음 각 호의 사항을 준수하여야 한다.
  1. 정격하중을 초과하여 사용하지 말 것
  2. 레버풀러 작업 중 훅이 빠져 튕길 우려가 있을 경우에는 훅을 대상물에 직접 걸지 말고 피벗클램프(pivot clamp)나 러그(lug)를 연결하여 사용할 것
  3. 레버풀러의 레버에 파이프 등을 끼워서 사용하지 말 것
  4. 체인블록의 상부 훅(top hook)은 인양하중에 충분히 견디는 강도를 갖고, 정확히 지탱될 수 있는 곳에 걸어서 사용할 것
  5. 훅의 입구(hook mouth) 간격이 제조자가 제공하는 제품사양서 기준으로 10퍼센트 이상 벌어진 것은 폐기할 것
  6. 체인블록은 체인의 꼬임과 헝클어지지 않도록 할 것
  7. 체인과 훅은 변형, 파손, 부식, 마모(磨耗)되거나 균열된 것을 사용하지 않도록 조치할 것

7. 근로자가 관리대상 유해물질이 들어 있던 탱크 등을 개조·수리 또는 청소를 하거나 내부에 들어가서 작업하는 경우의 조치사항에 대하여 설명하시오.

산업안전보건기준에 관한 규칙 제437조(탱크 내 작업)
  ① 사업주는 근로자가 관리대상 유해물질이 들어 있던 탱크 등을 개조·수리 또는 청소를 하거나 해당 설비나 탱크 등의 내부에 들어가서 작업하는 경우에 다음 각 호의 조치를 하여야 한다.
    1. 관리대상 유해물질에 관하여 필요한 지식을 가진 사람이 해당 작업을 지휘하도록 할 것
    2. 관리대상 유해물질이 들어올 우려가 없는 경우에는 작업을 하는 설비의 개구부를 모두 개방할 것
    3. 근로자의 신체가 관리대상 유해물질에 의하여 오염된 경우나 작업이 끝난 경우에는 즉시 몸을 씻게 할 것

4. 비상시에 작업설비 내부의 근로자를 즉시 대피시키거나 구조하기 위한 기구와 그 밖의 설비를 갖추어 둘 것

5. 작업을 하는 설비의 내부에 대하여 작업 전에 관리대상 유해물질의 농도를 측정하거나 그 밖의 방법에 따라 근로자가 건강에 장해를 입을 우려가 있는 지를 확인할 것

6. 제5호에 따른 설비 내부에 관리대상 유해물질이 있는 경우에는 설비 내부를 환기장치로 충분히 환기시킬 것

7. 유기화합물을 넣었던 탱크에 대하여 제1호부터 제6호까지의 규정에 따른 조치 외에 작업 시작 전에 다음 각 목의 조치를 할 것

가. 유기화합물이 탱크로부터 배출된 후 탱크 내부에 재유입되지 않도록 할 것

나. 물이나 수증기 등으로 탱크 내부를 씻은 후 그 씻은 물이나 수증기 등을 탱크로부터 배출시킬 것

다. 탱크 용적의 3배 이상의 공기를 채웠다가 내보내거나 탱크에 물을 가득 채웠다가 배출시킬 것

② 사업주는 제1항제7호에 따른 조치를 확인할 수 없는 설비에 대하여 근로자가 그 설비의 내부에 머리를 넣고 작업하지 않도록 하고 작업하는 근로자에게 주의하도록 미리 알려야 한다.

8. 압력용기에서 파열판을 설치하는 조건에 대하여 설명하시오.

(KOSHA GUIDE D-50-2012)

1. 파열판 설치기준

파열판을 설치하여야 하는 기준은 안전보건기준에 관한 규칙 제262조(파열판의 설치)에 다르며 상세한 사항은 다음과 같다.

가. 반응폭주 등 급격한 압력상승의 우려가 있는 경우
나. 독성물질의 누출로 인하여 주위 작업환경을 오염시킬 우려가 있는 경우
다. 운전 중 안전밸브에 물질이 점착되어 안전밸브의 기능을 저하시킬 우려가 있는 경우
라. 유체의 부식성이 강하여 안전밸브 재질의 선정에 문제가 있는 경우

2. 반응기, 저장탱크 등과 같이 대량의 독성물질이 지속적으로 외부로 유출될
   수 있는 구조로 된 경우에는 파열판과 안전밸브를 직렬로 설치하고, 파열판과
   안전밸브사이에는 경보장치를 설치하여야 한다.

3. 파열판을 안전밸브 전단에 설치하는 경우에는 파열판과 안전밸브의 사이에
   필요하지 않는 압력이 형성되지 않는 구조로 한다.

4. 파열판을 안전밸브 후단에 설치하는 경우에는 다음과 같이 설치한다
   가. 파열판과 토출배관은 안전밸브의 성능에 영향을 주지 않도록 설치
   나. 안전밸브와 파열판의 사이에는 필요하지 않은 압력이 형성되지 않는 구조로
      설치
   다. 파열시의 온도에서 파열판의 파열압력의 최대 허용치와 토출측에 걸리는
      압력의 합은 다음 수치를 초고하지 않도록 설치
      - 안전밸브의 배압 제한치
      - 안전밸브와 파열판 사이 배관의 설계압력
      - 관련 기준에서 허용하는 압력

5. 파열판과 파열판을 직렬로 설치하는 경우에는 다음과 같이 설치한다.
   가. 두 파열판 사이는 파열판의 기능을 발휘할 수 있도록 충분한 간격을 유지
   나. 파열판과 파열판 사이에는 필요하지 않은 압력이 형성되지 않는 구조로 설치

※ 파열압력의 최대 허용치(KOSHA GUIDE D-50-2012 8.파열압력의 최대 허용치
   및 최소 허용치)

◆ 파열압력의 최대 허용치는 설계압력 또는 최고허용압력의 110%를 초과하지
   않도록 한다.

   -설계압력 : 용기 등의 최소 허용두께 또는 용기의 여러 부분의 물리적인 특성을
             결정하기 위하여 설계 시에 사용하는 압력
   -최고허용압력 : 용기의 제작에 사용한 재질의 두께(부식여유 제외)를 기준으로
               산출된 용기 상부에서의 허용 가능한 최고 압력

9. 압력배관용 배관의 스케쥴(SCHEDULE) 번호에 대하여 설명하고, 압력 배관용 탄소 강관(KSD 3562)의 스케쥴 번호 종류를 쓰시오.

9-1 스케쥴 번호(Schedule No.)

스케쥴 번호(줄여서 Sch 번호)는 Sch10부터 Sch160까지 10종류가 있다.(스테인리스관은 얇은 두께의 관용의 Sch번호가 있음) Sch 번호는 관에 대한 압력 등급 등으로 번호가 큰 편이 동일 관 지름에 대해 두께가 두껍고 내압이 높다. 예를 들면 호칭지름이 Sch40인 관은 대개 내압이 4MPa고 또 Sch80인 관은 대개 내압 8MPa에 견딜 수 있게 되어 있다.(상온인 경우) 가장 널리 사용되는 Sch 번호는 40으로 관의 지름과 두께의 관계는 위의 표 「A호칭, B호칭의 예 (150A 이하)」를 참조한다.

◇ 공칭경(nominal pipe diameter)
공칭경은 호칭지름(호칭경)이라고도 한다. 관의 외경 사이즈를 부르는 호칭명으로, A호칭과 B호칭이 있다. A호칭은 mm를 잘라 구한 숫자 뒤에 A를 붙인 것이다. B호칭은 인치 계열의 호칭 방법으로 외경 인치를 잘라 구한 숫자의 뒤에 B를 붙인 것이다.
예를 들어 외경 165.2mm의 관의 호칭 지름은 150A 또는 6B가 된다. ASME 의 호칭경은 예를 들어 mm계는 DN150, 인치계는 NPS6이라고 한다. JIS와 ASME에서는 동일 호칭경에서도 외경치수는 약간 다르다.
A호칭, B호칭의 예(150A 이하)

외경 mm	Sch40		A호칭	B호칭
	내경 mm	두께 mm		
21.7	16.1	2.8	15	1/2
27.2	21.4	2.9	20	3/4
34.0	27.2	3.4	25	1
42.7	35.5	3.6	32	1 1/4
48.6	41.2	3.7	40	1 1/2
60.5	52.7	3.9	50	2
76.3	65.9	5.2	65	2 1/2
89.1	78.1	5.5	80	3
114.3	102.3	6.0	100	4
165.2	151.0	7.1	150	6

9-2 압력 배관용 탄소강 강관

- 압력배관용탄소강관은 KS규격 표준번호로 KS D 3562에 압력 배관용 탄소강 관 (Carbon Steel Pipes for Pressure Service)으로 표준 규격이 있다.
- 이 규격은 350℃정도 이하에서 사용하는 압력 배관에 쓰이는 탄소 강관(이하 관이라 한다)에 대하여 규정한다. 다만, 고압용의 배관에 대하여는 KS D 3564 (고압 배관용 탄소 강관)에 따른다.
- 일반적으로 사용 압력 1.0~9.8MPa(10~100kgf/㎠)까지 작용하는 수압관, 보일러의 증기관, 고층건물에 사용되는 물배관, 소방용 배관 등에 사용한다.
- 호칭지름 A에 따라 외경(바깥지름)치수가 정해져 있으며 호칭 두께는 스케쥴 10~80까지 6종류가 있으며 이중에서 스케쥴40과 스케쥴80의 것이 가장많이 사용되고 있다.
- 관의 치수를 나타내는 방법은 호칭지름A×호칭두께로 한다.
- 아래 규격 표에서 예를들자면 40A×Sch40, 50A×Sch80 이런 식으로 나타낸다.

호칭 지름 A	바깥 지름 mm	호칭 두께											
		스케쥴 10		스케쥴 20		스케쥴 30		스케쥴 40		스케쥴 60		스케쥴 80	
		두께 mm	무게 kg/m	두께 mm	무게 kg/m	두께 mm	무게 kg/m	두께 mm	무게 kg/m	두께 mm	무게 kg/m	두께 mm	무게 kg/m
6	10.5	-	-	-	-	-	-	1.7	0.369	2.2	0.450	2.4	0.479
8	13.8	-	-	-	-	-	-	2.2	0.629	2.4	0.675	3.0	0.799
10	17.3	-	-	-	-	-	-	2.3	0.851	2.8	1.00	3.2	1.11
15	21.7	-	-	-	-	-	-	2.8	1.31	3.2	1.46	3.7	1.64
20	27.2	-	-	-	-	-	-	2.9	1.7	3.4	2.00	3.9	2.24
25	34.0	-	-	-	-	-	-	3.4	2.57	3.9	2.89	4.5	3.27
32	42.7	-	-	-	-	-	-	3.6	3.47	4.5	4.24	4.9	4.57
40	48.6	-	-	-	-	-	-	3.7	4.10	4.5	4.89	5.1	5.47
50	60.5	-	-	3.2	4.52	-	-	3.9	5.44	4.9	6.72	5.5	7.46
65	76.3	-	-	4.5	7.97	-	-	5.2	9.12	6.0	10.4	7.0	12.0
80	89.1	-	-	4.5	9.39	-	-	5.5	11.3	6.6	13.4	7.6	15.3
90	101.6	-	-	4.5	10.8	-	-	5.7	13.5	7.0	16.3	8.1	18.7
100	114.3	-	-	4.9	13.2	-	-	6.0	16.0	7.1	18.8	8.6	22.4
125	139.8	-	-	5.1	16.9	-	-	6.6	21.7	8.1	26.3	9.5	30.5
150	165.2	-	-	5.5	21.7	-	-	7.1	27.7	9.3	35.8	11.0	41.8
200	216.3	-	-	6.4	33.1	7.0	36.1	8.2	42.1	10.3	52.3	12.7	63.8
250	267.4	-	-	6.4	41.2	7.8	49.9	9.3	59.2	12.7	79.8	15.1	93.9
300	318.5	-	-	6.4	49.3	8.4	64.2	10.3	78.3	14.3	107	17.4	129
350	355.6	6.4	55.1	7.9	67.7	9.5	81.1	11.1	94.3	15.1	127	19.0	158
400	406.4	6.4	63.1	7.9	77.6	9.5	93.0	12.7	123	16.7	1600	21.4	203
450	457.2	6.4	71.1	7.9	87.5	11.1	122	14.3	156	19.1	205	23.8	254
500	508.0	6.4	79.2	9.5	117	12.7	155	15.1	184	20.6	248	26.2	311
550	558.8	6.4	87.2	9.5	129	12.7	171	15.9	213	-	-	-	-
600	609.3	6.4	95.2	9.5	141	14.3	228	-	-	-	-	-	-
650	660.4	7.9	103	12.7	203	-	-	-	-	-	-	-	-

10. 강의 동소체와 동소변태, 변태점에 대하여 설명하시오.

◇ 동소체
  어떤 금속 원소들은 고체 상태에서도 온도와 압력에 따라 결정 구조가 변화한다. 격자 구조의 변화로 이들 금속을 동소체라 명한다.

◇ 동소변태
  하나의 격자 구조에서 다른 격자 구조로 형태를 바꾸는 것을 동소변태라 한다.

◇ 변태점
  ex) 티타늄의 변태점
  티타늄은 위 그림과 같이 882℃에서 제1상(α-phase, HCP)에서 제2상(β-phase, BCC)으로 동소변태가 일어난다. 격자구조가 HCP에서 BCC로 변태한 것이다.

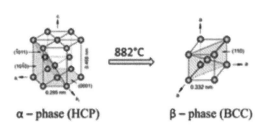

α – phase (HCP)   882℃   β – phase (BCC)

티타늄의 동소변태

11. 바나듐어택(vanadium attack)에서 응력집중을 완화시키기 위해서 일반적으로 사용되는 방법을 5가지만 설명하시오.

- ◆ 필릿부의 반지름을 되도록 크게 하거나, 테이퍼 부분을 될수 있는 한 완만하게 한다.
- ◆ 축 단부 가까이에 2~3단의 단부를 설치하여 응력의 흐름을 완만하게 한다.
- ◆ 단면 변화 부분에 보강제를 결합하여 응력 집중을 경감한다.
- ◆ 단면 변화 부분에 쇼트 피닝(shot peening), 롤러 압연처리 및 열처리를 시행하여 그 부분을 강화시킨다.
- ◆ 표면 가공정도를 좋게 하여 향상시킨다.

12. 탄소강의 표면경화법은 크게 "화학적 표면경화법"과 "물리적 표면경화법"으로 나눌 수 있는데 이 "화학적 표면경화법"과 "물리적 표면경화법"의 종류를 쓰시오.

[124회 3교시 1번] [108회 1교시 12번]

◆ 기계부품의 표면은 경도가 크고 내부는 인성이 큰 것이 요구될 때가 많으며, 이와 같은 용도에는 탄소함유량이 적은 재료가 사용된다.

◆ 탄소량이 적은 것은 담금질하여서도 경도가 높아지지 않는다. 그러므로 특별한 방법으로 표면 경화를 실시하여야 한다.

◇ 금속 경화법의 종류

구분	종류	
화학적 표면경화	침탄법	고체침탄법
		액체침탄법
		가스침탄법
	질화법	
	청화법	
물리적 표면경화	고주파경화법	
	화염경화법	

1. 화학적 표면경화

◇ 침탄법

탄소강은 탄소량이 많을수록 경도가 크게 된다. 그러나 반대로 취약성이 있어 충격에 대하여 약하게 된다. 기계 부품은 재료내부는 탄소량이 적고 인성이 큰 재질이 필요하며, 표면은 탄소량이 많고 마멸저항이 큰 것이 이상적이다.
연한 강철의 표면에 탄소를 침투시켜 표면을 고탄소강으로 만들고 이것을 담금질 하면 표면만 경화된 강철이 된다.
표면에 탄소를 침투시키는 방법을 침탄법이라고 한다.

- 고체침탄법

  목탄이나 코크스 분말과 침탄 촉진제 등을 900℃~950℃로 3~4시간 가열하여
  침탄하는 방법
- 액체침탄법

  침탄제에 염화물과 탄화염을 40~50% 정도 첨가하고, 600℃~900℃에 C
  (탄소)와 N(질소)을 동시에 소재의 표면에 침투하는 방법
- 가스침탄법

  고온의 탄화수소계의 가스를 표면에 침투시키는 것

◇ 청화법

- 강철을 청화물(NaCN, KCN)로 표면 경화하는 방법
- 침탄과 질화가 동시에 진행되므로 침탄질화법이라고 함

◇ 질화법

질소는 고온에서 철 또는 강철에 작용하여 질화철을 형성한다. 이 질화물은
경도가 크고 내식성이 크다. 그러나 표면에만 작용시키면 마멸저항 및 경도가
큰 재질이 된다.

- 질화 처리한 것의 특징

  가. 경화층은 얇고 경도가 침탄한 것보다 큼
  나. 마멸 및 부식에 대한 저항이 큼
  다. 질화법은 담금질 할 필요가 없음

◇ 침탄법과 질화법의 비교

구분	침탄법	질화법
경도	작다	크다 취성이 있다
열처리	필요	불필요
수정	가능	불가능
변형	생김	적다
침탄층	단단하다	여리다

2. 물리적 표면경화

◇ 고주파경화법

0.4~0.5%의 탄소강을 고주파를 사용하여 일정온도로 가열한 후 담금질하여 뜨임하는 방법

* 표면에 에너지가 집중하기 때문에 가열시간을 단축할 수 있음
* 가공물의 응력을 최대한 억제할 수 있음
* 가열시간이 짧으므로 산화나 탈탄 염려가 없음

◇ 화염경화법

* 산소-아세틸렌 가스로 강철 표면을 빨리 가열하고 이것을 담금질하면 표면이 경화됨
* 주로 대형 가공물의 열처리 경화에 사용됨

13. [보기]의 교류아크용접기 자동전격방지기 표시에서 각 항목에 대하여 설명하고, 교류 아크용접기 작업시 위험요인 및 안전작업 수칙을 쓰시오.

```
              [보기]
            SP-3A-H
```

13-1 자동전격방지기 표시에서 각 항목에 대하여 설명

SP= 외장형
3= 300A
A= 용접기에 내장되어 있는 콘덴서의 유무와 관계없이 사용 가능
H= 고저항 시동형

※ 자동전격방지기 표시사항

  SPB : 내장형_용접기함내 설치해 사용하는 전격방지기

  숫자 : 출력측의 정격전류의 100단위 수치

  B : 콘덴서 내장하지 않은 용접기에만 사용

  C : 콘덴서 내장형 용접기에만 사용

  E : 엔진구동 용접기에 사용하는 전격방지기

  L : 저저항 시동형

13-2 교류 아크용접기 작업시 위험요인 및 안전작업 수칙

교류아크용접기는 금속전극(피복 용접봉)과 모재와의 사이에서 아크를 내어 모재의 일부를 녹임과 동시에 전극봉 자체도 녹아 떨어져 모재와 융합하여 용접하는 장치이다.

◇ 주요 유해, 위험 요인
- 용접봉 홀더의 노출된 충전부 접촉에 의한 감전
- 불꽃, 용접불티 등 화상 및 화재
- 케이블, 배선 등 손상에 의한 감전
- 용접기 외함 전기누전에 의한 감저
- 용접 아크, 흄 등에 의한 건강장해 위험

◇ 작업 안전수칙
- 용접작업장 주위에 가연성 물질 및 인화성 물질을 방치해서는 안 되고, 소화기를 비치한다.
- 개인보호구(안전화, 용접마스크, 용접장갑 등)를 착용하고 작업한다.
- 감전재해를 방지하기 위하여 홀더는 용접봉을 물어주는 부분을 제외하고는 절연 처리된 절연형 홀더(안전홀더)를 사용한다.
- 용접케이블 피복, 케이블 커넥터 등 절연 손상 부위는 보수 후 사용한다.
- 용접봉 홀더의 절연커버가 파손된 것은 교체한다.
- 용접기 외함을 접지한다.
- 용접기의 1차 측 배선과 2차 측 배선 및 용접기 단자와의 접속이 확실한가를 점검한다.
- 물 등 도전성이 높은 액체에 의한 습윤 장소 또는 철판, 철골 위 등 도전성이 높은 장소에 사용 하는 용접기는 감전방지용 누전차단기를 접속한다.

- 습윤한 장소, 철골조, 밀폐된 좁은 장소 등에서의 용접 작업 시 자동전격방지기를 부착하고 주기적인 점검 등으로 자동전격방지기가 항상 정상적인 기능이 유지되도록 한다.
- 용접작업을 중지하고 작업장소를 떠날 경우 용접기의 전원개폐기를 차단한다.
- 기타 전기시설물의 설치는 전기담당자가 취급토록 조치한다.

산업안전보건기준에 관한 규칙 제306조(교류아크용접기 등)

① 사업주는 아크용접 등(자동용접은 제외한다)의 작업에 사용하는 용접봉의 홀더에 대하여 「산업표준화법」에 따른 한국산업표준에 적합하거나 그 이상의 절연내력 및 내열성을 갖춘 것을 사용하여야 한다. 〈개정 2013. 3. 21.〉

② 사업주는 다음 각 호의 어느 하나에 해당하는 장소에서 교류아크용접기(자동으로 작동되는 것은 제외한다)를 사용하는 경우에는 교류아크용접기에 자동전격 방지기를 설치하여야 한다. 〈신설 2013. 3. 21., 2019. 10. 15.〉

1. 선박의 이중 선체 내부, 밸러스트 탱크(ballast tank, 평형수 탱크), 보일러 내부 등 도전체에 둘러싸인 장소
2. 추락할 위험이 있는 높이 2미터 이상의 장소로 철골 등 도전성이 높은 물체에 근로자가 접촉할 우려가 있는 장소
3. 근로자가 물·땀 등으로 인하여 도전성이 높은 습윤 상태에서 작업하는 장소

국가기술 자격검정 시험문제

기술사   제 108 회   제 2 교시 (시험시간: 100분)

2016년도	분야	안전관리	자격종목	기계안전기술사	성명	

※ 다음 문제 중 4문제를 선택하여 설명하시오. (각 문제당 25점)

1. 사업장에서 고압가스 저장실에 가연성 가스집합장치를 설치하려고 한다.
   가스누출경보기 설치조건에 대하여 설명하시오. (단, 기준/대상/설치장소
   /설치위치/경보설정 및 성능 순으로 설명하시오.)

1-1 가스누출감지경보기 설치장소

◇ 가스누출감지경보기 설치장소
   가스누출감지경보기는 다음 지역에 설치하여야 한다.

   (1) 누출 우려가 높은 설비의 인접 장소
      (가) 펌프, 압축기 등 이송에 따른 가압발생 장소
      (나) 기화기, 충전(충진)설비 등 누출될 우려가 있는 장소
      (다) 현저한 발열반응 또는 부차적인 2차반응 가능성이 높은 다음 반응설비
         ① 암모니아 2차 개질로
         ② 아세틸렌 제조시설의 아세틸렌 수첨탑
         ③ 산화에틸렌 제조시설의 에틸렌, 산소 또는 공기와 반응기
         ④ 사이클로헥산 제조시설의 벤젠 수첨반응기
         ⑤ 석유정제의 중유 직접 수첨탈황반응기 및 수소화분해 반응기
         ⑥ 저밀도 폴리에틸렌 중합기
         ⑦ 메탄올 합성반응탑
      (라) (다)목 이외 설비로 고온, 고압에 의한 이상 운전으로 과압 우려가 있는 장소
      (마) 저장시설 등 대량 누출 위험이 있는 장소

(2) 공기 비중에 따라 누출물질의 체류 우려가 높은 장소

(1)항과 같이 과압에 의해 직접적으로 파열 또는 분출되는 대량 누출이 아닌 각 주요장치, 밸브나 배관, 부속설비의 연결부 결함 등으로 소량 누설되어 공기 비중 에 따라 체류 가능한 다음과 같은 장소

(가) 건축물 밖에 설치되는 감지기는 풍향, 풍속 및 가스 비중 등을 고려하여 가스가 체류하기 쉬운 장소

(나) 건축물 내에 설치되는 감지기는 감지대상 가스의 비중이 공기보다 무거운 경우 에는 당해 건축물 내 하부에, 공기보다 가벼운 경우에는 건축물의 환기구(배기 구) 부근 또는 건축물 내 상부

(3) 폭발위험장소 내에 설치된 점화원이 존재하는 변전실, 배전반실, 제어실 등 건축물 내부

(4) 폭발위험장소 내에 설치된 점화원이 존재하는 가열로, 보일러 등 설비

1-2 가스 누출 감지 경보기 배치기준

가스누출감지기의 배치 및 설치는 다음과 같이 설치하여야 한다.

(1) 4.1 (1)항 장소의 누출우려가 높은 인접된 곳에 1개 이상. 다만, 4.1 (1)항 (다)목 각 호의 설비지역은 바닥면 둘레 10m마다 1개 이상의 비율로 계산 한 수

(2) 4.1 (2)항(가)목의 장소에는 누출된 가스가 체류하기 쉬운 장소의 그 설비군의 바닥면 둘레 20 m마다 1개 이상의 비율로 계산한 수. 다만, 방유제 내부 (2개 이상의 저장탱크 설치로 집합방류둑은 칸막이 둑 설치에 한정)는 해당 저장탱크마다 1개 이상

(3) 4.1 (2)항 (나)목의 장소에는 누출된 가스가 체류하기 쉬운 장소의 설비군의 둘레 10m마다 1개 이상의 비율로 계산한 수

(4) 4.1 (3)항의 장소에는 1개 이상

(5) 4.1 (4)항의 장소에는 바닥면 둘레 20m마다 1개 이상의 비율로 계산한 수

(6) 4.1 (1)항 각호의 설비가 2층 이상의 구조물 위에 설치되어 있는 경우로서 그 바닥 이 누출된 가스가 체류하기 쉬운 구조인 경우에는 그 설비군에 대하여 각 층별로 (2) 및 (3)에서 정하는 비율로 계산한 수

(7) 4.2 (1) 내지 (6)항의 설치 개수 산정 시 설비군 형성은 개별설비 또는 여러 설비를 한 개 군으로 묶는 방법이 있고, 설비군 바닥면 둘레 계산은 그림 예를 참조하여 산정한다.

〈가스누출경보기 설치 시 설비군 둘레 계산방법 예〉

설비군 바닥면 둘레 = 2A+2B

(a) 개별설비 마다 형성

설비군 바닥면 둘레 = 실선부분 길이

(b) 여러 설비를 한 개 군으로 형성

(8) 4.1 (1)항과 4.1 (2)항목의 설치장소가 공존하는 장소는 (1)항 내지 (3)항 기준에 따 라 각각의 가스누출감지경보기를 설치하여야 한다. 다만, 각항별로 설치가 요구된 감지기의 설치위치, 높이가 근접된 경우에는 해당 감지기에 한하여 중복하여 설치 하지 않을 수 있다.

1-3 감지대상
- 인화성 가스
- 인화점이 35℃ 이하인 액체의 증기 (다만, 인화점 100℃ 미만인 물질을 인화점 이상으로 취급하는 경우도 포함한다)
- 급성 독성물질 (대기중에서 기체, 증기, 흄, 미스트 등의 상태인 것)

1-4 설치위치
- 건축물 밖 : 풍향, 풍속, 가스 비중 등을 고려하여 가스가 체류하기 쉬운 장소
- 건축물 내
  - 비중이 공기보다 가벼운 경우 : 환기구 부근 또는 상부
  - 비중이 공기보다 무거운 경우 : 하부

1-5 경보기 설치 위치

◆ 근로자가 상주하는 곳(제어실 등)

1-6 가스누출감지경보기의 경보설정 및 성능

1. 인화성 가스누출감지경보기의 경보설정

(1) 감지대상 가스의 폭발하한값 25 % 이하에서 경보가 발하여지도록 설정하여야 한다.

(2) 2개 이상의 경보 설정형인 경우에는 1차(High) 경보는 폭발하한계의 25 % 이하에서, 2차(High high) 경보는 폭발하한계의 50 % 이하에서 경보를 설정하여야 하며, 필요시 차단밸브 등 다른 안전장치가 작동될 수 있도록 하여야 한다.

(3) 인화성 가스누출감지경보의 정밀도는 경보 설정값에 대하여 ±25 % 이하 이어야 한다.

2. 독성 가스누출감지경보기의 경보설정

(1) 설비의 결함, 오작동 등으로 인한 설비외부로 누출된 가스를 조기 감지할 목적으 로 설치 된 가스누출감지경보기 경보 설정값은 다음의 순위에 따른 허용농도로 설 정한다. 다만, TLV-C 값이 존재하는 독성물질의 경우에는 우선 선정된 허용농도 와 비교하여 독성치가 더 낮은 값으로 설정한다.

(가) 미국산업위생학회(AIHA)의 ERPG-2

(나) 미국환경보호청(EPA)의 AEGL-2(1시간)

(다) 미국에너지부(DOE)의 PAC-2

(라) 미국직업안전보건청(NIOSH)의 IDLH수치의 10 %

(마) IDLH수치가 없는 경우

① $0.1 \times LC_{50}$ 또는 $0.2 \times LC_{50}$ (급성흡입 독성 값) * 30분 노출에 대한 값의 경우 0.1, 4시간 노출에 대한 값의 경우 0.2 적용

② $1 \times LC_{Lo}$ (급성 흡입 독성 값)

* LC^{50} 또는 LC^{Lo}의 단위가 mg/L인 경우는 "1 mg/L = 1,000 mg/㎥"와 같이 단위를 mg/㎥으로 전환하여 적용

③ $0.01 \times LD_{50}$ (급성 경구 독성 값)

④ $0.1 \times LD_{Lo}$ (급성 경구 독성 값)

* LD_{50} 또는 LD_{Lo}의 단위(mg/kg 실험동물 체중)는 "X mg/m^3 = [(Y mg/kg)(70 kg)] / 0.4 ㎥"와 같이 단위를 mg/㎥으로 전환하여 적용

(2) 지하작업, 밀폐공간작업 등의 작업장소 내에서 작업 전 또는 작업 중 가스 농도를 측정하는 목적으로 사용되는 가스누출감지경보기 경보 설정값은 시간 가중평균노 출기준(TWA)으로 설정한다.

(3) 독성 가스누출감지경보의 정밀도는 경보 설정값에 대하여 ±30 % 이하이어야 한다.

1-7 가스감지기의 성능요건

(1) 인화성 가스감지는 간헐 사용 또는 연속 사용 휴대용(이동용) 감지기의 신호 또는 경보장치가 경보 설정값을 조정할 수 없는 형태일 경우에는 60 %LEL 이하의 가스 농도에서 작동하도록 설정하여야 한다. 이때, 경보 설정값을 조정할 수 있는 형태의 경우에는 60 %LEL 이상으로 조정할 수 있어서는 안 된다.

(2) 인화성 가스감지기는 대기압에서 감지기를 청정공기에 안정화시킨 다음 측정범위의 95 ~ 100 %LEL 시험가스에 갑자기 노출시켜 12초 이내에 60 % LEL을 지시하여야 한다.

(3) 촉매연소방식의 인화성 가스감지기는 제조자가 요구하는 산소농도(일반적으로 10 ~ 15 %) 이상이 되어야 정확한 가스농도를 측정할 수 있다.

(4) 인화성 가스누출감지경보기는 담배연기 등에, 독성 가스누출감지경보기는 담배연기, 기계세척 증기, 등유의 증발가스, 배기가스, 탄화수소계 가스와 그 밖의 가스에는 경보가 울리지 않아야 한다.

(5) 가스누출감지경보기의 지시계 눈금의 범위는 다음과 같이 설치하여야 한다.
 (가) 인화성 가스의 경우 0에서 폭발하한계(LEL)값
 (나) 독성 가스의 경우 0에서 허용농도의 3배 값(암모니아를 실내에서 사용하는 경우에는 150 ppm)

(6) 가스누출감지경보기의 가스 감지에서 경보발신까지 걸리는 시간은 경보농도의 1.6배인 경우 보통 30초 이내일 것. 다만, 암모니아, 일산화탄소 또는 이와 유사한 가스 등을 감지하는 가스누출감지경보기는 1분 이내로 한다.

(7) 경보 정밀도는 전원의 전압 등 변동이 ±10 % 정도일 때에도 저하되지 않아야 한다.

(8) 경보를 발신한 후에는 가스 농도가 변화하여도 계속 경보가 발하여져야 하며, 경보 설정을 재설정하여야만 경보가 정지될 수 있는 구조이어야 한다. 다만, 감지기가 다점식인 경우에는 경보가 발하여졌을 때 수신경보기에서 가스의 감지장소를 알 수 있어야 한다.

(9) 경보 설정값은 전문가, 안전보건관리자 만이 변경이 가능토록 특수공구에 의해 열 수 있는 잠금장치 또는 암호 등으로 평상시 관리하여야 한다.

(10) 감지기는 최대, 최소 가스농도를 지시하기 위한 출력신호나 경보장치를 내장하여야 한다.

(11) 흡입식 감지기는 적절한 유량 지시장치를 갖추어야 한다. 다만 요구사항이 사용설명서에 상세히 설명되어 있는 경우에는 지시장치를 생략할 수 있다.

(12) 비선형 계기 또는 지시기를 사용하는 경우에는 작동특성을 사용설명서에 자세히 기술하여야 한다.

(13) 감지기는 다음 중 하나라도 발생하게 되면 신호출력 또는 접점출력에 의한 고장 신호를 경보해야 하고, 이러한 신호 또는 접점출력은 다른 경보 또는 종료신호와 는 독립적이어야 한다.

   (가) 감지기의 입력전원 고장

   (나) 회로보호 장치의 개방

   (다) 원격감지기 헤드에 접속되는 한 개 이상의 회로 개방

   (라) 사용범위의 10 %에 달하는 0(제로) 이하의 하강 표시

(14) 경보나 고장신호를 중지시키는 스위치와 같은 장치는 다음의 기준을 만족 시켜야 한다.

   (가) 감지기가 정상적인 작동상태로 전환되었을 때 경보, 고장신호가 자동적으로 작동

   (나) 고장상태일 때 특유의 시각 또는 청각신호나 출력신호를 발생

   (다) 현장 감지기의 시각경보 지시가 작동

(15) 고정용 및 휴대용(이동용) 흡입식 가스감지기는 가스 흐름에 문제가 있을 경우에는 신호출력 또는 접점출력의 형태로 고장신호를 발할 수 있는 일체화 또는 일체 화되지 않은 유량검증장치를 구비하여야 한다.

(16) 흡입식 휴대용(이동용) 감지기는 필요한 샘플 주입기구를 가지고 있어야 한다.

(17) 휴대용(이동용) 감지기는 소모품을 교환 또는 재충전하지 않고 4시간 이상 작동이 가능하도록 배터리 등을 평상시 관리하여야 한다.

(18) 휴대용(이동용)은 전원 저전압 상태를 경보할 수 있는 기능이 있어야 하고, 경보는 최소 5분 이상 정상적으로 작동하여야 한다.

2. 용접작업과 관련한 강구조물 용접시방서(structural welding code : AWS D1.1)에서 규정한 위험요인의 예방책과 용접재료의 P-NO 및 F-NO에 대하여 설명하시오.

2-1 강구조물 용접시방서에서 규정한 위험요인

◇ 위험요인
- 용접작업으로 인한 작업자의 호흡기질환 유발
- 가스용접 및 가스용기의 전도로 인한 폭발사고
- 밀링작업시 작업자의 신체조건에 맞지않는 작업
- 핸드 그라인더 사용 시 작업자의 손의 말림 및 절단 사고
- 탁상용드릴작업시 작업자의 손의 말림사고
- 이동통로 미확보로 인한 근로자의 안전한 통행의 어려움
- 용접·용단 작업 시 수천 개의 불티가 발생하고 비산
- 가스 용접 시는 산소 압력, 절단속도 및 절단방향에 따라 비산불티의 양과 크기가 달라질 수 있음
- 인화성 유증기 및 인화성 액체 등이 체류할 수 있는 용기·배관 또는 밀폐공간 인근에서 용접·용단작업 실시 중 불티가 유증기 등에 착화

◇ 개선대책
- 용접흄집진기 설치 및 작업환경측정실시
- 특수 건강검진 실시
- 가스운반구 구입 및 전도방지장치설치
- 작업발판을 활용한 작업자의 신체에 맞는 작업환경개선
- 핸드그라인더의 방호덮개 설치
- 탁상용드릴기의 방호덮개 설치
- 이동통로 표시 및 구획
- 용접·용단작업 시 인화성 물질 착화 화재의 특징, 대처방법 등에 대해 근로자 안전보건교육 실시
- 인화성 물질 또는 가스 잔류 배관·용기에 직접 또는 인근에서 용접·용단 시 위험물질 사전 제거 조치
- 착화 위험이 있는 인화성 물질 및 인화성 가스 체류 배관·용기, 우레탄폼 단열재 등의 인근에서 용접·용단작업과 같은 화기작업 시에는 화재감시인 배치

2-2 용접재료의 P-NO 및 F-NO

◇ 모재
- P-No.는 모재의 재료특성 중 용접성에 따라 분류한 번호로 화학성분을 근거로한 대분류
- Gr.No.는 재료의 파괴인성이 요구되는 고강도 재료에 대하여 P-No. 내의 소분류한 것 (Ferrous Base Metal에만 분류)

  P-NO.1 탄소강 (최소 인장강도가 40~75KSI)
  P-NO.2 정련강 (거의 사용 안함)
  P-NO.3 크롬 함유량 0.75% 미만이고, 합금 총량이 2% 이하의 저합금강
  P-NO.4 크롬 함유량 0.75%~2%이고, 합금 총량이 2.75% 이하의 저합금강
  P-NO.5 합금 총량이 10%미만의 합금강
  P-NO.6 고합금강 마르텐사이트 스테인레스강
  P-NO.7 고합금강 페라이트 스테인레스강
  P-NO.8 고합금강 오스테나이트 스테인레스강
  P-NO.9 니켈 합금강 (최대5%)
  P-NO.10 기타 합금강 (9% 니켈 함유)
  P-NO.2X 알루미늄 및 알루미늄 합금강
  P-NO.3X 동 및 동 합금강
  P-NO.4X 니켈 및 니켈합금강

◇ 용가재
- F-No. 는 용접봉을 사용특성(피복재, 보호가스 등)에 따라 분류한 번호
- A-No. 는 용접봉을 사용하여 용접한 용착금속의 화학적 성분에 따른 분류

3. 화학설비공장에서 운전중인 배관 검사시 안전조치 사항과 열화에 쉽게 영향을 받는 배관 시스템을 검사하기 위해 특별히 주의할 사항에 대하여 안전보건기술지침 (KOSHA GUIDE)에 따라 설명하시오.

유의사항

1) 자재관리
- ◆ 배관재 입고시 주의사항
  - 작업공정별 입고 조치
  - 규정된 배관재 입고 여부 확인
  - 외면 손상여부 및 보호캡 유무확인
- ◆ 배관재 보관 주의사항
  - 재질별 분리 보관
  - 발청 이물질 유입 방비 조치

2) 공사관리
- ◆ 배관 및 밸브류 설치
  - 열팽창을 고려한 배치(구배)
  - 설치전 외관에 기공 크랙 여부 확인
  - 가스켓 또는 오링 삽입시 주의
- ◆ 용접작업
  - 안전 작업을 위한 클램프, 발판 및 작업대 설치
  - 예열, 후열, 열처리는 WPS에 근거하여 작업
- ◆ - 고정작업
  - 가이드, 서포트등으로 파이프 및 밸브의 유동을 적절하게 관리할 것

3) 시공 후 주의사항
- ◆ 시운전
  - 목표한 성능의 여부를 측정하고 조율하며 맞출것
  - 유동 및 유격여부확인
- ◆ 세척
  - 기밀 시험 후 상태 확인
  - 오일세정을 실시하고 온도와 압력 유속에 맞추어 시행

4. 재료의 피로파괴에 대해 도시화하여 설명하시오.

[124회 1교시 3번] [123회 1교시 2번] [114회 1교시 4번] [108회 2교시 4번]
[105회 3교시 5번] [102회 1교시 13번]

◇ 기계, 구조물, 그의 부품이 받는 하중은 일정한 정하중의 경우보다 주기적으로
  변화하는 반복하중이나 변동하중인 경우가 많음

◇ 재료의 파괴
  * 재료에 반복하중을 가하면 정하중의 경우보다도 훨씬 작은 하중으로 파괴됨
  * 반복하중을 받는 설계에 특히 주의해야 함

피로파괴의 정의

기계나 구조물 중에서 피스톤이나 커넥팅 로드와 같이 인장과 압축을 되풀이
해서 받는 부분이 있는데, 이러한 경우 그 응력이 인장(압축) 강도 보다 훨씬
작더라도, 이것을 오랜 시간에 걸쳐서 연속적으로 되풀이 하여 작용시키면,
파괴되는데 이 같은 현상을 피로파괴라 함

◇ 피로한도

  * 피로한도 : 아무리 반복하여도 피로파괴가 일어나지 않는 응력의 한도
  * 기계를 구성하는 금속재료가 반복적으로 굽힘하중을 받으면 허용하중보다
    작은 하중에서도 파괴됨
  * 피로에 의한 파괴 시, 연성재료도 취성재료처럼 거의 변형없이 파괴, 균열의
    점진적 발생부와 급격파괴부를 뚜렷이 구별 가능함

피로한도에 영향을 주는 요소

노치, 치수효과, 표면거칠기, 부식, 반복하중, 압입가공, 온도

  * 노치효과
    - 다면의 형상이 변하는 부위에 피로한도 급격히 저하
    - 기계부재에는 노치 또는 비금속 개재물 등의 재료 결함이 존재하고 이러한
      응력 집중에 의해 국부적으로 높은 응력이 발생

- 인장강도가 높은 재료는 노치효과가 낮은 현상으로 하지 않으면 피로성능이 저하하므로 이들 재료를 사용한 효과가 없어짐

◆ 치수효과
- 부재 치수가 커지면 피로한도 저하
- 평활재, 노치재를 막론하고 시험편의 치수가 변하면 피로 강도가 변하며, 일반적으로 지름이 크면 피로한도 감소

◆ 표면효과
- 재료파괴는 표면에서 시작하므로 표면조건에 대단히 민감
- 표면이 거칠수록 피로한도 저하

◆ 온도영향
- 실온 이상이면 피로한도 저하
- 상온 이하의 저온에서의 피로한도는 일반적으로 온도의 저하와 함께 상승
- 크리프강도 높을수록 피로한도 증가

◆ 부식효과 : 부식이 많이 되면 피로한도 감소
◆ 압입효과 : 억지끼워맞춤, 때려박음 등의 압입효과는 노치효과 이상의 악영향 끼침
◆ 속도효과 : 하중 반복될 경우 피로한도 저하

S-N 곡선

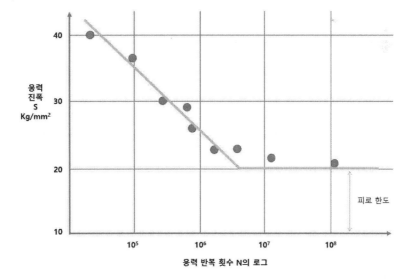

피로한도의 향상방안

- 진동 및 공명이 발생하는 위치를 피해서 용접 연결부 배치로 피로하중을 최소화
- 부식성 환경의 노출을 최소화
- 응력 집중 계수를 낮게 설계
- 적합한 모재, 용가재 및 용접 공정을 선택
- 시공 전 그루브 형상 및 표면을 처리
- 후처리실시
- 고주파 침탄, 질화 열처리에 의한 강도 및 강성부여
- 롤링 압연에 의한 강도 및 강성 부여
- 표층부 압축 잔류응력이 발생하는 각종 처리
- 전해연마, 래핑 등 표면을 매끄럽게 하여, 표면 거칠기에 의한 노치효과를 감소시키고 이론 수명에 근접하도록 유도

재료의 피로파괴 종합

- 피로파괴의 발생원인은 4가지로 구별된다.(설계불량, 가공불량, 재료불량, 부적절한 사용)
- 일반적으로 안전율을 여유있게 고려하기 때문에 피로강도가 설계시에 반영이 되어 있으므로 피로파괴는 주로 가공불량, 재료불량 및 사용상의 부주의에 의한 경우가 대부분
- 즉 기계가공 도중에 노치가 유입되어 응력집중을 발생시키거나, 규정된 표면처리 혹은 열처리가 제대로 이루어지지 못해서 재료의 피로강도가 저하되는 경우가 많음
- 또한 비금속 개재물을 다량 함유한 재료 또는 부적절한 열처리방법에 의해 요구되는 강도를 확보하지 못한 경우가 많음
- 피로파괴는 단순한 원인에 의한 경우가 적고, 복잡한 여러 형상이 중첩되는 경우가 많기 때문에 단정하기 어려운 경우가 많음
- 결국 피로파괴의 방지는 피로강도를 저하시킬 수 있는 요인들을 종합하여 설계단계에서부터 최종 사용단계까지 지속적인 관리에 의해서만 달성될 수 있음

5. 공기 spring 장치의 특징과 장·단점을 각각 4가지만 설명하시오.

공기의 탄성을 이용한 스프링

- ◆ 공기를 고무용기 안에 밀폐하고 압축하여 스프링 작용을 시키면, 외력의 변화에 의해 스프링 상수도 변화하는 가변 스프링의 특성을 가짐
- ◆ 용기 내의 공기량이나 공기실의 용적을 조정하는 조정장치를 장착하면 스프링의 길이를 외력과 관계없이 일정하게 유지할 수 있음
- ◆ 버스나 트럭 같이 빈 차일 때와 가득 실었을 때의 하중이 현저하게 변할 때의 스프링으로 많이 사용되는데, 현재는 철도차량에서도 사용되고 있음
- ◆ 고주파진동의 절연성이 좋기때문에 삐걱거리는 소리가 전달되지 않으며 소음도 적음
- ◆ 승차감을 중요시하는 자동차 등에 이 스프링을 사용하면 강제 스프링으로는 얻을 수 없는 매분 70c 정도의 진동을 용이하게 얻을 수 있어 승차감의 개선에 도움을 줌

장점
1. 자동제어가 가능하다.
2. 하중의 변화에 따라 고유진동수를 일정하게 유지할 수 있다.
3. 스프링의 높이나 내하력 등을 독립적으로 광범위하게 설계할 수 있다.
4. 지지하중이 변하는 경우에는 높이 조정변으로 그 높이를 조절할 수 있어 기계 높이를 일정하게 유지할 수 있다.

단점
1. 공기 누출의 가능성이 있다.
2. 구조가 복잡하고 압축기와 같은 부대시설이 필요하여 전체적으로 시설비가 많이 든다.
3. 별도의 댐퍼가 필요한 경우가 있을 수 있다.

6. 베어링의 기본 정격수명식을 유도하시오.

정격수명식

90%의 신뢰도로 나타내는 수명 → 정격수명
정격 수명을 106 회전수 단위로 나타낸 식

레이디얼 베어링 : $L_{10} = (\dfrac{C_r}{P_r})^r$ [10^6회전]

스러스트 베어링 : $L_{10} = (\dfrac{C_a}{P_a})^r$ [10^6회전]

L10은 신뢰도 90%인 기본 정격수명
볼 베어링의 경우 r=3, 롤러 베어링의 경우 r=10/3

국가기술 자격검정 시험문제

기술사		제 108 회			제 3 교시 (시험시간: 100분)		
2016년도	분야	안전관리	자격종목	기계안전기술사		성명	

※ 다음 문제 중 4문제를 선택하여 설명하시오. (각 문제당 25점)

1. Clean Room 청정도, Class 100, 설계시 고려사항 4가지를 설명하시오.

- ◆ 클린룸은 '산업용 클린룸'과 '바이오 클린룸', 크게 두가지 종류로 나눌 수 있다.
- ◆ 최근 급속한 반도체 등 산업 발전으로 기존 산업용 클린룸에서 바이오 클린룸으로 그 중심이 넘어가고 있는 추세이다. 바이오 클린룸은 산업용 클린룸보다 청정도의 범위가 넓은 고청정실인데, 청정등급을 나눈다.
- ◆ 클린룸의 청정도를 구분하는 단위로는 CLASS를 사용한다.

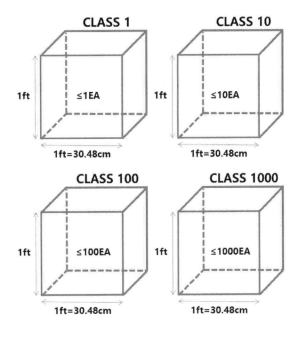

CLASS는 미국연방규격으로,

가로/세로/높이가 1ft의 룸에서 공기중에 0.5㎛ 미립자가 얼마나 포함되어있는지를 기준으로 삼고 있다.

예를들면 위 이미지에서 CLASS 1,000은 1입방피트 속 0.5㎛ 크기이상의 파티클이 1,000개가 있는 공간인 것 이다.

※클린룸 청정도 등급표

	0.1㎛	0.2㎛	0.3㎛	0.5㎛	1㎛	5㎛
CLASS 1	10	2				
CLASS 2	100	24	10	4		
CLASS 3	1,000	237	102	36	8	
CLASS 4	10,000	2,370	1,020	352	83	
CLASS 5	100,000	23,700	10,200	3,520	832	29
CLASS 6	1,000,000	237,000	102,000	35,200	8,320	293
CLASS 7				352,000	83,200	2,930
CLASS 8				3,250,000	832,000	29,300
CLASS 9				35,200,000	8,320,000	293,000

기류방식에 따라 분류를 해보면 CLASS 10,000~1,000,000에는 보통 콘벤셔널 방식이 사용되고, CLASS 100 이상은 수평층류 방식, CLASS 10 이상은 수직층류 방식을 채택하고 있다.

도시의 CLASS가 5,000,000이고, 무균 수술실의 청정도는 CLASS 10에서 CLASS 100정도이며, 반도체나 디스플레이 공정에서 사용되는 클린룸의 경우 에는 클린룸 중에 가장 높은 청정도가 필요하기 때문에 , 수직층류 방식을 채택 하며 극미량의 미세먼지에도 제품의 품질에 영향을 끼치기때문에 0.1㎛이하의 입자 제거까지도 요구되고 있다.

정교함과 청결함이 더욱 요구되고있는 첨단 산업에서 클린룸의 청정 그레이드가 더 높게 유지되어야 하는 이유이다.

2. 산업안전보건법상 자율안전 확인 대상 기계·기구, 방호장치, 보호구 종류에 대하여 설명하시오.

[127회 1교시 2번] [126회 1교시 12번] [121회 3교시 4번] [114회 1교시 9번]
[111회 1교시 12번] [108회 3교시 2번] [105회 1교시 11번]

구분	안전인증대상	자율안전확인대상
기계 또는 설비	가. 프레스 나. 전단기 및 절곡기(折曲機) 다. 크레인 라. 리프트 마. 압력용기 바. 롤러기 사. 사출성형기(射出成形機) 아. 고소(高所) 작업대 자. 곤돌라	가. 연삭기(研削機) 또는 연마기. 이 경우 휴대형은 제외한다. 나. 산업용 로봇 다. 혼합기 라. 파쇄기 또는 분쇄기 마. 식품가공용 기계(파쇄 · 절단 · 혼합 · 제면기만 해당한다) 바. 컨베이어 사. 자동차정비용 리프트 아. 공작기계(선반, 드릴기, 평삭 · 형삭기, 밀링만 해당한다) 자. 고정형 목재가공용 기계(둥근톱, 대패, 루타기, 띠톱, 모떼기 기계만 해당한다) 차. 인쇄기
방호 장치	가. 프레스 및 전단기 방호장치 나. 양중기용(揚重機用) 과부하 방지장치 다. 보일러 압력방출용 안전밸브 라. 압력용기 압력방출용 안전밸브 마. 압력용기 압력방출용 파열판 바. 절연용 방호구 및 활선작업용(活線作業用) 기구 사. 방폭구조(防爆構造) 전기기계 · 기구 및 부품	가. 아세틸렌 용접장치용 또는 가스집합 용접장치용 안전기 나. 교류 아크용접기용 자동전격방지기 다. 롤러기 급정지장치 라. 연삭기 덮개 마. 목재 가공용 둥근톱 반발 예방장치와 날 접촉 예방장치 바. 동력식 수동대패용 칼날 접촉 방지장치

구분	안전인증대상	자율안전확인대상
방호 장치	아. 추락·낙하 및 붕괴 등의 위험 방지 및 보호에 필요한 가설 기자재로서 고용노동부장관이 정하여 고시하는 것 자. 충돌·협착 등의 위험 방지에 필요한 산업용 로봇 방호장치 로서 고용노동부장관이 정하여 고시하는 것	사. 추락·낙하 및 붕괴 등의 위험 방지 및 보호에 필요한 가설 기자재(제74조 제1항 제2호 아목의 가설기자재는 제외) 로서 고용노동부장관이 정하여 고시하는 것

보호구	가. 추락 및 감전 위험방지용
	안전모
	나. 안전화
	다. 안전장갑
	라. 방진마스크
	마. 방독마스크
	바. 송기(送氣)마스크
	사. 전동식 호흡보호구
	아. 보호복
	자. 안전대
	차. 차광(遮光) 및 비산물(飛散物)
	위험방지용 보안경
	카. 용접용 보안면
	타. 방음용 귀마개 또는 귀덮개
		가. 안전모
		(제74조 제1항 제3호 가목의
		안전모는 제외한다)
		나. 보안경
		(제74조 제1항 제3호 차목의
		보안경은 제외한다)
		다. 보안면
		(제74조 제1항 제3호 카목의
		보안면은 제외한다)
		
		제74조(안전인증 대상기계 등)
		① 법 제84조 제1항에서 "대통령령으로
		정하는 것"이란 다음 각 호의 어느
		하나에 해당하는 것을 말한다.
		  3. 다음 각 목의 어느 하나에 해당
		    하는 보호구
		    가. 추락 및 감전 위험방지용
		      안전모
		    차. 차광(遮光) 및 비산물(飛散物)
		      위험방지용 보안경
		    카. 용접용 보안면

3. 스테인리스강(stainless steel)을 금속조직으로 분류하여 대표적인 3가지의
  종류와 특성을 각각 비교하여 설명하시오.

◇ 스테인리스강의 종류

- 크롬이 12% 이상 존재하여 강의 내식성을 향상시킨 것을 스테인리스강
  (Stainless Steel)이라고 함
- 스테인리스강을 화학 조성으로 분류하면 Fe-Cr계 스테인리스강과 Fe-Cr-Ni계
  스테인리스강으로 크게 나눌 수 있음
- 금속 조직으로는 다음과 같이 세분할 수 있음

화학조성 분류	세부 분류
Fe-Cr계 스테인리스강	- 마르텐사이트계
	- 페라이트계
Fe-Cr-Ni계 스테인리스강	- 오스테나이트계
	- 오스테나이트+페라이트계
	- 석출경화계

◇ 스테인리스강의 특성

1) 마르텐사이트계 스테인리스강
  - 열처리가 가능하다.
  - 내식성은 오스테나이트계보다 매우 낮고, 페라이트계보다는 약간 낮다.
  - 기호로는 KS(한국), AISI(미국), JIS(일본) 등 모두 400번대의 번호를 갖는다.
  - 경도가 높고, 칼이나 절삭용 공구, 자 등에 사용된다.

2) 페라이트계 스테인리스강

* 항상 α고용체이다.

* 열처리가 되지 않기 때문에 용접하기 쉬운 장점이 있다.

* 담금질-뜨임과 같은 열처리가 되지 않으므로 풀림한 상태로 공급된다.

3) 오스테나이트계 스테인리스강

* 18% Cr, 8% Ni이 함유된 18-8 스테인리스강이 대표적이다.

* 비자성체이나 상온 또는 약간 높은 온도에서 소성가공하면 오스테나이트의 일부가 마르텐사이트로 변하면서 약간 자성을 띄기도 한다.

* 기호로는 200 계열과 300 계열로 나눌 수 있다.

* 예민화 온도 영역에서 입계부식이 일어나기 쉬우므로 고용화처리 해야한다.

4) 오스테나이트+페라이트계 스테인리스강

* 오스테나이트계에 비해 크롬의 양이 많고 오스테나이트와 페라이트의 혼합 조직이다.

* 인성은 페라이트계와 오스테나이트계의 중간 정도이나 강도는 오스테나이트계보다 강하다.

4. 배관의 부식발생 메커니즘과 내적·외적원인 및 방지대책과 부식의 종류에 대하여 설명하시오.

배관의 부식 종류

◇ 습식 및 건식부식
- ◆ 습식부식 : 금속의 표면이 습기 작용에 의해 부식되는 현상
  - 철이 물에 닿으면 녹스는 것과 같은 원리다.
- ◆ 건식부식 : 습기가 부재한 환경 중 2천℃ 이상 가열된 상태에서 부식이 발생하는 현상

◇ 국부 및 전면부식
- ◆ 국부부식 : 금속 재료 자체의 조직과 잔류응력 여부, 인접한 주위 환경중 부식 물질의 농도 등의 다양한 원인에 의해 금속표면에 국부적으로 부식이 발생되는 현상
- ◆ 전면부식 : 금속 재료의 표면에 균일하게 부식이 발생되는 현상
  - 이중금속접촉으로 갈바닉부식이 발생gka
  - 이종금속접촉 : 각각의 전극 및 전위차에 따라 전지를 형성하고 이의 양극이 된 금속이 국부적으로 부식되는 전식 현상이 할 수 있음

◇ 전식
- ◆ 외부전원에서 누설된 전류에 의해 전휘차가 발생해 전지가 형성되며 나타나는 부식

◇ 틈새부식
- ◆ 재료들의 틈새에 전해질 수용액이 침범하여 전위차를 형성하고 해당 틈새에서 급격하게 나타나는 부식

◇ 입계부식
- ◆ 금속 결정입자의 경계 부근에서 선택적으로 발생되는 부식

◇ 선택부식
- ◆ 재료 합금성분중 일부는 용해되고 부식이 쉽지 않은 성분은 잔여로 남아 강도가 연약한 다공상의 재질을 형성하는 형태의 부식

◇ 부식의 원인

요인	내용
내적요인	▪ 금속 조직영향은 금속을 형성하는 결정상태에 따라 일어남 ▪ 가공 영향은 냉간가공 시 금속의 결정구조를 변형시킴 ▪ 열처리 영향은 잔류응력을 제거해 안정시켜 내식성을 증가시킴
외적요인	▪ PH는 PH4 이하에서 피막이 용해되므로 부식이 일어남 ▪ 용해성분은 가수분해해 산성이 되는 염기류에 의하여 부식시킴 ▪ 온도가 약80℃까지는 부식의 속도가 증가함
기타요인	▪ 아연에 의한 철부식은 50~95℃의 온수중에서 아연은 급격히 용해함 ▪ 동이온에 의한 부식의 경우 동이온이 용출하여 이온화 현상에 의하여 부식함 ▪ 이종금속 접촉은 용존가스, 염소이온이 함유된 온수의 활성화로 국부전지를 형성해 부식 발생함 ▪ 용존산소에 의한 부식은 물속에 함유된 산소가 분리되어 부식이 발생함 ▪ 탈아연 현상에 의한 부식은 밸브의 STEM과 DISC의 접촉 부분에서 일어나는 부식 ▪ 응력에 의한 부식은 내부응력에 의하여 갈라짐과 같은 크랙 현상으로 발생 ▪ 온도차가 생기면 국부적 온도차에 의해 고온 부분에서 부식 발생 ▪ 유속의 영향 등으로 부식 발생

5. 바하(Bach)의 축공식을 유도하시오.

◇ 중실원축

$$d \fallingdotseq 120 \sqrt[4]{\frac{H_{ps}}{N}} \quad , \quad d \fallingdotseq 130 \sqrt[4]{\frac{H_{kW}}{N}}$$

◇ 중공원축

$$d_2 \fallingdotseq 120 \sqrt[4]{\frac{H_{ps}}{N(1-\chi^4)}} \quad , \quad d \fallingdotseq 130 \sqrt[4]{\frac{H_{kW}}{N(1-\chi^4)}}$$

비틀림 모멘트를 받는 축의 경우, 강도 면에서는 충분하다고 하더라도 탄성적으로 발생하는 비틀림 변형에 의해 축에 비틀림 진동을 유발할 수가 있으므로 강성을 평가하여야 만 한다. 지금 그림과 같이 축이 비틀림모멘트 T를 받으면 mn선분이 mn'선분으로 각 θ, 길이 S만큼 비틀림 변형을 일으키게 된다. 이 구조에서 전단

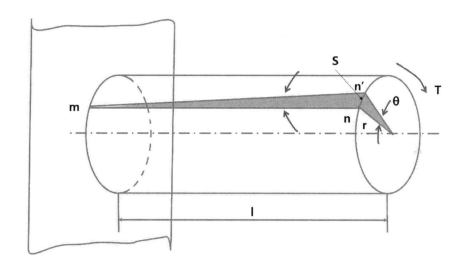

변형률 γ는
$$\gamma = \frac{S}{l} = \frac{r\theta}{l}$$
이고, 전단응력은 전단변형률에 비례하므로,
$$\tau = G\gamma$$

여기서, G는 전단탄성계수이다. 따라서

$$\tau = G\frac{r\theta}{l} \quad [kgf/mm^2]$$

또한, $\tau = \dfrac{T \cdot r}{I_p}$ 이므로, 윗식과의 관계로부터,

$$\theta = \frac{Tl}{GI_p} \qquad [radian]$$

이를 도(degree; °)로 변환하면,

$$\theta\degree = \frac{180}{\pi} \cdot \frac{Tl}{GI_p}$$

여기에, $I_p = \dfrac{\pi d^4}{32}$ 을 대입하여 강성도의 식을 유도하면,

$$\theta\degree = \frac{180}{\pi} \cdot \frac{Tl}{GI_p} = \frac{180}{\pi} \cdot \frac{Tl}{G\dfrac{\pi d^4}{32}} \leq \theta_a\degree$$

$$\therefore \quad d = \sqrt[4]{\frac{32 \times 180 \times l \times T}{\pi^2 \times G \times \theta_a\degree}}$$

여기서 $\theta_a\degree$ 는 허용비틀림각이다.

바하(Bach)는 실험적인 검증을 거쳐 축 길이 $1[m]$당 $\theta\degree = 1/4$ 이내로 제한하도록 축 지름을 설계하는 것이 바람직하다고 하였으며, 이로부터 연강의 전단탄성계수 G의 값의 평균치인 $G = 8300[kgf/mm^2]$, $l = 1000[mm]$, 비틀림모멘트 $T = 716200\dfrac{H_{ps}}{N} = 974000\dfrac{H_{kW}}{N}$, $\theta\degree = 1/4$을 윗식에 대입하여 다음과 같은 대표적인 공식을 제창하였다.

$$d \fallingdotseq 120\sqrt[4]{\frac{H_{ps}}{N}} \ , \ d \fallingdotseq 130\sqrt[4]{\frac{H_{kW}}{N}}$$

이 식을 바하의 축공식이라 한다.

6. 굽힘밴딩에서 스프링 백(spring back) 발생요인과 방지대책에 대하여 설명하시오.

◇ 스프링 백

소성변형에 의해 재료를 굽힐 때, 외력을 제거하면 탄성변형에 의해서도 원래의 상태로 되돌아가려는 성질을 " 스프링 백"(Spring back)이라 한다.

특히. 외측이 인장응력, 내측에 압축응력이 작용하는 굽힘가공에서 그 현상이 심하며, 탄성한도가 높고 경한재질일수록 스프링백의 양이 크다.

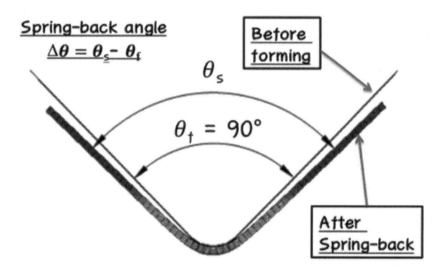

◇ 스프링 백의 양

① 경도가 높을수록 커진다.
② 같은 판재에서 굽힘 반지름이 같을 때에는 두께가 얇을수록 커진다.
③ 같은 두께의 판재에서는 굽힘 반지름이 클수록 크다.
④ 같은 두께의 판재에서는 굽힘 각도가 작을수록 크다.

◇ 스프링백 영향인자

① 재질

　탄성한도가 높고 경한 재질일수록 스프링 백의 양이 크다.

② 절곡부 반지름

　같은 두께의 판재에서 굽힘작업시 굽힘 반지름이 클수록 스프링 백의 양이 크게
　나타나고,절곡부 반지름값이 작을수록 스프링백의 양이 적게 나타난다

③ 다이의 어깨 폭

　다이 어깨폭이 작아지면 스프링백의 양이 증가하고, 다이어깨폭이 넓을수록 스
　프링백의 양은 감소한다

④ 패드압력

　U굽힘시에는 패드 압력을 증가하여 스프링백의 양이 적어지게 할 수 있다

◇ 스프링백 방지법

◆ V굽힘 금형인 경우

　① 펀치 각도를 다이 각도보다 작게하여 과굽힘(Over bending)을 한다
　② 굽힘판의 중앙 반지름에 강한 압력을 가하기 위해 다이에도 반지름을 붙인다.
　③ 펀치 끝에 돌기를 설치하여 Bottoming에 의해 압력을 집중시킨다.

◆ 굽힘 금형인 경우

　① 펀치 측면에 Taper를 약 3~5º준다
　② 펀치 밑면에 돌기를 설치하여 Bottoming 시킨다.
　③ 다이 어깨부에 Rounding을 붙이거나 Taper를 붙이는 방법으로 스프링고
　　(Spring Go)에 효과가 있다.
　④ 굽힘 밑면의 탄성회복에 의한 스프링백을 없애는 방법으로서 펀치 밑면을
　　오목하게 한다.
　⑤ 굽힘 반지름부에 면압력을 가하는 방법으로 펀치와 다이의 틈새를 작게하여
　　제품 측면에 Ironing을 가한다
　⑥ 다이 측면을 Hinge에 의한 가동식으로 과굽힘 시킨다.
　⑦ 패드 압력의 조정을 통하여 스프링백과 스프링고를 상쇄시킨다(배압법)

국가기술 자격검정 시험문제

기술사   제 108 회   제 4 교시   (시험시간: 100분)

2016년도	분야	안전관리	자격종목	기계안전기술사	성명	

※ 다음 문제 중 4문제를 선택하여 설명하시오. (각 문제당 25점)

1. 기계가공 업종에서 수리작업시 안전작업허가제도(운영절차, 허가서 작성 및 발급 확인사항, 승인시 확인사항, 기계업종의 예시 5가지)에 대하여 설명하시오.

운영절차

1. 목적

   이 지침은 공정안전보고서 제출대상 사업장에서 사업주가 작성하여야 할 공정 안전보고서 내용 중 유해위험 설비 등에서 작업 시 사전에 안전을 확보하기 위하여 안전작업허가 작성 및 안전작업 수행에 필요한 사항을 제시하는데 그 목적이 있다.

2. 적용범위

   이 지침은 유해위험요소가 잠재되어 있는 사업장내에서 시운전 또는 운전중 점검, 정비·보수 등의 작업을 할 때 적용한다.

3. 정의

  (1) 이 지침에서 사용하는 용어의 정의는 다음과 같다.

   (가) "화기작업"이라 함은 용접, 용단, 연마, 드릴 등 화염 또는 스파크를 발생 시키는작업 또는 가연성물질의 점화원이 될 수 있는 모든 기기를 사용하는 작업을 말한다.

(나) "일반위험작업"이라 함은 노출된 화염을 사용하거나 전기, 충격에너지로부터 스파크가 발생하는 장비나 공구를 사용하는 작업 이외의 작업으로서 유해·위험물 취급작업, 위험설비 해체작업 등 유해·위험이 내재된 작업을 말한다.

(다) "보충적인 작업"이라 함은 화기작업 또는 일반위험작업을 하는 과정에서 보충적으로 병행하여 수행되는 작업을 말한다.

(라) "위험지역"이라 함은 산업안전보건기준에 관한규칙 제230조(폭발위험이 있는 장소의 설정 및 관리) 제1항에서 규정하는 장소 및 인근지역, 그리고 그 외의 장소에 설치된 설비 및 그 주위에서 화재·폭발을 일으킬 우려가 있는 장소 를 말한다.

(마) "밀폐공간"이라 함은 질식·중독·화재·폭발 등의 위험이 있는 장소로서 산업안전보건기준에 관한 규칙 제618조 제1호에서 정한 장소를 말한다.

(바) "일반지역"이라 함은 일반행정 또는 정비부서 등과 같은 위험지역 이외의 지역을 말한다.

(사) "가연성물질"이라 함은 산업안전보건기준에 관한 규칙 별표 1에서 정한 위험 물질의 종류 중 6. 부식성 물질과 7. 급성 독성 물질을 제외한 물질 및 위험물질 이외 인화성유류, 가연성분진, 단열재 등 가연물을 말한다.

(아) "중장비작업"이라 함은 이동식 크레인 등을 사용하여 중량물을 매달아 들어 올리고 수리, 점검 등을 수행하는 작업을 말한다.

(2) 기타 이 지침에서 사용하는 용어의 정의는 특별한 규정이 있는 경우를 제외하고는 산업안전보건법, 같은 법 시행령, 같은 법 시행규칙 및 산업안전보건기준에 관한 규칙에서 정의하는 바에 따른다.

허가서작성 및 발급 확인사항

(1) 허가서 발급자는 허가서 발행에 앞서 당해 작업 현장 감독자 또는 작업담당자와 같이 현장을 확인하고, 안전작업에 필요한 조치사항이 무엇인지 확인하여야 한다.

(2) 당해 작업의 안전과 관련하여 인근의 다른 공정지역 책임자에게 당해 작업 수행을 알릴 필요가 있을 경우에는 관련 운전부서 책임자의 협조를 받아야 한다.

(3) 허가서 발급자는 작업허가서 중 작업허가시간, 수행작업 개요, 작업상 취해야 할 안전조치사항 및 작업자에 대한 안전요구사항 등을 기재하여야 한다.

승인시 확인사항

허가서 승인자는 작업담당자 또는 운전부서 담당자 등이 현장을 방문하여 안전
조치를 하였는지를 반드시 확인한 후 작업허가를 승인하여야 한다.

◇ 기계업종 예시 5가지
  ◆ 전기구동기계, 전기설비, 굴착작업, 화기작업 및 방사선사용, 고소작업, 중장비
    작업

2. 고체 원재료를 이송하는 벨트 콘베이어(belt conveyor)설비의 작업시작 전 점검항목 및 설비의 설계항목과 방호장치에 대하여 설명하시오.

점검항목

점검 내용	점검결과 (사진 등 첨부)
◇ 자율안전확인신고를 실시한 컨베이어인지 여부 　(산업안전보건법 제89조) ※ (자율안전확인신고 대상) '13.3.1 이후 제조, 출고된 　경우만 해당	
◇ 안전검사를 받은 컨베이어인지 여부 (법 제93조)	
◇ 안전조치 (법 제38조, 안전보건기준에 관한 규칙 제	
◆ 동력전달 부분, 벨트, 롤러, 풀리 등 부위에 방호덮개 　설치 여부	
◆ 동력차단장치(비상정지장치) 설치 및 정상작동 여부	
◆ 화물낙하에 의한 근로자 위험이 있는 경우 낙하 방지 　조치 여부	

설계 및 제작

컨베이어를 설계 및 제작하는 때에는 다음 각호의 사항을 준수하여야 한다.
(1) 화물이 이탈할 우려가 없어야 한다.
(2) 화물을 싣고 내리며 운반을 하는 곳에서 화물이 낙하할 우려가 없어야 한다.
(3) 경사 컨베이어, 수직 컨베이어는 정전, 전압강하 등에 의한 화물 또는 운반
    구의 이탈 및 역주행을 방지하기 위한 장치를 설치하여야 한다.
(4) 전동 또는 수동에 의해 작동하는 기복장치, 신축장치, 선회장치, 승강장치를
    갖는 컨베이어에는 이들 장치의 작동을 고정하기 위한 장치를 설치하여야
    한다.
(5) 컨베이어의 동력전달 부분에는 덮개 또는 울을 설치하여야 한다.
(6) 컨베이어 벨트, 풀리, 롤러, 체인, 체인스프로킷, 스크루 등에 근로자 신체의
    일부가 말려드는 등 근로자에게 위험을 미칠 우려가 있는 부분에는 덮개 또는
    울을 설치하여야 한다.
(7) 컨베이어의 기동 또는 정지를 위한 스위치는 명확히 표시되고 용이하게
    조작 가능한 것으로 접촉·진동 등에 의해 불의에 기동할 우려가 없는 것이어야
    한다.
(8) 컨베이어에는 급유자가 위험한 가동부분에 접근하지 않고 급유가 가능한
    장치를 설치하여야 한다.
(9) 화물의 적재 또는 반출을 인력으로 하는 컨베이어에서는 근로자가 화물의
    적재 또는 반출 작업을 쉽게 할 수 있도록 컨베이어의 높이, 폭, 속도 등이
    적당하여야 한다.
(10) 수동조작에 의한 장치의 조작에 필요한 힘은 196 N(200 kgf) 이하로 하여야
    한다.

방호
근로자가 작업 중 접촉할 우려가 있는 구조물 및 컨베이어의 날카로운 모서리·
돌기물 등은 제거하거나 방호하는 등의 위험방지조치를 강구하여야 한다.

통로에는 통로가 있는 것을 명시하고 위험한 곳을 방호하는 등의 안전조치를
하도록 하여야 한다.

3. 겨울철 탄소강관(Carbon Steel) 재질의 물배관 동파와 관련하여 다음 각 물음에 답하시오.

1) 동파원인 및 동파방지방법 5가지와 동결심도를 설명하시오.

　　원인 : 계량기 보호함의 노후 또는 보온재의 파손으로 인한 동파

◇ 동파 방지방법
- 계량기 보호통(함) 내부로 찬 공기가 스며들지 않도록 뚜껑부분의 틈새를 막아 밀봉
- 혹한 시에는 수도꼭지를 조금 열어 수돗물을 흐르게 하여 받아서 사용하면, 대부분 동파는 예방 가능

◇ 벽체에 설치된 계량기 보온
- 보호함 뚜껑외부에 비닐커버를 접착테이프로 붙여 틈새를 통해 보호함 내부로 찬 공기 유입을 차단해야 함
- 과거에 계량기가 동파된 적이 있으면, 보호함 뚜껑을 분해하여 열고, 스트로폴 보온재를 꺼낸 후 내부 틈새를 찾아 실리콘 등으로 막아야 함

◇ 지하에 설치된 계량기 보온
- 계량기로 찬 공기가 들어가지 않도록 내부를 비닐로 감싸고, 뚜껑의 틈새를 통해 보호통 내부로 찬 공기가 유입되지 않도록 잘 닫아야 함
- 과거에 계량기가 동파된 적이 있으면, 계량기 보호통 뚜껑으로 찬 공기가 접하지 않도록 넓은 덮개를 덮어야 함

◇ 수도계량기가 얼었을때 조치 요령
- 헤어드라이어로 녹이거나, 미지근한 물부터 점차 따뜻한 물로 녹여야 하며, 50℃ 이상으로 녹이면 계량기가 고장남
- 계량기가 얼어서 유리가 깨지면, 반드시 인근 한국수자원공사로 신고

◇ 동결심도
- 흙 속의 물이 어는(freezing) 동결층과 미동결층의 경계가 되는 곳까지의 지반 깊이를 동결심도라고 한다.
- frost line, frost depth라고도 한다.

◆ 동결심도는 그 지역의 기온, 토질, 습윤상태, 지하수 위치 등에 따라 그 깊이가 달라진다.

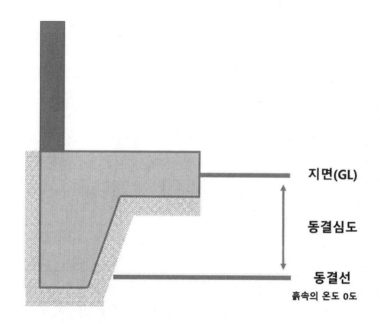

동결심도(Z) : 동결깊이(cm)
정수(C) : 일조상태와 토질/배수상태에 따라 정수는 3이나 5로 구분됨.
 - 양지 +토질/배수양호 : 정수 3
 - 음지 + 실트질 토질 : 정수 5
동결지수(F)

2) 배관부에 시행하는 자분탐상검사의 자화방법 5가지와 각각의 장·단점에 대하여 설명하시오.

◆ "비파괴검사(Non - destructive inspection)"라 함은 피검사물을 파괴하지 않고 내부의 성질, 결함을 찾아내는 검사를 말한다.
◆ "자분탐상(Magnetic particle inspection)검사"이라 함은 철강재 표면을 자화시키고 자분을 산포하여, 자분 모양에 의해 육안으로 결함의 유무를 조사하는 방법이다

◇ 자분탐상검사의 자화방법 5가지(KOSAH GUIDE M-72-2011)
  1) 자석
    - 영구자석 혹은 전자석을 피검사물에 두면 두극 사이의 피검사물에 자기장이
      형성된다.
  2) 전기 단자 또는 프로드(Prod)를 이용한 전류 흐름
    - 피검사물을 통과하는 전류는 자기장을 유도한다
  3) 가는 전선(Threading cable)
    - 피검사물의 구멍이나 틈에 전선을 통과시키고 전기를 흘리면 피검사물에
      자기장이 유도된다.
  4) 코일
    - 전류가 흐르는 코일 내에 피검사물을 두면 코일 축에 평행한 방향으로 자기장이
      유도된다.
  5) 유연한 전선
    - 전류가 흐르는 전선을 피검사물에 감거나 가로지르게 놓아두면 자기장이
      피검사물 내에 유도된다.

4. Oilless Bearing의 종류 2가지와 특성을 3가지만 설명하시오.

1) 단열 깊은 홈 보올 베어링 (Single Row Deep Groove Ball Bearing)

  ① 구름 베어링 중 가장 많이 사용하는 형태로써 궤도륜 내부에 비교적 깊게
    홈이 가공되어 있다.
  ② 내륜과 외륜의 상대적인 경사는 내부 클리어런스와 하중에 따라 좌우되며
    정상적인 운전상태에서 대체로 8'~16'정도까지 허용된다.
  ③ 축직각방향하중과 축방향하중 또는 그 합성하중의 어느 쪽에도 견딜 수 있으며
    (축방향은 약간의 하중을 견딜 수 있다) 적은 마찰 토르크로 인해 고속회전과
    적은 동력손실이 요구되는 곳에 적합하다.
  ④ 다른 형태의 베어링 보다 보올베어링은 기하학적 정밀도를 쉽게 얻을 수
    있으므로 낮은 소음과 진동이 중요시되는 곳에 적합하다.
  ⑤ 개방형 외에 시일드 또는 고무시일을 부착하여 그리이스를 주입한 밀봉형과
    스냅링 홈을 외륜에 내고 스냅링을 붙여 설치 상 하우징 구조를 간단하게 한
    스냅링 붙이 베어링 및 이들을 조합한 형태의 베어링으로 분류된다.

2) 앵귤러 콘텍트 보올 베어링(Angular Contact Ball Bearing)

① 단열과 복열의 두 종류로 나뉘어진다.
② 단열 앵귤러콘택트 보올 베어링은 비분리형으로서 기본 접촉각은 40°이며 15°, 30°인 것도 있다.
③ 접촉각이 커지면 축방향 하중의 부하능력이 커지게 되므로 접촉각이 작은 쪽이 고속회전에 유리하다.
④ 합성하중(축방향하중과 축직각방향하중)을 받을 수 있으며 축방향 하중은 높은 턱쪽으로만 받을 수 있으므로 두 개를 짝지어서 사용하거나 다른 베어링에 덧붙여 사용한다.
⑤ 짝 짓는 방법은 용도에 따라 정면 조합(DF), 배면조합(DB), 병렬조합(DT)로 분류되며 DF와 DB형태는 양방향의 축직각방향하중과 축방향하중을 받을 수 있으며 적정량의 예압이 요구된다. DT형태는 한 방향의 큰 축방향하중을 받을 때 사용하며 이때 각 베어링에 동일한 하중의 분배가 요구된다.

3) 자동조심형 보올 베어링(Self-Aligning Ball Bearing)

① 외륜 궤도면이 구면이고 그 중심이 베어링의 중심과 일치하고 있기 때문에 내륜이 기울어져도 내륜과 볼은 외륜과의 관계를 자동으로 유지한다.
② 허용경사각이 비교적 큰 경우에 사용한다. (1~3°, 최대 4°).
③ 부하 능력은 깊은 홈 보올 베어링보다 작으며 축 방향 하중도 받기는 하나 능력은 그다지 크지 않다.
④ 외륜궤도의 곡률중심은 베어링의 중심과 일치한다. 내경이 원통형인 것과 테이퍼형인 것이 있다.

4) 원통 로울러 베어링(Cylindrical Roller Bearing)

① 원통형 롤러를 전동체로 사용하는 베어링으로서 궤도륜과 선접촉을 하므로 레이디얼 방향의 커다란 하중을 견딜 수 있다.
② N형과 NU형은 각각 외륜과 내륜에 양쪽턱이 없는 형식으로 축이 축방향으로 자유롭게 움직일 필요가 있는 곳에 설치한다.

③ NJ형은 내륜의 한쪽에만 컬이 있는 것으로 축방향 하중을 한쪽으로만 받을 수 있으며 여기에 앵글링을 붙여서 고정형 베얼이(NH형)으로 쓸수도 있다.

④ 복열원통 로울러 베어링은 NN형과 NNU형으로 분류되며 높은 경방향강성을 가지므로 주로 정밀공작기계에 사용된다.

⑤ 큰 축직각방향 하중을 받으면서 고속으로 회전하는데 적합하다.

⑥ 큰 부하능력은 전동체와 궤도면이 선접촉에 의해서 양 끝에 높은 응력이 걸리는 것을 피하는데 기인한다. 이것은 비교적 견고한 베어링으로서 허용 경사각은 2'~4'이다.

⑦ 내륜과 외륜은 각각 따로 설치할 수 있으며 기어, 모터, 철도 차량 등에 많이 사용한다.

5) 매그니토 보올 베어링(Magneto Ball Bearing)

① 외륜이 분리될 수 있는 분리형 베어링으로 외륜의 한 쪽에만 턱이 있고 다른 쪽은 원통형으로 되어 있어서 온도차에 의한 축길이의 변화를 흡수할 수 있다.

② 클리어런스가 없게 조립할 수도 있다. 보통 2개를 반대방향으로 짝지어서 사용한다.

③ 내륜과 외륜은 호환성이 있어서 따로 따로 축이나 하우징에 설치할 수 있으며 따라서 모두 억지끼워맞춤 할 수 있다.

④ 보통 소형으로 제작되어 발전기, 자이로 등에 사용한다.

6) 자동조심 로울러 베어링(Spherical Roller Bearing)

① 외륜은 구면 궤도를 가지고 내륜은 중간턱으로 분리된 이중궤도를 가지는 복열 비분리형 베어링이다.

② 전동체는 배럴형 로울러이고 대칭, 비대칭의 두가지가 있으며 원통로울러 베어링과 같이 선접촉을 하게 되어 축직각방향 부하능력이 크다

③ 허용경사각은 최대 2°30'이다. 원통의 구멍인 기본형 이외에 어댑터나 빼냄 슬리이브을 사용하여 축에 설치하는 테이퍼 구멍형도 있다.

④ 최대 허용속도는 원통 로울러 베어링 보다 작으며, 윤활을 적절히 해야 할 필요성도 크게 요구 된다.

⑤ 윤활은 외륜의 윤활홈이나 윤활구멍을 통해서 한다.

⑥ 주로 압연기 등 중하중 용에 사용된다.

7) 테이퍼 로울러 베어링 (Tapered Roller Bearing)

① 분리형 베어링이며, 외륜, 전동체로 구성되어 있다.
② 원추형인 테이퍼진 로울러는 내륜의 큰 턱에 의하여 안내되면서 테이퍼진 궤도를 구른다.
③ 내륜과 전동체 리테이너를 합하여 콘 어셈블리라고 하며 외륜과 콘 어셈블리는 호환성을 가지는 것이 특징이다.
④ 레이디얼 하중과 스러스트 하중을 함께 받을 수 있으며 부하능력은 상당히 커서 앵귤러 콘택트 보올 베어링의 두 배가 넘으나 최대 허용속도는 작다.
⑤ 축방향 하중은 한쪽 방향으로만 받을 수 있으므로 앵귤러 콘택트 보올 베어 링과 같은 원리로 짝지어서 사용한다.
⑥ 작용된 축직각방향 하중은 축방향 하중을 유도하나 이축방향 하중은 축이 충분한 강성을 가지는 경우 베어링의 배열에 의해 상쇄된다.
⑦ 설치할 때는 클리어런스를 적당히 조정하는 데에 주의를 기울인다.
⑧ 온도 변화에 따른 축변형이나 클리어런스 변화의 영향을 감소시키기 위하여 조립된 베어링 사이의 거리를 가능한 가깝게 하는 것이 바람직하다.
⑨ 최대허용 경사각은 2'이며 이것을 넘으면 로울ㄹ러의 모서리나 궤도의 구석 부분에 응력이 집중되어 조기 파손을 일으킨다.

8) 스러스트 보올 베어링(Thrust Ball Bearing)

① 분리형 베어링으로서 고정륜, 회전륜, 전동체 및 리테이너로 구성되어 있다.
② 스퍼스트 하중(축방향 하중)만을 받을 수 있으며, 레이디얼 하중(축직각방향 하중)은 받을 수가 없다. 주로 저속, 중속에서 사용된다.
③ 경사에는 상당히 민감하지만 축방향으로는 견고하게 지지할 수 있는 특징이 있다.
④ 만일의 경우 일어날 수 있는 경사의 영향을 흡수할 수 있도록 조심자리와셔 (구면 자리)를 사용하기도 한다.
⑤ 한쪽 방향만의 축방향 하중을 받는 단식 스러스트 베어링과 양쪽 방향의 축방향 하중을 모두 받을 수 있는 복식 스러스트베어링이 있다. 단식은 회전 륜과 고정륜 사이에 볼을 배열하고, 복식은 상하 고정륜 사이에 중간 회전륜 이 있다.

9) 니들 로울러 베어링(Needle Roller Bearing)

① 길이가 직경의 3~10배가 되는 가늘고 긴 로울러가 많이 들어 있다.
② 내경에 비하여 외경이 작기 때문에 베어링 사용부의 소형화, 경량화가 요구되는 경우에 많이 사용한다.
③ 내경에 비하여 폭이 넓어서 레이디얼 하중에 잘 견디며 강성이 좋고 정밀도도 높다.
④ 높은 정밀도가 요구되는 기계에는 이 베어링으로 대체하여 가는 추세이다.
⑤ 쉘 형과 솔리드 형이 있으며, 리테이너가 없는 형식도 있다.
⑥ 자동차의 유니버셜 조인트, 공작기계 주축 등에 사용

10) 자동 조심 스러스트 로울러 베어링(Spherical Roller Thrust Bearing)

① 전동면이 둥근 로운러를 비스듬히 배열한 베어링이다.
② 외륜이 궤도가 구면을 이루고 있기 때문에 베어링은 조심성을 가지고 있다.
③ 스러스트 부하능력이 매우 크고 스러스트 하중이 작용하고 있을 경우 약간의 레이디얼 하중을 견딜 수 있다.

5. 치차 변속장치에서 소음·진동의 발생원인과 대책에 대하여 설명하시오.

예상 원인	점검 및 조치사항

등속 조인트
  - BJ부분의 부트 손상에 의한
    그리스 이탈로 베어링 마모
	교환

인슐레이터 베어링 마모	교환
파워 스티어링 펌프 고장	수리 혹은 교환
로워암 볼 조인트 파손	부품 교환
랙 피니언 고장	수리 혹은 교환

6. 기계설비 위험성평가를 수행하기 위한 자료수집, 유해·위험요인파악, 위험성추정, 위험성결정, 감소대책 수립 및 실시, 기록사항에 대하여 설명하시오.

[127회 1교시 13번] [126회 1교시 9번] [124회 1교시 12번] [124회 2교시 5번]
[123회 2교시 5번] [121회 1교시 11번] [120회 4교시 6번] [117회 4교시 3번]
[108회 4교시 6번] [105회 4교시 6번]

위험성평가는 사업주 또는 안전보건관리책임자가 중심이 되어 수행

- 1단계 : 사전준비를 통해 평가대상을 확정하고 실무에 필요한 자료를 입수
- 2단계 : 다양한 방법을 통해 유해,위험요인을 파악
- 3단계 : 파악된 유해,위험요인에 대한 위험성을 추정
  ※ 상시근로자 수 20명 미만 사업장(총 공사금액 20억 미만의 건설공사)의
     경우 위험성 추정을 생략할 수 있음
- 4단계 : 유해,위험요인별로 추정한 위험성의 크기가 허용 가능한 범위 인지
     여부 판단
- 5단계 : 허용할 수 없는 위험성의 경우 감소대책을 세워야 하며 감소대책은
     실행가능하고 합리적인 대책인지를 검토, 감소대책은 우선순위를
     정해 실행하고 실행 후에는 허용할 수 있는 범위 이내이어야 함.

◇ 사전준비

위험성평가 실시규정 작성, 평가대상 선정, 평가에 필요한 각종 자료 수집
  1. 작업표준, 작업절차 등에 관한 정보
  2. 기계·기구, 설비 등의 사양서, 물질안전보건자료(MSDS) 등의 유해·위험요인에
     관한 정보
  3. 기계·기구, 설비 등의 공정 흐름과 작업 주변의 환경에 관한 정보
  4. 같은 장소에서 사업의 일부 또는 전부를 도급을 주어 행하는 작업이 있는
     경우 혼재 작업의 위험성 및 작업 상황 등에 관한 정보
  5. 재해사례, 재해통계 등에 관한 정보
  6. 작업환경 측정 결과, 근로자 건강진단 결과에 관한 정보
  7. 그 밖에 위험성평가에 참고가 되는 자료 등

◇ 유해·위험요인 파악

  ◆ 유해·위험을 일으키는 잠재적 가능성이 있는 요인을 찾아내는 과정
  ◆ 사용 방법
   1. 사업장 순회점검에 의한 방법 (특별한 사정이 없는 한 포함)
   2. 청취조사에 의한 방법
   3. 안전보건 자료에 의한 방법
   4. 안전보건 체크리스트에 의한 방법
   5. 그 밖에 사업장의 특성에 적합한 방법

◇ 위험성 추정

  ◆ 유해·위험요인이 부상 또는 질병으로 이어질 수 있는 가능성 및 중대성의 크기를
    추정하여 위험성의 크기를 산출
   1. 가능성과 중대성을 행렬을 이용하여 조합하는 방법
   2. 가능성과 중대성을 곱하는 방법
   3. 가능성과 중대성을 더하는 방법
   4. 그 밖에 사업장의 특성에 적합한 방법

  ◆ 위험성 추정시 주의사항
   1. 예상되는 부상 또는 질병의 대상자 및 내용을 명확하게 예측할 것
   2. 최악의 상황에서 가장 큰 부상 또는 질병의 중대성을 추정할 것
   3. 부상 또는 질병의 중대성은 부상이나 질병 등의 종류에 관계없이 공통의
      척도를 사용하는 것이 바람직하며, 기본적으로 부상 또는 질병에 의한 요양
      기간 또는 근로손실 일수 등을 척도로 사용할 것
   4. 유해성이 입증되어 있지 않은 경우에도 일정한 근거가 있는 경우에는 그
      근거를 기초로 하여 유해성이 존재하는 것으로 추정할 것
   5. 기계·기구, 설비, 작업 등의 특성과 부상 또는 질병의 유형을 고려할 것

◇ 위험성 결정

  ◆ 유해·위험요인별 위험성추정 결과와 사업장 설정한 허용가능한 위험성의 기준을
    비교하여 추정된 위험성의 크기가 허용가능한지 여부를 판단
  ◆ 유해·위험요인별 위험성 추정 결과와 사업장 자체적으로 설정한 허용 가능한
    위험성 기준을 비교하여 해당 유해·위험요인별 위험성의 크기가 허용 가능한지
    여부를 판단

- 허용 가능한 위험성의 기준은 위험성 결정을 하기 전에 사업장 자체적으로 설정해 두어야 함

◇ 위험성 감소대책 수립 및 실행

- 위험성 결정 결과 허용 불가능한 위험성을 합리적으로 실천 가능한 범위에서 가능한 한 낮은 수준으로 감소시키기 위한 대책을 수립하고 실행
- 위험성의 크기, 영향을 받는 근로자 수 및 다음 각 호의 순서를 고려하여 위험성 감소를 위한 대책을 수립하여 실행
  1. 위험한 작업의 폐지·변경, 유해·위험물질 대체 등의 조치 또는 설계나 계획 단계에서 위험성을 제거 또는 저감하는 조치
  2. 연동장치, 환기장치 설치 등의 공학적 대책
  3. 사업장 작업절차서 정비 등의 관리적 대책
  4. 개인용 보호구의 사용
- 사업주는 위험성 감소대책을 실행한 후 해당 공정 또는 작업의 위험성의 크기가 사전에 자체 설정한 허용 가능한 위험성의 범위인지를 확인
- 위험성이 자체 설정한 허용 가능한 위험성 수준으로 내려오지 않는 경우에는 허용 가능한 위험성 수준이 될 때까지 추가의 감소대책을 수립·실행
- 중대재해, 중대산업사고 또는 심각한 질병이 발생할 우려가 있는 위험성으로서 위험성 감소대책의 실행에 많은 시간이 필요한 경우에는 즉시 잠정적인 조치를 강구
- 위험성평가를 종료한 후 남아 있는 유해·위험요인에 대해서는 게시, 주지 등의 방법으로 근로자에게 알려야 함

◇ 기록 및 보존

- 사업장에서 위험성평가 활동을 수행한 근거와 그 결과를 문서로 작성하여 보관
- 기록의 보존연한은 실시 시기별 위험성평가를 완료한 날로부터 기산하여 3년간 보존
- 기록내용
  1. 위험성평가를 위해 사전조사 한 안전보건정보
  2. 그 밖에 사업장에서 필요하다고 정한 사항

제105회 (2015년)
기계안전기술사

105회 기계안전기술사 출제 유형

교시	번호	세부항목
1	1	산업안전보건법
1	2	산업안전보건법
1	3	산업안전보건법
1	4	기계재료, 용접결함, 열처리
1	5	인간공학 및 행동과학
1	6	기타 전기, 화공 안전에 관한 기본사항
1	7	기타 전기, 화공 안전에 관한 기본사항
1	8	기계재료, 용접결함, 열처리
1	9	위험기계기구 및 설비의 방호조치
1	10	기타 전기, 화공 안전에 관한 기본사항
1	11	산업안전보건법
1	12	비파괴공학 및 시험검사
1	13	기계재료, 용접결함, 열처리
2	1	산업기계 설비 및 운반기계의 특징과 안전한 사용
2	2	비파괴공학 및 시험검사
2	3	본질적 안전화
2	4	기계재료, 용접결함, 열처리
2	5	기계재료, 용접결함, 열처리
2	6	기계재료, 용접결함, 열처리
3	1	재료시험 및 응력해석
3	2	재료시험 및 응력해석
3	3	기타 전기, 화공 안전에 관한 기본사항
3	4	산업기계 설비 및 운반기계의 특징과 안전한 사용
3	5	재료시험 및 응력해석
3	6	산업기계 설비 및 운반기계의 특징과 안전한 사용
4	1	위험기계기구 및 설비의 방호조치
4	2	산업안전보건법
4	3	인간의 특성과 안전과의 관계
4	4	기타 전기, 화공 안전에 관한 기본사항
4	5	산업기계 설비 및 운반기계의 특징과 안전한 사용
4	6	기계·설비의 위험성 평가

105회 (2015년) 기계안전기술사

기술사	제 105 회				제 1 교시 (시험시간: 100분)		
2015년도	분야	안전관리	자격 종목	기계안전기술사	성 명		

※ 다음 문제 중 10문제를 선택하여 설명하시오. (각 문제당 10점)

1. 산업안전보건법령상의 안전보건관리체계에서 안전보건관리책임자의 업무에 대하여 설명하시오

산업안전보건법 제15조(안전보건관리책임자)

① 사업주는 사업장을 실질적으로 총괄하여 관리하는 사람에게 해당 사업장의 다음 각 호의 업무를 총괄하여 관리하도록 하여야 한다.

1. 사업장의 산업재해 예방계획의 수립에 관한 사항

2. 제25조 및 제26조에 따른 안전보건관리규정의 작성 및 변경에 관한 사항

3. 제29조에 따른 안전보건교육에 관한 사항

4. 작업환경측정 등 작업환경의 점검 및 개선에 관한 사항

5. 제129조부터 제132조까지에 따른 근로자의 건강진단 등 건강관리에 관한 사항

6. 산업재해의 원인 조사 및 재발 방지대책 수립에 관한 사항

7. 산업재해에 관한 통계의 기록 및 유지에 관한 사항

8. 안전장치 및 보호구 구입 시 적격품 여부 확인에 관한 사항

9. 그 밖에 근로자의 유해·위험 방지조치에 관한 사항으로서 고용노동부령으로 정하는 사항

2. 사업장의 음압(dB) 수준이 80dB~110dB일 경우 산업안전보건법상의 기준 허용 소음 노출시간을 표시하고 , 소음을 통제하는 일반적인 방법을 구체적으로 설명하시오.

[124회 1교시 2번] [108회 4교시 2번]

산업안전보건기준에 관한 규칙 제4장 소음 및 진동에 의한 건강장해의 예방

1. "소음작업"이란 1일 8시간 작업을 기준으로 85데시벨 이상의 소음이 발생하는 작업을 말한다.

2. "강렬한 소음작업"이란 다음 각목의 어느 하나에 해당하는 작업을 말한다.
   가. 90데시벨 이상의 소음이 1일 8시간 이상 발생하는 작업
   나. 95데시벨 이상의 소음이 1일 4시간 이상 발생하는 작업
   다. 100데시벨 이상의 소음이 1일 2시간 이상 발생하는 작업
   라. 105데시벨 이상의 소음이 1일 1시간 이상 발생하는 작업
   마. 110데시벨 이상의 소음이 1일 30분 이상 발생하는 작업
   바. 115데시벨 이상의 소음이 1일 15분 이상 발생하는 작업

3. "충격소음작업"이란 소음이 1초 이상의 간격으로 발생하는 작업으로서 다음 각 목의 어느 하나에 해당하는 작업을 말한다.
   가. 120데시벨을 초과하는 소음이 1일 1만회 이상 발생하는 작업
   나. 130데시벨을 초과하는 소음이 1일 1천회 이상 발생하는 작업
   다. 140데시벨을 초과하는 소음이 1일 1백회 이상 발생하는 작업

4. 청력보존프로그램
   소음노출 평가, 소음노출 기준 초과에 따른 공학적 대책, 청력보호구의 지급과 착용, 소음의 유해성과 예방에 관한 교육, 정기적 청력검사, 기로, 관리 사항 등이 포함된 소음성 난청실환을 예방, 관리하기 위한 종합적인 계획
   아래 2가지 사항 중 어느 하나에 해당이 되는 사업장은 청력보존프로그램을 실시하여야 함
   1. 작업환경측정 결과 소음수준이 90dB을 초과하는 사업장
   2. 소음으로 인하여 근로자에게 건강장해가 발생산 사업장

5. 소음을 통제하는 일반적인 방법

분류	방법	예시
소음원 대책 (적극적 대책)	▪ 진동량과 진동 부분의 표면을 줄임 ▪ 장비의 적절한 설계, 관리, 윤활 ▪ 차음벽 설치 ▪ 노후부품 교환 ▪ 덮개, 장막 사용 ▪ 탄력성 있는 재질의 공구 사용	▪ 부조합 조정, 부품 교환 ▪ 저소음형 기계의 사용 ▪ 방음커버 ▪ 소음기, 흡음덕트 ▪ 방진고무 사용 ▪ 제진재 장착 ▪ 소음기, 덕트, 차음벽 사용 ▪ 자동화 도입
전파경로 대책 (적극적 대책)	▪ 소음원을 멀리 이동 시킴 ▪ 흡음재를 사용하여 반사음을 억제 ▪ 소음기, 차음벽 이용	▪ 변경배치 ▪ 차폐물, 방음창, 방음실 ▪ 건물내부 흡음처리 ▪ 소음기, 덕트, 차음벽 이용
수음자 대책 (소극적 대책)	▪ 방음용구 착용 (귀마개, 귀덮개 착용) ▪ 노출시간 단축 및 적절한 휴식	▪ 방음 감시실 ▪ 작업스케쥴의 조정, 원격 조정 ▪ 귀마개, 귀덮개

3. 산업안전보건법령상의 제조업 유해·위험방지계획서제출대상 특정설비에 대하여 설명하시오.

[121회 3교시 3번] [117회 4교시 5번] [111회 3교시 2번] [108회 4교시 3번]

제조업 유해·위험방지계획서 제출대상

전기 계약 용량이 300kw 이상인 13개의 업종으로 건설물, 기계, 기구 등 일체를 설치, 이전, 변경하는 경우와 모든 업종의 사업장에서 고용노동부령으로 정하는 5개의 설비를 설치, 이전, 변경하는 경우

◇ 13개의 업종

    1) 금속가공 제품 제조업
    2) 비금속 광물제품 제조업
    3) 기타 기계 및 장비 제조업
    4) 자동차 및 트레일러 제조업
    5) 식료품 제조업
    6) 목재 및 나무제품 제조업
    7) 기타 제품 제조업
    8) 2차 금속 제조업
    9) 화학물질 및 화학제품 제조업
    10) 반도체 제조업
    11) 가구 제조업
    12)전자부품 제조업
    13)고무제품 및 플라스틱 제조업

◇ 5개의 설비

    1) 용해로
    2) 화학설비
    3) 건조설비
    4) 가스집합용접장치
    5) 허가 및 관리 대상 유해화학물질, 분진작업 관련설비

제출서류

    1) 건축물 각 층의 평면도
    2) 기계설비의 개요를 나타내는 서류
    3) 기계설비의 배치 도면
    4) 원재료 및 제품의 취급
    5) 제조 등의 작업 방법의 개요
    6) 그 밖의 도면과 서류

4. 기계고장율의 기본모형(욕조곡선 , Bathtub curve)을 그림으로 도시하고 설명하시오.

[124회 3교시 3번] [105회 1교시 4번]

◇ 장비의 고장은 크게 세 가지로 나눌 수 있음
◇ 시간이 지남에 따라서 나타나는 고장의 일반적인 형태는 초기고장, 우발고장, 마모고장으로 구분

$$고장율(\lambda) = \frac{기간중의\ 고장건수(r)}{총\ 가동\ 시간(t)}$$

총 가동 시간은 전체수량 × 가동시간

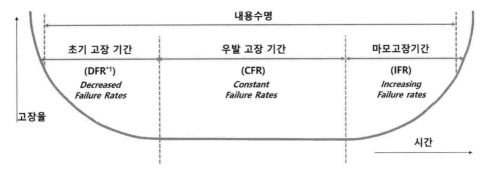

[기계의 고장률(욕조곡선, Bathtub Curve)]

1. 초기고장
   설비 등 사용 개시 후의 비교적 빠른 시기에 설계, 제작, 조립상의 결함, 사용 환경과의 부적합 등에 의해서 발생하는 고장이다.
   ◆ 디버깅(Debugging) 기간 : 결함을 찾아내어 고장률을 안정시키는 기간
   ◆ 번인(Burn-in) 기간 : 장시간 움직여보고 그 동안에 고장난 것을 제거시키는 기간

2. 우발고장
   초기고장 기간과 마모고장 기간 사이에 우발적으로 발생하는 고장이다. 돌발형 고장이라 시간의 의존성이 없고, 전적으로 랜덤해서, 언제 다음 고장이 일어날지 예측할 수 없게 일어나며, 평균적으로 동일비율로 발생한다.

3. 마모고장
   구성부품 등의 피로, 마모, 노화현상 등에 의해 발생하며 시간의 경과와 함께 고장률이 급격히 커진다.

5 기계장치에 사용하는 정량적인 동적 표시장치의 3가지 기본형과 각각의 종류에 대하여 설명하시오.

정량적 표시장치
　정량적 표시장치는 온도와 속도 같이 동적으로 변화하는 변수나 자로 재는 길이와 같은 정적변수의 계량값에 관한 정보를 제공하는데 사용된다.
　예) 속도계, 전력계 등

◇ 정량적인 동적 표시장치 3가지
- 동침형(moving pointer) : 눈금(Scale)이 고정되고 지침(Pointer)이 움직임
- 동목형(moving scale) : 지침이 고정되고 눈금이 움직임
- 계수형 : 전력계나 택시요금 계기와 같이 기계, 전자적으로 숫자가 표시되는 형식

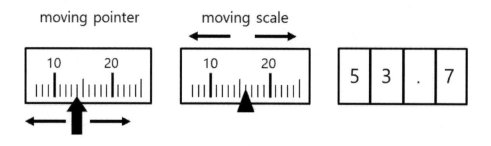

◇ 정량적인 동적 표시장치의 장, 단점 및 사용예시

구분	동침형	동목형	계수형
장점	변화율 (방향과 속도) 판독 가능		정확한 판독
	목표치와 차이 판독 유리	동침형에 비해 좁은 창 면적	
단점	정확한 수치 판단에 내삽(interpolation)이 필요		변화율, 차이판독 난점
사용예시	속도계	체중계	전력계

6. 정전기로 인한 화재 폭발 등의 방지대상 설비를 나열하시오.

1. 위험물을 탱크로리 · 탱크차 및 드럼 등에 주입하는 설비
2. 탱크로리 · 탱크차 및 드럼 등 위험물저장설비
3. 인화성 액체를 함유하는 도료 및 접착제 등을 제조 · 저장 · 취급 또는 도포하는 설비
4. 위험물 건조설비 또는 그 부속설비
5. 인화성 고체를 저장하거나 취급하는 설비
6. 드라이클리닝설비, 염색가공설비 또는 모피류 등을 씻는 설비 등 인화성유기용제를 사용하는 설비
7. 유압, 압축공기 또는 고전위정전기 등을 이용하여 인화성 액체나 인화성 고체를 분무하거나 이송하는 설비
8. 고압가스를 이송하거나 저장 · 취급하는 설비
9. 화약류 제조설비
10. 발파공에 장전된 화약류를 점화시키는 경우에 사용하는 발파기(발파공을 막는 재료로 물을 사용하거나 갱도발파를 하는 경우는 제외한다)

7. 유압작통유의 구비조건에 대하여 107 지만 쓰시오

① 강인한 유막을 형성할 것
② 적당한 점도와 유동성을 가질 것
③ 비중이 적당할 것
④ 인화점 및 발화점이 높을 것
⑤ 압축성이 없고, 체적 탄성 계수가 클 것
⑥ 윤활성이 좋을 것
⑦ 점도와 온도와의 관계가 좋을 것 (점도지수가 클 것)
⑧ 물리적, 화학적 변화가 없고 안정적일 것
⑨ 유압 장치에 사용되는 재료에 대하여 불활성일 것
⑩ 독성이 없을 것
⑪ 휘발성이 없을 것
물, 먼지, 공기 등을 신속히 분리

8. 기어에서 이빨의 크기를 표시하는 기본요소(원주피치 , 모률 , 지름피치 와이들 상호간의 관계식을 단위를 포함하여 설명하시오

이의 크기를 나타내는 단위로 피치원 지름을 잇수로 나눈 값이며 원주 피치를 원주율 π로 나눈 값과 같다. 기어의 피치원 지름을 D(mm), 잇수를 Z, 원주피치를 p라 하면 다음과 같은 관계식이 이루어진다.

기어의 원주 = π x 피치원지름 = 원주피치 x 기어 잇수

$\pi D = pZ$ $p = \pi D / Z$

m = D / Z이므로

$p = \pi m$ $m = p / \pi$이다.

피치원 지름이 일정할 경우 모듈이 클수록 이의 크기는 커지고 잇수는 작아진다.

9. 양중기에 사용하는 과부하방지 장치의 종류와 특성에 대하여 설명하시오.
[114회 2교시 1번] [105회 1교시 9번]

방호장치 안전인증 고시 [고용노동부고시 제2021-22호]
【별표 2】양중기 과부하방지장치 성능기준(제6조 관련)

종 류	원 리	적용
전자식 (J-1)	스트레인 게이지를 이용한 전자감응방식으로 과부하상태 감지	크레인, 곤돌라, 리프트, 승강기
전기식 (J-2)	권상모터의 부하변동에 따른 전류변화를 감지하여 과부하상태 감지	호이스트, 크레인
기계식 (J-3)	전기전자방식이 아닌 기계·기구학적인 방법에 의하여 과부하 상태를 감지	크레인, 곤돌라, 리프트, 승강기

과부하 방지장치(Overload Limiter)

- ✦ 양중기의 정격하중 이상의 하중이 부하되었을 경우 자동적으로 권상장치를 정지시키는 장치
- ✦ 작동원리에 따라 전자식, 전기식, 기계식이 있으며 건설용 리프트에는 전기식은 설치가 금지됨

◇ 종류
- ✦ 전자식
  - 스트레인 게이지를 이용한 전자감응방식으로 과부하상태 감지
  - moment limiter포함
  - 스트레인게이지와 컨트롤 부분으로 구성
  - 스트레인게이지에는 로드셀이 부착됨
  - 스트레인 게이지의 전기식 저항값의 변화에 따라 아주 민감하게 동작
  - 로드셀의 성능에 따라 정확성이 크게 좌우됨
  - 변화되는 중량을 디지털로 표시하여 알려줄 수 있어 편리하나 가격이 비쌈
  - 과부하방지방법은 하중의 방향에 따라 인장로드셀, 압축로드셀이 있음
  - 양중기의 설계 및 제작부터 설치하는 것이 바람직함
- ✦ 전기식
  - 권상모터의 부하변동에 따른 전류변화를 감지하여 과부하상태 감지
  - 정지상태에서는 감지하지 못하기 때문에 층간 정지가 가능한 승강기, 리프트, 곤도라에서는 사용불가
  - 권상모터의 전류변화를 변류기(current transformer)로 감지하여 양중기를 정지함
  - 일반 현장에서 가장 많이 활용되고 있는 방호장치
  - 설치가 용이하며 가격이 저렴하나 권상모터가 동작할 때만 감지가 가능하므로 정지상태에서는 감지가 불가하여 크레인에만 사용가능함
  - 크레인이 고속용와 저속용 권상모터가 각각 있는 경우 2개를 설치해야 하기 때문에 적합하지 않아 소형크레인에만 사용
- ✦ 기계식
  - 전기전자방식이 아닌 기계·기구학적인 방법에 의하여 과부하 상태를 감지
  - 스프링의 탄성을 이용한 정지형 안전장치
  - 부하의 하중을 스프링에 작용하는 하중으로 환산하여 스프링의 정격 탄성력 이상으로 작용하면 마이크로 스위치가 동작하여 운전을 정지함

10. 선반가공을 할 때 발생되는 칩 (chip) 의 모양을 4가지 종류로 구분할 수 있는데 이에 대하여 설명하시오.

[120회 4교시 3번] [105회 1교시 10번]

칩의 생성에 영향을 미치는 요인
① 절삭속도
② 절삭깊이
③ 공작물의 재질
④ 공구의 형상 (공구 상면경사각)
⑤ 칩의 변형전 두께
⑥ 절삭유 사용

칩(chip)의 모양

◇ 유동형 칩 (Flow Type Chip)
연한 재질을 고속으로 절삭할 때 나타나는 칩 형태로 칩이 유동하는 것처럼 연속적으로 생성된다. 연성 재료를 고속 절삭 할 때 생긴다. 이상적인 칩의 형태로 생각하면 쉽다.
 ◆ 유동형 칩의 특징
  - 깨끗한 가공면 (일정한 절삭저항)
  - 칩의 미끄럼 발생 간격이 좁음 (전단소성변형)
  - 칩이 공작물로부터 분리되지 않음
  - 공구 경사면에서 마모가 심함

◇ 전단형 칩(Shear Type Chip)
단단한 재질을 약간 느린 절삭속도로 절삭할 때 나타내는 칩 형태이다.
두께가 고르지 않는 칩들이 일정한 간격으로 분리되어 생성된다.

◇ 열단형 칩(Tear Type Chip)
매우 연한 재질을 절삭할 때 나타내는 칩 형태이다.
공구가 진행함에 따라 진행선의 아래쪽 방향으로 찢어짐(Tear)이 발생하여 마무리 면에 뜯어낸 자리가 남은 칩 형태이다.뜯어진 형태가 나타난다.

◇ 균열형 칩(Crack Type Chip)

취성6)이 큰 재질을 절삭할 때 나타나는 칩 형태이다.

절삭가공중 공작물의 변형이 거의 없다가 임계압력 이상될 때 순간적으로 균열이 발생되면서 생성된다.

- ◆ 균열형 칩의 특징
  - 절삭저항의 변동이 매우 심함
  - 지저분한 마무리면 (균열파괴로 절삭면 생성)
  - 공구경사면을 미끄러지는 마찰력이 적음 (공구 경사면 마모 적음)

종류	특징	그림
유동형 칩	■ 절삭 속도가 클 때 ■ 절삭 깊이가 작을 때 ■ 절삭제 공급이 많을 때 ■ 공구경사면 유동 ■ 절삭저항, 절삭온도 변화 일정 ■ 진동이 적고 가공상태 양호	
전단형 칩	■ 연성소재 저속 절삭 ■ 절삭각이 클 때 ■ 절삭깊이가 깊을 때 ■ 전단변형 주기적 ■ 소성변형 시 절삭저항 변화로 가공진동 원인으로 가공상태 불량	
열단형 칩	■ 경작형 칩이라고도 함 ■ 점성이 큰 재료의 저속 절삭 시 발생 ■ 공구인선 하방 균열과 파단이 반복 ■ 절삭저항 변동이 큼 ■ 표면 가공상태 불량	
균열형 칩	■ 취성재료 저속 절삭 ■ 절삭각이 적을 때 ■ 날 절입 순간 균열 ■ 절삭저항 급격 변화 ■ 소성변형 없이 균열 ■ 소재 표면까지 균열되어 가공면 불량	

---

6) 취성: 재료의 형태가 변형되지 않는 환경하에서 파손되는 정도

11. 산업안전보건법령상의 안전인증대상 기계·기구및 설비 (10종)와 보호구 (12종)를 구분하여 그 대상을 쓰시오.

[127회 1교시 2번] [126회 1교시 12번] [121회 3교시 4번] [114회 1교시 9번]
[111회 1교시 12번] [108회 3교시 2번] [105회 1교시 11번]

[121회 3교시 4번] 참조

산업안전보건법 시행령 제74조(안전인증 대상기계 등)

① 법 제84조제1항에서 "대통령령으로 정하는 것"이란 다음 각 호의 어느 하나에 해당하는 것을 말한다.

  1. 다음 각 목의 어느 하나에 해당하는 기계 또는 설비
     가. 프레스
     나. 전단기 및 절곡기(折曲機)
     다. 크레인
     라. 리프트
     마. 압력용기
     바. 롤러기
     사. 사출성형기(射出成形機)
     아. 고소(高所) 작업대
     자. 곤돌라

보호구 안전인증 고시 [고용노동부고시 제2020-35호]

  1. 추락 및 감전 위험방지용 안전모
  2. 안전화
  3. 안전장갑
  4. 방진마스크
  5. 방독마스크
  6. 송기마스크
  7. 전동식 호흡보호구
  8. 보호복
  9. 안전대
  10. 차광보안경
  11. 용접용 보안면
  12. 방음용 귀마개 또는 귀덮개

구분	안전인증대상	자율안전확인대상
기계 또는 설비	가. 프레스 나. 전단기 및 절곡기(折曲機) 다. 크레인 라. 리프트 마. 압력용기 바. 롤러기 사. 사출성형기(射出成形機) 아. 고소(高所) 작업대 자. 곤돌라	가. 연삭기(研削機) 또는 연마기. 이 경우 휴대형은 제외한다. 나. 산업용 로봇 다. 혼합기 라. 파쇄기 또는 분쇄기 마. 식품가공용 기계(파쇄·절단·혼합·제면기만 해당한다) 바. 컨베이어 사. 자동차정비용 리프트 아. 공작기계(선반, 드릴기, 평삭·형삭기, 밀링만 해당한다) 자. 고정형 목재가공용 기계(둥근톱, 대패, 루타기, 띠톱, 모떼기 기계만 해당한다) 차. 인쇄기
방호 장치	가. 프레스 및 전단기 방호장치 나. 양중기용(揚重機用) 과부하 방지장치 다. 보일러 압력방출용 안전밸브 라. 압력용기 압력방출용 안전밸브 마. 압력용기 압력방출용 파열판 바. 절연용 방호구 및 활선작업용(活線作業用) 기구 사. 방폭구조(防爆構造) 전기기계·기구 및 부품	가. 아세틸렌 용접장치용 또는 가스집합 용접장치용 안전기 나. 교류 아크용접기용 자동전격방지기 다. 롤러기 급정지장치 라. 연삭기 덮개 마. 목재 가공용 둥근톱 반발 예방장치와 날 접촉 예방장치 바. 동력식 수동대패용 칼날 접촉 방지장치

구분	안전인증대상	자율안전확인대상
방호장치	아. 추락·낙하 및 붕괴 등의 위험방지 및 보호에 필요한 가설기자재로서 고용노동부장관이 정하여 고시하는 것 자. 충돌·협착 등의 위험 방지에 필요한 산업용 로봇 방호장치로서 고용노동부장관이 정하여 고시하는 것	사. 추락·낙하 및 붕괴 등의 위험방지 및 보호에 필요한 가설기자재(제74조제1항제2호아목의 가설기자재는 제외한다)로서 고용노동부장관이 정하여 고시하는 것
보호구	가. 추락 및 감전 위험방지용 안전모 나. 안전화 다. 안전장갑 라. 방진마스크 마. 방독마스크 바. 송기(送氣)마스크 사. 전동식 호흡보호구 아. 보호복 자. 안전대 차. 차광(遮光) 및 비산물(飛散物) 위험방지용 보안경 카. 용접용 보안면 타. 방음용 귀마개 또는 귀덮개	가. 안전모 (제74조제1항제3호가목의 안전모는 제외한다) 나. 보안경 (제74조제1항제3호차목의 보안경은 제외한다) 다. 보안면 (제74조제1항제3호카목의 보안면은 제외한다) 제74조(안전인증대상기계등) ① 법 제84조제1항에서 "대통령령으로 정하는 것"이란 다음 각 호의 어느 하나에 해당하는 것을 말한다. 3. 다음 각 목의 어느 하나에 해당하는 보호구 가. 추락 및 감전 위험방지용 안전모 차. 차광(遮光) 및 비산물(飛散物) 위험방지용 보안경 카. 용접용 보안면

12. 방사선투과 검사원이 발전소 건설현장에서 검사업무를 할 때 주요 위험 요인과 작업 전 및 작업 중의 안전수칙(대책)을 쓰시오.

비파괴검사의 안전작업

◇ 안전대책
- ◆ 작업수행구역 설정 및 구획을 표시하고 통행 및 출입을 통제
- ◆ 작업 전, 중, 후 수시로 방사선 측정
- ◆ 방사선 취급에 수반되는 모든 방사선의 위험에 대한 적절한 조치방안을 교육
- ◆ 선원의 도난, 분실 등에 대비해 적절한 조치를 실시
- ◆ 안전관리장비를 항상 휴대하도록하고 이를 적절히 사용해야 함
- ◆ 추락할 위험이 있는 경우 노동자에게 안전대를 착용시킨 후 안전대를 안전하게 걸어 사용할 수 있는 설비 등을 설치
- ◆ 비계의 구조 및 재료에 따라 작업발판의 최대적재하중을 준수하고 초과적재 하지 않아야 함
- ◆ 비계는 안전인증을 받은 제품을 사용
- ◆ 추락의 위험이 있는 장소에는 안전난간, 안전망을 반드시 설치

◇ 안전수칙
- ◆ 방사선작업종사자는 방사선 취급에 수반되는 모든 방사선의 위험에 대해 적절 한 조치를 취할 수 있는 지식을 갖춰야 함
- ◆ 작업 시작 전 모든 방사선장비의 이상유무를 사전 점검
- ◆ 작업 시 방사선 방의 3대 원칙(시간, 거리, 차폐)을 준수하고, 불필요한 피폭 금지
- ◆ 방사선 장비의 고장이나 방사성동위원소의 분실 등 사고 발생 시에는 방사선 위험구역을 설정하고 방사선안전관리자에게 즉시 보고
- ◆ 작업장 하부에서는 동시 작업 금지
- ◆ 필요한 개인 방호기구는 항상 몸에 착용하고 작업에 임하며 수시로 점검
- ◆ 방사선 관리구역을 설정하고, 방사선 표지를 부착하여 내부 출입인원에 대한 관리감독을 철저히 실시
- ◆ 기타 안전관리규정에 대한 제반 사항을 철저히 준수

13. 로프는 사용에 따라 마모와 피로가 수반되고 연속적인 하중이 주어짐에
    따라 늘어나게 된다. 이러한 늘어남은 전형적인 3단계의 신율특성을
    보이는데 이에 대하여 설명하시오.

1) 구조적신율
   ◆ 반복하중에 의해 최초 길이보다 영구적으로 늘어나 잉여 길이가 생기는 것
   ◆ 로프는 여러 가닥의 소선이 꼬여, 반복하중으로 공극이 제거되고, 로프 내
     소선간의 압착이 발생하여 길이가 늘어남
   ◆ 사용 초기 전체 신율량의 대부분이 발생

2) 탄성신율
   ◆ 로프 장력으로 비례하고, 늘어났다가 하중 제거 시 원래 길이로 복원되는 신율
   ◆ 로프 사용 수명에서 가장 긴 기간이며, 조금씩 신율이 증가함

3) 영구신율
   ◆ 로프가 급격히 열화상태에 도달하였음을 의미. 마모 및 피로 등이 겹쳐 발생
   ◆ 신율 곡선의 2번째 상승부분이며, 로프를 교체해야 함

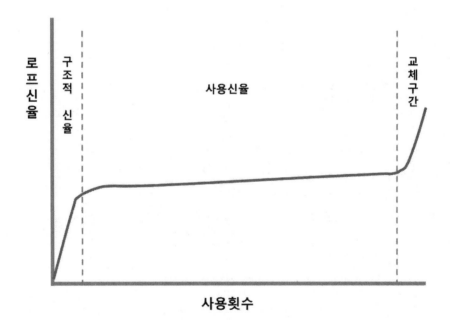

[신율-사용시간곡선]

국가기술 자격검정 시험문제

기술사	제 105 회			제 2 교시 (시험시간: 100분)		
2015년도	분야	안전관리	자격종목	기계안전기술사	성명	

※ 다음 문제 중 4문제를 선택하여 설명하시오. (각 문제당 25점)

1. 산업현장에서 사용하는 지게차를 작업용도에 따라 분류하고, 설명하시오.

[123회 1교시 12번] [121회 3교시 2번] [120회 1교시 13번] [108회 1교시 5번]
[105회 2교시 1번]

작업용도에 따라 하이마스트, 로드 스테빌라이저, 트리플 스테이지 마스터, 스키드 포크, 힌지 버킷, 로테이팅 포크 등 여러종류로 분류된다.

하이마스트 (High mast, 2단 마스트)	3단 마스트 (Tripe stage mast
비교적 높은 위치의 작업에 적당하며 작업 공간을 최대한 활용할 수 있는 지게차로 지게차 종류 중 가장 표준임	마스트가 3단으로 되어 있어 하이 마스트보다 높은 장소에서의 적재, 적하 작업에 유리한 지게차

로드 스태빌라이저 (Roda stabilizer)	스키드 포크 (Skid fork)
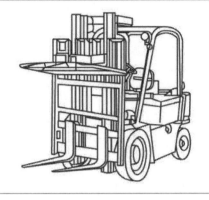	
고르지 못한 노면이나 경사지 등에서 깨지기 쉬운 화물이나 불안전한 화물의 낙하를 방지하기 위해 포크 상단에 상하로작동할 수 있는 압력판을 부착한 지게차 종류	포크에 적재된 화물이 주행 중 또는 하역 작업 중에 미끄러져 떨어지지 않도록 화물 위쪽을 지지할 수 있는 장치가 있는 지게차
힌지드 버킷 (Hinged bucket)	힌지드 포크 (Hinged fork and bucket)
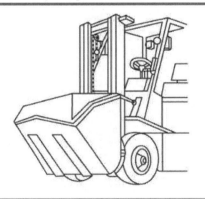	
석탄, 소금, 비료, 모래 등 흘러내리기 쉬운 화물의 운반에 사용되는 지게차 작업을 할 때마다 질량이 다르기 때문에 질량을 확인 후 사용해야 함	원목이나 파이크 등의 운반 및 적재에 사용하며 포크의 하향 각도가 크므로 끝 부분이 지면에 닿지 않도록 주의해야 함

램 (Ram)	로테이팅 포크 (Rotating fork)

원통형(코일)의 화물을 램에 끼워 운반할 때 사용. 중량물을 취급할 때는 화물을 램의 뒷부분까지 삽입한 후 주행해야 함. 긴 화물을 취급할 때는 주변의 작업자나 설비에 접촉하지 않도록 주의하고, 선회할 때는 주행속도를 낮추어야 함	포크를 360도 회전시킬 수 있어 박스 파레트에 날개 물품의 적재 및 적하 작업이 가능한 지게차. 포크를 급회전시키면 화물의 무게 변동에 의해 마스트가 비틀리거나 전도될 위험이 있으므로 주의해야 함
포스 포지셔너 (Fork positioner)	클램프 (Clamp)
	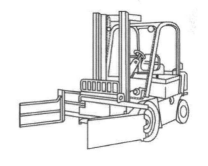
레버 조작으로 포크 간격을 조작할 수 있어 파레트나 화물의 폭이 고르지 않을 때 사용	화물을 양쪽에서 집어서 운반할 수 있는 지게차. 화물 운반 도중 낙하 또는 변형을 방지하기 위해 클램프 압력을 적절히 조절해야 함

드럼 클램프 (Drum clamp)	로테이팅 클램프 (Rotating clamp)
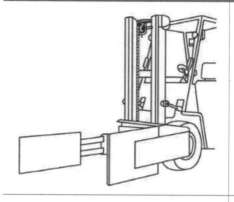	
드럼통 운반 전용으로 사용하는 지게차로 드럼통을 2단으로 싣는 경우에는 집는 힘이 약하여 낙하 위험이 있음. 드럼통 이외의 화물을 집으면 낙하하거나 변형의 원인이 됨	롤, 종이 등을 집는데 사용하며 가로로 둔 것을 세로로 옮겨 쌓는 작업이 가능함. 클램프 회전 시 편하중이 생기므로 화물의 중심을 잡아야 하며, 클램프 상승시킨 상태에서 회전해서는 안 됨
롤 클램프 암 (Roll clamp with long arm)	푸시 풀 (Push pull)
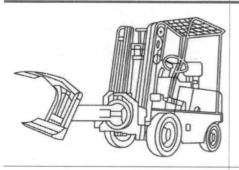	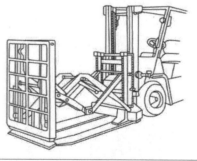
긴 암의 끝부분이 둥근 형태의 화물을 취급할 수 있도록 클램프 암이 설치된 것으로, 컨테이너 안쪽 또는 지게차 포크가 닿지 않는 작업 범위에 있는 화물을 취급할 때 사용	컨베이어 벨트에 있는 시멘트 자루, 쌀 자루 등의 화물을 취급하는 장치로 푸시풀을 앞쪽으로 내민 상태로 적재한 후 주행하면 불안정하여 위험 작업 후, 푸시풀을 지게차 중심에 복귀

2. 비파괴검사방법 중 액체침투탐상(또는 염색침투탐상)과 자분탐상검사의
   장·단점을 설명하고, 적용시 안전대책을 설명하시오
   [121회 1교시 12번] [120회 3교시 6번] [117회 2교시 2번] [114회 1교시 5번]
   [105회 2교시 2번]

   [114회 1교시 5번] 참조

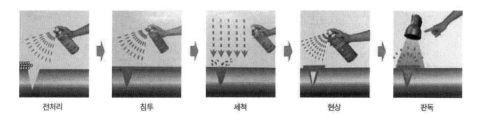

| 전처리 | 침투 | 세척 | 현상 | 판독 |

3. 기계설비의 본질안전화는 안전기능 내장 , fool proof 기능 및 fail safe
   기능이 있다. 이에 대하여 적용사례를 포함하여 설명하고 본질안전화의
   문제점을 설명하시오.
   [121회 1교시 2번] [114회 1교시 7번] [105회 2교시 3번]

◇ 본질안전화
   ◆ 본질안전 방폭전기 기계 기구에서 나온 용어
   ◆ 폭발성의 분위기 중에서 사용되는 통신, 계측용 등의 전기기계기구가 그 내부
     혹은 배선 사이에 단락이나 단선 등이 발생하여도 외부 분위기에 착화되는 일
     이 없는 구조의 것을 말함

◇ 본질안전화 3원칙
   ◆ 안전 기능이 기계장치에 내장되어 있을 것 (Interlock)
     - 안전프레스 (안전장치 기능이 내장되어 있는 것)
     - 교류아크용접기 (자동 전격 방지기가 내장되어 있는 것)
   ◆ Fool Proof 기능을 가질 것
   ◆ Fail Safe 기능을 가질 것

◇ Fool Proof

- 바보(fool)와 같이 되는 경우를 방지(proof)한다는 의미로서, 사용자가 실수를 하더라도 사용자나 시스템에 피해가 발생하지 않도록 하는 설계 개념
- 예를 들어 전원 플러그를 사용하여야 하는 경우에 극성이 다르게 삽입되는 것을 방지하기 위하여 플러그의 모양을 극성이 올바른 경우에만 삽입될 수 있도록 설계하는 경우이다.
- 특히 초보자나 미숙련자가 사용법을 잘 모르고 제품을 사용하더라도 사고가 나지 않도록 하는데 적절한 설계 개념
  - Affordance (행동 유도성 원칙)
  - Mental Model (좋은 개념모형의 원칙)
  - Mapping (대응의 원칙)
  - Visibility (가시성의 원칙)
  - Feedback (피드백의 원칙)
  - Consistency (일관성의 원칙)
  - Constraints (사용상 제약 원칙)
- 적용사례
  - 격리(보호덮개)
  - 세탁기 뚜껑을 열면 운전 정지
  - 프레스의 광-전자식 방호장치에 의한 급정지
  - 승강기의 과부하방지장치
  - 크레인의 권과방지장치
  - 분전반의 Padlock

◇ Fail Safe
고장이나 오류가 발생하는 경우(fail)에도 안전한 상태(safe)를 유지하는 방식
- Redundant system (중복 시스템 설계, 병렬체계 방식)
  - 비행기 엔진을 2개 이상 장착하여 1개 엔진이 고장 나더라도 다른 엔진을 이용하여 당분간 운항한 뒤 착륙할 수 있도록 하는 병렬체계 방식
- Standby system (대기 시스템 설계, 대기체계 방식)
  - 평소에는 작동하지 않다가 주 장치에 고장이 나면 작동하는 방식
    예) 병원 수술실이나 엘리베이터의 자가 발전기
- Error recovery (에러 복구)
  - 오류가 발생하여도 이를 쉽게 복구할 수 있게 하는 방식
    예) 컴퓨터 바탕화면의 휴지통
- 고장이 발생하면 시스템이 작동을 멈추는 방식

예) 과전압이 흐르면 전기가 차단되는 차단기, 넘어지면 작동이 되지 않는
전기히터 등

◇ 본질안전화의 문제점
  ◆ fool proof가 진보하면 인간은 기계의 위험성을 전혀 인식하지 않아도 안전하
    게 작업하는 것이 가능해지지만
    - 기계의 위험성을 알지 못하므로 예상 못한 무모한 행동을 할 수 있음
    - 사고 발생으로 fool proof를 해체하여야 하는 경우 오히려 위험이 커질 수
      있음
  ◆ fail safe를 위하여 상당수의 기계부품, 회로소자 등을 추가해야 하며, 이들의
    고장으로 인해 기계가 정지하거나 신뢰성이 하락할 수 있음
  ◆ 안전을 우선하는 정서와 기업의 손실방지 차원에서 도움이 되더라도 소요되는
    경비가 커지게 되어 한계가 있음

4. 강의 담금질 조직은 냉각속도에 따라 구분이 되는데 그 종류를 나열하고, 특성을 설명하시오.

◇ 오스테나이트(austenite)
  ◆ 냉각속도가 지나치게 빠르고, 고탄소강을 수냉하였을 때 나타나는 조직이다.
  ◆ 탄소강에서는 상온에서 불안정하여 가열하면 분해되어 마텐자이트로 변한다.
  ◆ 비자성체이며, 전기저항이 크고 경도는 낮으며 인장강도에 비하여 연신율이 크다.
  ◆ 점성과 내식성이 크고 절삭성이 나쁘다.

◇ 소르바이트(sorbite)
  ◆ 트루스타이트보다 냉각속도를 공냉으로 느리게 하면 나타나는 조직이다.
  ◆ 경도와 강도는 마텐자이트와 펄라이트의 중간 정도이다.
  ◆ 큰 강재를 기름에 냉각하거나 작은 강재를 공기 중에서 냉각할 때 나타난다.
  ◆ 강도와 경도가 트루스타이트보다 작다.
  ◆ 인성과 탄성을 동시에 요하는 스프링, 와이어로프, 피아노선 등에 많이 이용된다.
  ◆ 가공경화가 가장 적은 조직이다.

◇ 트루스타이트(troostite)

- 마텐자이트보다 냉각속도를 조금 유냉으로 느리게 하였을 때 나타난다.
- 냉각이 불충분하면 오스테나이트 조직이 페라이트와 시멘타이트로 변한 조직이다.
- 인성과 연성이 있는 큰 경도와 약간의 충격값을 요구하는 곳에 쓰인다.
- 큰 강재를 수중에 담금질할 경우 재료 중앙부분에 잘 나타난다.

◇ 마텐자이트(martensite)
- 강을 물에 급냉시켰을 때 나타나는 침상조적으로 과포화한 상태로 고용된 a철의 조직이 된다.
- 부식 저항이 크고, 인장강도 및 경도는 가장 크나 취성이 있다.
- 강자성체이며 여린 성질이 있고 연성이 작다.
- 마텐자이트가 시작하는 온도를 Ms점, 끝나는 온도를 Mf점이라 한다.
- 급냉이 너무 빠르면 오스테나이트의 일부가 남는다.

이상 네 가지 조직이 담금질 조직이라 하는 것인데 이 조직들의 경한 순으로 나열하면 다음과 같다.

시멘타이트(HB850) 〉마텐자이트(HE650) 〉트루스타이트(HB430) 〉소르바이트(HB270) 〉펄라이트(HB200) 〉오스테나이트(HB130) 〉페라이트(HB100)

냉각속도가 클수록 오른쪽 조직이 얻어지며, 경도는 이 순서대로 높아지며 냉각방법 다음과 같다.
- 급냉 : 소금물, 물, 기름에서 급속히 냉각
- 노냉 : 노 내에서 서서히 냉각
- 공냉 : 공기 중에서 자연냉각
- 항온냉각 : 급냉 후 일정 온도 유지한 다음 냉각

5. 가스용접 작업시 발생할 수 있는 사고의 유형과 발생원인 및 예방대책에 대하여 설명하시오.

[127회 1교시 6번] [121회 4교시 5번] [105회 2교시 5번]

◇ 가스용접이란?

가스용접이란 사용하는 가스에 따라 산소-아세틸렌(oxygen-acetylene)용접, 산소-수소(oxygen-hydrogen) 용접, 산소-프로판 용접 등이 있으며, 이 중 많이 사용되는 용접이 산소-아세틸렌(oxygen-acetylene)용접이다.

◇ 특징

* 얇은 금속의 용접에 적용
* 전기를 이용할 수 없는 곳에서의 금속 접합에 이용
* 금속의 가스 절단에 많이 이용

◇ 장점

* 응용범위가 넓으며 운반이 편리하다.
* 가열할 때 열량 조절이 비교적 자유롭기 때문에 박판용접에 적당하다.
* 전원 설비가 없는 곳에서도 쉽게 설치할 수 있고 설치 비용이 저렴하다.
* 아크용접에 비하여 유해광선의 발생이 적다.

◇ 단점

* 아크용접에 비해서 불꽃의 온도가 낮다.
* 열집중력이 나빠서 효율적인 용접이 어렵다.
* 폭발의 위험성이 크고 금속이 탄화 및 산화될 가능성이 많다.
* 아크용접에 비해 가열범위가 커서 용접응력이 크고 가열시간이 오래 걸린다.
* 용접변형이 크고 금속의 종류에 따라서 기계적 강도가 떨어진다.
* 아크용접에 비해 일반적으로 신뢰성이 적다.

작업시 발생할 수 있는 사고 유형의 발생원인 및 예방대책

1) 화재

발생원인	예방대책
◆ 불이 붙어 있는 착화된 취관을 작업자 주변에서 부주의하게 사용하는 행위 ◆ 취관을 가연물에 너무 까까이 접근하여 사용하는 행위 ◆ 가연성 물질이 들어 있거나 포함되어 있는 탱크 혹은 드럼을 절단하거나 수리하는 작업 ◆ 호스, 밸브 그리고 연료가스통에서 누출되는 가스 ◆ 산소통에서 누출되는 산소 ◆ 역화와 화염역류 등	■ 작업지역 내 가연성물질 제거 ■ 연료가스가 축적될 수 있는 장소, 공간은 환기 실시 ■ 바닥, 벽의 개구부 등을 통해 화염, 스파크 등이 빠져나가는 것을 방지하기 위해 덮개 등으로 차단 ■ 용접작업 장소에서는 반드시 4가지 물품을 비치 　◆ 물통 　◆ 불연성포 (칸막이 등) 　◆ 건조사 　　(바스켓에 마른 모래 담은 것) 　◆ 소화기

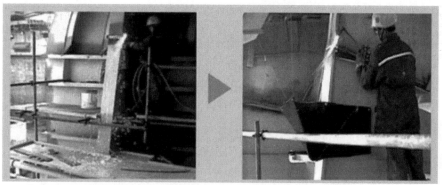

〈개선 전〉　　　　　〈개선 후〉

2) 폭발

발생원인	예방대책
◇ 탱크와 드럼 ▪ 산소, 연료가스 장비의 취관이나 버너가 가연성물질이 들어있는 탱크나 드럼에 사용될 때 폭발 가능성이 있음 　◆ 대부분의 비어있는 탱크나 드럼의 바닥에 잔류물이 남아있으며, 갈라진 틈이나 균열된 곳에도 잔류물이 남아있어 폭발의 원인이 됨 ▪ 소량(티스푼 정도)의 가연성액체라도 가열되고 증기화되어 폭발을 일으킬 수 있는 충분한 양의 증기를 발생시킬 수 있으므로 주의하여야 함	▪ 가연성 물질이 담겨져 있거나 또 그럴 가능성이 있는 드럼이나 탱크에 산소, 연료가스 장비의 취관을 사용해서는 안 됨 ▪ 드럼이나 탱크에 가연성물질이 남아 있으면 철저히 세척하거나 불활성화시켜야 함
◇ 타이어 ▪ 타이어가 장착된 휠을 용접하거나 화염 절단해서는 안 됨 ▪ 열은 휠 내 부림(Rim)에 있는 어떤 오일 혹은 윤활유를 가열시켜 가연성증기를 생성시키고, 타이어 안에 갇힌 가스가 발화하면 폭발을 일으킴	▪ 타이어를 제거한 뒤 휠을 용접하거나 절단작업을 해야 함

3) 질식

발생원인	예방대책
▪ 탱크 내부 산소농도 부족으로 인한 질식	▪ 작업 전 산소농도가 18% 이상 되는지 확인 ▪ 작업 중 감시인 배치

◇ 산소의 농도별 증상

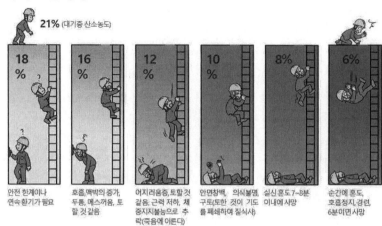

◇ 역화
- 화염이 취관 쪽으로 되돌아오는 현상으로 날카로운 쿵하는 소리와 함께 나타남
- 취관이 작업소재에 너무 가까이 있거나, 노즐이 막혀 있거나 혹은 부분적으로 막혀 있을 때 발생
- 화염이 취관 안으로 들어오기도 하고, 혼합되는 곳에서 계속 타기도 함
- 심각한 상해 혹은 충격을 야기하지는 않으나 장비의 결함으로 발생하므로 역화현상 발생 시 다음과 같이 조치하여야 함
  - 취관 밸브를 잠근다. 먼저 산소밸브를 잠그고 그 다음 연료밸브를 잠근다.
  - 산소, 연료가스 장비의 가스통 밸브를 잠근다.
  - 필요하다면 물로 취관을 냉각시킨다.
  - 장비에 손상이나 결함이 있는지 점검한다.

◇ 화염역류
- 산소가 연료가스 호스로 혹은 연료가 산소 호스로 역류하여 발생하며, 이때 호스내부에 폭발성 혼합기체가 생성됨
- 화염이 취관을 통하여 호스 안으로 들어오고, 정도가 심할 경우에는 압력조절기와 가스통에 닿을 수 있을 정도로 역류하면서 타 들어감
- 화염역류 재해 예방을 위하여 다음과 같이 조치하여야 함
  - 가스가 호스로 역류하는 것을 방지하기 위해 취관을 스프링이 부착되어 있는 체크밸브에 확실히 고정해야 함
  - 작업에 알맞은 가스압력과 노즐 치수를 사용하여야 함

- 체크밸브는 일단 화염역류가 발생하면 역류를 멈출 수 없으므로 안전기를 연료 및 산소 조절기에 고정시켜 가스통을 보호해야 함
- 충분한 여유가 있어 조치가 가능하다면 즉시 연료가스 및 산소통의 밸브를 모두 잠금

6. 구름베어링 (rolling bearing)과 미끄럼베어링 (slicling bearing)에 대한 특징을 비교 설명하시오.
[126회 3교시 2번] [123회 1교시 8번] [114회 4교시 2번] [105회 2교시 6번]

◇ 구름베어링(Rolling Bearing)
- ◆ 베어링과 저널 사이에 롤러에 의하여 접촉
- ◆ 구름베어링은 정도마다 차이는 있을 수 있으나 대체적으로 중·저속에 널리 사용

◇ 미끄럼베어링(Sliding Bearing)
- ◆ 베어링과 저널이 서로 미끄럼 접촉
- ◆ 미끄럼 베어링의 경우 고속 회전 시 윤활막이 생성되어 고속 회전에 적합하다.

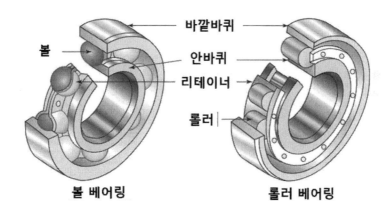

바깥바퀴
볼
안바퀴
리테이너
롤러

볼 베어링   롤러 베어링

◇ 구름베어링과 미끄럼베어링의 특징 비교

구분	미끄럼베어링	구름베어링
마찰	유체마찰, 마찰계수 큼	구름마찰, 마찰계수 작음
하중	비교적 작은 하중	비교적 큰 하중
소음 및 진동	조용함	정밀도에 따라 소음 발생
속도	고속회전	비교적 저속회전
내충격성	내충격성 작음	내충격성 큼
내열성	고온에 비교적 강함	고온에 약하여 100℃ 이상에서 사용하기 어려움
호환성	자가 제작은 용이 규격이 통일되지 않아 호환성이 없음	자가제작이 곤란 규격이 통일되어 호환성이 큼
수명	수명이 짧음	수명이 김
설치	설치 간단	내, 외륜을 끼워 맞춰야 하며, 주의가 필요
윤활	윤활장치 필요	불필요
가격	제작으로 고가	양산형으로 저렴

기술사	제 105 회			제 3 교시 (시험시간: 100분)		
2015년도	분야	안전관리	자격 종목	기계안전기술사	성명	

※ 다음 문제 중 4문제를 선택하여 설명하시오. (각 문제당 25점)

1. 용접부의 기계적인 파괴시험법에 대하여 설명하시오.

◇ 파괴시험법

기계적 시험	충격시험 (impact test)
	피로시험 (fatigue test)
	굽힘시험 (bending test)
	인장시험 (tension test)
	경도시험 (hardness test)
물리적 시험	물성시험 (비중, 점도, 표면장력)
	열특성시험 (팽창, 비열, 열전도)
	전기, 자기 특성시험 (저항, 기전력)
화학적 시험	화학 분석시험
	부식시험 (corrosion test)
	함유 수소시험 (hydrogen test)
야금학적 시험	육안조직시험 (macrography test)
	현미경 조직시험 (micrography test)
	파면시험 (fracture test)
	설퍼 프린트법 (sulfur print test)
용접성 시험	노치 취성시험 (notch brittleness test)
	용접연성시험 (weld ductility test)
	용접균열시험 (weld cracking test)

기계적 시험

- 용접 제품에 하중 또는 수압을 작용시켜 그 강도를 시험

- 용접한 것을 재료 시험기를 사용하여 인장강도, 압축강도, 연율, 경도, 충격, 피로, 굽힘 등의 시험을 함으로써 기계적 성질 및 결함을 시험

- 기계적 시험 방법을 일부 특수한 것을 제외하면 일반 금속 재료 시험법과 같은 방법이 쓰임

- 시험편 제조 방법 및 용접부의 시험 위치 등에 대해서는 규정되어 있는 규격으로 하여야 함

1) 충격시험 (샤르피식, 아이조드식)
   V형, U형의 노치를 만들어 충격적인 하중을 주어서 시험편을 파괴시키는 시험

2) 피로시험
   작은 힘을 수없이 반복하여 작용하면 파괴를 일으키는 방법

3) 굽힘시험
   용접부의 연성결함을 조사하기 위하여 사용하는 시험법

4) 인장시험
   인장강도, 항복점, 단면수축율, 연신율 등을 측정

※ 비파괴 시험법

- 외관검사 (visual test)

- 누설시험 (leak test)

- 침투시험 (penetrant test) : 형광 및 액체

- 자분탐상시험 (magnetic particle test)

- 와전류탐상시험 (eddy current test)

- 방사선투과시험 (radiographic test)

- 초음파탐상시험 (ultrasonic test)

- 음향방출시험 (acoustic emission)

2. 응력집중 및 응력집중계수에 대하여 설명하고 , 응력집중완화대책에 대하여 4가지만 쓰고 설명하시오.

응력집중
- 구멍, 홈, 단붙임 부분 등 재료의 표면형상이 급변하는 부분을 갖는 부품에 하중이 작용하면 그 단면에 나타나는 응력분포상태는 일반적으로 대단히 불규칙하게 되고, 이들 노치부분에 큰 응력이 발생하게 됨
- 노치효과에 의한 응력의 증대를 응력집중(Stress Concentration)이라고 함

응력집중계수

- 어떤 모양의 노치에 대응하여 응력이 집중되는 정도를 표시하는 계수
- 형상계수(Form Factor) 또는 응력집중계수(Stress Concentration Factor)
  - 응력집중현상이 발생하는 최대 응력과 응력집중이 없이 같은 최소단면적으로 나눈 그 단면의 평균응력의 비
- 응력 집중 계수는 α또는 Kt로 표시하며 다음 식으로 나타낸다.

$$\alpha = \frac{\text{노치부의 최대 응력}}{\text{응력집중이 없는 것으로 계산한 공칭 응력}}$$

응력집중완화대책

- 필렛 반지름r(그림b)을 되도록 크게하거나 테이퍼 부분(그림c)을 설치하여 단면 변화를 되도록 완만하게 한다.

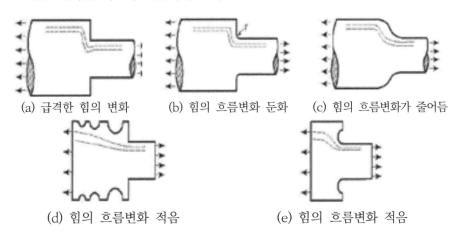

(a) 급격한 힘의 변화   (b) 힘의 흐름변화 둔화   (c) 힘의 흐름변화가 줄어듦

(d) 힘의 흐름변화 적음   (e) 힘의 흐름변화 적음

- 하나의 단면 변화 부분에 근접하여 제1, 제3의 단면 변화 부분(그림d)을 설치하여 재료 내의 응력의 흐름을 완만하게 한다.
- 단면 변화 부분에 보강재를 결합한다.
- 단면 변화 부분에 쇼트피닝(Shot Peening)과 롤러 압연 처리와 열처리를 시행하여 그 부분을 경화시키거나 표면거칠기를 향상시킨다.

3. 엘리베이터에서 사용하는 비상정지장치(safety gear)와 완충기(buffer)의 기능 및 종류에 대하여 설명하시오.

3-1 엘리베이터의 비상정지장치
엘리베이터 반기의 강하를 제동하는 장치이며, 점진적 비상정지(Gradual Safety)장치와 순간 비상정지(Instantaneous Safety)장치가 있다. 점진적 비상정지장치는 반기(搬器)의 강하에 따라서 회전하도록 장치되어 있는 권동(捲胴)의 회전에 의해서 가이드 레인(guide rail)을 사이에 끼우는 끼움쇠(liner)를 가이드 레일에 압착(壓着)시켜서 반기의 강하를 서서히 정지시키는 것이다.

3-2 완충기
카가 어떤 원인으로 최하층을 통과하여 피트로 떨어질 때 충격을 완화시키기 위해 설치한다.

◇ 완충기의 종류

- 스프링 완충기(spring buffer)
  ① 정격속도 60m/min 이하의 엘리베이터에 사용되며, 행정(stroke: 압축 전과 압축 후 사이의 거리)은 정격속도의 115%로 충돌시, 평균 감속도 1g(중력가속도) 이하로 정지하기에 필요한 길이어야 한다.
  ② 순간 최대감속 속도는 2.5g(중력가속도)를 넘지 않아야 하며 1/25(초)를 넘어(낙하되지 않아야)서는 안된다.
  ③속도별 최소행정(stroke)
   - 30m/min 미만 : 38mm
   - 30m/min 이상 45m/min 미만: 63mm
   - 45m/min 이상 60m/min 미만: 100mm

◆ 유압완충기

① 정격속도 60m/min를 초과하는 경우에 사용하며, 행정(stroke)은 정격속도의 115%로 충돌시, 평균감속도 1g(중력가속도)이하로 정지하기에 필요한 길이이어야 한다.
② 순간 최대감속 속도는 2.5g을 넘지 않아야 하며, 1/25(초)를 넘어(낙하되지 않아야)서는 안된다.
③ 속도별 최소행정
④ 적용중량
  - 카 완충기 최대 적용중량 : 카 자중 + 적재하중
  - 카 완충기 최소 적용중량 : 카 자중 + 65
  - 균형추용 완충기의 적용중량 : 균형추의 중량

4. 컨베이어에서 생길 수 있는 위험점의 종류를 나열하고 , 발생할 수 있는 위험성과 안전조치에 대하여 설명하시오.

4-1 위험점의 종류

◆ 회전하는 벨트와 벽체 또는 지면, 회전하는 스크류와 컨베이어 몸체에 끼임점
◆ 롤러 컨베이어 롤러 사이 물리점
◆ 체인과 스프로킨 휠 등 접선물림점
◆ 회전하는 롤러, 기어, 스크류 등 말림점

4-2 발생할 수 있는 위험성

◆ 컨베이어 동력전달부, 벨트와 가이드 틈새, 회전롤과 벨트 사이 등 위험점에 신체 일부나 작업복 등이 말려들어가 끼임
◆ 작동 중인 컨베이어의 정비, 점검, 불량품 제거 등의 작업 시 신체 끼임
◆ 정지상태에서 정비, 보수, 청소 등 작업 시 타 작업자의 오조작에 의한 불시 작동 위험
◆ 바닥에 낮게 설치된 수평 컨베이어 위로 통행하거나 이동용 발판으로 사용

◆ 근로자가 컨베이어 상부 또는 하부로 통행하다 작업복이나 신체 일부가 말림·
끼임

4-3 재해예방 대책

◆ 관리감독자는 작업 시작 전 컨베이어를 점검하고, 점검결과 이상이 발견 되면
즉시 수리하거나 그밖에 필요한 조치를 하여야 한다.
- 원동기 및 풀리 기능의 이상 유무
- 이탈 등의 방지장치 기능의 이상 유무
- 비상정지장치 기능의 이상 유무
- 원동기·회전축·기어 및 풀리 등의 덮개 또는 울 등의 이상 유무

◆ 작업 중 접촉할 우려가 있는 구조물 및 컨베이어의 날카로운 모서리, 돌기 물
등은 제거하거나 방호하는 등의 위험방지조치를 강구한다.
◆ 컨베이어를 횡단하는 곳에는 바닥면 등으로부터 90cm이상 120cm이하에
상부 난간대를 설치하고, 바닥면과의 중간에 중간난간대가 설치된 건널다리를
설치한다.
◆ 컨베이어 사용 중 정지가 가능한 구조의 경우에는 컨베이어의 일부 구간을
미닫이 형태로 열고 닫을 수 있는 구조로 설치하여 통행로를 확보한다.

4-4 컨베이어 사용 시 안전조치

◆ 주변 작업 장소에 대한 정리정돈으로 안전한 통행로 및 작업공간을 확보한다.
◆ 비상정지스위치 주위에는 장애물을 놓아두지 않도록 한다.
◆ 화물의 공급 시 과부하 되지 않도록 적재중량을 준수한다.
◆ 컨베이어는 상시 정상상태로 사용하고 성기적으로 정비를 실시한다.
◆ 청소, 수리, 정비, 급유 등의 작업 시에 근로자에게 위험을 미칠 우려가 있을
경우에는 컨베이어의 운전을 정지한 후 실시하고, 조작판넬 에는 조작 금지
표지판 등을 부착한다.

제191조(이탈 등의 방지)

사업주는 컨베이어, 이송용 롤러 등(이하 "컨베이어등"이라 한다)을 사용하는 경우에는 정전·전압강하 등에 따른 화물 또는 운반구의 이탈 및 역주행을 방지하는 장치를 갖추어야 한다. 다만, 무동력상태 또는 수평상태로만 사용하여 근로자가 위험해질 우려가 없는 경우에는 그러하지 아니하다.

제192조(비상정지장치)

사업주는 컨베이어등에 해당 근로자의 신체의 일부가 말려드는 등 근로자가 위험해질 우려가 있는 경우 및 비상시에는 즉시 컨베이어등의 운전을 정지시킬 수 있는 장치를 설치하여야 한다. 다만, 무동력상태로만 사용하여 근로자가 위험해질 우려가 없는 경우에는 그러하지 아니하다.

제193조(낙하물에 의한 위험 방지)

사업주는 컨베이어 등으로부터 화물이 떨어져 근로자가 위험해질 우려가 있는 경우에는 해당 컨베이어 등에 덮개 또는 울을 설치하는 등 낙하 방지를 위한 조치를 하여야 한다.

제194조(트롤리 컨베이어)

사업주는 트롤리 컨베이어(trolley conveyor)를 사용하는 경우에는 트롤리와 체인·행거(hanger)가 쉽게 벗겨지지 않도록 서로 확실하게 연결하여 사용하도록 하여야 한다.

제195조(통행의 제한 등)

① 사업주는 운전 중인 컨베이어등의 위로 근로자를 넘어가도록 하는 경우에는 위험을 방지하기 위하여 건널다리를 설치하는 등 필요한 조치를 하여야 한다.
② 사업주는 동일선상에 구간별 설치된 컨베이어에 중량물을 운반하는 경우에는 중량물 충돌에 대비한 스토퍼를 설치하거나 작업자 출입을 금지하여야 한다.

5. 피로한도 (fatigue limit) 에 영향을 주는 인자를 7가지만 설명하고 ,
   피로한도의 향상 방안에 대하여 3가지만 설명하시오.
   [124회 1교시 3번] [123회 1교시 2번] [114회 1교시 4번] [108회 2교시 4번]
   [105회 3교시 5번] [102회 1교시 13번]

세부내용 [108회 2교시 4번] 참조

S-N 곡선

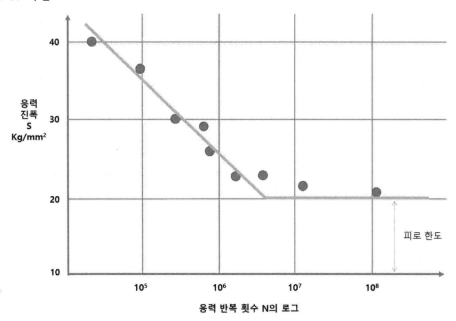

피로한도에 영향을 주는 요소

노치, 치수효과, 표면거칠기, 부식, 반복하중, 압입가공, 온도

◆ 노치효과
  - 다면의 형상이 변하는 부위에 피로한도 급격히 저하
  - 기계부재에는 노치 또는 비금속 개재률 등의 재료 결함이 존재하고 이러한
    응력 집중에 의해 국부적으로 높은 응력이 발생
  - 인장강도가 높은 재료는 노치효과가 낮은 현상으로 하지 않으면 피로성능이
    저하하므로 이들 재료를 사용한 효과가 없어짐

- ◆ 치수효과
  - 부재 치수가 커지면 피로한도 저하
  - 평활재, 노치재를 막론하고 시험편의 치수가 변하면 피로 강도가 변하며, 일반적으로 지름이 크면 피로한도 감소

- ◆ 표면효과
  - 재료파괴는 표면에서 시작하므로 표면조건에 대단히 민감
  - 표면이 거칠수록 피로한도 저하

- ◆ 온도영향
  - 실온 이상이면 피로한도 저하
  - 상온 이하의 저온에서의 피로한도는 일반적으로 온도의 저하와 함께 상승
  - 크리프강도 높을수록 피로한도 증가

- ◆ 부식효과 : 부식이 많이 되면 피로한도 감소
- ◆ 압입효과 : 억지끼워맞춤, 때려박음 등의 압입효과는 노치효과 이상의 악영향 끼침
- ◆ 속도효과 : 하중 반복될 경우 피로한도 저하

피로한도의 향상방안

- ◆ 진동 및 공명이 발생하는 위치를 피해서 용접 연결부 배치로 피로하중을 최소화
- ◆ 부식성 환경의 노출을 최소화
- ◆ 응력 집중 계수를 낮게 설계
- ◆ 적합한 모재, 용가재 및 용접 공정을 선택
- ◆ 시공 전 그루브 형상 및 표면을 처리
- ◆ 후처리실시
- ◆ 고주파 침탄, 질화 열처리에 의한 강도 및 강성부여
- ◆ 롤링 압연에 의한 강도 및 강성 부여
- ◆ 표층부 압축 잔류응력이 발생하는 각종 처리
- ◆ 전해연마, 래핑 등 표면을 매끄럽게 하여, 표면 거칠기에 의한 노치효과를 감소시키고 이론 수명에 근접하도록 유도

6. 공기압축기의 작업시작 전 점검사항과 운전개시 및 운전 중 주의사항에 대하여 설명하시오.

[2015년 3교시 6번]

6-1 작업 시작 전 점검사항

* 공기저장 압력용기의 외관상태
* 드레인 밸브 조작 및 배수
* 압력방출 장치의 기능
* 언로드 밸브의 기능
* 윤활유의 상태
* 회전부의 덮개 또는 울

6-2 운전개시 및 운전 중 주의사항

* 1일 1회 응축수 제거 실시
* 압축기에 부착된 볼트, 너트등의 조임상태 점검
* 냉각수 계통의 밸브를 열어 냉각수의 순환상태 점검
* 크랭크케이스등에 규정량의 윤활유 공급여부
* 압력조절밸브, 드레인밸브를 전부 열어 압력지시 이상여부 확인
* 압력계 및 온도계 이상유무 확인
* 무부하 상태에서 공회전시켜 이상유무 확인
* 운전 중 이상소음 및 진동확인
* 압력계 지시상태
* 냉각수량의 변화
* 각 단의 흡입, 토출가스 온도상태
* 윤활유 압력의 변화
* 실린더 주유기의 급유상태와 유량 조절
* 피스톤로드 패킹의 누설과 온도 상승
* 자동장치의 작동상태
* 각종 밸브류 플랜지 조인트 등에서의 가스 누설상태
* 전력의 소비량 이상유무
* 운전 중에는 부품조작 금지

- 최대 공기 압력으로는 절대 운전금지
- 정지 시에는 언로드 밸브를 무부하로 조정한 후 정지

공기압축기

기술사 　 제 105 회　　　　　　　　　제 4 교시 　(시험시간: 100분)

2015년도	분야	안전관리	자격종목	기계안전기술사	성명	

※ 다음 문제 중 4문제를 선택하여 설명하시오. (각 문제당 25점)

1. 가드의 유형을 4가지로 분류하고 , 각각에 대한 종류 및 특징에 대하여 설명하시오.

위험 부분에 접근하거나 접촉으로 인해 생기는 재해예방을 위하여 덮개, 울타리, 울 등을 설치하는데 이것을 가드(Guard)라고 함.

◇ 구조상 분류
　◆ 고정형 가드
　　- 완전밀폐형 가드 : 덮개나 울, 고정설치, 동력 전달 부분 및 돌출 회전물 격리
　　　　　　　　　　　 차단 (가장 확실한 방법)
　　- 작업점용 가드 : 작업자가 위험점에 접근하지 못하도록 하는 구조

[완전밀폐형]

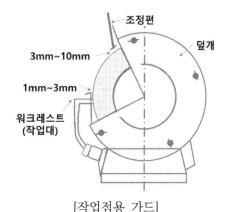

[작업점용 가드]

♦ 자동형 가드
  - 설비 및 기계의 점검, 수리시 등에 가드를 개방하지 않으면 안되는경우, 기계를 작동시킨 상태로 가드 개방, 가드를 개방한 상태에서 기계를 작동시키는 등의 위험 배제
  - 기계적, 전기적, 유공압방법에의한인터록기구를부착
  - 이동형, 가동형으로 구분
♦ 조절형 가드
  - 방호하고자 하는 위험구역에 맞추어 적당한 모양으로 조절

[날 접촉 예방장치]

2. 기계·설비의 배치 시 옥내통로 및 계단의 안전조건에 대하여 설명하시오.

◇ 작업장에 통로 및 계단을 설치할 때 다음 위험을 사전에 고려하여야 함
  ♦ 떨어짐에 의한 위험
  ♦ 떨어지는 물체에 의한 위험
  ♦ 보행자는 넘어짐 및 실족에 의한 위험
  ♦ 이동을 통한 과도한 육체적 피로에 의해 야기되는 위험
  ♦ 통로 및 계단 설치 주변의 기계류에 의한 위험

◇ 이동통로 설치를 결정했다면 어떤 유형의 이동통로를 설치할지 결정
◇ 작업현장의 특성과 주변 환경을 고려하여야 하며, 작업현장 경사로의 경우 경사
  각에 따라 통로의 유형이 달라짐
◇

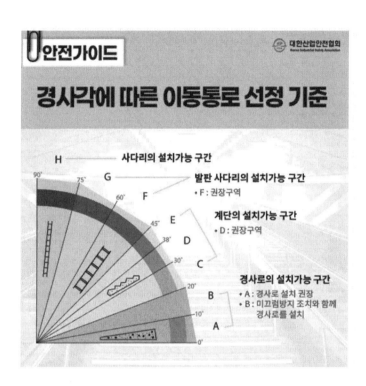

산업안전보건기준에 관한 규칙

제21조(통로의 조명)

사업주는 근로자가 안전하게 통행할 수 있도록 통로에 75럭스 이상의 채광 또는
조명시설을 하여야 한다. 다만, 갱도 또는 상시 통행을 하지 아니하는 지하실
등을 통행하는 근로자에게 휴대용 조명기구를 사용하도록 한 경우에는 그러하지
아니하다.

제22조(통로의 설치)

① 사업주는 작업장으로 통하는 장소 또는 작업장 내에 근로자가 사용할 안전한
  통로를 설치하고 항상 사용할 수 있는 상태로 유지하여야 한다.
② 사업주는 통로의 주요 부분에 통로표시를 하고, 근로자가 안전하게 통행할
  수 있도록 하여야 한다. 〈개정 2016. 7. 11.〉

③ 사업주는 통로면으로부터 높이 2미터 이내에는 장애물이 없도록 하여야 한다. 다만, 부득이하게 통로면으로부터 높이 2미터 이내에 장애물을 설치할 수밖에 없거나 통로면으로부터 높이 2미터 이내의 장애물을 제거하는 것이 곤란하다고 고용노동부장관이 인정하는 경우에는 근로자에게 발생할 수 있는 부상 등의 위험을 방지하기 위한 안전 조치를 하여야 한다. 〈개정 2016. 7. 11.〉

제23조(가설통로의 구조)
사업주는 가설통로를 설치하는 경우 다음 각 호의 사항을 준수하여야 한다.
1. 견고한 구조로 할 것
2. 경사는 30도 이하로 할 것. 다만, 계단을 설치하거나 높이 2미터 미만의 가설통로로서 튼튼한 손잡이를 설치한 경우에는 그러하지 아니하다.
3. 경사가 15도를 초과하는 경우에는 미끄러지지 아니하는 구조로 할 것
4. 추락할 위험이 있는 장소에는 안전난간을 설치할 것. 다만, 작업상 부득이한 경우에는 필요한 부분만 임시로 해체할 수 있다.
5. 수직갱에 가설된 통로의 길이가 15미터 이상인 경우에는 10미터 이내마다 계단참을 설치할 것
6. 건설공사에 사용하는 높이 8미터 이상인 비계다리에는 7미터 이내마다 계단참을 설치할 것

제24조(사다리식 통로 등의 구조)
① 사업주는 사다리식 통로 등을 설치하는 경우 다음 각 호의 사항을 준수하여야 한다.
1. 견고한 구조로 할 것
2. 심한 손상·부식 등이 없는 재료를 사용할 것
3. 발판의 간격은 일정하게 할 것
4. 발판과 벽과의 사이는 15센티미터 이상의 간격을 유지할 것
5. 폭은 30센티미터 이상으로 할 것
6. 사다리가 넘어지거나 미끄러지는 것을 방지하기 위한 조치를 할 것
7. 사다리의 상단은 걸쳐놓은 지점으로부터 60센티미터 이상 올라가도록 할 것
8. 사다리식 통로의 길이가 10미터 이상인 경우에는 5미터 이내마다 계단참을 설치할 것
9. 사다리식 통로의 기울기는 75도 이하로 할 것. 다만, 고정식 사다리식 통로의 기울기는 90도 이하로 하고, 그 높이가 7미터 이상인 경우에는 바닥으로부터 높이가 2.5미터 되는 지점부터 등받이울을 설치할 것

10. 접이식 사다리 기둥은 사용 시 접혀지거나 펼쳐지지 않도록 철물 등을 사용
　　　　하여 견고하게 조치할 것
　② 잠함(潛函) 내 사다리식 통로와 건조·수리 중인 선박의 구명줄이 설치된
　　사다리식 통로(건조·수리작업을 위하여 임시로 설치한 사다리식 통로는
　　제외한다)에 대해서는 제1항제5호부터 제10호까지의 규정을 적용하지 아니
　　한다.

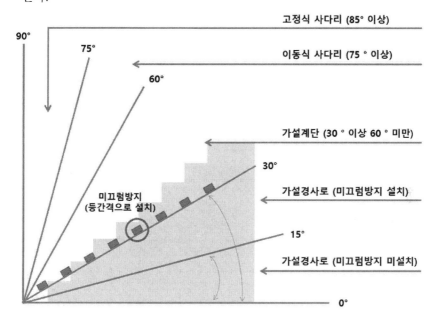

제26조(계단의 강도)

　① 사업주는 계단 및 계단참을 설치하는 경우 매제곱미터당 500킬로그램 이상의
　　하중에 견딜 수 있는 강도를 가진 구조로 설치하여야 하며, 안전율[안전의
　　정도를 표시하는 것으로서 재료의 파괴응력도(破壞應力度)와 허용응력도(許容
　　應力度)의 비율을 말한다]은 4 이상으로 하여야 한다.
　② 사업주는 계단 및 승강구 바닥을 구멍이 있는 재료로 만드는 경우 렌치나
　　그 밖의 공구 등이 낙하할 위험이 없는 구조로 하여야 한다.

제27조(계단의 폭)

　① 사업주는 계단을 설치하는 경우 그 폭을 1미터 이상으로 하여야 한다. 다만,
　　급유용·보수용·비상용 계단 및 나선형 계단이거나 높이 1미터 미만의 이동식
　　계단인 경우에는 그러하지 아니하다. 〈개정 2014. 9. 30.〉

② 사업주는 계단에 손잡이 외의 다른 물건 등을 설치하거나 쌓아 두어서는 아니 된다.

제28조(계단참의 높이)

사업주는 높이가 3미터를 초과하는 계단에 높이 3미터 이내마다 너비 1.2미터 이상의 계단참을 설치하여야 한다.

제30조(계단의 난간)

사업주는 높이 1미터 이상인 계단의 개방된 측면에 안전난간을 설치하여야 한다.

3. 안전관리 측면에서의 설계 및 가공착오의 원인과 대책에 대하여 설명하시오.

◇ 제품이나 작업장의 설계 단계에서부터 인적 요소를 체계적으로 고려하지 않으면 사용자의 실수를 유발하거나 불편함, 불만, 심지어 심각한 재산과 인명 피해를 야기할 가능성이 높음
◇ 또한, 잘못 설계된 제품이나 작업장을 사후에 수정, 복구하려면 엄청난 시간과 비용을 감수해야 함
◇ 이에 대한 최선의 해결책은 제품, 기계, 도구, 작업환경의 설계 단계에서 인적 요소를 고려해 주는 것

1) 안전설계원리

◇ fool proof
사용자가 조작 실수를 하더라도 사용자에게 피해를 주지 않도록 설계하는 개념, 초보자나 미숙련자가 잘 모르고 제품을 사용하더라도 고장이 나지 않도록 하거나 작동하지 않도록 하여 안전을 확보하는 개념
  예) 프레스의 광전자식 방호장치

◇ fail safe
고장이 발행한 경우라도 피해가 확대되지 않고 단순 고장이나 한시적으로 운영이 계속되도록 하여 안전을 확보하는 설계 개념
  예) 누전차단기, 철도차단기 등

◇ tamper proof
   안전장치를 제거하면 작동이 안 되는 예방 설계 개념
      예) 약 포장지 손상 시 복용금지 안내

2) 오류방지를 위한 강제적 기능

◇ 오류가 발생되어 안전이나 시스템에 피해를 줄 가능성이 있을 때 안전성을 확보
   하기 위해 다음 단계로 넘어가는 것이 차단되도록 설계
◇ 강제적 기능은 제품 사용에 불편을 초래할 수 있으므로 사용시의 불편을 최소화
   하면서 안전성을 확보하는 것이 중요
      예) 과거 미국에서 운전석과 조수석 모두 안전벨트를 착용하도록 경고음이 울렸
         으며 이로 인하여 사용자가 불편함을 느꼈다.

◆ interlock (맞잠금)
   안전을 확보하기 위하여 모든 조건들이 만족될 경우에만 작동되도록 설계
      예) 전자레인지 도어가 열리면 기능을 멈춤
◆ lockin (안잠금)
   작동을 계속 유지시킴으로써 작동이 멈춤으로 오는 피해를 막기 위한 기능
      예) 문서 작업 종료 버튼을 누를 경우 '저장'여부를 확인하는 기능
◆ lockout (바깥잠금)
   위험한 상태로 들어가거나 사건이 일어나는 것을 방지하기 위하여 들어가는
   것을 제한 또는 방지하는 기능
      예) 에스컬레이터가 1층에서 지하로 연결될 때 반대 방향에 배치

4. 승강기 안전부품 중의 하나인 상승과속방지장치용 브레이크의 대표적 종류 4가지와 성능기준에 대하여 설명하시오.

승강기 안전부품 부속서 54. 상승과속방지장치용 브레이크

부품명	기능	비고
로프 제동형 브레이크	유압원(fluid source) 및 기계적 수단 (mechanical means)을 이용하여 승강기의 상승 과속 발생시, 주 로프 또는 보상로프를 제동시킴 으로써 카를 정지시키는 구조	로프 브레이크 등
가이드레일 제동형 브레이크	카 또는 균형추에 비상정지장치를 사용하여 승강기의 상승 과속 발생시, 레일의 마찰력을 극대화시켜 카를 정지시키는 구조	양방향 비상정지 장치 등
이중 브레이크	권상기 도르래(도르래에 직접적으로 또는 그 도르 래에 바로 인접한 동일축)에 설치된 브레이크로 모든 기계적요소(솔레노이드 플런저는 포함하고 솔레노이드 코일은 제외한다)가 2세트로 설치된 구조이며, 하나가 고장이 나더라도 나머지 하나로 제동능력이 확보되는 구조	디스크식, 드럼식
권상기 도르래 제동형	권상기 도르래를 직접 제동하여 카를 제동하는 구조	Sheave Jammer 등

1. 이 장치는 최소한 카가 미리 설정한 속도에 도달하였을 때 또는 그 이전에 제어불능운행을 하는 것을 감지하여야 하며, 균형추가 완충기에 충돌하기 전에 카를 정지시키도록 하거나 또는 최소한 카 속도를 완충기의 설계속도 이하로 낮추어야 한다.
2. 이 장치는 정상 운행하는 동안 속도제어, 감속, 정지에 전용으로 사용하는 부품을 사용하지 않고 4.1항에서 요구하는 성능을 구비하여야 한다.
3. 이 장치는 제동하는 동안 카의 평균 감속도는 1gn(9.81 ㎨) 이하여야 한다.
4. 이 장치는 카, 균형추, 현수 또는 균형로프시스템, 권상기 도르래(도르래에 직접적으로 또는 그 도르래의 바로 인접한 동일 축에)중 한 개 또는 그 이상에

작용하여 속도제어를 함으로써 위험한 운행 또는 제어불능 운행을 방지하여야 한다.

5. 정상 운전하는 경우, 카의 감속 또는 정지는 이 장치에 전적으로 의존하지 않아야 한다. 이 장치라 함은 과속이나 문열림 상태의 움직임을 방지하기 위한 기능부분을 말한다.

6. 이 장치가 작동하여 제동하는 동안, 이 장치 또는 다른 승강기 부품은 구동기의 전원을 차단하도록 하여야 한다.

7. 운전 신뢰성을 보장하기 위하여 정기점검, 보수가 필요한 모든 부품은 점검과 작업이 가능한 구조이어야 한다.

8. 상승방향 과속으로 인하여 이 장치가 작동된 후에, 복귀는 수동 복귀형식을 취하여야 하며, 이 장치의 개방(복귀)를 위하여 승강로의 접근이 필요하지 않아야 한다.

9. 전력 공급이 중단된 시점(정전 시)에서 이상상태(상승과속)가 발생하면, 이 장치가 작동하여야 한다. 다만, 상승과속이 아닌 상태에서도 전력공급이 중단된 시점에서는 이 장치가 작동하여도 된다.

10. 상승과속감지를 위한 과속감지장치가 그것의 기능을 위해 전원을 필요로 하는 경우, 과속감지장치와 제어장치에서 정전 등 전원의 손실이 발생하는 경우, 이 장치가 즉시 작동하여야 한다.

11. 상승방향 과속으로 과속방지장치가 동작하면, 감지기는 수동복귀 될 때까지 유지되어야 하고 감지기가 리셋되지 않으면 카는 움직이지 않아야 한다.

12. 이 장치가 작동하여 제동하는 동안 자체 또는 다른 승강기 부품의 최대 강도의 30%를 초과하는 스트레스를 부과하지 않거나 또는 가해지는 힘에 대하여 자체 또는 승강기 부품의 안전율은 3.5이상이어야 한다.

  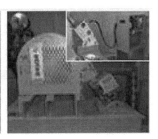

도르래 브레이크   이중 브레이크   로프 브레이크

5. 건조설비의 설치시 준수사항에 대하여 설명하시오.

안전보건기준에 관한 규칙 제281조(건조설비의 구조 등)

사업주는 건조설비를 설치하는 경우에 다음 각 호와 같은 구조로 설치하여야 한다. 다만,. 건조물의 종류, 가열건조의 정도, 열원(熱源)의 종류 등에 따라 폭발이나 화재가 발생할 우려가 없는 경우에는 그러하지 아니하다.

1. 건조설비의 바깥 면은 불연성 재료로 만들 것

2. 건조설비(유기과산화물을 가열 건조하는 것은 제외한다)의 내면과 내부의 선반이나 틀은 불연성 재료로 만들 것

3. 위험물 건조설비의 측벽이나 바닥은 견고한 구조로 할 것

4. 위험물 건조설비는 그 상부를 가벼운 재료로 만들고 주위상황을 고려하여 폭발구를 설치할 것

5. 위험물 건조설비는 건조하는 경우에 발생하는 가스 · 증기 또는 분진을 안전한 장소로 배출시킬 수 있는 구조로 할 것

6. 액체연료 또는 인화성 가스를 열원의 연료로 사용하는 건조설비는 점화하는 경우에는 폭발이나 화재를 예방하기 위하여 연소실이나 그 밖에 점화하는 부분을 환기시킬 수 있는 구조로 할 것

7. 건조설비의 내부는 청소하기 쉬운 구조로 할 것

8. 건조설비의 감시창 · 출입구 및 배기구 등과 같은 개구부는 발화 시에 불이 다른 곳으로 번지지 아니하는 위치에 설치하고 필요한 경우에는 즉시 밀폐할 수 있는 구조로 할 것

9. 건조설비는 내부의 온도가 부분적으로 상승하지 아니하는 구조로 설치할 것

10. 위험물 건조설비의 열원으로서 직화를 사용하지 아니할 것

11. 위험물 건조설비가 아닌 건조설비의 열원으로서 직화를 사용하는 경우에는 불꽃 등에 의한 화재를 예방하기 위하여 덮개를 설치하거나 격벽을 설치할 것

◇ 안전보건 준수사항

- 건조설비 내부가 국부적으로 과열되지 않도록 송풍기 작동상태를 확인한다.
- 과열되지 않도록 온도조절장치의 작동상태를 확인한다.
- 정전기 발생을 억제하고 접지상태를 확인한다.
- 전기배선의 벗겨짐, 손상을 확인한다.
- 감시창을 통해 건조실 내부를 수시 확인한다.
- 연료배관의 누설 여부를 확인한다.
- 배기덕트 댐퍼의 개폐상황을 수시 확인한다.

◇ 작업안전수칙

- 건조물을 공급할 땐 과열되지 않도록 적당량을 공급한다.
- 버너를 (재)점화 시 반드시 환기한다.
- 건조설비 내와 주변에는 가연성 물질이나 화기를 보관하지 않는다.
- 작업하는 장소 가까이에 소화기를 비치한다.
- 작업 후에는 목욕하고 작업복을 세탁한다.
- 작업 후에는 주변을 정리·정돈한다.
- 작업 후 잔류물은 완전 제거한다.
- 관계자 외 출입을 제한한다.
- 안전모, 보안경, 안전화, 호흡용보호구, 작업복을 착용한다.
- 건조설비 주변에는 흡연하지 않는다.

6. 위험성평가의 일반원칙과 평가절차 5단계 를 순서대로 설명하고, 대표적인 평가기법 4가지의 특징과 장·단점에 대하여 설명하시오

[127회 1교시 13번] [126회 1교시 9번] [124회 1교시 12번] [124회 2교시 5번]
[123회 2교시 5번] [121회 1교시 11번] [120회 4교시 6번] [117회 4교시 3번]
[108회 4교시 6번] [105회 4교시 6번]

6-1 위험성평가 일반원칙

1. 위험성평가의 근본 목적은 위험성(RISK)을 없애는 것
2. 위험성 감소대책은 위험성의 크기가 높은 유해, 위험요인부터 근원적으로 없애는 대책을 가장 우선적으로 적용
3. 한정된 재원을 가지고 개선이 이루어지므로 모든 위험성이 제거되는 것은 아니다. 따라서 남아있는 위험성에 대하여는 근로자를 대상으로 교육 등을 실시해아여야 한다.
4. 법규위반 및 긴급한 위험이나 급성독성 및 CMR 화학물질, 방사선 등에 대하여는 우선적인 개선이 필요
5. 위험요인과 유해요인을 모두 포함하여 작업별, 공정별로 위험성평가가 이루어져야 하며, 근골격계부담작업 및 화학물질 등은 전문화하여 별도로 실시
6. 노,사가 협력하여 위험성 평가 참여
7. 건설업 및 정비, 보수 등의 일부 작업에 대하여는 위험성평가를 사전에 실시

6-2 위험성평가 절차

위험성평가는 사업주 또는 안전보건관리책임자가 중심이 되어 수행
- 1단계 : 사전준비를 통해 평가대상을 확정하고 실무에 필요한 자료를 입수
- 2단계 : 다양한 방법을 통해 유해,위험요인을 파악
- 3단계 : 파악된 유해,위험요인에 대한 위험성을 추정
  ※ 상시근로자 수 20명 미만 사업장(총 공사금액 20억 미만의 건설공사)의 경우 위험성 추정을 생략할 수 있음
- 4단계 : 유해,위험요인별로 추정한 위험성의 크기가 허용 가능한 범위 인지 여부 판단
- 5단계 : 허용할 수 없는 위험성의 경우 감소대책을 세워야 하며 감소대책은 실행가능하고 합리적인 대책인지를 검토, 감소대책은 우선순위를 정해 실행하고 실행 후에는 허용할 수 있는 범위 이내이어야 함

◇ 사전준비

위험성평가 실시규정 작성, 평가대상 선정, 평가에 필요한 각종 자료 수집

1. 작업표준, 작업절차 등에 관한 정보
2. 기계·기구, 설비 등의 사양서, 물질안전보건자료(MSDS) 등의 유해·위험요인에 관한 정보
3. 기계·기구, 설비 등의 공정 흐름과 작업 주변의 환경에 관한 정보
4. 같은 장소에서 사업의 일부 또는 전부를 도급을 주어 행하는 작업이 있는 경우 혼재 작업의 위험성 및 작업 상황 등에 관한 정보
5. 재해사례, 재해통계 등에 관한 정보
6. 작업환경 측정 결과, 근로자 건강진단 결과에 관한 정보
7. 그 밖에 위험성평가에 참고가 되는 자료 등

◇ 유해·위험요인 파악

◆ 유해·위험을 일으키는 잠재적 가능성이 있는 요인을 찾아내는 과정
◆ 사용 방법

1. 사업장 순회점검에 의한 방법 (특별한 사정이 없는 한 포함)
2. 청취조사에 의한 방법
3. 안전보건 자료에 의한 방법
4. 안전보건 체크리스트에 의한 방법
5. 그 밖에 사업장의 특성에 적합한 방법

◇ 위험성 추정

◆ 유해·위험요인이 부상 또는 질병으로 이어질 수 있는 가능성 및 중대성의 크기를 추정하여 위험성의 크기를 산출

1. 가능성과 중대성을 행렬을 이용하여 조합하는 방법
2. 가능성과 중대성을 곱하는 방법
3. 가능성과 중대성을 더하는 방법
4. 그 밖에 사업장의 특성에 적합한 방법

◆ 위험성 추정시 주의사항

1. 예상되는 부상 또는 질병의 대상자 및 내용을 명확하게 예측할 것
2. 최악의 상황에서 가장 큰 부상 또는 질병의 중대성을 추정할 것
3. 부상 또는 질병의 중대성은 부상이나 질병 등의 종류에 관계없이 공통의 척도를 사용하는 것이 바람직하며, 기본적으로 부상 또는 질병에 의한 요양 기간 또는 근로손실 일수 등을 척도로 사용할 것

4. 유해성이 입증되어 있지 않은 경우에도 일정한 근거가 있는 경우에는 그 근거를 기초로 하여 유해성이 존재하는 것으로 추정할 것
5. 기계·기구, 설비, 작업 등의 특성과 부상 또는 질병의 유형을 고려할 것

◇ 위험성 결정
◆ 유해·위험요인별 위험성추정 결과와 사업장 설정한 허용가능한 위험성의 기준을 비교하여 추정된 위험성의 크기가 허용가능한지 여부를 판단
◆ 유해·위험요인별 위험성 추정 결과와 사업장 자체적으로 설정한 허용 가능한 위험성 기준을 비교하여 해당 유해·위험요인별 위험성의 크기가 허용 가능한지 여부를 판단
◆ 허용 가능한 위험성의 기준은 위험성 결정을 하기 전에 사업장 자체적으로 설정해 두어야 함
◆

◇ 위험성 감소대책 수립 및 실행
◆ 위험성 결정 결과 허용 불가능한 위험성을 합리적으로 실천 가능한 범위에서 가능한 한 낮은 수준으로 감소시키기 위한 대책을 수립하고 실행
◆ 위험성의 크기, 영향을 받는 근로자 수 및 다음 각 호의 순서를 고려하여 위험성 감소를 위한 대책을 수립하여 실행
1. 위험한 작업의 폐지·변경, 유해·위험물질 대체 등의 조치 또는 설계나 계획 단계에서 위험성을 제거 또는 저감하는 조치
2. 연동장치, 환기장치 설치 등의 공학적 대책
3. 사업장 작업절차서 정비 등의 관리적 대책
4. 개인용 보호구의 사용
◆ 사업주는 위험성 감소대책을 실행한 후 해당 공정 또는 작업의 위험성의 크기가 사전에 자체 설정한 허용 가능한 위험성의 범위인지를 확인
◆ 위험성이 자체 설정한 허용 가능한 위험성 수준으로 내려오지 않는 경우에는 허용 가능한 위험성 수준이 될 때까지 추가의 감소대책을 수립·실행
◆ 중대재해, 중대산업사고 또는 심각한 질병이 발생할 우려가 있는 위험성으로서 위험성 감소대책의 실행에 많은 시간이 필요한 경우에는 즉시 잠정적인 조치를 강구
◆ 위험성평가를 종료한 후 남아 있는 유해·위험요인에 대해서는 게시, 주지 등의 방법으로 근로자에게 알려야 함

◇ 기록 및 보존
 ◆ 사업장에서 위험성평가 활동을 수행한 근거와 그 결과를 문서로 작성하여 보관
 ◆ 기록의 보존연한은 실시 시기별 위험성평가를 완료한 날로부터 기산하여 3년간 보존
 ◆ 기록내용
  1. 위험성평가를 위해 사전조사 한 안전보건정보
  2. 그 밖에 사업장에서 필요하다고 정한 사항

6-3 대표적인 평가기법 4가지의 특정과 장·단점

Check List

◇ 공정 및 설비의 오류, 결함상태, 위험상황 등을 목록화한 형태로 작성하여 경험적으로 비교함으로써 위험성을 파악하는 방법
◇ 안전점검 시 점검자에 의한 점검 개소의 누락이 없도록 활용하는 안전점검 기준표
 ◆ 특징
  사용이 간편
  소용 시간이 적음
  복잡하거나 예측하기 어려운 사항들이 누락되기 쉬움
 ◆ 작성 시 유의사항
  사업장에 적합한 독자적 내용으로 할 것
  정기적 검토 및 Update
  내용은 구체적, 쉬운 표현, 재해방지에 실효성이 있을 것
  위험성을 비교하여 긴급한 순서대로 작성
 ◆ 장점
  1) 미숙련자가 사용할 수 있다.
  2) 개개인의 기술자가 수행한 작업에 대해서 경영층이 검토할 수 있는 자료를 제공한다,
  3) 화학공장의 위험성평가 방법을 제공한다.
 ◆ 단점
  1) 체크리스트 작성자의 경험을 기반으로 하므로 주기적으로 검사 보완되어야 한다.
  2) 체크리스트에 없는 항목은 점검이 안 되고 체계적인 위험 확인이 안 된다.

사고 예상 질문 분석 (What-if)

◇ HAZOP의 간단한 대안으로 개발되어 Hazop 분석법이나 FMECA처럼 정확하게 구조화되어 있지는 않지만, 사용자가 상황에 맞추어 기본 개념을 수정해가면 되는 방식
◇ 잠재한 위험에 대해 예상질문을 통해 사전에 위험요소를 확인
◇ 그 위험의 결과 및 크기를 줄이는 방법을 제시하는 안전성 평가기법
  ◆ 장점
    1) 분석이 용이하여 시간과 경비를 절약할 수 있다.
  ◆ 단점
    1) What if 질문을 정확히 만들어야 한다.
    2) 분석자에 의하여 결과가 다르게 나온다.

위험과 운전분석(HAZOP)

"위험과 운전분석(Hazard and operability(HAZOP) study)"이라 함은 공정에 존재하는 위험요인과 공정의 효율을 떨어뜨릴 수 있는 운전상의 문제점을 찾아내어 그 원인을 제거하는 방법

  ◆ 위험성과 운전성을 정해진 규칙과 설계도면 (P&ID)에 의하여 체계적으로 분석 및 평가하는 기법
  ◆ 수행 시기
    - 설계 완료 단계 (설계가 구체화 된 시점)
    - 공장건설 완료 후 시운전 전 단계
  ◆ 특징
    프로젝트 모든 단계에서 적용가능
    안전상 문제뿐 아니라 운전상의 문제점도 확인 가능
    장치설비의 복잡합으로 인한 문제점 도출 가능
    검토결과에 따라 정량적 평가를 위한 자료제공 가능
  ◆ 장점
    1) 구체적이고 체계적인 평가기법이다.
    2) 위험성 뿐 만 아니라 운전에 관한 정보도 알 수 있다.
    3) 자유토론을 하는 과정에서 공장의 위험요소들을 규명함으로서 위험요소를 철저히 찾을 수 있다.
    4) 안전 비전문가도 수행할 수 있다.

- 단점
  1) 5~7명의 전문 인력이 필요하므로 시간과 노력이 많이 요구된다.
  2) 평가자의 자질에 의하여 결과가 달라진다.
  3) 공학적이고 구체적인 정보제공을 못한다.

PHA (예비위험분석 기법)

◇ 시스템의 위험을 분석하기 전 실시하는 예비작업
  - 공정의 위험부분을 열거하고 그 사고빈도와 심각성에 대해 토의, 결정
  - PHA는 공정의 설비단계에서 예비로 간단히 위험을 찾아내어 이 위험이 나중에 발견되었을 때 드는 비용을 절약하자는 것
  - PHA는 다른 위험분석방법에 의한 평가에 선행해서 실시. 이것은 공장의 초기에 위험을 확인하기 위한 효과적인 방법을 제공하며 새로운 공정처럼 안전문제에 대한 경험이 거의 없는 경우에 대해서도 적용할 수 있음
  - PHA를 행할 때는 공정이나 절차에 관한 상세한 정보를 얻을 수 없기 때문에 주로 위험물질과 주 공정요소에 초점을 맞춤
◇ 적용단계
  - 설계 초기단계
  - 공정의 기본요소와 물질이 정해진 단계
◇ 특징
  - 안전 전문가에 의한 평가로 진행
  - 수학적 평가지수의 활용보다는 시스템 구조를 기능적으로 구분
  - 주요한 리스트를 처음부터 제거하거나 최소화하여 관리 가능

FTA (결함수 위험분석)

◇ FTA는 결함수분석법 이라고도 하며, 기계설비 또는 인간-기계 시스템의 고장이나 재해발생 요인을 FT 도표에 의하여 분석하는 방법

◇ 사건의 결과(사고)로부터 시작해 원인이나 조건을 찾아나가는 순서로 분석이 이루어짐

◇ FTA의 특징

  ◆ FTA는 고장이나 재해요인의 정성적인 분석뿐만 아니라 개개의 요인이 발생하는
    확률을 얻을 수 있으며, 재해 발생 후의 규명보다 재해 발생 이전의 예측기법
    으로서 활용 가치가 높은 유효한 방법

    - 정상사상인 재해현상으로부터 기본사상인 재해원인을 향해 연역적인 분석을
      행하므로 재해현상과 재해원인의 상호관련을 해석하여 안전대책을 검토할 수
      있음
    - 정략적 해석이 가능하므로 정략적 예측을 행할 수 있음

◇ FTA에 사용되는 논리기호

등급	기호	명칭	설명
1		결함사항	개별적인 결함사상
2		기본사항	더 이상 전개되지 않는 기본적인 사상
3		통상사상	통상 발생이 예상되는 사상(예상되는 원인)
4		생략사상	정보 부족 해석기술의 불충분으로 더 이상 전개할 수 없는 사상작업 진행에 따라 해석이 가능할 때는 다시 속행한다.
5		AND gate	모든 입력사상이 공존할 때만이 출력사상이 발생한다.
6		OR gate	입력사상 중 어느 것이나 하나가 존재할 때 출력사상이 발생한다.

◇ 수행순서

  ◆ 정상 사상 선정
  ◆ 사상의 재해원인규명
  ◆ Fault Tree 작성 (상호관계 규명)
  ◆ 개선계획 작성
  ◆ 실시계획

ETA (사건수 분석기법)

◇ 사상의 안전도를 사용해서 시스템의 안전도를 표시하는 시스템 모델의 하나
◇ 귀납적 방법을 사용하는 분석기법
◇ 간과되기 쉬운 재해의 확대 요인의 분석에 적합
◇ 수행절차
  ◆ 초기 사건의 선정
  ◆ 안전에 미치는 영향의 조사 규명
  ◆ 사건수 구성
  ◆ 사고형태, 결과의 확인
  ◆ 예상되는 확률로 순위 결정
◇ 특징
  ◆ 초기 사건에 따라 사고의 발생순서 확인 가능
  ◆ 초기 사건에 따라 운전원의 대응, 안전장치 작동 등을 확인 가능
  ◆ 시간에 따른 기기의 결함이나 운전원의 실수 등에 의한 사고 시나리오 확인이 가능
  ◆ 분석, 목적 용도에 따라 성공 혹은 실패 이외의 사상도 분석 가능
  ◆ 소요시간이 과다하고 확률 data 수집이 필요함 (단점)

CA (피해영향분석)

◇ Consequence Analysis는 화재, 폭발, 누출과 같은 사고가 발생했을 때 인명이나 재산상의 손실 또는 업무중단으로 인한 손실 비용 등에 영향을 주는 원치않는 결과를 분석, 추산하는 위험성 평가기법
◇ 수행 방법
  ◆ 누출원모델링(Source Term Modeling)을 다음과 같이 산정
    - 기상 유출
    - 액체 유출
    - Two phase 포화액체 유출
    - Two phase 과냉액체 유출
  ◆ 대기확산모델링(Dispersion Modeling), 화재모델링(Fire Modeling) 및 폭발모델링 (Explosion Modeling)을 수행
  ◆ 사고영향모델링(Effect Modeling)을 수행

FMEA (Failure Modes and Effects Analysis) 고장모드와 영향분석법

◇ 정의

FMEA는 서브시스템 위험 분석을 위하여 일반적으로 사용되는 전형적인 정성적, 귀납적 분석법으로 시스템에 영향을 미치는 모든 요소의 고장을 형태별로 분석하여 그 영향을 검토하는 것이다.

◇ 수행 절차

순서	주요내용
1단계 대상 시스템의 분석	① 기기, 시스템의 구성 및 기능을 파악 ② FMEA실시를 위한기본 방침의 결정 ③ 기능 BLOCK과 신뢰성 BLOCK의 작성
2단계 고장 형태와 그 영향의 해석	① 고장 형태의 예측과 설정 ② 고장 원인의 산정 ③ 상위 항목의 고장 영향의 검토 ④ 고장 검지법의 검토 ⑤ 고장에 대한 보상법이나 대응법 ⑥ FMEA 워크시트에 기입 ⑦ 고장 등급의 평가
3단계 치명도 해석과 개선책의 검토	① 치명도 해석 ② 해석 결과의 정리와 설계 개선으로 제언

◇ 적용 가능한 예
① 개로 또는 개발 고장
② 폐로 또는 폐쇄고장
③ 가동고장
④ 정지고장
⑤ 운전계속의 고장
⑥ 오작동 고장

휴먼 에러율 예측 기법
(THERP : Technique for Human Error Rate Prediction)

◇ 휴먼에러 발생율을 전문적으로 예측하는 정량적 분석기법

◇ 인간이 수행하는 작업을 상호 배반적 사건으로 나누어 ETA와 비슷하게 사건 나무를 작성하고, 각 작업의 성공 혹은 실패 확률을 부여하여 각 경로의 확률을 계산한다.

◇ 방법
   ◆ 우선 작업장 상황을 이해할 필요가 있고 그후에 정성적 평가 정량적 평가 구체 화의 과정을 거친다.
   ◆ 파악(familiarization)은 정량화할 직무를 이해하고 그 절차를 검토하고 작업 장과 작업장을 운영하는 사람들에 대한 정보를 모으는 것이다. 정성적 평가는 직무분석을 수행하는 것을 말한다.
   ◆ 평가되어야 할 직무를 결정하고 직무의 단계와 중첩성 그리고 각 단계에 영향을 미치는 수행도 형성인자(PSF: Performance Shaping Factors)를 결정한다.
   ◆ HRA 사건나무를 통하여 정량적 평가를 행한다.
   ◆ 최종적으로 민감도 분석이나 통계분석 등을 통하여 결과를 통합시킨다.

◇ 적용 예

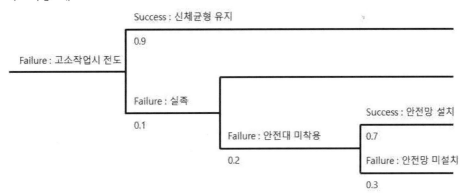

파악
- 정보수집
- 작업장 방문
- 시스템 분석가와 절차/정보 검토

정성적 평가
- 성능요건 결정
- 작업수행 상황 평가
- 수행목적 규정
- 가능한 인적오류 규명

정량적 평가
인적오류확률 결정
인간수행도에 영향을 주는 요인 / 상호작용 규명
오류로부터의 회복 확률 고려
시스템고장 확률에 대한 인적오류 기여율 계산

통합
민감도 분석 수행
시스템분석에 결과입력

〈참 고 문 헌 〉

- 산업안전보건법, 시행령, 시행규칙, 안전보건기준에 관한 규칙
- 동화기술, 기계안전공학 김의수 저
- 화수목, 기계설비안전 정명진, 김태구 외 4명
- 신광출판사, 실무 기계안전공학 김태구,권오현 외 1명
- 기계 설비안전 실무 추병길 저
- 산업안전관리론(이론과 실제)_정진우 저
- 보호구 안전인증 고시 [고용노동부고시 제2020-35호]
- 보호구 자율안전확인 고시 [고용노동부고시 제2020-36호]
- 위험기계 · 기구 의무안전인증 고시 [고용노동부고시 제2020-41호]
- 안전검사 고시 [고용노동부고시 제2020-43호]
- 방호장치 안전인증 고시 [고용노동부고시 제2021-22호]
- 제조업 등 유해·위험방지계획서 제출·심사·확인에 관한 고시 [고용노동부고시 제2022-13호]
- 승강기 안전운행 및 관리에 관한 운영규정 [행정안전부고시 제2022-19호]
- 개스킷 선정·설치 및 관리기준에 관한 지침 [화학물질안전원고시 제2017-13호]
- 플랜지 및 가스킷 등의 접합부에 관한 기술지침 [KOSHA guide D-9-2012]
- 안전밸브와 파열판 직렬설치에 관한 기술지침 [KOSHA GUIDE D-67-2020]
- 플랜지 및 개스킷 등의 접합부에 관한 기술지침 [KOSHA GUIDE (D-9-2012)]
- 배관계통의 공정설계에 관한 기술지침 [KOSHA GUIDE D-52-2013]
- 스마트팩토리 안전시스템 평가에 관한 기술지침 [KOSHA guide G-135-2021]
- 기계의 제작 사용시 안전기준에 관한 기술지침 [KOSHA GUIDE M-137-2012]
- 고무 또는 합성수지 가공용 롤러기 방호조치에 관한 기술지침 [KOSHA guide M-135-2016]
- 고령화 설비의 손상평가와 수명예측에 관한 기술지침 [KOSHA GUIDE M-146-2012]
- 기계안전을 위한 제어시스템의 안전관련부품류 설계 기술지침 [KOSHA GUIDE M-192-2017]
- 기어 및 감속기의 유지보수에 관한 기술지침 [KOSHA GUIDE M-148-2012]
- 프레스 금형작업의 안전에 관한 기술지침 [KOSHA GUIDE M-138-2012]
- 컨베이어의 안전에 관한 기술지침 [KOSHA GUIDE M-07-2001]
- 조선업 안전점검 기술지침 [KOSHA-GUIDE M-94-2011]

- 인화성 액체의 안전한 사용 및 취급에 관한 기술지침 [KOSHA GUIDE P-75-2011]
- 경고표지 작성 지침 [KOSHA guide W-14-2020]
- 비상조치계획 수립지침 [KOSHA Code P-29-2000]
- 사고피해 예측기법 [(KOSHA Code P-31-2001)
- 최악의 누출시나리오 선정지침 [KOSHA Code P-37-2004]
- 한국산업안전보건공단, 인적에러 방지를 위한 안전가이드, 기술자료 [G-120-2015]
- 와이어로프 사용안전 [한국산업안전보건공단 2011-교육미디어-783]
- 공정안전관리 12대 실천과제 실행 매뉴얼 [고용노동부, 2010.02.05.]
- 타워크레인 안전작업 매뉴얼 [한국산업안전보건공단 교육혁신실, 2021.02]
- Occupational health and safety management systems -Requirements with guidance for use [2018-03-15]
- 안전보건관리규정의 세부 내용(제25조제2항 관련) [산업안전보건법 시행규칙 별표3]
- 선박용 섬유로프 사용기준 [SPS-KSA0151-V3444-5954]
- 국가기술자격법에 따른 지게차 운전기능사의 자격
- 산업안전보건법의 지게차 관련 내용 (제26조제4항, 제73조제2항제3호) [건설기계관리법]
- LOTO [고용노동부, 안전보건공단]
- 펌프의 설계 절차 [원심 펌프에 있어서 진동문제, 임우섭]
- 건설기계 안전 기준에 관한 규칙
- 곤도라 작업안전지침서 2000. 12. - 한국산업안전보건공단
- 한국산업안전공단 건설분야 기술자료 건설2000-33-475

⟨website⟩
https://mechengineering.tistory.com/339 [기계공학 기술정보]
http://kcar.or.kr/ [한국적합성평가원]
https://slidesplayer.org/slide/11219446/ [기계공작법, 손태일]
http://www.qlight.com/kr/customer-support/technical-information/ [Qlight, 기술자료]
https://www.law.go.kr/LSW/lsSc.do?menuId=1&dt=20201211&query=%EC%82%B0%EC%97%85%EC%95%88%EC%A0%84%EB%B3%B4%EA%B1%B4%EB%B2%95&subMenuId=15#undefined [법제처]